# CBAC: TGAU
# Gwyddoniaeth

Jeremy Pollard
Adrian Schmit

Cyhoeddwyd dan nawdd
Cynllun Adnoddau Addysgu a Dysgu CBAC

HODDER
EDUCATION
AN HACHETTE UK COMPANY

*CBAC: TGAU Gwyddoniaeth*

Addasiad Cymraeg o *WJEC GCSE Science*
Noddwyd gan Lywodraeth Cymru
Cyhoeddwyd dan nawdd Cynllun Adnoddau Addysgu a Dysgu CBAC

Er y gwnaethpwyd pob ymdrech i sicrhau bod cyfeiriadau gwefannau yn gywir adeg mynd i'r wasg, nid yw Hodder Education yn gyfrifol am gynnwys unrhyw wefan y cyfeirir ati yn y llyfr hwn. Weithiau, mae'n bosibl dod o hyd i dudalen we a adleolwyd trwy deipio cyfeiriad tudalen gartref y wefan yn ffenestr LlAU (*URL*) eich porwr.

**Asesiad Risg**
Fel gwasanaeth i'n defnyddwyr, mae CLEAPSS wedi cynnal asesiad risg ar gyfer y testun hwn ac mae hwn ar gael ar gais i'r cyhoeddwyr. Fodd bynnag, nid yw'r cyhoeddwyr yn derbyn unrhyw gyfrifoldeb cyfreithiol am unrhyw fater sy'n deillio o'r asesiad risg hwn. Er bod pob ymdrech wedi'i gwneud i wirio'r cyfarwyddiadau gwaith ymarferol yn y llyfr hwn, mae'n ddyletswydd ac yn rhwymedigaeth gyfreithiol ar ysgolion i gynnal eu hasesiadau risg eu hunain.

Archebion: cysylltwch â Bookpoint Ltd, 130 Milton Park, Abingdon, Oxon OX14 4SB.
Ffôn: (44) 01235 827720. Ffacs: (44) 01235 400454. Mae'r llinellau ar agor rhwng 9.00 a 17.00 o ddydd Llun i ddydd Sadwrn, gyda gwasanaeth ateb negeseuon 24 awr. Ewch i'n gwefan yn www.hoddereducation.co.uk

Llun y clawr © PASIEKA/Science Photo Library

Darluniau gan DC Graphic Design Limited a Barking Dog Art

Teiposodwyd yn Lloegr gan DC Graphic Design Limited.

Argraffwyd yn yr Eidal

Mae cofnod catalog y teitl hwn ar gael gan y Llyfrgell Brydeinig

ISBN 978 1 444 167153

# Cynnwys

## Cydnabyddiaeth

Hoffai'r Cyhoeddwyr ddiolch i'r canlynol am roi caniatâd i atgynhyrchu deunyddiau sydd dan hawlfraint.

### Testun

**t.182** Tim Webb, allan o 'At least 1 in 10 new homes fail the energy efficiency test', *The Guardian* (14 Ebrill 2010), hawlfraint Guardian News & Media Ltd 2010, atgynhyrchwyd drwy ganiatâd y cyhoeddwr; **t.226** Robin McKie, allan o 'Is this the most radioactive place on the planet?', wedi'i addasu o *The Observer* (19 Ebrill 2009), hawlfraint Guardian News & Media Ltd 2009, atgynhyrchwyd drwy ganiatâd y cyhoeddwr; **t.243** D. Shiga, 'Found: first rocky exoplanet that could host life', wedi'i addasu o *New Scientist*, 23:34 (29 Medi 2010).

### Ffotograffau

**t.1** © Fotolia/Michael Jung; **t.5** © Fotolia/Elen; **t.13** © Mary Evans Picture Library; **t.14** *t* © Fotolia/Mark Penny, *g* © Fotolia/Siloto; **t.16** *ch* © Fotolia/Outdoorsman, *c* © Fotolia/EcoView, *d* © Fotolia/Brad Sauter; **t.19** *t* © Fotolia/Maksym Gorpenyuk, *g* © Fotolia/Daniel Mortell; **t.21** © Fotolia/Stephen Meese; **t.22** *t* © Photolibrary Wales/Margaret Price, *g* © Photolibrary Wales/Jeff Morgan; **t.24** *tch* © British Lichen Society/Mike Sutcliffe, *cch* © British Lichen Society/Mike Sutcliffe, *cc* © British Lichen Society/Mike Sutcliffe, *cd* © Fotolia/Tatjana Gupalo, *gch* © British Lichen Society/Robin Crump, *gc* © British Lichen Society/Mike Sutcliffe, *gd* © Irish Lichens/Jenny Seawright; **t.27** © Rex Features/Eye Ubiquitous; **t.28** © Fotolia/TDPhotos; **t.36** © Fotolia/Christian Musat; **t.37** *t* © Fotolia/Anderson Rise, *g* © Newspix/News Ltd/Gregg Porteous; **t.38** *t* © Alamy/Asperra Images, *g* © Science Photo Library; **t.41** *t* © Science Photo Library/Cordelia Molloy, *g* © Science Museum/SSPL; **t.44** © Science Photo Library/Philippe Psaila; **t.49** © Fotolia/Witold Kaszkin; **t.50** © The Library of Congress/Bain Collection; **t.51** *ch* © Alamy/George Chambers, *d* © Fotolia/Paul Moore; **t.53** © Science Photo Library/Photo Researchers; **t.54** © Daily Mail Syndication/John Frost Newspapers; **t.57** © Alamy/FR Sport Photography; **t.62** © Photolibrary/Peter Arnold Images/Ed Reschke; **t.64** © Alamy/Radius Images; **t.65** © Fotolia/Alexander Raths; **t.68** © SPL/Biofoto Associates; **t.80** © Getty Images/Adam Gault; **t.81** © Science Photo Library/Ria Novosti; **t.85** *t* © The Art Archive/Bibliothèque des Arts Decoratifs Paris/Dagli Orti, *g* © Getty Images/Stock Montage; **t.88** © Science Photo Library; **t.90** *t* © The Trustees of the British Museum, *g* © Mary Evans Picture Library/GROSV; **t.91** *t* © Alamy/ The Photo Library Wales/David Williams, *c* © Alamy/E C Photography, *gch* © Pictures Collection, State Library of Victoria, Australia. Unearthing the Welcome Stranger Nugget by W.Parker – Accession number: H13298-a14416-A400, *gd* © The Art Archive/Bibliothèque des Arts Decoratifs Paris/Gianne Dagli Orti; **t.92** *tch* © Science Photo Library/E.R.Degginger, *tc* © Fotolia/ Bruce, *td* © Fotolia/Jim Mills, *gch* © Science Photo Library/Dirk Wiersma, *gc* © Science Photo Library/Cordelia Molloy, *gd* © Science Photo Library/ Arnold Fisher; **t.89** *o'r top i'r gwaelod* © Science Photo Library/Biophoto Associates, © Science Photo Library/Scientifica, Visuals Unlimited, © Science Photo Library/Edward Kinsman, © Science Photo Library/Scientifica, Visuals Unlimited, © Science Photo Library/Charles D. Winters, © Alamy/Arco Images GmbH, © Science Photo Library/Scientifica, Visuals Unlimited; **t.95** © Milepost/Railphotolibrary.com; **t.99** © Alamy/ The Photolibrary Wales; **t.101** *ch* © Science Photo Library/Robert Brook, *d* © Photolibrary/John Phillips; **t.103** *t* © Fotolia/Ionescu Bogdan, *c* © Fotolia/Demarco, *g* © Fotolia/Scanrail; **t.104** *cht* © Alamy/David J. Green, *chg* © Fotolia/Small Tom, *ct* © Fotolia/Robyn Mac, *cg* © Fotolia/Dmitry Vereshchagin, *dt* © Fotolia/Ian Holland, *dg* © Science Photo Library/Shelia Terry; **t.105** © Science Photo Library/Maximilian Stock Ltd; **t.108** *tch* © Fotolia/Elen, *td* © Alamy/Graficart.net, *cch* © Alamy/John James, *cc* © Science Photo Library/Charles D. Winters, *cd* © Fotolia/Philippe Devanne, *gch* © Alamy/Phil Crean A, *gd* © Rex Features/ AGB Photo Library; **t.109** © Alamy/Peter Brogden; **t.110** *t* © Science Photo Library/ BSIP,Laurent/B.Hop Ame, *g* Fotolia/GordonSaunders; **t.106** *ch* © Alamy/studiomode, *d* © Fotolia/Studiotouch; **t.112** © Science Photo Library/ Trevor Clifford Photography; **t.113** © NASA Kennedy Space Center (NASA-KSC); **t.115** © Alamy/sciencephotos; **t.117** *t* © Fotolia/Bsilvia, *g* © Fotolia/iggyphoto; **t.120** *y ddau* © Science Photo Library/Ria Novosti; **t.121** *y ddau* © Science Photo Library/Andrew Lambert Photography; **t.127** © Science Photo Library/Nasa, *d* © Still Pictures/Peter Arnold/Ray Pfortner; **t.132** *t* © Science Photo Library/Ria Novosti, *g* © Science Photo Library/Andrew Lambert Photography; **t.135** © NASA Jet Propulsion Laboratory; **t.136** *ch* © Photo courtesy of Karl Bruun., *d* © Image courtesy of Sapphire Energy, Inc.; **t.139** © fotoLIBRA/Kevin Fitzmaurice-Brown; **t.147** *ch* © Science Photo Library/Dr Steve Gull& Dr John Fielden, *d* © Science Photo Library/Tom Van Sant/Geosphere Project, Santa Monica; **t.148** © Topfoto/The Granger Collection; **t.155** © Science Photo Library/Adam Hart-Davis; **t.157** *cht* © Fototla/Vladstar, *chg* © Alamy/Richard Levine, *c* © Science Photo Library/Victor de Schwanberg, *dt* © Science Photo Library/ Cordelia Molloy, *dg* © Alamy/Malcolm Park; **t.158** © Getty Images/Bo Tornvig; **t.159** © Alamy/Paul Glendell; **t.160** © Alamy/dbphots; **t.161** © International Power/Jeff Jones; **t.162** © Alamy/Paul Glendell; **t.163** © Corbis/Andrew Aitchison/In Pictures.; **t.167** © Fotolia/Deanm1974; **t.168** © Mike Vetterlein; **t.172** *t* © Fotolia/Richard Cote, *g* © Alamy/Rami Aapasuo; **t.173** © Alamy/Ange; **t.174** *pob* llun drwy garedigrwydd Ampair Energy Ltd.; **t.176** *t* © Institution of Mechanical Engineers, *g* © Fotolia/Richard Cote; **t.177** © Getty Images/Francois Durand; **t.178** © Alamy/ Phil Broom; **t.179** *tch* © Fotolia/Tyler Olson, *td* © Fotolia/Cpauschert, *gch* © Alamy/Ron Chapple Stock, *gd* © Fotolia/Sreedhar Yedlapati; **t.182** © Science Photo Library/Tony McConnell; **t.183** © Topfoto/Topham Picturepoint; **t.190** © Fotolia/Magann; **t.195** © Science Photo Library/ Martyn F. Chillmaid; **t.197** © Alamy/Stocktrek Images; **t.198** *t* © Alamy/redbrickstock.com/Andrew Sheild, *g* © Alamy/Simon Burt; **t.199** © Science Photo Library/Lionel Bret/Eurelios; **t.204** *cht* © Science Photo Library/NOAO, *chc* © NASA Jet Propulsion Laboratory, *chg* © Science Photo Library/Dr Leon Golub, *d* © Fotolia/SpaceHiker; **t.205** © ESA/SPIRE/PACS/P. AndrŽ; **t.206** © Science Photo Library/Julian Baum; **t.207** *t* © ESA/AOES Medialab, *c* © Science Photo Library/NASA/JPL-Caltech/J.Hora( Harvard-Smithsonian CfA), *g* © Alamy/Ashley Cooper; **t.208** *c* © Alamy/Dirk v. Mallinckrodt, *gch* © Science Photo Library/Royal Observatory, Edinburgh/AAO, *gd* © Science Photo Library/NASA/JPL/CALTECH; **t.209** *tch* © Science Photo Library/NASA, *tc* © Science Photo Library/Sinclair Stammers, *td* © Science Photo Library/Dr P Marazzi, *g* © Science Photo Library/Detlev Van Ravenswaay; **t.210** *t* © Science Photo Library/Maximilian Stock Ltd., *cch* © NASA/Swift/Stefan Immler, *cd* © NASA E/ PO, Sonoma State University, Aurore Simonnet; **t.211** *t* © Science Photo Library/Stevie Grand, *g* © Science Photo Library/Prof.J. Leveille; **t.213** *tch* © FLIR systems Inc., *td* © FLIR systems Inc., *g* © Getty Images/Keith D McGrew/US Army; **t.214** *ch* © Science Photo Library/Tony McConnell, *d* © Getty Images/Sonny Tumbelaka; **t.215** © Empics Sports Photo Agency; **t.218** © Photolibrary/Cultura/Tim Hall, *g* © Photolibrary/Andrew Watson; **t.219** © Science Photo Library/Mikki Rain; **t.222** © Fotolia/Goldenangel; **t.223** © Rex Features; **t.224** © Fotolia/Jane Songhurst; **t.226** *ch* © Alamy/Robert Brook, *d* © Getty Images/Steve Allen; **t.228** © Getty Images/Timur Grib; **t.230** © Science Photo Library/Martin Dohrn; **t.232** © Science Photo Library/Gustoimages; **t.238** © Getty Images/Odd Andersen/AFP; **t.241** © Touchstone/Spyglass/The Kobal Collection; **t.242** © Science Photo Library/NASA; **t.244** *t* © Fotolia/Stephane Benito, *g* © Fotolia/The Supe87; **t.248** © Bibliothèque de l'Observatoire de Paris; **t.251** © Science@NASA; **t.252** *t* © NASA/ESA/S. Beckwith(STScI) and The HUDF Team, *g* © NASA; **t.253** © Science Photo Library/Emilio Serge Visual Archives/American Institute of Physics; **t.256** *t* © Science Photo Library, *ch* © Science Photo Library/Science Source, *d* © Science Photo Library/N.A. Sharp,NOAO/NSO/Kitt Peak FTS/AURA/NSF; **t.257** *t* © Getty Images/Science & Society Picture Library, *g* © Science Photo Library/Royal Astronomical Society; **t.260** © Science Photo Library/Physics Today Collection/ American Institute of Physics; **t.261** © NASA/WMAP Science Team.

*t* = top, *g* = gwaelod, *ch* = chwith, *d* = de, *c* = canol

Gwnaethpwyd pob ymdrech i olrhain pob deiliad hawlfraint, ond os oes unrhyw rai wedi'u hesgeuluso'n anfwriadol bydd y Cyhoeddwr yn barod i wneud y trefniadau priodol ar y cyfle cyntaf.

# Rhagarweiniad

Mae'r llyfr hwn wedi'i gynhyrchu i gefnogi'r fanyleb newydd, TGAU Gwyddoniaeth 2011. Er bod llawer o gynnwys y fanyleb yn aros yr un fath, mae'r cwrs newydd, ac felly'r llyfr hwn, yn rhoi llawer mwy o bwyslais ar 'Sut mae Gwyddoniaeth yn Gweithio'. Bydd disgwyl hefyd i ymgeiswyr allu egluro cysyniadau gwyddonol yn glir. Mae llawer o'r ymarferion yn y llyfr hwn wedi'u cynllunio i ddatblygu a phrofi'r ddau beth hyn.

## 'Sut mae Gwyddoniaeth yn Gweithio'

Mae 'Sut mae Gwyddoniaeth yn Gweithio' yn cynnwys deall y dulliau y mae gwyddonwyr yn eu defnyddio i ymchwilio i broblemau, gan gynnwys cynllunio arbrofion, asesu risg, mesur yn ofalus, cyflwyno a dadansoddi canlyniadau, a gwerthuso'r dulliau sy'n cael eu defnyddio. Mae hefyd yn cynnwys deall sut mae syniadau gwreiddiol yn troi'n ddamcaniaethau safonol neu'n cael eu gwrthod o ganlyniad i dystiolaeth newydd. Mae angen ystyried materion moesegol hefyd, wrth i wyddoniaeth wneud pethau y bydd rhai pobl yn eu gweld yn annerbyniol am resymau moesol yn hytrach na rhesymau gwyddonol. Mae'r ymarferion a'r cwestiynau yn y llyfr hwn yn canolbwyntio'n arbennig ar sgiliau ymholi gwyddonol ac ar agweddau cyffredinol ar 'Sut mae Gwyddoniaeth yn Gweithio'.

## Sgiliau cyfathrebu

Mae cyfathrebu'n hanfodol bwysig ym myd gwyddoniaeth. Does dim pwynt gallu deall natur problem wyddonol (neu'r ateb i'r broblem) os na allwch chi ei hegluro i bobl eraill. Mae rhai materion gwyddonol wedi cael eu camddeall gan y cyhoedd oherwydd i'r ffeithiau gael eu hegluro'n wael, naill ai gan wyddonwyr eu hunain neu gan y cyfryngau. Bydd y TGAU Gwyddoniaeth newydd yn profi sgiliau cyfathrebu ymgeiswyr, ac ni fydd gwybod y ffeithiau'n unig yn ddigon mwyach. Bydd yr arholiadau'n cynnwys cwestiynau sy'n mynnu gwaith ysgrifennu estynedig, ac mae ymarferion yn y llyfr sy'n rhoi cyfleoedd i ddatblygu ac i ymarfer sgiliau o'r fath.

## Sut i ddefnyddio'r llyfr hwn

Mae cynnwys TGAU Gwyddoniaeth CBAC yn cael sylw llawn yn y llyfr hwn, a hynny ar lefelau Sylfaenol ac Uwch. Hefyd, mae llawer o ymarferion o dan y categorïau canlynol:

### Gwaith ymarferol

Mae'r ymarferion ymarferol wedi'u dewis i'ch helpu chi i ddeall cysyniadau, ond maen nhw hefyd yn cynnwys cwestiynau sy'n canolbwyntio ar y sgiliau ymholi gwyddonol sydd mor bwysig i lwyddo mewn TGAU.

### Tasgau

Mae'r tasgau yn ymarferion sydd fel rheol yn cynnwys defnyddio gwybodaeth a data ail law nad ydyn nhw ar gael mewn labordy ysgol, ynghyd â chwestiynau sy'n ystyried pethau fel cynllunio arbrofion, dadansoddi data a phenderfynu pa mor gryf yw'r dystiolaeth.

### Cwestiynau

Mae'r cwestiynau wedi'u gwasgaru drwy'r llyfr i brofi dealltwriaeth o gysyniadau ac o sut i gymhwyso'r cysyniadau hynny. Dydym ni ddim wedi cynnwys cwestiynau o bapurau arholiadau'r gorffennol am resymau'n ymwneud â lle ond hefyd oherwydd y bydd papurau arholiad y fanyleb newydd yn edrych yn eithaf gwahanol i rai'r gorffennol. Mae'n bosibl llwytho papurau'r gorffennol i lawr, os oes eu hangen, o wefan CBAC.

## Pwyntiau trafod

Mae pwynt trafod yn fath o gwestiwn y gallai unigolyn ei ateb, ond byddai o fantais ei drafod mewn grŵp neu o dan arweiniad athro. Yn aml bydd mwy nag un farn neu ateb posibl yn cael eu cynnig.

## I athrawon

Mae deunydd cyfarwyddyd a chymorth i athrawon sydd â dosbarthiadau sy'n defnyddio'r gwerslyfr hwn ar gael ar wefan CBAC sef http://www.cbac.co.uk/gwyddoniaethtgau.

## Haenau

Mae bar gwyrdd wrth ochr testun, cwestiynau a ffigurau yn dynodi deunydd Haen Uwch. Mae deunydd heb far gwyrdd yn ofynnol i fyfyrwyr Haen Sylfaenol a Haen Uwch.

# 1

# Sgiliau ymholi gwyddonol

## Dim ond dysgu ffeithiau – onid dyna beth yw gwyddoniaeth?

Mae gwyddoniaeth yn fwy na dysgu llawer o ffeithiau. Mae'n cynnwys gofyn cwestiynau am y byd o'n hamgylch a cheisio dod o hyd i'r atebion. Weithiau gallwn ni ganfod yr atebion hyn drwy arsylwi gofalus. Weithiau mae angen i ni roi prawf ar ateb posibl ('**rhagdybiaeth**') drwy gynnal **arbrawf**. Serch hynny, mae ffeithiau'n ddefnyddiol. Mae angen i ni wybod a yw rhywun arall eisoes wedi darganfod yr ateb rydym ni'n chwilio amdano. (Os felly, does dim pwynt gwneud arbrawf i'w ganfod eto – oni bai ein bod ni eisiau gwirio bod yr ateb yn gywir.) Hefyd gall ffeithiau gwyddonol ein helpu i gynnig rhagdybiaeth.

Dydy gwyddonwyr ddim yn eistedd o gwmpas yn dysgu ffeithiau. Maen nhw'n defnyddio'r ffeithiau sy'n gyfarwydd iddynt, neu ffeithiau y gallan nhw eu canfod drwy ymchwilio, er mwyn gofyn cwestiynau, cynnig atebion a chynllunio arbrofion. Proses ymholi yw gwyddoniaeth, ac i fod yn dda mewn gwyddoniaeth rhaid i chi ddeall a datblygu sgiliau ymholi arbennig.

## Sut mae gwyddoniaeth yn gweithio?

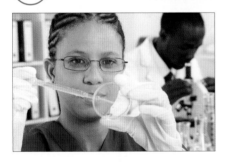

**Ffigur 1.1** Mae gwyddoniaeth yn golygu cynnal arbrofion a gwneud arsylwadau er mwyn canfod yr atebion i gwestiynau.

Mae 'gwneud' gwyddoniaeth ac ateb cwestiynau gwyddonol yn eithaf cymhleth ac amrywiol. Ar y dudalen nesaf, fe welwch chi siart llif sy'n dangos y ffyrdd y bydd gwyddonwyr yn ymchwilio i bethau. Dydy pob cwestiwn ddim yn cynnwys *pob un* o'r camau hyn. Mae'r siart llif yn dangos chwe maes sgìl y mae angen i wyddonwyr eu datblygu:

1 y gallu i ofyn cwestiynau gwyddonol ac i awgrymu rhagdybiaethau
2 sgiliau cynllunio arbrofion
3 sgiliau ymarferol trin cyfarpar
4 asesu risg
5 y gallu i gyflwyno data'n glir a'u dadansoddi'n gywir (trin data)
6 sgiliau cyfathrebu.

Bydd y sgiliau hyn yn cael sylw yn y bennod hon. Mae'n hanfodol bod gwyddonwyr yn eu meistroli.

## Sut rydw i'n gofyn cwestiwn 'gwyddonol'?

Weithiau gallwch chi ofyn cwestiwn, ond does dim gobaith cael ateb cwbl bendant i'r cwestiwn hwnnw. Edrychwch ar y cwestiynau hyn:

- Oes Duw?
- Beth fyddai'r ffordd orau o wario gwobr loteri o £10 000 000?
- Pwy yw'r arlunydd gorau erioed?
- Ydy Caerdydd yn lle brafiach na Llundain?

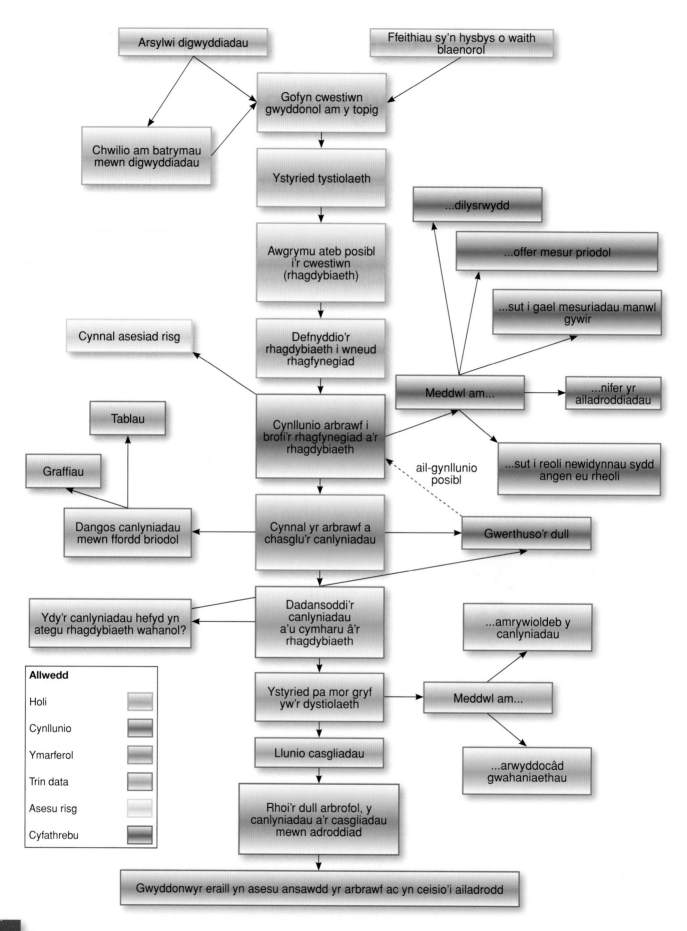

Arsylwi digwyddiadau

Ffeithiau sy'n hysbys o waith blaenorol

Gofyn cwestiwn gwyddonol am y topig

Chwilio am batrymau mewn digwyddiadau

Ystyried tystiolaeth

...dilysrwydd

...offer mesur priodol

Awgrymu ateb posibl i'r cwestiwn (rhagdybiaeth)

...sut i gael mesuriadau manwl gywir

Defnyddio'r rhagdybiaeth i wneud rhagfynegiad

Cynnal asesiad risg

Meddwl am...

...nifer yr ailadroddiadau

Tablau

Cynllunio arbrawf i brofi'r rhagfynegiad a'r rhagdybiaeth

...sut i reoli newidynnau sydd angen eu rheoli

Graffiau

ail-gynllunio posibl

Dangos canlyniadau mewn ffordd briodol

Cynnal yr arbrawf a chasglu'r canlyniadau

Gwerthuso'r dull

Ydy'r canlyniadau hefyd yn ategu rhagdybiaeth wahanol?

Dadansoddi'r canlyniadau a'u cymharu â'r rhagdybiaeth

...amrywioldeb y canlyniadau

Ystyried pa mor gryf yw'r dystiolaeth

Meddwl am...

Llunio casgliadau

...arwyddocâd gwahaniaethau

Rhoi'r dull arbrofol, y canlyniadau a'r casgliadau mewn adroddiad

**Allwedd**

Holi

Cynllunio

Ymarferol

Trin data

Asesu risg

Cyfathrebu

SGILIAU YMHOLI GWYDDONOL

Gwyddonwyr eraill yn asesu ansawdd yr arbrawf ac yn ceisio'i ailadrodd

**Ffigur 1.2** Model o sut mae gwyddonwyr yn gweithio.

2

Dydy'r rhain ddim yn gwestiynau gwyddonol. Mater o ffydd yw credu neu beidio â chredu mewn Duw, a dydym ni ddim yn gallu profi hyn yn wyddonol. Mae pob un o'r cwestiynau eraill yn gymhleth ac yn agored i fwy nag un farn. Ar y llaw arall, gall fod yn bosibl ateb cwestiynau gwyddonol drwy arbrofion.

Beth am i ni ystyried cwestiwn arall?

■ Sut gallaf wneud i'r planhigion yn fy nhŷ gwydr dyfu'n well?

Mae hwn yn gwestiwn gwyddonol, ond dydy e ddim yn un da iawn. Mae'n bosibl ei ateb drwy arbrofi, ond byddai'n rhaid cynnal llawer o arbrofion gan fod llawer o ffactorau (a chyfuniadau ohonynt) sy'n effeithio ar dwf planhigion. Byddai cwestiwn mwy penodol yn well. Er enghraifft:

■ Beth yw effaith y tymheredd yn fy nhŷ gwydr ar dwf y planhigion sydd ynddo?

Mae'n bosibl canfod yr ateb i hyn drwy roi'r planhigion mewn tymereddau gwahanol. Byddai hyd yn oed yn well nodi un math arbennig o blanhigyn, gan na fydd y tymheredd o bosibl yn cael yn union yr un effaith ar bob planhigyn yn y tŷ gwydr.

> ## CWESTIWN
>
> 1 Ceisiwch feddwl am *un* cwestiwn gwyddonol am rywbeth yn y byd o'ch amgylch. Mae dwy reol i'r cwestiwn hwn:
> - Dydych chi ddim yn gwybod yr ateb yn barod.
> - Dydych chi ddim yn gallu dod o hyd i'r ateb drwy holi eich ffrindiau neu'ch teulu na drwy chwilio amdano mewn llyfrau neu ar y rhyngrwyd. Rhaid i chi gynnal rhyw fath o arbrawf i ddod o hyd i'r ateb.

## Sut rydw i'n cynllunio arbrawf?

Bydd arbrawf da'n rhoi ateb i'ch cwestiwn, neu o leiaf yn rhoi gwybodaeth a fydd yn golygu eich bod yn agosach at gael ateb. Os oes gennych chi ragdybiaeth, bydd yr arbrawf yn rhoi tystiolaeth i'ch helpu i benderfynu a yw'r rhagdybiaeth yn gywir neu'n anghywir (hyd yn oed os nad yw'n *profi*'r rhagdybiaeth mewn gwirionedd). Rydym ni'n galw arbrofion fel hyn yn arbrofion **dilys**. Os oes unrhyw ddiffygion mawr yng nghynllun yr arbrawf, mae'n debygol na fydd yn ddilys.

Dau o'r pethau pwysicaf sy'n sicrhau bod arbrawf yn ddilys yw **manwl gywirdeb** a **thegwch**. Os yw'n brawf teg, ac os yw eich canlyniadau'n fanwl gywir, rydych chi'n fwy tebygol o gael yr ateb 'cywir'.

## SUT RYDW I'N SICRHAU BOD PRAWF YN DEG?

Y ffordd orau o ddangos hyn yw drwy ddefnyddio enghraifft. Dychmygwch brawf i weld sut mae buanedd car yn effeithio ar ei bellter brecio. Dewch i ni feddwl am yr holl newidynnau ar wahân i fuanedd a allai effeithio ar bellter brecio. Gallai'r pethau canlynol effeithio ar y pellter:

- y car (efallai fod breciau rhai ceir yn fwy effeithlon)
- y teiars (mae gwell gafael gan rai teiars)
- pwy sy'n gyrru (efallai fod rhai pobl yn ymateb yn gynt)
- cyflwr y ffordd (mae ffyrdd gwlyb neu rewllyd yn fwy llithrig)
- y math o signal sy'n dweud wrth y gyrrwr am frecio (gallai fod yn haws sylwi ar un signal na'r llall)
- goleddf y ffordd (byddwch yn stopio'n gynt wrth fynd i fyny bryn)
- faint o'r gloch/pa mor olau yw hi (gallai fod yn fwy anodd sylwi ar y signal i stopio os yw hi'n dywyll, oni bai mai signal sain ydyw)
- sawl gwaith mae'r gyrrwr wedi gwneud y prawf (efallai y byddai'n ymateb yn gynt gyda mwy o ymarfer).

Er mwyn i'r prawf fod yn deg, rhaid i ni geisio sicrhau nad oes dim un o'r pethau hyn yn effeithio ar yr arbrawf – felly byddech chi'n defnyddio'r un car (gyda'r un teiars), yr un gyrrwr, yr un darn o ffordd dan yr un amodau, a'r un signal i stopio bob tro.

Mae'r ddau newidyn olaf yn y rhestr yn ddiddorol. Os mai *sain* yw'r signal, dydy lefel y golau ddim yn berthnasol a does dim rhaid ei reoli – does dim angen rheoli newidyn sy'n cael dim effaith. Yr unig newidynnau y byddwn ni'n eu rheoli yw newidynnau sy'n debygol o effeithio ar y canlyniad. Does dim modd rheoli'r newidyn olaf ar y rhestr. Os ydych chi'n defnyddio'r un gyrrwr bob tro, mae'n siŵr o gael 'ymarfer' stopio. Yn yr achos hwn, mae'n annhebygol y byddai hyn yn cael llawer o effaith, ond byddech chi'n cadw hyn mewn golwg wrth ddadansoddi'r canlyniadau, ac yn chwilio am effeithiau amlwg.

Dychmygwch eich bod chi eisiau darganfod ai bechgyn neu ferched yw'r gorau am ddal pêl. Byddai angen i chi sicrhau mai dim ond rhyw y person allai achosi unrhyw effaith.

1 Pa newidynnau, ar wahân i ryw, allai effeithio ar hyn ac y byddai angen eu rheoli?
2 Oes unrhyw rai o'r rhain na allwch chi eu rheoli? Os felly, ydy hynny'n golygu bod yr arbrawf yn wastraff amser llwyr?

## Sut rydw i'n gofalu bod fy mesuriadau'n fanwl gywir?

Rydym ni'n diffinio mesuriadau manwl gywir fel rhai sydd mor agos â phosibl at y 'gwir' werth. Y broblem yw nad ydym ni'n gwybod yn union beth yw'r gwir werth! Felly mae'n amhosibl bod yn sicr bod mesuriad yn fanwl gywir. Yr unig beth y gallwn ni ei wneud yw gofalu nad oes diffyg manwl gywirdeb amlwg.

Dylai unrhyw offeryn neu ddyfais mesur fod mor fanwl gywir â phosibl. Fel arfer, mae'n syniad da defnyddio offeryn mesur sydd â **chydraniad uchel** (*high resolution*).

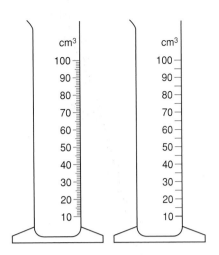

**Ffigur 1.3** Mae'r silindr mesur ar y chwith yn fwy manwl gywir (h.y. rhaniadau llai) na'r un ar y dde.

Gall diffyg manwl gywirdeb ddigwydd oherwydd nad yw'r unedau mesur yn drachywir. Wrth fesur nwy, er enghraifft, ni fydd cyfrif swigod yn rhoi ateb manwl gywir gan na fydd y swigod i gyd yr un maint. Felly gall 25 swigen mewn un achos gynnwys mwy o nwy na 30 o swigod mewn achos arall, os yw'r set gyntaf o swigod yn cynnwys mwy o swigod mawr.

Gall diffyg manwl gywirdeb hefyd ddigwydd o ganlyniad i wall dynol sy'n cael ei achosi gan y dull mesur. Os ydych chi'n amseru newid lliw, er enghraifft, mae'n aml yn anodd mesur *yn union* pryd mae'r lliw'n newid, gan ei bod yn broses raddol.

Mae manwl gywirdeb y rhan fwyaf o fesuriadau'n llai na 100%. Mae hyn yn dderbyniol ar yr amod nad yw'r anghywirdeb mor fawr fel bod cymharu'r mesuriadau gwahanol yn annilys.

Yn y senario 'cyfrif swigod' uchod, er enghraifft, os oes gennych chi ddau ddarlleniad o 86 swigen a 43 swigen, er bod diffyg manwl gywirdeb, mae'r gwahaniaeth mor fawr fel nad yw'r anghywirdeb yn bwysig. Fodd bynnag, os bydd gennych chi ddau ddarlleniad o 27 a 32 swigen, allwch chi ddim dweud yn hyderus bod yr ail ddarlleniad mewn gwirionedd yn fwy na'r un cyntaf.

**Ffigur 1.4** Mae'r llun hwn yn dangos faint o amrywiaeth sydd ym maint y swigod. Felly, dydy 'un swigen' ddim yn gallu rhoi mesuriad manwl gywir o gyfaint nwy.

# Pam mae gwyddonwyr yn ailadrodd arbrofion?

Mae unrhyw ganlyniadau gwyddonol yn amrywio i ryw raddau, ac weithiau maen nhw'n amrywio'n fawr. Edrychwch ar y ddwy set o ganlyniadau isod.

Tabl 1.1 Nifer y clipiau papur sy'n cael eu codi gan electromagnet.

|  | Arbrawf 1 | Arbrawf 2 | Arbrawf 3 | Arbrawf 4 | Arbrawf 5 | Cyfartaledd |
|---|---|---|---|---|---|---|
| Nifer y clipiau sy'n cael eu codi | 4 | 5 | 4 | 4 | 5 | 4.4 |

Tabl 1.2 Cyfaint y nwy sy'n cael ei gynhyrchu mewn un munud gan gelloedd burum yn resbiradu.

|  | Arbrawf 1 | Arbrawf 2 | Arbrawf 3 | Arbrawf 4 | Arbrawf 5 | Cyfartaledd |
|---|---|---|---|---|---|---|
| Cyfaint y nwy ($cm^3$) | 8 | 25 | 13 | 28 | 21 | 19.0 |

Dydy'r set gyntaf o ganlyniadau ddim yn amrywio o gwbl bron, ond mae'r ail set yn amrywiol iawn. Yn yr arbrawf burum, mae'n ymddangos bod y canlyniad cyntaf yn eithaf anarferol (rydym ni'n ei alw'n afreolaidd (*anomalous*)). Heb ailadrodd y darlleniadau, byddai'r canlyniadau'n bell o fod yn fanwl gywir. Hyd yn oed ar ôl pum darlleniad, allwn ni ddim bod yn siŵr bod y cyfartaledd yn fanwl gywir gan fod y canlyniadau mor amrywiol.

Yn arbrawf yr electromagnet, fodd bynnag, byddai cymryd y canlyniad cyntaf yn unig heb ei ailadrodd yn eithaf manwl gywir, gan nad yw'r canlyniadau'n amrywio llawer o gwbl (ond wrth gwrs mae angen i ni ailadrodd yr arbrawf sawl gwaith i ddarganfod hynny).

Felly, does dim angen llawer o ailadroddiadau pan mae'r canlyniadau'n gyson, ond y mwyaf amrywiol yw'r canlyniadau yna'r mwyaf o ailadroddiadau sydd eu hangen.

# Beth yw'r ffordd orau o gyflwyno canlyniadau?

Pan mae gwyddonwyr yn cofnodi eu canlyniadau, mae'n bwysig eu bod yn gwneud hyn mewn ffordd sy'n glir i unrhyw un sy'n darllen eu hadroddiad. Yn gyffredinol, caiff canlyniadau eu cyflwyno mewn tablau ac fel rheol mewn rhyw fath o graff neu siart.

## Tablau

Mae tabl yn ffordd o drefnu data fel bod y data'n glir ac fel nad oes rhaid i'r darllenydd chwilio am y data yn y testun. Os oes rhaid i chi edrych ar y dull i weld beth yw ystyr y tabl, dydy'r tabl ddim yn gwneud ei waith.

- Rhaid i dablau gynnwys penawdau clir.
- Os oes unedau i'r mesuriadau, dylid dangos y rhain ym mhenawdau'r colofnau.
- Rhaid i resi a cholofnau tablau fod mewn trefn resymegol.

CWESTIWN

2 Mae'r tabl hwn yn dangos faint o garbon deuocsid sy'n cael ei gynhyrchu bob munud pan mae asid hydroclorig yn cael ei adweithio â charbonad ar wahanol dymereddau. Dydy'r tabl ddim yn bodloni'r meini prawf ar dudalen 6 yn llawn, a gallai fod wedi'i wneud yn well.

| Tymheredd | Arbrawf 1 | Arbrawf 2 | Arbrawf 3 |
|-----------|-----------|-----------|-----------|
| 20 | 12 $cm^3$ | 14 $cm^3$ | 16 $cm^3$ |
| 40 | 43 $cm^3$ | 49 $cm^3$ | 41 $cm^3$ |
| 50 | 79 $cm^3$ | 75 $cm^3$ | 82 $cm^3$ |
| 30 | 22 $cm^3$ | 22 $cm^3$ | 27 $cm^3$ |
| 60 | 142$cm^3$ | 138 $cm^3$ | 150 $cm^3$ |

Ail-luniwch y tabl hwn fel y bydd yn bodloni'r meini prawf ar gyfer tabl o ansawdd da.

siart bar

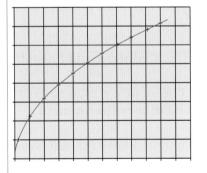

graff llinell

siart cylch

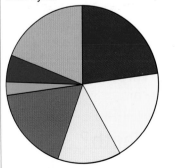

**Ffigur 1.5** Mae nifer o wahanol ffyrdd o ddangos data.

## Graffiau a siartiau

Mae nifer o wahanol fathau o graffiau a siartiau, ond y tri math a ddefnyddir amlaf yw siartiau bar, graffiau llinell a siartiau cylch.

- Caiff **siartiau bar** eu defnyddio pan mae'r gwerthoedd ar yr echelin *x* yn **newidyn arwahanol** (*discrete* neu *discontinuous variable*), (dim gwerthoedd rhyngol), e.e. misoedd y flwyddyn, lliw llygaid ac ati.
- Caiff **graffiau llinell** eu llunio pan mae'r echelin *x* yn **newidyn di-dor** (mae unrhyw werth yn bosibl), e.e. amser, pH, crynodiad ac ati.
- Caiff **siartiau cylch** eu defnyddio i ddangos cyfansoddiad rhywbeth. Mae pob adran yn cynrychioli canran o'r cyfan.

Mae siartiau bar a graffiau llinell yn dangos patrymau neu dueddiadau'n fwy eglur na thabl. Unwaith eto dylai'r graff ddangos popeth sydd ei angen i nodi'r duedd, heb fod disgwyl i'r defnyddiwr ddarllen drwy'r dull.

Rhaid i siart bar neu graff llinell o ansawdd da gynnwys y pethau canlynol:

- teitl
- dwy echelin wedi'u labelu'n glir gydag unedau os yw hynny'n briodol
- graddfa 'synhwyrol' a hawdd ei darllen ar gyfer y ddwy echelin
- defnyddio cymaint â phosibl o'r lle sydd ar gael ar gyfer y raddfa (heb ei wneud yn anodd ei darllen)
- echelinau yn y drefn gywir. Os yw un ffactor yn 'achos' a'r llall yn 'effaith' dylai'r achos (y **newidyn annibynnol**) fod ar yr echelin *x* a dylai'r effaith (y **newidyn dibynnol**) fod ar yr echelin *y*. Weithiau, dydy'r berthynas ddim yn un 'achos ac effaith' a gall yr echelinau fod y naill ffordd neu'r llall
- data wedi'u plotio'n fanwl gywir
- os bydd mwy nag un set o ddata'n cael eu plotio dylai'r setiau fod wedi'u gwahaniaethu'n eglur, gydag allwedd i ddangos pa set yw pa un
- mewn graff llinell, os yw'r data'n dilyn tuedd glir, dylid defnyddio **llinell ffit orau** i ddangos hyn. Os nad oes tuedd glir, dylid uno'r pwyntiau â llinellau syth, neu eu gadael heb eu huno.

## Sut rydw i'n dadansoddi canlyniadau?

Fel rheol, caiff canlyniadau eu dadansoddi am un o dri rheswm:

1  I ganfod perthynas rhwng dau neu fwy o ffactorau.
2  I benderfynu a yw'n debygol bod rhagdybiaeth yn gywir.
3  I helpu i greu rhagdybiaeth.

### Perthynas

Y ffordd gliriaf o ddangos perthynas yw defnyddio graff llinell. Mae cyfeiriad graddiant (neu ddiffyg graddiant) y llinell yn dangos y math o berthynas. Gall rhai graffiau gynnwys dau neu fwy o wahanol fathau o raddiant.

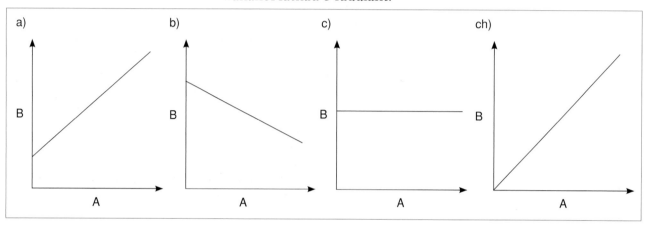

**Ffigur 1.6**  Gall graffiau llinell ddangos gwahanol berthnasau rhwng y newidynnau.

Pan mae'r llinell ar raddiant tuag i fyny (Ffigur 1.6a), mae'n dangos bod B yn cynyddu wrth i A gynyddu. **Cydberthyniad positif** yw'r enw ar hyn.

Pan mae'r llinell ar raddiant tuag i lawr (Ffigur 1.6b), mae'n dangos bod B yn lleihau wrth i A gynyddu. **Cydberthyniad negatif** yw'r enw ar hyn.

Os yw'r llinell yn llorweddol (Ffigur 1.6c), mae'n golygu nad oes perthynas rhwng gwerthoedd A a B, a bod **dim cydberthyniad** rhwng y newidynnau.

Os yw'r graff yn ffurfio llinell syth sy'n mynd drwy'r tarddbwynt (Ffigur 1.6ch), mae **perthynas gyfrannol** rhwng A a B.

Os oes perthynas rhwng dau ffactor dydy hynny ddim yn golygu o reidrwydd mai un o'r ffactorau hynny sy'n *achosi*'r berthynas. Os yw B yn cynyddu wrth i A gynyddu, dydy hynny ddim yn golygu mai'r cynydd yn A sy'n *gwneud* i B gynyddu.

Gall perthynas awgrymu rhagdybiaeth neu gefnogi rhagdybiaeth, ond er mwyn llunio casgliad cadarn, rhaid i chi benderfynu pa mor gryf yw'r dystiolaeth y mae'r data'n ei rhoi i chi.

## Sut rydw i'n penderfynu pa mor gryf yw'r dystiolaeth?

I fod yn hyderus bod eich casgliad yn gywir, mae angen tystiolaeth gryf arnoch chi. Dydy tystiolaeth wan ddim yn golygu bod eich casgliad yn anghywir, ond mae'n golygu na allwch chi fod mor siŵr ei fod yn gywir.

I benderfynu pa mor gryf yw'r dystiolaeth, mae angen i chi ofyn rhai cwestiynau penodol.

1 **Pa mor newidiol oedd y canlyniadau?** Y mwyaf o amrywiad sydd yng nghanlyniadau'r ailadroddiadau, y gwannaf fydd y dystiolaeth.

2 **Wnaethoch chi ddigon o ailadroddiadau? Oedd y sampl yn ddigon mawr?** Gall hyd yn oed canlyniadau newidiol roi tystiolaeth dda os yw nifer yr ailadroddiadau neu faint y sampl yn ddigon mawr. Mae angen i chi fod yn sicr nad yw eich canlyniadau'n rhai 'rhyfedd'. Dydy canlyniadau rhyfedd ddim yn digwydd yn aml iawn, felly mae llawer o ailadroddiadau, neu sampl mawr, yn golygu y cewch chi ddarlun cyffredinol mwy manwl gywir o beth sy'n digwydd.

3 **Oedd unrhyw wahaniaethau'n arwyddocaol?** Gall gwahaniaethau bach ddigwydd oherwydd siawns, oherwydd yn aml ni all mesuriadau gwyddonol fod yn berffaith fanwl gywir. Weithiau, bydd hi'n amlwg bod gwahaniaethau'n arwyddocaol neu ddim yn arwyddocaol. Os nad yw hi'n amlwg, gall gwyddonwyr gynnal profion ystadegol i fesur pa mor arwyddocaol yw gwahaniaeth.

4 **Oedd y dull yn ddilys?** Mae diffygion yn y dull (er enghraifft, mesur mewn ffyrdd sydd ddim yn fanwl gywir, newidynnau na allwch chi eu rheoli) yn lleihau cryfder y dystiolaeth. Gall diffygion mawr olygu bod y casgliadau'n gwbl annibynadwy.

## Pam mae gwyddonwyr yn cyhoeddi eu canlyniadau?

Does dim ots pa mor dda yw arbrawf, na pha mor bendant yw'r canlyniadau, dydy gwyddonwyr ddim yn derbyn unrhyw gasgliadau nes i wyddonwyr eraill astudio beth wnaeth y gwyddonwyr gwreiddiol ac edrych ar eu canlyniadau. Mae hon yn ffordd o wirio bod yr arbrawf a'r canlyniadau'n ddilys. Mae angen hefyd i bobl eraill ailadrodd yr arbrawf i weld a ydyn nhw'n cael yr un canlyniadau (**cadarnhau** yw'r enw ar hyn). Mae'n bwysig iawn bod gan wyddonwyr sgiliau cyfathrebu ysgrifenedig da er mwyn i bobl eraill allu deall eu harbrofion.

## Pam mae angen asesiadau risg?

Mae angen asesiad risg ar bob arbrawf gwyddoniaeth. Mae llawer o arbrofion yn defnyddio sylweddau neu gyfarpar sy'n gallu niweidio'r person sy'n cynnal yr arbrawf. Caiff asesiadau risg eu cynnal er mwyn i'r arbrofwr fod yn ymwybodol o unrhyw beryglon cyn dechrau. Maen nhw hefyd yn cynnig cyngor am ffyrdd o osgoi risgiau.

Mae asesiad risg da'n gwneud y canlynol:

- Mae'n canfod pob **perygl**.
- Mae'n canfod y **risgiau** sy'n gysylltiedig â'r peryglon hynny.
- Mae'n rhoi rhyw syniad o ba mor debygol yw pob risg o ddigwydd.
- Mae'n nodi **rhagofalon** a fydd yn lleihau neu'n osgoi'r risg.

Perygl yw rhywbeth a allai fod yn niweidiol. Gall hwn fod yn gemegyn neu'n ddarn o gyfarpar. Wrth nodi perygl, dylech chi egluro natur y perygl hefyd. Er enghraifft, peidiwch ag enwi 'asid hydroclorig' yn unig , ond rhowch 'mae asid hydroclorig yn gyrydol a gall niweidio'r llygaid a'r croen'.

Risg yw'r weithred a allai wneud i'r perygl achosi niwed. Mae asid hydroclorig gwanedig mewn potel ar y fainc yn berygl, ond dydy e ddim yn risg. Mae'n annhebygol y bydd ei arllwys i ficer yn risg gan nad oes tebygolrwydd arwyddocaol y bydd yn mynd i'ch llygaid, a hyd yn oed os cewch chi asid gwanedig ar eich croen ni fydd yn achosi niwed. Os yw'r asid yn grynodedig, bydd ei arllwys i ficer yn risg oherwydd gall losgi eich croen drwy redeg i lawr ochr y botel ac ar eich dwylo. Fodd bynnag, mae yna risg o gael asid hydroclorig gwanedig yn eich llygaid oddi ar eich dwylo.

Wrth ddefnyddio asid hydroclorig gwanedig yn y cyd-destun hwn, felly, dylai'r rhagofal ddweud: 'Dylech chi osgoi cael asid ar eich dwylo. Os gwnewch chi hynny, peidiwch â chyffwrdd eich llygaid a golchwch eich dwylo ar unwaith'.

## CWESTIYNAU

3 Nodwch 'perygl' neu 'risg' ar gyfer pob un o'r datganiadau isod:

a Mae amylas powdr yn llidus os caiff ei fewnanadlu.

b Mae ïodin yn wenwynig os caiff ei lyncu.

c Pan ydych chi'n arllwys yr asid i'r fwred, gallai dasgu i'ch llygaid.

ch Mae sodiwm hydrocsid yn cynhyrchu llawer o wres pan gaiff ei hydoddi mewn dŵr.

d Os gafaelwch chi yn y tiwb profi ar ôl ei wresogi â'r tanwydd, gallech chi losgi eich llaw.

dd Os agorwch chi'r ddysgl Petri ar ôl ei defnyddio i feithrin bacteria, efallai y gwnewch chi fewnanadlu bacteria niweidiol.

e Mae cyllyll llawfeddyg yn finiog a gallan nhw dorri'r croen yn hawdd.

f Gall gwifrau tenau fynd yn boeth iawn pan mae cerrynt yn llifo drwyddynt

4 Edrychwch ar yr arwydd rhybudd hwn ar bont rheilffordd.

Awgrymwch resymau pam nad yw'r arwydd hwn mor ddefnyddiol ag y gallai fod, ac awgrymwch rai gwelliannau.

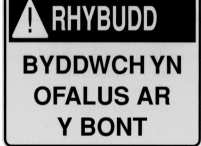

⚠ RHYBUDD

**BYDDWCH YN OFALUS AR Y BONT**

## GWAITH YMARFEROL  PA MOR DDA YDW I FEL GWYDDONYDD?

Dyma weithgaredd sy'n eich helpu i:
★ ymarfer amrywiaeth eang o sgiliau ymholi gwyddonol.

Mae'r bennod hon yn amlinellu rhai o'r sgiliau sydd eu hangen i fod yn wyddonydd ymchwiliol da. Mae rhai cwestiynau gwyddonol wedi'u rhestru isod. Dewiswch un ohonynt. Cynlluniwch ymchwiliad a'i ddefnyddio i geisio dod o hyd i'r ateb.

● Mae rhai pobl yn dweud bod blodau wedi'u torri yn para'n hirach mewn lemonêd nag mewn dŵr. Ydy hyn yn wir?

● Wrth gael eu holi, mae'r rhan fwyaf o bobl yn dweud ei bod yn well ganddynt Coke™ na Pepsi™. Fodd bynnag, efallai eu bod nhw'n dweud hynny oherwydd eu bod nhw'n meddwl bod gan Coke™ well 'delwedd'. Gofynnwch i bawb yn eich dosbarth pa un yw eu hoff frand, ac yna profwch a yw hynny'n wir mewn gwirionedd.

● Mewn tywydd poeth, ydy hi'n well gwisgo dillad du neu ddillad gwyn i gadw'n oer?

## GWAITH YMARFEROL *parhad*

- Oes gwahaniaeth rhwng gallu bechgyn a gallu merched i wneud posau Sudoku?
- Pa mor asidig mae angen i ddŵr glaw fod i effeithio ar adeiladau calchfaen?
- Os ydych chi eisiau dylunio arwydd i ddenu sylw pobl, beth fydd y cyfuniad gorau o liw cefndir a lliw testun?
- Oes canfyddiad allsynhwyraidd (*extra-sensory perception*) gan unrhyw un yn eich dosbarth chi? Profwch i weld a ydyn nhw'n gallu rhagfynegi'n gywir pa siâp geometrig rydych chi'n edrych arno heb iddyn nhw ei weld eu hunain.
- Mae rhai'n awgrymu ei bod hi'n ddiogel bwyta bwyd sydd wedi'i ollwng ar y llawr cyn belled â'ch bod chi'n ei godi o fewn pum eiliad, gan nad yw hyn yn ddigon o amser i lawer o facteria fynd arno. Ydy hyn yn gywir?

## Crynodeb o'r bennod

- ○ Mae gwyddonwyr yn ymchwilio i'r byd o'u hamgylch drwy broses gymhleth o ymholi.
- ○ Dydy gwyddoniaeth ddim yn gallu ateb pob cwestiwn.
- ○ I fod yn ddefnyddiol o gwbl, rhaid i arbrawf fod yn deg ac yn ddilys, a rhaid i fesuriadau fod mor fanwl gywir â phosibl.
- ○ Os nad yw'n bosibl rheoli newidyn, rhaid ystyried effaith debygol peidio â'i reoli wrth ddadansoddi canlyniadau.
- ○ Y mwyaf amrywiol yw'r canlyniadau, y mwyaf o weithiau y bydd angen ailadrodd yr arbrawf.
- ○ Mae cyflwyno data mewn tabl yn eu gwneud yn gliriach na'u rhoi yn y testun. Dylech chi lunio'r tabl fel ei fod yn glir ac fel nad oes angen i'r darllenydd gyfeirio'n ôl at y dull i weld beth yw ei ystyr.
- ○ Caiff graffiau llinell a siartiau bar eu defnyddio i wneud tueddiadau a phatrymau yn y data'n gliriach.
- ○ Caiff graffiau llinell eu defnyddio os yw'r ddau newidyn yn ddi-dor (*continuous*). Caiff siartiau bar eu defnyddio pan mae'r newidyn annibynnol yn arwahanol (*discrete* or *discontinuous*).
- ○ Mae siâp graff llinell yn dynodi natur a chryfder tuedd neu batrwm.
- ○ Mae ansawdd tystiolaeth yn amrywio. Mae tystiolaeth gryfach yn golygu bod y casgliad yn fwy sicr.
- ○ Mae gwyddonwyr yn cyhoeddi eu canlyniadau er mwyn i bobl eraill allu gwirio eu dulliau a'u casgliadau. Er mwyn i hyn ddigwydd, mae angen i wyddonwyr ysgrifennu'n drachywir ac yn glir.
- ○ Rhaid asesu risg pob arbrawf cyn ei gynnal.
- ○ Mae asesiad risg da'n canfod peryglon a risgiau, ac yn egluro'n glir sut i leihau'r risgiau neu sut i'w hosgoi.

# 2 Amrywiaeth bywyd, addasiad a chystadleuaeth

## Bioamrywiaeth

Mewn unrhyw ddarn bach o dir, fe welwch chi lawer o wahanol fathau o bethau byw. Mewn gardd, er enghraifft, gallwch chi weld mwydod, gwlithod, malwod, nadroedd cantroed, pryfed, corynnod, adar, a hyd yn oed gwahaddod a llygod y gwair. Mae gwahaniaethau amlwg iawn rhwng y creaduriaid hyn. Mae'r un peth yn wir am blanhigion. Gall eich gardd fod yn gartref i fwsoglau, rhedyn a phlanhigion blodeuol, er enghraifft. Mae gwyddonwyr eisoes yn gwybod am filiynau o fathau o bethau byw, ac mae llawer mwy'n cael eu darganfod bob blwyddyn. Ar hyn o bryd, mae tuag 1.75 miliwn o rywogaethau wedi'u darganfod, ond mae gwyddonwyr yn amcangyfrif bod cyfanswm nifer y rhywogaethau ar y blaned rywle rhwng 3 miliwn a 100 miliwn!

**Bioamrywiaeth** yw'r enw ar yr amrywiaeth o fywyd sydd ar y Ddaear. Mae'n cynnwys y gwahanol rywogaethau sydd i'w cael, yr amrywiadau genetig o fewn y rhywogaethau hynny, a'r gwahanol ecosystemau sy'n bodoli mewn coetiroedd, glaswelltiroedd, diffeithdiroedd, afonydd ac yn y môr ac ati.

Mae pethau byw'n amrywio mewn nifer o ffyrdd. Does gan facteriwm ddim llawer yn gyffredin ag eliffant, er enghraifft – mae'n llawer symlach, yn llawer llai, ac mae ganddo nodweddion cwbl wahanol. Ar y llaw arall, mae ceffyl ac asyn yn debyg mewn nifer o ffyrdd, er bod gwahaniaethau rhyngddynt hefyd.

Mae pobl wedi tueddu erioed i grwpio pethau byw tebyg gyda'i gilydd ac i roi enw i'r grŵp hwnnw. Mae Ffigur 2.1 yn dangos rhai o'r grwpiau y mae'n debygol y byddwch chi wedi clywed amdanynt.

**CWESTIWN**

1 Mae 'infertebratau' yn cynnwys pob anifail (e.e. mwydod, malwod, crancod, pryfed, sêr môr a chorynnod) sydd heb asgwrn cefn. Dydy gwyddonwyr ddim yn defnyddio'r grŵp hwn i ddosbarthu anifeiliaid. Pa un o'r ddau reswm posibl isod yw'r eglurhad *gorau* yn eich barn chi pam na chaiff y grŵp hwn ei ddefnyddio i ddosbarthu anifeiliaid? Cofiwch gyfiawnhau eich ateb.

a Does dim nodwedd gyffredin gan infertebratau. Dydy diffyg asgwrn cefn ddim yn nodwedd; *absenoldeb* nodwedd ydyw.

b Mae'r grŵp yn cynnwys gormod o amrywiaeth – mae'r anifeiliaid sydd ynddo'n wahanol iawn.

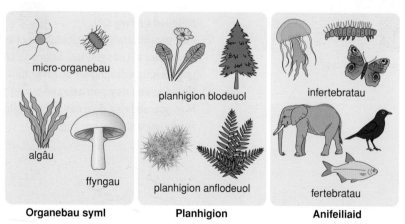

micro-organebau

algâu

ffyngau

**Organebau syml**

planhigion blodeuol

planhigion anflodeuol

**Planhigion**

infertebratau

fertebratau

**Anifeiliaid**

**Ffigur 2.1** Amrywiaeth pethau byw.

# Egwyddor dosbarthu

Amser maith yn ôl, penderfynodd gwyddonwyr y byddai'n haws astudio pethau byw pe baen nhw'n cael eu rhoi mewn grwpiau oedd â nodweddion cyffredin iddynt. Gallai pethau roedd y gwyddonwyr yn eu darganfod am un aelod o grŵp fod yn wir hefyd am yr aelodau eraill, er enghraifft. Hefyd, roedd angen rhoi i bob peth byw enw a fyddai'n cael ei gydnabod ledled y byd, yn hytrach na defnyddio'r enwau 'cyffredin' sy'n amrywio o le i le.

Un enghraifft dda o pam mae angen cytuno ar enwau yw'r pryf lludw. Mae 42 o rywogaethau o'r pryf lludw (*woodlouse*) ym Mhrydain, ac mae ganddynt enwau gwahanol mewn gwahanol leoedd. Dau enw cyffredin arall arnynt yw *mochyn coed* a *gwrach y lludw*, ac yn Saesneg cawn ffurfiau fel *Granny Grey* (De Cymru), *monkey pea* (Caint) a *chucky pig* (De-orllewin Lloegr). Ar draws y byd, caiff nifer o enwau eraill eu defnyddio. Mae'n bosibl y gallai dau berson o ranbarthau gwahanol fod yn siarad am yr un rhywogaeth ond gan ddefnyddio enwau cwbl wahanol, a gallai nifer o rywogaethau gwahanol o bryfed lludw gael yr un enw â'i gilydd o fewn un rhanbarth.

Mae Ffigur 2.2 yn dangos un o rywogaethau'r pryf lludw, sef y pryf lludw rhesog cyffredin, ond ledled y byd, caiff ei alw wrth ei enw gwyddonol (Lladin) sef *Philoscia muscorum*.

Y cwestiwn yw, sut dechreuodd y ffordd hon o enwi pethau byw, a phwy sy'n penderfynu beth i alw rhywogaeth newydd?

**Ffigur 2.2** Y pryf lludw rhesog cyffredin, *Philoscia muscorum*.

## Carolus Linnaeus

Carl von Linné (1707–78), gwyddonydd o Sweden, oedd y cyntaf i ddyfeisio ffordd resymegol o enwi pethau byw. Roedd yn hoff iawn o Ladin, ac roedd yn galw ei hun yn Carolus Linnaeus.

Roedd gwyddonwyr eisoes wedi penderfynu y dylai pob anifail neu blanhigyn gael enw gwyddonol roedd pawb yn cytuno arno, ac y dylai'r enw fod yn Lladin, sef yr iaith oedd yn cael ei defnyddio mewn prifysgolion ar y pryd. Fodd bynnag, roedd yr enwau'n cael eu rhoi un ar y tro a heb eu trefnu'n rhesymegol i roi enwau tebyg i bethau tebyg. Meddyg oedd Linnaeus, ac ar y pryd roedd llawer o blanhigion yn cael eu defnyddio mewn moddion. Roedd yn bwysig iawn bod meddygon yn defnyddio'r planhigion cywir, ac yn amlwg roedd hi'n bwysig cael system wyddonol i'w henwi nhw.

Dyfeisiodd Linnaeus ffordd o grwpio (dosbarthu) planhigion yn ôl pa mor debyg oedd yr organau atgenhedlu, a rhoddodd y grwpiau llai mewn grwpiau mwy i gynhyrchu dull dosbarthu rhesymegol. Cafodd rhywogaethau tebyg eu grwpio mewn **genws** (lluosog: genera), roedd genera tebyg yn ffurfio **urdd**, roedd urddau'n cael eu grwpio gyda'i gilydd mewn **dosbarth**, ac roedd dosbarthiadau tebyg yn gwneud **teyrnas**. Dyma sail y system ddosbarthu y mae gwyddonwyr yn ei defnyddio heddiw, er bod rhai grwpiau ychwanegol fel **teulu** a **ffylwm** wedi'u hychwanegu. Penderfynodd Linnaeus hefyd y dylai fod gan bob rhywogaeth enw oedd yn cynnwys dau air. Byddai'r enw cyntaf yn dynodi'r genws a'r ail yn dynodi'r rhywogaeth.

Er enghraifft, mae llewod a theigrod yn rhywogaethau gwahanol ond mae perthynas agos rhyngddynt. Maen nhw'n perthyn i'r un

**Ffigur 2.3** Carolus Linnaeus.

genws – *Panthera*. Enw gwyddonol y llew yw *Panthera leo* ac enw gwyddonol y teigr yw *Panthera tigris*.

Mae syniadau gwyddonol yn newid wrth i wybodaeth newydd gael ei darganfod. Mae dull Linnaeus o ddosbarthu planhigion yn ôl organau atgenhedlu'n unig wedi cael ei newid i ddulliau sy'n cynnwys llawer mwy o nodweddion. Mae grwpiau newydd wedi cael eu hychwanegu at y rhai a awgrymodd ef, ond dydy system Linnaeus o enwi pethau byw ddim wedi ei newid. Dydy'r system ddosbarthu fodern ddim yn cysylltu organebau ar sail nodweddion yn unig; mae hefyd yn ystyried sut mae'r anifeiliaid neu'r planhigion wedi esblygu. Roedd Linnaeus yn meddwl bod rhywogaethau'n aros yr un fath drwy'r amser, ond ar ôl i Charles Darwin gynnig ei ddamcaniaeth detholiad naturiol, sylwodd gwyddonwyr fod tebygrwydd corfforol yn gallu dangos pa mor agos yw'r berthynas rhwng rhywogaethau o ran esblygiad.

## CWESTIYNAU

2 Dyma enwau gwyddonol rhywogaethau tri anifail:

Broga cyffredin – *Rana temporaria*

Broga lliwgar – *Discoglossus pictus*

Broga'r nant – *Rana graeca*

   a  Pa ddau o'r brogaod hyn sydd â'r berthynas agosaf rhyngddynt? Rhowch reswm dros eich ateb.

   b  Ydy rhai o'r brogaod hyn yn perthyn i'r un rhywogaeth? Rhowch reswm dros eich ateb.

3 a  Yn seiliedig ar y wybodaeth uchod, pa un o syniadau Linnaeus oedd y mwyaf llwyddiannus yn eich barn chi?

     A  ei system o enwi organebau

     B  ei ffordd o ddosbarthu planhigion

     C  ei syniad o grwpio pethau byw mewn grwpiau oedd yn mynd yn llai ac yn llai.

   b  Cyfiawnhewch eich dewis.

4 Pam penderfynodd Linnaeus roi enwau Lladin i rywogaethau?

5 Defnyddiwch y rhyngrwyd i ddarganfod pryd cynigiodd Charles Darwin ei ddamcaniaeth detholiad naturiol.

Mae llawer o'r enwau a roddodd Carolus Linnaeus i rywogaethau wedi aros yr un fath, ond mae rhywogaethau newydd yn cael eu darganfod drwy'r amser ac mae'n rhaid rhoi enw iddyn nhw hefyd. Heddiw, sefydliad o'r enw *International Commission on Zoological Nomenclature* (*ICZN*) sy'n penderfynu beth fydd enwau anifeiliaid. Does dim sefydliad penodol yn penderfynu ar enwau planhigion; maen nhw'n cael eu henwi'n unol â chod rhyngwladol cytûn.

## DNA a dosbarthu

Roedd rhaid i Linnaeus a llawer o wyddonwyr diweddarach ddibynnu ar nodweddion gweladwy i ddosbarthu organebau byw. Heddiw mae gwyddonwyr yn gallu astudio DNA a genynnau rhywogaethau gwahanol, gan chwilio am debygrwydd rhwng y rhain. Os yw canran uchel o enynnau dwy organeb yr un fath, mae'n debygol bod perthynas agos rhyngddynt, a bod y ddwy

**Ffigur 2.4** Ydych chi'n gallu gweld y gwahaniaeth rhwng pryf hofran a gwenynen feirch? Pa un yw pa un?

organeb yn rhannu hynafiad yn y gorffennol cymharol agos. Gall hyn fod yn ffordd well o benderfynu ar berthynas na chymharu nodweddion ffisegol, oherwydd weithiau bydd anifail yn esblygu mewn ffordd sy'n 'dynwared' un arall. Maen nhw'n gallu edrych yn debyg er nad oes perthynas agos rhyngddynt. Mae pryfed hofran yn enghraifft dda o hyn – maen nhw wedi esblygu i edrych fel gwenyn meirch (gan fod ysglyfaethwyr yn amheus o wenyn meirch!) ond, yn ôl eu DNA, does dim perthynas agos rhyngddynt.

## TASG    EDRYCH AR DYSTIOLAETH

Dyma weithgaredd sy'n eich helpu i:
★ dehongli data
★ llunio casgliadau.

Mae gwyddonwyr wedi astudio genomau (gwneuthuriad genetig) bodau dynol, tsimpansïaid, orang-wtangiaid a gorilaod i weld pa mor agos yw'r berthynas rhwng bodau dynol a'r rhywogaethau hyn. Mae Tabl 2.1 yn dangos y canlyniadau.

Tabl 2.1   Cymharu gwneuthuriad genetig gwahanol brimatiaid â bodau dynol.

| Rhywogaeth | % y genynnau sydd yr un fath â bodau dynol |
|---|---|
| Gorila | 98.48 |
| Orang-wtang | 98.47 |
| Tsimpansî | 98.76 |

O'r data hyn, mae'n bosibl creu 'coeden esblygol' sy'n dangos pa mor agos yw'r berthynas rhwng bodau dynol a'r epaod mawr hyn. Mae'r canghennau'n dangos pa mor bell yn ôl y gwahanodd esblygiad y rhywogaethau. Y mwyaf tebyg yw genynnau'r ddwy rywogaeth, y mwyaf diweddar y gwnaethon nhw wahanu. Mae Ffigur 2.5 yn dangos nifer o wahanol fersiynau o'r coed hyn.

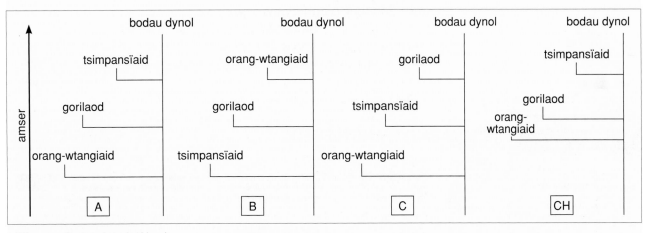

Ffigur 2.5  Gwahanol goed esblygol.

1  Ar gyfer pob coeden, dywedwch a yw'r dystiolaeth yn y tabl yn cyd-fynd â siâp y goeden.
2  Ar sail y dystiolaeth, pa goeden yw'r fwyaf cywir yn eich barn chi?

## Addasiadau i'r amgylchedd

Mae pob organeb sy'n byw heddiw wedi **addasu** i'w hamgylchedd mewn nifer o ffyrdd arbenigol. Mae gan bob rhan o'r Ddaear ei hanifeiliaid a'i phlanhigion arbennig ei hun. Er enghraifft, mae llwynog yr Arctig yn perthyn yn agos i lwynog yr anialwch ond mae'r ddau wedi datblygu addasiadau i'w helpu i oroesi. Mae

**Ffigur 2.6** Mae perthynas agos rhwng a) llwynog yr Arctig, b) llwynog yr anialwch ac c) y llwynog coch, ond maen nhw wedi addasu'n wahanol yn ôl ble maen nhw'n byw.

clustiau mawr llwynog yr anialwch yn ei helpu i belydru gwres i ffwrdd o'i gorff. Ar y llaw arall, mae clustiau bach iawn llwynog yr Arctig yn ei alluogi i gadw cymaint o wres ag sy'n bosibl. Y llwynog coch sy'n byw yng Nghymru a gwledydd eraill Ewrop. Dydy ei glustiau ddim yn fawr iawn nac yn fach iawn gan nad oes rhaid iddo fyw mewn tymheredd eithafol.

Yn ogystal ag addasiadau i'w cyrff, sef addasiadau **morffolegol**, bydd anifeiliaid yn aml yn addasu eu hymddygiad yn ôl eu hamgylchedd. Er enghraifft, bydd llawer o anifeiliaid yn gaeafgysgu dros fisoedd y gaeaf mewn amgylcheddau lle mae'r tywydd oer yn golygu y bydd hi'n anodd iddynt fwydo.

Mae planhigion hefyd yn addasu i'w hamgylchedd mewn sawl ffordd. Mae'r gallu i oroesi mewn amodau sych yn dibynnu ar ba mor dda mae planhigyn yn cadw dŵr. Er enghraifft, mae pigynnau yn lle dail, coesynnau suddlon, **cwtiglau** trwchus a phrinder **stomata** i gyd yn arbed dŵr (mewn cactws, er enghraifft). Tyllau bach iawn yn arwyneb dail a choesynnau yw stomata. Maen nhw'n caniatáu colli dŵr drwy anweddiad. Haen o orchudd cwyraidd yw cwtigl ac mae'n lleihau faint o ddŵr sy'n cael ei golli.

## TASG    ADDASIADAU I'R AMGYLCHEDD

Dyma weithgaredd sy'n eich helpu i:
★ ymchwilio i wybodaeth.

**Tabl 2.2** Enghreifftiau o anifeiliaid sy'n byw mewn gwahanol amodau amgylcheddol.

| Amgylchedd | Amodau | Enghreifftiau |
|---|---|---|
| Diffeithwch | Gwres eithafol; prinder dŵr | Llygoden fawr godog; camel; igwana'r anialwch |
| Arctig | Oerfel eithafol; gorchudd o eira a rhew | Arth wen; caribŵ; ysgyfarnog yr Arctig |
| Safana | Poeth; agored, felly hawdd i ysglyfaethwyr ac ysglyfaethau weld ei gilydd; sych am y rhan fwyaf o'r flwyddyn heblaw'r tymor gwlyb; prinder bwyd yn y tymor sych | Sebra; llew; swricat |

Ar gyfer pob amgylchedd yn Nhabl 2.2, ymchwiliwch i *un* anifail (naill ai un o'r enghreifftiau yn y tabl neu dewiswch un eich hun). Ar gyfer pob anifail, darganfyddwch a chofnodwch *un* **addasiad morffolegol** ac *un* **addasiad ymddygiadol** i'w amgylchedd.

# Yr angen am adnoddau

Er mwyn goroesi, mae angen cyflenwad egni ar bob organeb. Mae planhigion yn cael egni'n uniongyrchol o olau haul drwy ffotosynthesis; rhaid i anifeiliaid gael egni o fwyd (h.y. o organebau byw eraill). Mae angen egni i gyflawni holl brosesau byw, ond mae angen cyflenwad o ddefnyddiau crai hefyd ar gyfer prosesau cemegol ac i adeiladu cyrff. Mae angen cyflenwad digonol o'r defnyddiau hyn ar unrhyw amgylchedd er mwyn cynnal bywyd. Mae egni'n cyrraedd y rhan fwyaf o ecosystemau'n gyson ar ffurf golau haul, ond mae'r defnyddiau crai'n gyfyngedig a rhaid eu hailddefnyddio drosodd a throsodd.

Mae Tabl 2.3 yn crynhoi'r adnoddau sydd eu hangen ar bethau byw.

**Tabl 2.3** Yr adnoddau sydd eu hangen ar bethau byw.

| Adnodd | Angen |
|---|---|
| Golau | ar blanhigion i wneud bwyd i gael egni |
| Bwyd | ar anifeiliaid i gael egni |
| Dŵr | ar gyfer pob adwaith cemegol yng nghyrff planhigion ac anifeiliaid |
| Ocsigen | i dorri bwyd i lawr i ryddhau ei egni |
| Carbon deuocsid | ar blanhigion ar gyfer ffotosynthesis |
| Mwynau | mae angen gwahanol fwynau ar gyfer adweithiau cemegol penodol yng nghyrff planhigion ac anifeiliaid |

# Cystadleuaeth

Swm cyfyngedig o egni sy'n dod i mewn i ecosystem drwy'r amser, ac mae cyfyngiad hefyd ar yr adnoddau eraill sydd ar gael. Mae hyn yn cyfyngu ar nifer y pethau byw y gall ecosystem eu cynnal. Mae'n rhaid i'r organebau gystadlu yn erbyn ei gilydd am yr adnoddau, a bydd y rhai gorau yn y gystadleuaeth hon yn goroesi'n well na'r gweddill. Mae aelodau o'r un rhywogaeth yn cystadlu drwy'r amser, oherwydd mae angen yr un pethau arnynt (e.e. maen nhw'n bwyta'r un bwyd) ond mae gwahanol rywogaethau ag anghenion tebyg hefyd yn cystadlu yn erbyn ei gilydd.

## TASG — CYSTADLEUAETH RHWNG CHWILOD BLAWD

**Dyma weithgaredd sy'n eich helpu i:**
★ deall arbrofion cymharu a phrofion teg
★ llunio casgliadau
★ mesur cryfder tystiolaeth.

Cadwodd gwyddonwyr ddwy rywogaeth debyg iawn o chwilod blawd (y chwilen flawd goch a'r chwilen flawd ddryslyd) mewn blawd, sy'n rhoi bwyd iddynt ynghyd ag amgylchedd i fyw ynddo. Ar ôl tua 350 diwrnod, fe wnaethon nhw ganfod bod y chwilod blawd coch i gyd wedi marw gan adael y chwilod blawd dryslyd yn unig. Hefyd, cadwodd y gwyddonwyr y ddau fath o chwilen ar eu pennau eu hunain mewn samplau blawd ar wahân. Mae Ffigur 2.7 yn dangos rhai o'u canlyniadau.

*parhad...*

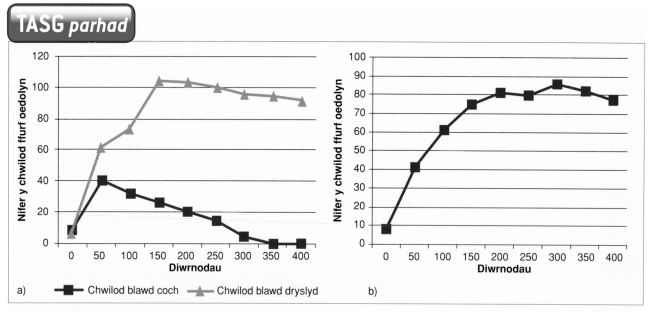

Ffigur 2.7 Cystadleuaeth ymysg chwilod blawd, a) Canlyniadau gyda'r ddwy chwilen gyda'i gilydd; b) canlyniadau gyda'r chwilod blawd coch yn unig.

Casgliad y gwyddonwyr oedd fod y chwilod blawd yn cystadlu am adnodd, a bod y chwilod blawd dryslyd yn fwy llwyddiannus yn y gystadleuaeth hon na'r chwilod blawd coch.

1 Pam roedd hi'n bwysig i'r gwyddonwyr astudio'r cynnydd ym mhoblogaeth y chwilod blawd coch pan oedd y chwilod hyn ar eu pennau eu hunain?

2 Am ba adnodd(au) y gallai'r ddwy chwilen fod wedi bod yn cystadlu?

3 Pa mor gryf yw'r dystiolaeth bod cystadleuaeth rhwng y ddwy rywogaeth o chwilod? Eglurwch eich ateb.

4 Awgrymwch reswm pam cynyddodd y *ddwy* rywogaeth yn y 50 diwrnod cyntaf.

5 Cadwodd y gwyddonwyr dymheredd y blawd yr un fath drwy gydol yr arbrawf. Awgrymwch pam.

## CYSTADLEUAETH RHWNG GWIWEROD

**Dyma weithgaredd sy'n eich helpu i:**
★ barnu materion moesegol
★ cyfathrebu'n glir am syniadau
★ ystyried safbwyntiau gwrthwynebol a ffurfio barn.

Mae dau fath o wiwer ym Mhrydain – y wiwer goch a'r wiwer lwyd. Mae'r ddwy wiwer yn byw mewn coetiroedd collddail llydanddail (sy'n cynnwys coed fel cyll, deri, ynn a ffawydd). Mae'r wiwer goch yn frodorol i'r wlad hon, ond cafodd y wiwer lwyd ei chyflwyno i Brydain ar ddiwedd y bedwaredd ganrif ar bymtheg. Mae'n gallu cystadlu'n well na'r wiwer goch yn y rhan fwyaf o gynefinoedd, er bod y wiwer goch yn gwneud ychydig bach yn well mewn coetiroedd conwydd, lle mae'n bwyta conau pinwydd.

Y rhesymau pam mae'r wiwer lwyd yn gwneud mor dda yw:

● Mae'r wiwer lwyd yn bwyta mes sy'n gyffredin iawn mewn coetiroedd llydanddail, ond dydy'r wiwer goch ddim yn gallu eu bwyta. Mae hyn yn golygu bod llawer mwy o fwyd ar gael i'r wiwer lwyd.

● Mae'n ymddangos bod y wiwer lwyd yn gallu storio mwy o fraster, felly mae'n well am oroesi cyfnodau o brinder bwyd.

*parhad...*

**Ffigur 2.8** a) gwiwer goch; b) gwiwer lwyd.

- Mae'r wiwer lwyd yn bwydo ar lawr y goedwig gan mwyaf, ac mae'r wiwer goch yn bwydo gan mwyaf yn y coed. Gan fod hadau a chnau'n aml yn disgyn oddi ar y coed ar ôl aeddfedu, mae hyn yn golygu eto bod mwy o fwyd ar gael i'r wiwer lwyd.
- Mae'r wiwer lwyd yn cludo clefyd sy'n lladd y wiwer goch, ac mae'r wiwer lwyd yn gallu gwrthsefyll y clefyd hwn.

Mae gwiwerod coch i'w gweld o hyd mewn rhai ardaloedd yn y DU, ac mae yna ymdrech i'w gwarchod. Os aiff gwiwerod llwyd i fyw yn y mannau hyn, mae'n debygol y bydd y gwiwerod coch i gyd yn marw.

Mae nifer o ffyrdd o geisio gwarchod gwiwerod coch:

1 Dal a lladd cynifer â phosibl o wiwerod llwyd mewn ardaloedd lle mae gwiwerod coch i'w cael.
2 Torri'r holl goed derw mewn coetiroedd lle mae gwiwerod coch, fel nad oes mes i'r gwiwerod llwyd eu bwyta.
3 Rheoli coedwigoedd conwydd lle mae gwiwerod coch i'w cael er mwyn sicrhau nad oes coed derw'n dechrau tyfu yno.
4 Astudio'r firws y mae gwiwerod llwyd yn ei gludo i weld a yw'n bosibl ei atal rhag cael ei ledaenu mor rhwydd i wiwerod coch.

Mae manteision ac anfanteision i bob un o'r dulliau hyn, ac mae'n annhebygol y bydd yr un dull yn llwyddo ar ei ben ei hun.

Cynhaliwch drafodaeth yn y dosbarth i drafod manteision ac anfanteision pob un o'r mesurau gwarchod hyn.

CYSTADLEUAETH RHWNG HADAU BERWR

Dyma weithgaredd sy'n eich helpu i:
★ dilyn cyfarwyddiadau
★ cyflwyno canlyniadau
★ llunio casgliadau
★ deall ailadrodd arbrofion.

**Cyfarpar**
* 2 ddalen o bapur hidlo
* 2 ddysgl Petri
* chwistrell
* hadau berwr
* gefel

Mae'r arbrawf hwn yn edrych ar effaith cystadleuaeth am ddŵr ar egino hadau berwr.

**Dull**
1 Paratowch ddwy ddalen o bapur hidlo. Torrwch y ddwy fel eu bod yn ffitio y tu mewn i gaead dysgl Petri. Lluniwch grid ar y ddau ddarn o bapur, fel mae Ffigur 2.9 ar dudalen 20 yn ei ddangos.
2 Rhowch un darn o bapur hidlo yn y ddau gaead dysgl Petri.
3 Defnyddiwch chwistrell i ychwanegu digon o ddŵr i wlychu'r holl bapur hidlo mewn un ddysgl Petri. Nodwch faint o ddŵr rydych chi wedi'i ddefnyddio.
4 Ychwanegwch yr un faint o ddŵr at yr ail ddysgl Petri.
5 Gan ddefnyddio gefel, rhowch un hedyn berwr ym mhob sgwâr ar y papur hidlo yn y ddysgl Petri gyntaf. Ceisiwch roi'r hedyn yng nghanol y sgwâr. Cyfrwch a chofnodwch gyfanswm yr hadau rydych chi wedi'u defnyddio.
6 Rhowch dri hedyn ym mhob sgwâr yn yr ail ddysgl Petri. Cyfrwch a chofnodwch gyfanswm yr hadau rydych chi wedi'u defnyddio.

*parhad...*

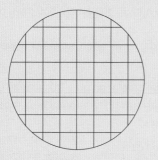

**Ffigur 2.9** Grid o linellau 1 cm ar wahân, wedi'i luniadu ar gylch papur hidlo (ddim wrth raddfa).

7 Gorchuddiwch gaeadau'r dysglau Petri a gadewch iddynt egino am 3–4 diwrnod.

8 Cofnodwch ganran yr hadau sydd wedi egino ym mhob dysgl.

$$\% \text{ egino} = \frac{\text{nifer yr hadau sydd wedi egino}}{\text{cyfanswm nifer yr hadau}} \times 100$$

9 Lluniwch gasgliadau ac eglurwch eich canlyniadau.

10 Cynhaliodd Soffia ac Ifan yr arbrawf. Roedd Soffia'n meddwl y dylen nhw ailadrodd yr arbrawf, ond dywedodd Ifan, gan eu bod nhw wedi defnyddio llawer o hadau, eu bod nhw wedi'i ailadrodd eisoes. Trafodwch gryfderau'r ddau syniad.

## Crynodeb o'r bennod

- Mae pethau byw'n wahanol i'w gilydd mewn llawer o ffyrdd.
- Gallwn ni ddosbarthu organebau sydd â nodweddion tebyg gyda'i gilydd mewn ffordd resymegol.
- Mae tebygrwydd rhwng DNA organebau'n gallu helpu gwyddonwyr i'w dosbarthu.
- Mae gwyddonwyr yn rhoi i bob rhywogaeth enw gwyddonol sy'n cael ei ddefnyddio ledled y byd.
- Mae'r enwau hyn yn cynnwys dau air; y cyntaf yw genws yr organeb a'r ail yw ei rhywogaeth.
- Mae pwyllgor rhyngwladol yn cytuno ar enwau gwyddonol anifeiliaid; mae'r dewis o enwau gwyddonol planhigion yn dilyn cod rhyngwladol cytûn.
- Mae organebau'n addasu ac yn datblygu addasiadau morffolegol ac ymddygiadol sy'n eu helpu nhw i oroesi yn eu hamgylchedd.
- Mae angen egni ar bob peth byw.
- Mae egni yn mynd i mewn i ecosystemau ar ffurf golau haul; gall planhigion ddefnyddio hwn yn uniongyrchol.
- Mae anifeiliaid yn cael eu hegni drwy fwyta organebau byw eraill (naill ai planhigion neu anifeiliaid).
- Mae angen amrywiaeth o 'ddefnyddiau crai' cemegol hefyd ar gyfer prosesau bywyd.
- Mae organebau o'r un rhywogaeth yn cystadlu yn erbyn ei gilydd drwy'r amser am olau haul, bwyd neu ddefnyddiau crai eraill, gan fod eu hanghenion yr un fath.
- Mae cystadleuaeth hefyd yn digwydd rhwng gwahanol rywogaethau os oes anghenion tebyg ganddynt.
- Os na all rhywogaeth gystadlu'n llwyddiannus am adnodd prin, gall fynd yn ddiflanedig

# 3 Yr amgylchedd

## Ydych chi'n poeni am yr amgylchedd?

Heddiw, mae llawer o bobl yn poeni am 'yr amgylchedd'. Cyn i ni ystyried a ydym ni'n poeni amdano, mae angen i ni fod yn siŵr beth yw'r amgylchedd. I fiolegwyr, yr amgylchedd yw lle mae pethau byw yn byw (cynefin) ynghyd â phopeth sy'n byw yn y lle hwnnw, a'r ffactorau ffisegol sy'n effeithio arno (ei 'hinsawdd'). Mae'r holl bethau hyn yn gysylltiedig â'i gilydd, a gall newidiadau i un agwedd effeithio ar agweddau eraill. Yn y bennod hon, byddwn ni'n edrych ar rai enghreffiau o sut mae'r pethau hyn yn rhyngweithio â'i gilydd.

## Ddylem ni warchod bywyd gwyllt bob amser?

Mae'r rhan fwyaf o bobl yn credu bod gwarchod bywyd gwyllt yn beth da. Fodd bynnag, gall y mater fynd yn gymhleth os bydd mesurau gwarchod yn arwain at anfantais arwyddocaol i'r boblogaeth ddynol, neu os bydd gwarchod un rhywogaeth yn niweidio rhywogaethau eraill. Mae angen tai ar bobl, ond mae adeiladu tai'n gallu dinistrio cynefinoedd anifeiliaid a phlanhigion. Mae angen bwyd ar bobl, ond mae troi cynefinoedd gwyllt yn dir fferm yn newid ac yn lleihau nifer y rhywogaethau sy'n byw yno. Mae angen i'r byd ddod o hyd i ffynonellau egni amgen, ond mae datblygu pethau megis morgloddiau llanw a gorsafoedd pŵer trydan dŵr yn gallu dinistrio neu weddnewid cynefinoedd naturiol. Mae'n werth cofio hefyd, drwy hanes i gyd, fod amgylcheddau wedi newid yn gyson – nid yw'n 'naturiol' i bopeth aros yr un fath.

Er mwyn dod i benderfyniadau am effaith gweithgarwch dynol ar yr amgylchedd, mae angen gwybodaeth wyddonol am gyflwr yr amgylchedd ac am unrhyw newidiadau sy'n digwydd iddo. Yn y DU, **Asiantaeth yr Amgylchedd** sy'n gwneud llawer o'r gwaith monitro amgylcheddol.

**Ffigur 3.1** Ydych chi'n hapus â'ch amgylchedd chi?

OEDD MORGLAWDD BAE CAERDYDD YN SYNIAD DA?

Dyma weithgaredd sy'n eich helpu i:
★ datblygu sgiliau ymchwil
★ ystyried cryfder tystiolaeth
★ ystyried materion moesegol mewn gwyddoniaeth.

Rhwng 1994 ac 1999, cafodd morglawdd ei adeiladu ar draws Bae Caerdydd, gan greu llyn dŵr croyw ag arwynebedd o 2 km². Pan gafodd y morglawdd ei gynnig, roedd llawer o wrthwynebiad gan amgylcheddwyr oherwydd yr effaith y byddai'n ei chael ar fywyd gwyllt Bae Caerdydd.

Edrychwch ar y wybodaeth isod sy'n crynhoi effeithiau da a drwg y morglawdd.

Buddion
● Mae'r llyn dŵr croyw'n edrych yn llawer gwell na'r fflatiau llaid a oedd yno gynt.
● Gan fod yr ardal yn ddeniadol, mae llawer iawn o ddatblygu wedi digwydd o amgylch y bae. Mae hyn yn creu buddion masnachol i Gaerdydd oherwydd twristiaeth, ac mae wedi creu llawer o swyddi.
● Mae'r llyn dŵr croyw'n gyfleuster hamdden gwerthfawr lle gall pobl fwynhau amrywiaeth o chwaraeon dŵr.
● Mae meysydd bwydo amgen (alternative) wedi'u creu ar foryd Afon Wysg i'r adar a oedd yn arfer bwydo ar y fflatiau llaid.
● Mae 'bwlch pysgod' wedi'i osod i alluogi eogiaid i deithio i fyny'r afon o Fae Caerdydd i fridio, fel roedden nhw'n gwneud cyn i'r morglawdd gael ei adeiladu.

Anfanteision
● Mae nifer o adar y glannau wedi gadael yr ardal yn hytrach na defnyddio'r safle newydd. Er bod nifer o'r adar hyn yn gyffredin mewn rhannau eraill o'r DU, roedd Bae Caerdydd yn cael ei ystyried yn 'safle o bwysigrwydd rhyngwladol' i adar mudo.
● Mae un aderyn, y pibydd coesgoch, wedi sefydlu cytref ar foryd Rhymni gerllaw, ond mae'n ymddangos nad yw'r bwydo cystal yno, ac mae llai ohonynt yn goroesi'r gaeaf.
● Roedd y morglawdd yn ddrud iawn i'w adeiladu (tua £200 miliwn), ac mae'n costio bron £20 miliwn y flwyddyn o ran cynnal a chadw.
● Roedd angen boddi 1 000 acer o dir fferm er mwyn creu'r safle bwydo amgen i'r adar.

**Ffigur 3.2** Bae Caerdydd cyn ac ar ôl adeiladu'r morglawdd.

1 Cynhaliwch ddadl yn y dosbarth ar y pwnc: 'Roedd yn beth da adeiladu morglawdd ar draws Bae Caerdydd'.
2 Ers symud eu meysydd bwydo, mae cyfradd oroesi'r pibydd coesgoch wedi gostwng o 85% i 78%. Efallai fod hyn oherwydd dydy'r cyflenwad bwyd ar y maes bwydo newydd ddim cystal ag ym Mae Caerdydd. Pa wybodaeth y byddai angen i wyddonwyr ei chasglu cyn gallu cadarnhau'r rhagdybiaeth hon?

## Pa lygryddion sydd yn ein hamgylchedd?

**Llygrydd** yw rhywbeth sydd wedi'i ychwanegu at yr amgylchedd ac sy'n ei ddifrodi mewn rhyw ffordd. Mae yna nifer o wahanol fathau o lygryddion. Dydy llygryddion ddim yn 'annaturiol' o reidrwydd, oherwydd mae rhai sylweddau naturiol yn gallu bod yn niweidiol os ydyn nhw'n cael eu cyflwyno yn y man anghywir neu mewn symiau mawr.

Rhai llygryddion cyffredin yw:

- cemegion solet neu hylifol, fel olew, glanedyddion, gwrteithiau, plaleiddiaid a metelau trwm
- cemegion nwyol fel carbon deuocsid, methan, clorofflworocarbonau (CFCau), sylffwr deuocsid ac ocsidau nitrus
- carthion dynol a charthion anifeiliaid
- swn
- gwres
- gwastraff o gartrefi sy'n amhosibl ei ailgylchu.

Mae'n amhosibl atal llygredd, ond rhaid i ni geisio cyfyngu ar lefelau llygredd fel nad yw'n gwneud llawer o ddifrod parhaol, os o gwbl, i'r amgylchedd.

## TASG — SUT GALLWN NI DDWEUD FAINT MAE'R AMGYLCHEDD WEDI'I LYGRU?

**Dyma weithgaredd sy'n eich helpu i:**
- ★ dadansoddi data
- ★ mesur cryfder tystiolaeth
- ★ llunio casgliadau.

Mae'n bosibl mesur rhai llygryddion yn uniongyrchol, a gallwn ni ganfod llygredd hefyd drwy weld *gostyngiad* yn **lefel ocsigen** neu **pH** y dŵr mewn nentydd ac afonydd. Yn aml, gall gwyddonwyr fesur lefel gyffredinol llygredd drwy ddefnyddio **rhywogaethau dangosol** (Tabl 3.1). Mae rhai planhigion ac anifeiliaid yn gallu goddef mwy o lygredd na'i gilydd. Mewn amgylchedd, byddech chi'n disgwyl dod o hyd i rai rhywogaethau penodol. Os bydd rhai o'r rhywogaethau disgwyliedig hyn yn absennol, gall roi syniad o ba mor llygredig yw'r amgylchedd.

**Tabl 3.1** Rhywogaethau dangosol ar gyfer lefelau llygredd mewn nentydd.

| Ansawdd y dŵr | Rhywogaethau sy'n bresennol |
|---|---|
| Dŵr glan | Nymff pryf cerrig, nymff cleren Fai |
| Llygredd isel | Berdysyn dŵr croyw, larfa pryf pric |
| Llygredd cymedrol | Lleuen ddŵr, cynrhonyn coch |
| Llygredd uchel | Mwydyn y llaid, cynrhonyn cwtfain |

Mae Ffigur 3.3 yn dangos nant lle aeth gwyddonwyr ati i astudio llygredd. Roedd dwy fferm, Fferm y Felin a Fferm Hafod, yn agos at y nant ac roedd y gwyddonwyr yn credu bod carthion o un fferm, neu o'r ddwy, yn mynd i'r nant. Cafodd samplau eu cymryd o'r nant mewn pum lle, sydd wedi'u labelu A–D ar y diagram.

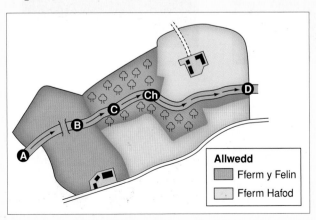

**Allwedd**
Fferm y Felin
Fferm Hafod

**Ffigur 3.3**

Mae Tabl 3.2 yn dangos y canlyniadau.

*parhad...*

**Tabl 3.2** Canlyniadau samplau'r nant.

| Pwynt sampl | Rhywogaethau wedi'u canfod (niferoedd i bob m²) | | | | | | | |
|---|---|---|---|---|---|---|---|---|
| | Nymff pryf cerrig | Nymff cleren Fai | Berdysyn dŵr croyw | Larfae pryf pric | Cynrhonyn coch | Lleuen ddŵr | Cynrhonyn cwtfain | Mwydyn llaid |
| A | 11 | 15 | 5 | 12 | 0 | 2 | 0 | 0 |
| B | 0 | 0 | 3 | 4 | 6 | 16 | 12 | 3 |
| C | 0 | 0 | 3 | 8 | 8 | 14 | 2 | 0 |
| Ch | 0 | 0 | 4 | 10 | 4 | 6 | 0 | 0 |
| D | 0 | 0 | 0 | 4 | 12 | 20 | 2 | 0 |

O'r canlyniadau, ysgrifennwch adroddiad am lygredd y nant a'i achosion tebygol. Gofalwch fod eich adroddiad yn fanwl a defnyddiwch dystiolaeth o'r canlyniadau i gyfiawnhau eich casgliad.

## TASG — FAINT O LYGREDD SYDD YN YR AER RYDYCH *CHI*'N EI ANADLU?

**Dyma weithgaredd sy'n eich helpu i:**
★ deall profi teg
★ cynllunio arbrofion.

Mae **cennau** yn cael eu defnyddio fel dangosyddion llygredd aer. Mae Ffigur 3.4 yn dangos cennau sydd i'w cael mewn aer glân a chennau sydd i'w cael mewn ardaloedd sydd wedi'u llygru ag ocsidau nitrus neu sylffwr deuocsid. Mae hefyd yn dangos enghreifftiau o blanhigion sydd ddim yn gennau, ond sy'n cael eu camgymryd am gennau ar adegau.

Mae'r cennau hyn i gyd yn tyfu ar risgl coed. Gwnewch arolwg o'r coed o amgylch eich ysgol i weld a oes llygredd yn yr aer yn eich ardal chi.

1   Pe baech chi'n cymharu eich ardal chi ag ardal arall, eglurwch pam byddai angen edrych ar un rhywogaeth o goeden yn unig yn y ddwy ardal er mwyn gwneud y prawf yn deg.

2   Pe baech chi'n dymuno cymharu eich ardal chi ag ardaloedd eraill, byddai'n ddefnyddiol ichi gael data meintiol (rhifau) i'w cymharu. Sut gallech chi gynllunio eich arolwg fel ei fod yn rhoi rhyw fath o ffigur ar gyfer y llygredd aer y byddai modd ei gymharu'n ddibynadwy ag ardal arall?

**Hoff o nitrogen**

*Xanthoria parietina*

*Physcia tenella*

*Usnea cornuta*

**Goddef sylffwr**

*Xanthovia polycarpa*

**Dangosydd aer glân**

*Hypogymnia physodes*

**Dydy'r rhain ddim yn gennau!**

**Mwsogl**

*Desmococcus*

**Ffigur 3.4** Cennau a rhywogaethau dangosol llygredd aer.

# Pam rydym ni'n poeni am gemegion yn 'mynd i'r gadwyn fwyd'?

**Metelau trwm** a **phlaleiddiaid** yw'r prif gemegion i achosi pryder yma. Mae angen ychydig bach o fetelau ar bethau byw, ond gall gormod achosi niwed. Mae rhai metelau, fel plwm a mercwri, yn wenwynig mewn symiau bach hyd yn oed. Prosesau diwydiannol sy'n gyfrifol am y rhan fwyaf o lygredd gan fetelau trwm. Roedd llawer o lygredd plwm yn arfer dod o gerbydau oedd yn llosgi petrol. Erbyn heddiw mae petrol yn ddi-blwm fel arfer, er bod rhai gwledydd datblygol yn defnyddio petrol plwm o hyd.

Mae plaleiddiaid yn gemegion gwenwynig sy'n cael eu defnyddio i ladd plâu amaethyddol, fel arfer drwy chwistrellu cnydau. Mae rhai o'r plaleiddiaid hyn yn cymryd amser i dorri i lawr, ac felly bydd olion ohonynt ar ffrwythau a llysiau yn y siopau. Pan gaiff plaleiddiaid eu gadael yn y pridd, mae glaw'n gallu eu golchi i afonydd a nentydd. Hefyd mae chwistrelli plaleiddiaid yn gallu drifftio yn yr awyr y tu hwnt i'r ardal sy'n cael ei chwistrellu.

Yn y DU mae'r defnydd o'r cemegion llygru hyn yn cael ei reoli. Mae rhai'n cael eu gwahardd mewn sefyllfaoedd arbennig, ac mae Asiantaeth yr Amgylchedd yn monitro'r amgylchedd am arwyddion o lefelau niweidiol o lygryddion. Er bod damweiniau ar adegau'n achosi lefelau uchel o lygredd, mae lefelau'r llygryddion sy'n cael eu rhyddhau i'r amgylchedd fel arfer yn fach ac o dan reolaeth. Mae problemau'n codi, fodd bynnag, os bydd y cemegion hyn yn mynd i'r gadwyn fwyd.

Digwyddodd achos enwog o hyn yn Minemata, Japan yn yr 1950au. Mae'r ddinas ar lannau Bae Minemata, ac roedd y bobl yno'n byw bron yn gyfan gwbl ar bysgod o'r bae. Yn sydyn dechreuodd llawer o bobl yn Minemata ddangos symptomau gwenwyniad mercwri, a bu farw 20 ohonynt. Roedd ffatri ar gyrion y bae'n defnyddio mercwri, ond doedd dim gollyngiad mawr wedi digwydd. Er hynny, roedd planhigion microsgopig yn y bae wedi amsugno'r mercwri ac roedd y planhigion hyn yn rhan o'r gadwyn fwyd ddynol. Mae Ffigur 3.5 yn dangos rhan o'r we fwyd yn y bae.

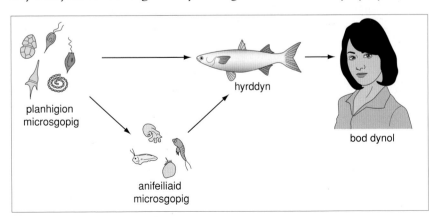

**Ffigur 3.5** Rhan o'r we fwyd yn ardal Bae Minemata. Roedd y bobl yn bwyta amrywiaeth o bysgod a physgod cregyn yn ogystal â hyrddiaid. Roedd y rhain i gyd wedi bod yn bwyta'r planhigion a'r anifeiliaid microsgopig.

Digwyddodd y gwenwyniad fel hyn:

- Amsugnodd y planhigion microsgopig y mercwri oedd yn y dŵr.
- Bwytaodd yr anifeiliaid microsgopig symiau mawr o'r planhigion, ac felly cynyddodd y mercwri yn yr anifeiliaid hyn.
- Bwytaodd y pysgod symiau mawr iawn o'r planhigion a'r anifeiliaid microsgopig, ac felly cododd lefel y mercwri yn y pysgod yn uwch fyth.
- Mewn gwirionedd roedd y pysgod yn wenwynig oherwydd lefelau'r mercwri ynddynt. Pan gafodd llawer o'r pysgod hyn eu bwyta gan bobl, aeth lefelau mercwri'r bobl hynny mor uchel nes iddynt fynd yn wael iawn neu farw.

**CWESTIWN**

1 Pam gall pobl fod mewn mwy o berygl nag organebau eraill os bydd gwenwynau yn mynd i we fwyd cynefin?

## Pam mae carthion a gwrteithiau'n lladd pysgod?

Weithiau bydd glaw yn golchi'r carthion a'r gwrteithiau sydd yn y pridd ar dir fferm i nentydd ac afonydd. Mae hyn yn cychwyn proses o'r enw **ewtroffigedd**, sy'n gallu lladd pysgod ac anifeiliaid eraill. Mae'n digwydd fel hyn:

- Mae'r carthion/gwrtaith yn achosi cynnydd yn nhwf planhigion microsgopig.
- Mae bywyd byr gan y planhigion hyn, felly yn fuan wedyn mae nifer y planhigion marw yn y dŵr yn codi.
- Mae bacteria'n pydru'r planhigion, ac oherwydd bod cynifer o blanhigion marw mae poblogaeth y bacteria'n cynyddu'n sydyn.
- Mae'r bacteria hyn yn defnyddio ocsigen ar gyfer resbiradaeth, ac mae lefel yr ocsigen yn y dŵr yn lleihau.
- Mae anifeiliaid megis pysgod, sydd angen llawer o ocsigen, yn marw oherwydd does dim digon o ocsigen yn y dŵr.

**GWAITH YMARFEROL**

## SUT GALLWCH CHI BROFI LEFEL LLYGRYDDION ORGANIG MEWN DŴR?

Fel y gwelsom uchod, mae llygredd gan garthion neu wrteithiau yn achosi cynnydd yn nifer y bacteria mewn dŵr. Mae'r bacteria hyn yn cynhyrchu catalas, ensym sy'n torri hydrogen perocsid i lawr i ddŵr ac ocsigen.

$$\text{hydrogen perocsid} \rightarrow \text{ocsigen} + \text{dŵr}$$

Mae mwy o facteria mewn dŵr llygredig na dŵr glân. Bydd hydrogen perocsid yn cael ei dorri i lawr yn gyflymach mewn dŵr llygredig, a gallwn fesur hyn drwy nodi faint o ocsigen sy'n cael ei gynhyrchu.

Dyma weithgaredd sy'n eich helpu i:

★ datblygu sgiliau trin cyfarpar gwyddonol
★ dewis cyfarpar priodol
★ penderfynu pa fath o graff i'w ddefnyddio i ddangos data
★ lluniadu graffiau.

**Cyfarpar**

| | |
|---|---|
| * dŵr pwll | * 2 stand clampio |
| * dŵr tap | * stopwatsh |
| * hydoddiant hydrogen perocsid | * riwl |
| * 2 × chwistrell 1 cm³ | * pennau marcio |
| * 2 × tiwbin capilari 20 cm o hyd | * menig latecs |
| * tiwbin rwber | * sbectol ddiogelwch |

*parhad...*

## GWAITH YMARFEROL *parhad*

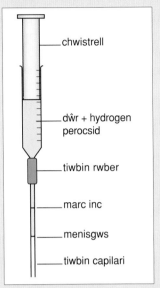

chwistrell

dŵr + hydrogen perocsid

tiwbin rwber

marc inc

menisgws

tiwbin capilari

**Ffigur 3.6** Cyfarpar y gwaith ymarferol.

### Pwyntiau Trafod

1 Dydy'r arbrawf hwn ddim yn gallu profi bod y dŵr pwll wedi'i lygru. Pam ddim?

2 Sut gallech chi addasu'r arbrawf fel y *byddai*'n rhoi gwybodaeth am lygredd posibl yn y dŵr pwll?

### Asesiad risg
- **Gwisgwch sbectol ddiogelwch.**
- **Bydd eich athro/athrawes yn rhoi asesiad risg i chi.**

### Dull

1 Tynnwch 0.5 cm³ o hydrogen perocsid i mewn i'r chwistrell, yna tynnwch ddŵr pwll nes llenwi'r chwistrell hyd at y marc 1.0cm³. Ysgydwch y chwistrell yn ysgafn i gymysgu'r cynnwys.

2 Cydiwch y tiwbin rwber a'r tiwbin capilari fel yn y diagram.

3 Rhowch y cyfarpar mewn stand clampio.

4 Gwasgwch y chwistrell yn ysgafn nes i chi allu gweld yr hydoddiant yn y tiwb capilari. Marciwch safle'r menisgws â phen marcio.

5 Cydosodwch set arall o gyfarpar yn union yr un fath, ond defnyddiwch ddŵr tap yn lle dŵr pwll.

6 Os bydd ocsigen yn ffurfio, bydd yn cronni yn rhan uchaf y chwistrell gan wthio'r hylif i lawr y tiwb capilari. Bob munud, am gyfnod o 5 munud, marciwch safle newydd y menisgws ar y ddau diwb capalari.

7 Ar ôl 5 munud, defnyddiwch riwl i fesur pa mor bell y teithiodd y menisgws pob munud yn y ddau diwb.

8 Cofnodwch eich darlleniadau mewn tabl addas.

### Dadansoddi eich canlyniadau

1 Lluniwch graff o'ch canlyniadau. Penderfynwch a ddylai hwn fod yn graff bar neu'n graff llinell, ac eglurwch eich dewis.

2 Beth yw eich casgliadau ar sail eich canlyniadau?

3 Pam mae'n well defnyddio tiwbin capilari yn hytrach na thiwbin gwydr arferol yn yr arbrawf hwn?

## Ydym ni eisiau cael bwyd rhad neu anifeiliaid fferm hapus?

**Ffigur 3.7** Mae ieir batri'n cael eu cadw mewn mannau cyfyng iawn.

Mae ffermio batri, lle mae niferoedd enfawr o anifeiliaid yn cael eu cadw mewn man bach, yn fater amgylcheddol sy'n achosi teimladau cryf mewn rhai pobl. Dim ond un enghraifft yw hon o ddulliau **ffermio dwys**. System amaethyddol yw ffermio dwys, a'i nod yw cynhyrchu cymaint â phosibl o gynnyrch o'r tir sydd ar gael. Mae'n berthnasol i anifeiliaid ac i blanhigion, ac yn ogystal â ffermio batri mae'n cynnwys defnyddio cemegion megis plaleiddiaid a gwrteithiau i gynyddu cynnyrch ac i reoli clefydau.

Mae manteision ac anfanteision i hyn, a gall tystiolaeth wyddonol egluro'r rhain, ond yn y pen draw rhaid i bobl ffurfio eu barn eu hunain am y mater. Dydy data gwyddonol ddim yn gallu penderfynu ar fater moesegol, ond mae'r fath ddata'n gallu sicrhau bod gan bobl y wybodaeth gywir yn sail i'w penderfyniad eu hunan.

Manteision ffermio dwys yw:

- Mae'r cynnyrch yn uchel oherwydd gellir cadw mwy o anifeiliaid a rheoli'r amodau. Felly, mae'n rhatach cynhyrchu'r bwyd. Mae'r ffermwr yn gwneud mwy o arian; weithiau gall hyn ei gadw ef neu ei chadw hi mewn busnes. Os aiff ffermydd allan o fusnes, bydd y Deyrnas Unedig yn llai hunangynhaliol o ran bwyd.
- Mae'r bwyd yn rhatach yn y siopau, sy'n golygu bod pobl dlawd yn gallu fforddio deiet iachach.
- Mae cynyddu'r cynnyrch yn galluogi'r Deyrnas Unedig i dyfu mwy o fwyd i ddiwallu anghenion poblogaeth sy'n tyfu.

Yr anfanteision yw:

- Gall y cemegion sy'n cael eu defnyddio fynd i'r gadwyn fwyd ac i'n cyrff ni.
- Gall y cemegion achosi llygredd a niweidio bywyd gwyllt heblaw plâu.
- Mae amgylcheddau naturiol yn cael eu dinistrio. Er enghraifft, caiff gwrychoedd eu dadwreiddio i wneud caeau mawr sy'n addas i ffermio dwys.
- Er nad oes neb yn gallu gwybod mewn gwirionedd beth mae anifail yn ei 'deimlo', mae'n debygol bod ffermio dwys yn achosi straen ac anghysur i anifeiliaid. Mae ansawdd eu bywyd yn wael iawn.

## Ddylem ni ladd moch daear i atal TB gwartheg?

**Ffigur 3.8** Mae moch daear yn cludo TB ac yn gallu ei drosglwyddo i wartheg.

**CWESTIWN**

2 Ar sail y dystiolaeth wyddonol (nid pa mor hoff o foch daear rydych chi), pa bolisi ar gyfer difa moch daear y dylai'r Llywodraeth ei ddilyn yn eich barn chi?

Mater amgylcheddol arall lle mae gwyddoniaeth yn gallu chwarae rhan yw a ddylid lladd ('difa') moch daear er mwyn i lai o wartheg gael eu heintio gan **dwbercwlosis** (TB) **gwartheg**. Mae hwn yn fater moesegol, oherwydd er nad oes neb eisiau lladd moch daear mewn gwirionedd, mae rhai pobl yn meddwl y byddai hynny'n dderbyniol pe bai'n llwyddo i atal lladd gwartheg oherwydd bod TB arnynt. Gall gwyddoniaeth gasglu tystiolaeth am ba mor effeithiol yw difa moch daear. Yn anffodus, dydy'r dystiolaeth ddim yn syml. Dyma grynodeb ohoni:

- Mae'n sicr bod moch daear yn cludo TB gwartheg ac yn ei drosglwyddo i wartheg.
- Os caiff pob mochyn daear mewn ardal ei ladd mewn cyfnod byr iawn, mae difa'n gweithio, ac mae TB gwartheg yn gostwng yn sylweddol.
- Mae'n anodd iawn lladd pob mochyn daear mewn ardal.
- Os mai dim ond difa rhannol sy'n digwydd a bod rhai moch daear yn goroesi, maen nhw'n tueddu i symud i ffwrdd. Mae TB yn gostwng yn ardal y difa, ond mae'r moch daear yn cludo'r clefyd i ardaloedd cyfagos ac mae TB yn cynyddu yn y mannau hynny.

Dydy ffermwyr ddim yn cael lladd moch daear heb gael trwydded gan y Llywodraeth. Ym mis Gorffennaf 2011 cyhoeddodd Llywodraeth San Steffan ddogfen ymgynghori a allai arwain at ganiatáu difa moch daear mewn ardaloedd penodol yn ne-ddwyrain Lloegr. Mae'r mater yn dal yn destun dadl sylweddol yng Nghymru a bydd Llywodraeth Cymru yn dechrau ystyried canlyniadau ymchwiliad gwyddonol i'r mater yn hydref 2011.

# O ble rydym ni'n cael ein hegni?

Mae egni'n cyrraedd y blaned drwy'r amser ar ffurf golau haul. Mae'r egni hwn yn symud o organeb i organeb drwy **gadwynau bwyd**. Planhigion yw'r dolenni cyntaf ym mhob cadwyn fwyd gan eu bod yn **gynhyrchwyr** – maen nhw'n troi egni golau haul yn egni cemegol wedi'i storio. Ar y cam hwn, caiff llawer o'r egni ei wastraffu – dim ond tua 5% o egni golau haul sy'n cael ei ddal gan blanhigion. Pan mae llysysyddion yn bwyta planhigion, caiff peth o'r egni ei drosglwyddo iddynt. Nhw yw'r **ysyddion,** sef y ddolen nesaf yn y gadwyn fwyd. Pan mae cigysydd yn bwyta'r llysysydd, mae'r broses o drosglwyddo egni'n cael ei hailadrodd. Mae egni'n symud fel hyn o gigysyddion i garthysyddion a dadelfenyddion sy'n bwydo ar organebau marw. Fodd bynnag, dydy'r holl egni sydd wedi'i storio gan lysysydd ddim yn cael ei storio gan y cigysydd sy'n ei fwyta. Caiff llawer ohono ei ddefnyddio mewn prosesau bywyd fel symud, tyfu, atgyweirio celloedd ac atgenhedlu. Bydd peth ohono hefyd yn cael ei wastraffu ar ffurf gwres yn ystod resbiradaeth. Dim ond yr egni dros ben sy'n cael ei storio gan y cigysydd.

Meddyliwch am y gadwyn fwyd, a'r llif egni drwyddi, pan fyddwn ni'n bwyta pysgodyn megis tiwna. Yn gyntaf, mae plancton planhigol (algâu microsgopig) yn defnyddio egni'r haul. Yna, mae'r egni hwnnw'n cael ei drosglwyddo i blancton anifail, yna i bysgod bach, yna i bysgod mwy, yna i diwna ac yna i ni. Fel rheol, does dim ysglyfaethwr i'n bwyta ni, felly ni yw'r cigysyddion ar frig y gadwyn fwyd hon.

plancton planhigol → plancton anifail → pysgod bach → pysgod mawr → tiwna → pobl

**Ffigur 3.9** Gwe fwyd nodweddiadol.

Ym myd natur mae'r cadwynau bwyd yn aml yn cydgysylltu, oherwydd mae'r mwyafrif o organebau'n bwyta llawer o wahanol bethau ac yn cael eu bwyta gan nifer o wahanol anifeiliaid hefyd. Yr enw ar gadwynau bwyd wedi'u cydgysylltu yw **gweoedd bwyd** (Ffigur 3.9). Mae'r we hon, hyd yn oed, wedi'i gor-symleiddio wrth ystyried pob perthynas fwydo a fyddai'n bodoli yn yr amgylchedd hwn.

Mae'n bosibl dangos perthnasoedd bwydo ar ffurf pyramidiau (gweler Ffigurau 3.10 a 3.11). Mae lled pob bloc yn y pyramid yn dynodi'r nifer o'r math hwnnw o organeb (neu ei fàs). Gallwn ddefnyddio'r pyramidiau hyn i ddysgu mwy am yr egni sydd ar gael i organebau sy'n byw y tu mewn i arwynebedd neu gyfaint arbennig. Mae gwahanol ffyrdd o ddylunio'r pyramidiau:

29

3 Mae gweoedd bwyd yn cysylltu bywydau'r anifeiliaid a'r planhigion sydd ynddynt. Felly mae beth sy'n digwydd i un organeb yn gallu effeithio ar organebau eraill. Yn y we fwyd yn Ffigur 3.9, awgrymwch beth allai ddigwydd i boblogaeth o adar ysglyfaethus pe bai poblogaeth o fuchod coch cwta yn lleihau'n sydyn.

■ Mae **pyramid niferoedd** yn dangos nifer yr organebau ym mhob uned arwynebedd neu uned gyfaint ar bob lefel fwydo.
■ Mae **pyramid biomas** yn dangos màs sych y defnydd organig ym mhob uned arwynebedd neu uned gyfaint ar bob lefel fwydo.

Mae'r egni cemegol sydd ar gael yn cyfyngu ar nifer y dolenni mewn cadwyn fwyd. Wrth i gyfanswm yr egni cemegol ar bob lefel fwydo leihau, lleihau hefyd mae faint o ddefnyddiau byw y gall y lefel honno ei gynnal. Pan na fydd dim egni cemegol ar ôl, bydd y gadwyn fwyd (a'r pyramid) yn dod i ben.

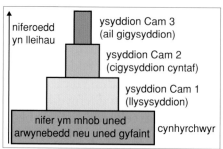

Ffigur 3.10 Pyramid niferoedd cyffredinol.

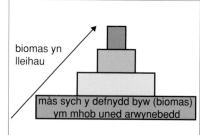

Ffigur 3.11 Pyramid biomas ar gyfer cadwyn fwyd mewn coetir.

BETH SYDD O'I LE AR FY MHYRAMID I?

Dyma weithgaredd sy'n eich helpu i:
★ plotio graffiau
★ egluro canlyniadau
★ gwerthuso dulliau arbrofol.

Mae data wedi'u casglu o ardal o goetir (Tabl 3.3).

Tabl 3.3 Niferoedd yr organebau ar wahanol lefelau bwydo.

| Organebau | Nifer |
|---|---|
| Planhigion (coed a phlanhigion daear) | 55 |
| Ysyddion Cam 1 (llysysyddion) | 120 |
| Ysyddion Cam 2 (cigysyddion bach) | 36 |
| Ysyddion Cam 3 (cigysyddion mawr) | 2 |

1 Defnyddiwch bapur graff i adeiladu pyramid niferoedd ar gyfer y data hyn.
2 Dydy eich 'pyramid' ddim ar siâp pyramid! Eglurwch y rheswm tebygol dros hyn.
3 Pam byddai hi'n well llunio pyramid biomas pe bai'r data hynny ar gael?

**Pwyntiau Trafod**

Mae nifer o ffactorau wedi dylanwadu ar gasglu'r wybodaeth. Sut gallai pob un o'r rhain fod wedi effeithio ar y data?
a Roedd yn haws dod o hyd i'r planhigion a'u cyfrif gan nad oedden nhw'n symud.
b Roedd rhai o'r ysyddion Cam 1 yn fach iawn ac yn anodd eu gweld.
c Roedd yr ysyddion Cam 3 yn symud o gwmpas llawer – dim ond y ddau oedd yn digwydd bod yno a welsom ni.

## Ydw i'n mynd i gael fy ailgylchu?

Mae llawer o bobl yn hoff o ailgylchu pethau i helpu i warchod yr amgylchedd, ond oeddech chi'n gwybod y cewch chi eich ailgylchu ar ôl i chi farw? Mae pob peth byw wedi'i wneud o gemegion sy'n cynnwys carbon, a rhaid ailgylchu'r carbon hwn neu bydd y cyflenwad yn dod i ben. Mae Ffigur 3.12 yn dangos y **gylchred garbon**.

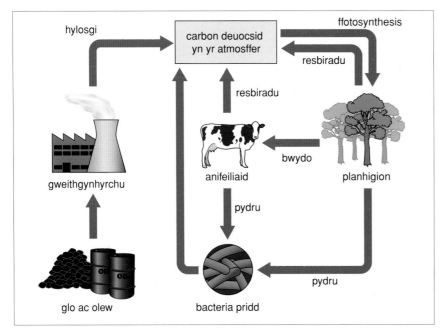

**Ffigur 3.12** Y gylchred garbon.

Caiff carbon deuocsid yn yr aer ei droi'n fwyd gan blanhigion gwyrdd mewn proses o'r enw **ffotosynthesis**. Mae anifeiliaid yn cael eu carbon drwy fwyta planhigion (neu anifeiliaid eraill). Mae'r carbon mewn anifeiliaid a phlanhigion marw'n cael ei ryddhau'n ôl i'r atmosffer drwy broses pydru. Mae'r bacteria sy'n gwneud hyn yn rhyddhau carbon deuocsid wrth **resbiradu**. Mae anifeiliaid a phlanhigion byw hefyd yn resbiradu, ac felly maen nhw'n rhoi carbon deuocsid yn ôl yn yr atmosffer. Ar ben hyn mae effaith llosgi **tanwyddau ffosil** yn ychwanegu carbon deuocsid at yr atmosffer.

Cafodd tanwyddau ffosil eu gwneud o gyrff marw planhigion ac anifeiliaid, filiynau o flynyddoedd yn ôl. Gan nad oedd y rhain yn pydru (dadelfennu) yn llwyr, cafodd llawer o'r carbon ynddynt ei 'gloi' yn y tanwyddau ffosil. Pan gaiff tanwyddau ffosil eu llosgi, caiff y carbon ynddynt ei ryddhau ar ffurf carbon deuocsid, sy'n ychwanegu at y lefelau yn yr atmosffer. Dim ond yn y 200 mlynedd diwethaf mae pobl wedi dechrau echdynnu a llosgi tanwyddau ffosil ar raddfa fawr. Mae hyn wedi tarfu ar y cydbwysedd ac wedi achosi cynnydd yn y carbon deuocsid sydd yn yr atmosffer.

## Beth arall sy'n cael ei ailgylchu?

Mae'r holl fwynau sydd mewn pethau byw'n cael eu hailgylchu, nid dim ond carbon. Mae yna derfyn ar fwynau'r Ddaear, ac os nad ydyn nhw'n cael eu hailgylchu bydd y cyflenwadau ohonynt yn dod i ben. Mae planhigion yn cymryd y sylweddau hyn o'u hamgylchedd ac mae anifeiliaid yn eu cymryd ar ffurf bwyd. Maen nhw'n cael eu rhyddhau eto pan mae cyrff marw'n pydru. Mae hyn yn cynnal cydbwysedd rhwng y pethau byw a'r atmosffer. Dau fwyn pwysig yw nitrogen a ffosfforws. Mae'r '**cylchred nitrogen**' a'r '**cylchred ffosfforws**' yn sicrhau eu bod nhw'n cael eu rhoi'n ôl yn yr amgylchedd i'w hailddefnyddio. Mae Ffigur 3.13 yn dangos y gylchred nitrogen.

Mae bacteria yn y pridd yn troi nitrogen o'r aer yn nitradau; gall planhigion amsugno'r rhain a'u defnyddio. Mae bacteria eraill yn gallu troi'r nitradau hyn yn ôl yn nitrogen. Ar ôl i'r planhigion amsugno'r nitradau, maen nhw'n cael eu pasio i anifeiliaid sy'n bwyta'r planhigion. Yn y pen draw mae'r nitrogen yn dychwelyd i'r pridd mewn troeth ac ymgarthion anifeiliaid, a phan fydd anifeiliaid a phlanhigion marw'n pydru.

31

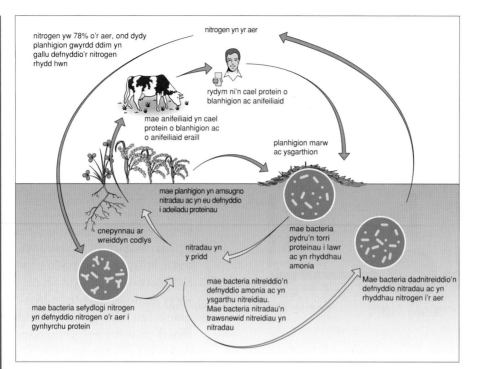

nitrogen yw 78% o'r aer, ond dydy planhigion gwyrdd ddim yn gallu defnyddio'r nitrogen rhydd hwn

nitrogen yn yr aer

rydym ni'n cael protein o blanhigion ac anifeiliaid

mae anifeiliaid yn cael protein o blanhigion ac o anifeiliaid eraill

planhigion marw ac ysgarthion

mae planhigion yn amsugno nitradau ac yn eu defnyddio i adeiladu proteinau

mae bacteria pydru'n torri proteinau i lawr ac yn rhyddhau amonia

cnepynnau ar wreiddyn codlys

nitradau yn y pridd

Mae bacteria dadnitreiddio'n defnyddio nitradau ac yn rhyddhau nitrogen i'r aer

mae bacteria nitreiddio'n defnyddio amonia ac yn ysgarthu nitreidiau. Mae bacteria nitradau'n trawsnewid nitreidiau yn nitradau

mae bacteria sefydlogi nitrogen yn defnyddio nitrogen o'r aer i gynhyrchu protein

**Ffigur 3.13** Y gylchred nitrogen.

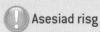

**SUT MAE TROETH YN HELPU I GADW'R GYLCHRED NITROGEN I FYND?**

**Dyma weithgaredd sy'n eich helpu i:**
★ llunio casgliadau
★ mesur cryfder tystiolaeth
★ deall arbrofion cymharu..

Fel rhan o ailgylchu, bydd dadelfenyddion yn secretu i'r pridd ensymau sy'n torri gwastraff megis wrea i lawr. Enw un o'r ensymau hyn yw **wreas**. Mae'r arbrawf hwn yn ymchwilio i effaith crynodiad yr wreas ar ei adwaith ag wrea. Mae wreas yn catalyddu (cyflymu) y broses o dorri wrea i lawr i ryddhau amonia. Mae'r amonia'n hydoddi mewn dŵr i ffurfio hydoddiant alcalïaidd sy'n gallu cael ei drawsnewid yn nitradau yn y pridd.

**⚠ Asesiad risg**
- **Gwisgwch sbectol ddiogelwch.**
- **Bydd eich athro/ athrawes yn rhoi asesiad risg i chi.**

**Cyfarpar**
* 4 tiwb profi
* rhesel tiwbiau profi
* labeli
* 3 chwistrell
* pibed ddiferu
* Bunsen, trybedd a rhwyllen
* bicer mawr (i'w ddefnyddio fel baddon dŵr)
* siart lliw pH

* hydoddiant wrea 0.1 mol/dm$^3$
* hydoddiant wreas ffres
* hydoddiant wreas wedi'i ferwi a'i oeri
* asid ethanoig
* hydoddiant Dangosydd Cyffredinol
* dŵr distyll
* sbectol ddiogelwch

**Dull**
1 Bydd angen baddon dŵr berw arnoch chi i gynnal yr arbrawf hwn. Llenwch hanner y bicer mawr â dŵr a dechreuwch ei wresogi nawr.
2 Labelwch bedwar tiwb profi A, B, C ac Ch.
3 Gan ddefnyddio chwistrell, rhowch 3 cm$^3$ o hydoddiant wreas yn nhiwb Ch a rhowch y tiwb yn y dŵr berw am 4 munud. Tynnwch y tiwb allan a gadewch iddo oeri. (Gallwch chi gyflymu'r broses oeri drwy redeg dŵr oer dros waelod y tiwb.)

*parhad...*

**4** Gan ddefnyddio'r ail chwistrell, ychwanegwch y canlynol at bob un o'r tiwbiau:

   **a** 5 cm³ o hydoddiant wrea

   **b** 3 diferyn o asid ethanoig

**5** Gan ddefnyddio pibed ddiferu, ychwanegwch 10 diferyn o hydoddiant Dangosydd Cyffredinol at bob tiwb.

**6** Gan ddefnyddio'r chwistrell gyntaf, ychwanegwch hydoddiant wreas at diwbiau A, B ac C fel a ganlyn:

   Tiwb A – 1 cm³ o wreas

   Tiwb B – 3 cm³ o wreas

   Tiwb C – 5 cm³ o wreas

**7** Mae tiwb Ch yn cynnwys 3 cm³ o wreas wedi'i ferwi a'i oeri'n barod.

**8** Lluniwch dabl addas i gofnodi eich canlyniadau.

**9** Ysgydwch y tiwbiau, cymharwch y lliw â'r siart pH a chofnodwch pH bras cynnwys pob un o'r tiwbiau yn y tabl.

**10** Bob 2 funud, ysgydwch y tiwbiau a chofnodwch pH bras pob tiwb (A, B, C, Ch). Daliwch ati i gymryd darlleniadau am 12 munud.

**11** Casglwch ganlyniadau grwpiau eraill yn y dosbarth i'w defnyddio fel darlleniadau ailadroddol.

**12** Dangoswch eich canlyniadau ar ffurf graff llinell.

### Pwyntiau Trafod

Yn yr arbrawf hwn, fe wnaethoch chi ddefnyddio wreas o'r un *crynodiad*, ond gan newid y *cyfaint*. Ydy hyn yn golygu nad yw'r arbrawf yn ffordd ddilys o brofi effaith crynodiad?

### Dadansoddi eich canlyniadau

**1** Beth yw eich casgliadau o'r arbrawf hwn?

**2** Pa mor sicr ydych chi am y casgliadau hyn? Rhowch resymau dros eich ateb (awgrym: edrychwch ar yr amrywiadau rhwng canlyniadau gwahanol grwpiau).

**3** Pam rydych chi'n meddwl bod asid ethanoig wedi cael ei ychwanegu at y tiwbiau?

**4** Beth oedd pwynt tiwb Ch?

## Crynodeb o'r bennod

- Rhaid cydbwyso anghenion bywyd gwyllt â gofynion pobl am fwyd a datblygiad economaidd.
- I leihau effaith datblygiadau ar yr amgylchedd, mae'n bwysig casglu data biolegol manwl a dibynadwy a monitro unrhyw newidiadau.
- Gallwn ni fonitro llygredd mewn nentydd ac afonydd drwy fesur lefelau ocsigen neu pH, neu drwy chwilio am bresenoldeb rhywogaethau dangosol.
- Mae metelau trwm a phlaleiddiaid sy'n mynd i gadwynau bwyd yn gallu achosi problemau iechyd penodol i anifeiliaid sy'n uwch yn y gadwyn fwyd gan fod y crynodiad ohonynt yn cynyddu wrth i'r gadwyn fwyd fynd yn fwy.
- Mae carthion a gwrtaith heb eu trin yn achosi i algâu dyfu'n gyflym mewn dŵr croyw. Pan mae'r planhigion hyn yn marw, mae'r bacteria sy'n eu pydru nhw'n gostwng lefelau ocsigen y dŵr, gan achosi i bysgod ac anifeiliaid eraill farw.
- Mae cadwynau a gweoedd bwyd yn dangos trosglwyddo egni rhwng organebau. Mae'r egni hwn yn cyrraedd yr amgylchedd ar ffurf golau haul.
- Dydy llawer o egni golau haul ddim yn cael ei amsugno na'i ddefnyddio'n effeithiol gan blanhigion.

○ Caiff rhywfaint o egni ei ddefnyddio neu ei wastraffu ar bob cam mewn cadwyn fwyd.
○ Gallwn ni ddefnyddio pyramidiau niferoedd a biomas i gynrychioli faint o organebau sydd ar lefelau bwydo gwahanol. Mae pyramidiau biomas yn fwy manwl gywir na phyramidiau niferoedd.
○ Mae microbau'n achosi i gyrff marw a defnyddiau gwastraff bydru. Wrth wneud hyn, mae'r microbau'n resbiradu ac yn rhyddhau carbon deuocsid i'r atmosffer.
○ Mae carbon, nitrogen a ffosfforws yn cael eu hailddefnyddio'n gyson mewn natur am eu bod nhw'n cael eu 'cylchu'.
○ Mae ffotosynthesis a resbiradu'n brosesau pwysig yn y gylchred garbon.
○ Mae llosgi tanwyddau ffosil yn rhyddhau llawer o garbon deuocsid.

# 4

# Amrywiad ac etifeddiad

## Ydw i'n unigryw?

Ydych, rydych chi'n unigryw. Does dim yr un bod dynol sy'n union yr un fath ag unrhyw un arall sy'n fyw nawr nac unrhyw bryd yn y gorffennol. Mae hyd yn oed gefeilliaid 'unfath', er eu bod nhw'n edrych yn debyg iawn i'w gilydd, yn wahanol mewn rhai ffyrdd. Mae bodau dynol yn amrywio mewn llawer o ffyrdd.

Rydym ni'n mynd i edrych ar amrywiad yn eich dosbarth chi. Ceisiwch ddod o hyd i o leiaf 20 math o wahaniaeth yn yr unigolion yn eich dosbarth chi. Peidiwch â chynnwys pethau fel dillad a gemwaith – dim ond amrywiadau yn eu cyrff.

Mae pawb yn eich dosbarth tua'r un oed. Serch hynny, byddan nhw'n amrywio cryn dipyn o ran maint. Nid eu taldra nhw fydd yr unig wahaniaeth, ond maint gwahanol rannau o'u cyrff hefyd.

---

## GWAITH YMARFEROL    AMRYWIAD YN HYD BYSEDD

**Dyma weithgaredd sy'n eich helpu i:**
★ dewis sut i blotio data
★ llunio graffiau bar
★ barnu rhagdybiaethau
★ ystyried cryfder tystiolaeth.

### Dull

1 Casglwch ddata am hyd bys canol pawb yn eich dosbarth. Mae Ffigur 4.1 yn dangos sut i fesur hyd y bys.
2 Ym mhob achos, cofnodwch ai bachgen neu ferch yw'r unigolyn – yna gallwn ni ofyn 'Oes gwahaniaeth rhwng hyd bysedd bechgyn a merched?'
3 Gallwch chi blotio'r data ar ffurf siart bar mewn nifer o wahanol ffyrdd; mae Ffigur 4.2 yn dangos hyn.
4 Beth fydd y ffordd orau o blotio'r data:
   a os mai data'r grŵp cyfan yw eich prif ddiddordeb, ond bod gennych chi rywfaint o ddiddordeb yn y gwahaniaeth rhwng y rhywiau
   b os mai gwahaniaethau yn y patrymau rhwng bechgyn a merched yw eich prif ddiddordeb?

Rhowch resymau dros eich atebion yn y naill achos a'r llall.

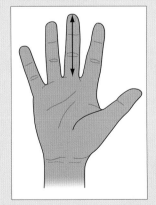

**Ffigur 4.1** Mesurwch y bys canol o'i flaen hyd at waelod y crych lle mae'r bys yn ymuno â'r gledr.

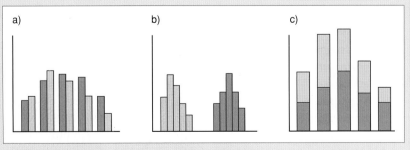

**Ffigur 4.2** Ym mhob un o'r siartiau bar hyn, mae data bechgyn yn oren a data merched yn felyn. a) Data bechgyn a merched wedi eu plotio wrth ochr ei gilydd; b) Data bechgyn a merched wedi eu plotio ar wahân (gallai'r rhain hefyd fod ar ddau graff); c) Data bechgyn a merched wedi eu cyfuno ond yn dangos y gwahaniaeth rhyngddynt.

*parhad...*

**Dadansoddi eich canlyniadau**

1 Mae tair rhagdybiaeth bosibl yn gysylltiedig â'n cwestiwn ni, 'Oes gwahaniaeth rhwng hyd bysedd bechgyn a merched?'

  i Does dim gwahaniaeth rhwng hyd bysedd bechgyn a merched.

  ii Mae bechgyn yn tueddu i fod â bysedd hirach na merched.

  iii Mae merched yn tueddu i fod â bysedd hirach na bechgyn.

  a O'ch data chi, pa ragdybiaeth mae'r dystiolaeth yn ei hategu?

  b Pa mor derfynol yw'r dystiolaeth hon yn eich barn chi?

Rhowch resymau dros eich atebion.

## GWAITH YMARFEROL    YDY *POB* PETH BYW'N AMRYWIO?

**Dyma weithgaredd sy'n eich helpu i:**
★ arsylwi'n fanwl
★ disgrifio nodweddion yn glir.

**Cyfarpar**
* 2 falwen ardd
* chwyddwydr

**Dull**

Byddwch chi'n cael dwy falwen o'r un rhywogaeth.

1 Edrychwch ar y malwod yn fanwl (gyda'ch llygaid yn unig a gyda chwyddwydr). Ceisiwch ganfod o leiaf deg o ffyrdd y mae un falwen yn wahanol i'r llall. *Peidiwch* â chynnwys maint cyffredinol, oherwydd bydd hyn yn gysylltiedig yn rhannol o leiaf ag oed y falwen, a dydym ni ddim yn gallu gwybod beth yw'r oed.

2 O'ch arsylwadau chi, ydych chi'n dod i'r casgliad bod pob peth byw'n amrywio?

**Ffigur 4.3** Y falwen ardd – ydy pob malwen ardd yr un fath?

## Beth yw amrywiad parhaus ac amrywiad amharhaus?

**CWESTIWN**

1 Ar gyfer pob un o'r amrywiadau dynol hyn, penderfynwch a ydyn nhw'n barhaus neu'n amharhaus:

  a pwysau

  b lliw llygad

  c llaw dde neu law chwith

  ch grŵp gwaed

  d golwg byr/golwg arferol/ golwg hir.

Mae gwyddonwyr yn disgrifio amrywiadau fel rhai **parhaus** neu rai **amharhaus**. Amrywiad parhaus yw pan mae yna amrediad parhaus heb ddim 'categorïau' (e.e. taldra mewn pobl; gall pobl fod yn unrhyw daldra o fewn amrediad penodol). Mae amrywiad amharhaus yn cynnwys grwpiau gwahanol (e.e. mathau o ôl bysedd; gall ôl bys unigolyn fod yn fwa, yn ddolen neu'n sidell – does dim yr un math o ôl bysedd rhwng y patrymau hyn).

a) 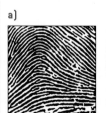  b)   c)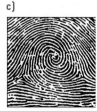

**Ffigur 4.4** Grwpiau ôl bysedd: a) bwa; b) dolen; c) sidell. Mae hyn yn enghraifft o amrywiad amharhaus.

# Beth sy'n achosi amrywiad?

Mae dau ffactor yn achosi amrywiad. Mae genynnau organeb yn rheoli ei nodweddion, a bydd setiau gwahanol o enynnau'n achosi **amrywiad genetig**. Mewn bodau dynol, yr unig bobl sydd â genynnau'n union yr un fath yw gefeilliaid unfath (neu dripledi, ac ati), gan eu bod nhw'n cael eu ffurfio pan fydd un gell wy wedi'i ffrwythloni yn hollti. Serch hynny, mae amrywiadau rhwng gefeilliaid unfath hyd yn oed. **Amrywiadau amgylcheddol** yw'r rhain, ac maen nhw'n cael eu hachosi gan yr amgylchedd (yn bennaf, pethau sy'n digwydd o ganlyniad i ddigwyddiadau yn eu bywydau, weithiau drwy ddewis).

**Ffigur 4.5** Mae genynnau efeilliaid unfath yn union yr un fath, ond mae rhai gwahaniaethau rhyngddynt o hyd.

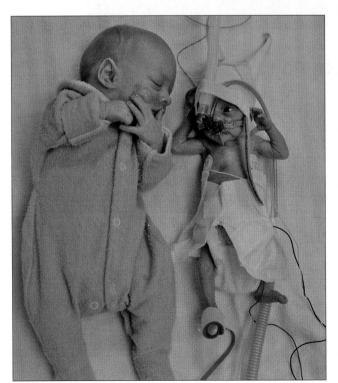

Weithiau, caiff un gefell ei eni'n llawer llai na'r llall am na chafodd ddigon o ocsigen yng nghroth y fam am ryw reswm (gweler Ffigur 4.6). Amrywiad 'amgylcheddol' yw hwn.

Mae enghreifftiau eraill o amrywiadau amgylcheddol mewn bodau dynol yn cynnwys gwneud tyllau yn y corff, creithiau, steil gwallt, tatŵs a blew ar yr wyneb. Mae rhai amrywiadau'n gallu bod yn gyfuniad o ffactorau genetig ac amgylcheddol – mae ffactorau genetig i daldra a phwysau, er enghraifft, ond mae deiet hefyd yn effeithio arnynt.

**Ffigur 4.6** Mae'r ddau faban hyn yn efeilliaid unfath ond, oherwydd cymhlethdod yn ystod eu beichiogrwydd, roedd gwaed yn llifo o'r un bach i'r un mawr. Felly ni chafodd y gefell bach ddigon o ocsigen na maeth.

## Pam nad ydym ni'n edrych yn union fel y naill na'r llall o'n rhieni ni?

Mae gwahaniaethau genetig rhwng epil a'u rhieni yn ganlyniad **atgenhedlu rhywiol,** lle bydd **wy** yn asio â **sberm** yn ystod y broses **ffrwythloni**. Caiff genynnau'r fam yn yr wy eu cymysgu â genynnau gwahanol y tad yn y sberm. Mae'r gell sy'n cael ei ffurfio o ganlyniad i ffrwythloniad (y **sygot**) yn cynnwys un set o enynnau o'r tad ac un o'r fam. Dim ond hanner cyfanswm nifer genynnau'r fam neu'r tad sydd yn y 'set', ac mae'r cyfuniad o enynnau sy'n gwneud y 'set' yn amrywio. Dyna pam mae brodyr a chwiorydd yn debyg ond yn wahanol.

Yn ystod **atgenhedlu anrhywiol** dydy'r genynnau ddim yn cymysgu, oherwydd does dim ffrwythloni'n digwydd. Mae un unigolyn yn cynhyrchu epil sy'n union yr un fath o safbwynt genetig â'i gilydd ac â'r rhiant. Yr enw ar y rhain yw **clonau**.

**Ffigur 4.7** Set o blanhigion unfath ('clonau') wedi'u cynhyrchu o doriadau wedi'u cymryd o un rhiant blanhigyn.

## Sut rydym ni'n gwybod am enynnau?

Y person cyntaf i ddefnyddio'r term 'genyn' oedd y gwyddonydd o Ddenmarc, Wilhelm Ludwig Johannsen, yn 1902, ond cafodd syniad y genyn ei sefydlu 40 mlynedd ynghynt gan fynach o Awstria, **Gregor Mendel**, sydd erbyn hyn yn un o'r gwyddonwyr enwocaf erioed.

Pan gynhaliodd Mendel ei arbrofion ar blanhigion pys, roedd gwyddonwyr yn gwybod bod nodweddion yn cael eu hetifeddu gan rieni, ond roedden nhw'n credu bod y nodwedd etifeddol yn rhyw fath o 'gymysgedd' o nodweddion y rhieni. Defnyddiodd Mendel blanhigion pys 'tal' a 'byr' o linach bur, h.y. rhai oedd yn cynhyrchu'r un math o epil bob tro. Roedd rhywfaint o amrywiaeth ym maint y ddau fath, ond roedd gwahaniaeth clir rhwng amrediadau uchder y ddau gategori. Croesodd Mendel y planhigion tal â'r rhai byr drwy beillio'n ofalus, ond heb lwyddo i gynhyrchu'r planhigion 'maint canolig' roedd yn eu disgwyl. Yn wir, roedd yr holl blanhigion newydd yn dal.

**Ffigur 4.8** Gregor Mendel, tad geneteg.

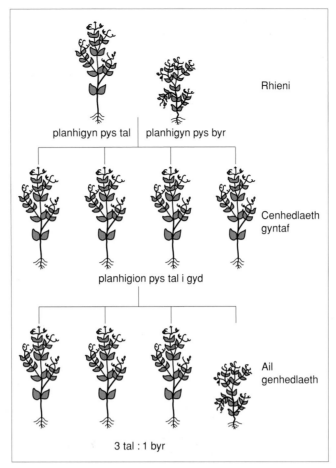

planhigyn pys tal | planhigyn pys byr

Rhieni

Cenhedlaeth gyntaf

planhigion pys tal i gyd

Ail genhedlaeth

3 tal : 1 byr

**Ffigur 4.9** Crynodeb o arbrofion cyntaf Mendel.

Pan groesodd Mendel ddau o'r planhigion hyn gyda'i gilydd, cafodd blanhigion tal gan mwyaf, ond roedd tua chwarter ohonynt yn fyr. Roedd yn gwybod nawr bod beth bynnag a oedd yn achosi'r nodwedd 'byr' *wedi* cael ei etifeddu yn y croesiad cyntaf, ond ei fod wedi'i guddio am ryw reswm. Gwir athrylith Mendel oedd sut aeth ati i ymchwilio i'r hyn ddigwyddodd ac yna ei egluro.

Roedd Mendel yn gwybod, os oedd y nodwedd 'byr' wedi'i chuddio, ei bod yn rhaid bod ffactor arall (tal) yn ei chuddio. Felly, roedd gan y planhigion pys ddau ffactor a oedd yn rheoli uchder, ac roedd yn ymddangos bod y ffactor tal rywsut yn gryfach na'r ffactor byr. Rydym ni nawr yn galw'r gwahanol ffactorau hyn yn **alelau**, ac rydym ni'n galw'r rhai 'cryfach' yn alelau **trechol** a'r rhai 'gwannach' yn alelau **enciliol**.

Gwnaeth Mendel ddarganfod beth oedd yn achosi'r patrwm etifeddu hwn. Gallwn ni ddangos hyn mewn diagram, lle mae'r symbol **T** yn nodi'r alel trechol (tal) a'r symbol **t** yn nodi'r alel 'byr' enciliol (Ffigur 4.10). Mae genetegwyr yn defnyddio priflythrennau i ddynodi alelau trechol a llythrennau bach i ddynodi alelau enciliol. Yr enw ar gyfansoddiad genetig organeb yw ei **genoteip,** a'r enw ar sut mae'n 'edrych' yw ei **ffenoteip**.

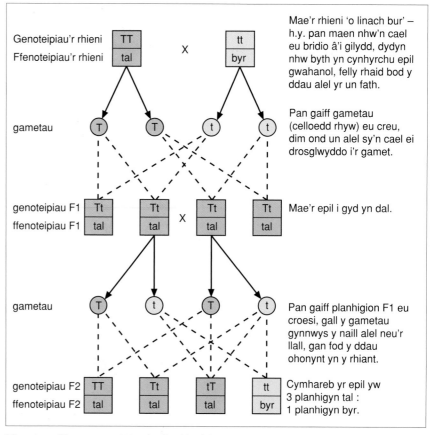

Genoteipiau'r rhieni TT | tt
Ffenoteipiau'r rhieni tal | X | byr

Mae'r rhieni 'o linach bur' – h.y. pan maen nhw'n cael eu bridio â'i gilydd, dydyn nhw byth yn cynhyrchu epil gwahanol, felly rhaid bod y ddau alel yr un fath.

gametau (T) (T) (t) (t)

Pan gaiff gametau (celloedd rhyw) eu creu, dim ond un alel sy'n cael ei drosglwyddo i'r gamet.

genoteipiau F1 Tt | Tt | X | Tt | Tt
ffenoteipiau F1 tal | tal | tal | tal

Mae'r epil i gyd yn dal.

gametau (T) (t) (T) (t)

Pan gaiff planhigion F1 eu croesi, gall y gametau gynnwys y naill alel neu'r llall, gan fod y ddau ohonynt yn y rhiant.

genoteipiau F2 TT | Tt | tT | tt
ffenoteipiau F2 tal | tal | tal | byr

Cymhareb yr epil yw 3 planhigyn tal : 1 planhigyn byr.

**Ffigur 4.10** Diagram yn egluro arbrofion Mendel.

## CWESTIYNAU

**2** Pam roedd hi'n bwysig bod Mendel yn edrych ar amrywiaeth o nodweddion, nid dim ond tal × byr?

**3** Mae cynllun Mendel yn rhagfynegi cymhareb 3 : 1 ymysg planhigion F2. Roedd ei ganlyniadau i gyd yn dangos cymhareb agos i 3 : 1, ond byth cymhareb 3 : 1 *yn union*. Ydy hyn yn bwysig?

**4** Mewn bodau dynol, mae'r gallu i rolio'r tafod yn drechol (Ffigur 4.11) ac mae peidio â gallu rholio'r tafod yn enciliol. Gallwn ni roi'r symbol **R** i alel rholio ac **r** ar gyfer dim rholio. Mae gwryw â genoteip **Rr** yn cael plant gyda benyw â genoteip **rr**.
   **a** Beth fyddai ffenoteipiau'r rhieni?
   **b** Defnyddiwch sgwâr Punnett i ragfynegi genoteipiau a ffenoteipiau unrhyw blant posibl.

Mewn croesiadau fel yr ail un yn Ffigur 4.10, mae'r saethau sy'n cael eu defnyddio'n gallu creu dryswch. Mae biolegwyr yn tueddu i roi'r gametau mewn tabl o'r enw **sgwâr Punnett**; dyma enghraifft o un.

| | | Gametau gwryw | |
|---|---|---|---|
| | | B | b |
| Gametau benyw | B | BB | Bb |
| | b | Bb | bb |

Rhoddodd Mendel gynnig ar ei arbrofion gyda nifer o nodweddion heblaw uchder. Ym mhob achos, fe wnaeth ddarganfod nodwedd drechol a nodwedd enciliol. Yn y croesiadau cyntaf, roedd yr holl epil yn dangos y ffenoteip trechol. Pan gafodd dau blanhigyn F1 eu croesi, roedd y gymhareb rhwng ffenoteipiau trechol ac enciliol tua 3 : 1.

Casgliadau Mendel oedd:

■ Mae nodweddion yn cael eu rheoli gan bâr o alelau; gall y rhain fod yr un fath â'i gilydd neu'n wahanol i'w gilydd.
■ Mae un alel yn drechol a'r llall yn enciliol. Os yw'r ddau alel yn bresennol, dim ond yr un trechol sydd i'w weld yn y ffenoteip.
■ Dim ond un alel o bob pâr sy'n cael ei drosglwyddo i bob gamet.
■ Os caiff dau riant o linach bur (un i bob alel) eu croesi, mae'r epil i gyd yn dangos y nodwedd drechol.
■ Os caiff dau o'r epil eu croesi, mae gan y genhedlaeth newydd oddeutu tri unigolyn yn dangos y nodwedd drechol i bob un sy'n dangos y nodwedd enciliol.

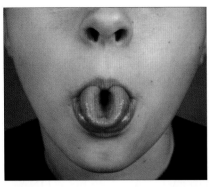

**Ffigur 4.11** Dydy pawb ddim yn gallu rholio eu tafod fel hyn. Mae'n nodwedd enetig.

Roedd Mendel yn gallu gwneud ei ddarganfyddiadau oherwydd bod etifeddiaeth mewn pys yn gymharol syml, a bod nifer o nodweddion yn cael eu rheoli gan un pâr o alelau.

Mae hyn yn brin mewn bodau dynol; caiff y rhan fwyaf o'n nodweddion ni eu rheoli gan gyfuniad o enynnau.

## Termau geneteg

Mae angen i chi wybod y termau canlynol ym maes geneteg:

**Alel:** un o'r ffurfiau gwahanol ar yr un genyn

**Genoteip:** cyfansoddiad genetig unigolyn (e.e. **BB**, **Bb**, **bb**)

**Ffenoteip:** sut mae'r genoteip yn 'amlygu ei hun' (e.e. llygaid glas, gwallt cyrliog, blodau coch ac ati)

**Trechol:** yr alel sy'n ymddangos yn y ffenoteip pryd bynnag y mae'n bresennol (caiff ei nodi â phriflythyren)

**Enciliol:** yr alel sy'n cael ei guddio pan mae alel trechol yn bresennol (caiff ei nodi â llythyren fach)

**F1/F2:** ffurf gryno o ddynodi cenhedlaeth gyntaf (F1) ac ail genhedlaeth (F2) croesiad genetig

**Homosygaidd/homosygot:** mae homosygot yn cynnwys dau alel unfath ar gyfer y genyn dan sylw; mae'n homosygaidd

**Heterosygaidd/heterosygot:** mae heterosygot yn cynnwys dau alel gwahanol ar gyfer y genyn dan sylw; mae'n heterosygaidd.

## Pam nad oedd Mendel yn enwog (yn ei oes ef)?

Er bod Mendel erbyn hyn yn cael ei ystyried yn un o'r gwyddonwyr mwyaf erioed, doedd neb yn cymryd llawer o sylw o'i arbrofion yn ystod ei oes ei hun. Y rheswm dros hyn yw nad oedd yn cyhoeddi ei ganlyniadau mewn cylchgrawn gwyddoniaeth rhyngwladol fel gwyddonwyr heddiw. Rhoddodd gyflwyniad i'r Gymdeithas Gwyddoniaeth Naturiol yn nhref ei gartref, Brno, a chafodd papur cysylltiedig â'r sgwrs ei argraffu yng nghylchgrawn y gymdeithas honno, ond ni wnaeth llawer o bobl ei ddarllen.

Mae hyn yn enghraifft dda o pam mae gwyddonwyr yn cyhoeddi eu canlyniadau. Mae'n rhoi gwybod i bobl beth maen nhw wedi'i ddarganfod a sut gwnaethon nhw ei ddarganfod, ac mae'n galluogi gwyddonwyr eraill i ailadrodd yr arbrofion i weld a ydyn nhw'n cael yr un canlyniadau. Yn achos Mendel, cymerodd dros 30 mlynedd i'w waith ddod yn adnabyddus, ac erbyn hynny, roedd Gregor Mendel wedi marw.

**Ffigur 4.12** Copi llawysgrif o dudalen flaen papur Mendel yn *Trafodion y Gymdeithas Gwyddoniaeth Naturiol* yn Brno, 1866.

# Beth yw genyn?

Galwodd Mendel y pethau sy'n dylanwadu ar etifeddiad yn 'ffactorau'. **Genynnau** yw ein henw ni arnynt heddiw, ac mae alelau gwahanol gan bob genyn. Dim ond yn y 50 mlynedd diwethaf rydym ni wedi darganfod beth yn union yw genyn.

Mae cnewyllyn cell yn cynnwys cemegyn rhyfeddol o'r enw **DNA** (asid deocsiriboniwcleig), sy'n rheoli pa broteinau y mae'r gell yn eu gwneud. Gall DNA wneud copïau cywir o'i hun. Yn y cnewyllyn mae'r moleciwlau DNA hir wedi'u dirdroi i greu ffurfiadau o'r enw cromosomau. Defnydd crai genynnau yw DNA – darn byr o DNA yw genyn. Mae Ffigur 4.13 yn rhoi crynodeb o hyn.

Yn Ffigur 4.13 mae bandiau lliw yn rhedeg ar draws canol moleciwl DNA. Parau o gemegion o'r enw **basau** yw'r bandiau hyn. Mae dilyniant y basau mewn moleciwl DNA yn ffurfio 'cod', sy'n penderfynu pa broteinau y bydd y gell yn eu gwneud. Mae'r proteinau'n pennu sut mae celloedd yn gweithredu, ac felly maen nhw'n rheoli nodweddion y gell a hefyd nodweddion y planhigyn neu anifail cyfan.

Ym Mhennod 1 gwelsom ni fod gwyddonwyr yn gallu edrych ar y basau mewn moleciwl DNA i weld i ba raddau y mae samplau o DNA yn debyg i'w gilydd. Mae dadansoddi'r DNA yn cynhyrchu **proffil genetig**. Mae proffil genetig pob un ohonom ni ychydig yn wahanol, ac mae hyn wedi galluogi gwyddonwyr yr heddlu i adnabod person sydd wedi gadael peth o'i DNA ar safle trosedd ('adnabod ôl bys genetig' yw'r enw poblogaidd ar hyn). Mae'n cael ei ddefnyddio hefyd i adnabod tad plentyn, lle does dim sicrwydd pwy yw'r tad.

Mae sawl cam i broffilio genetig:

1 Casglu sampl o gelloedd, e.e. o waed, gwallt, semen, croen etc. Mae'r celloedd yn cael eu malu, ac mae'r DNA yn cael ei echdynnu.

2 Defnyddio ensymau i 'dorri' y DNA yn ddarnau, nes bod darnau o wahanol feintiau.

3 Gwahanu'r darnau drwy ddefnyddio techneg o'r enw 'electrefforesis gel'. Mae'r segmentau o DNA yn cael eu gosod ar ben gel cyn i gerrynt trydan gael ei yrru drwy'r gel. Mae'r segmentau'n symud ar draws y gel, gyda'r rhai llai yn mynd y pellter mwyaf. Bydd patrwm yn datblygu, a dyma'r 'proffil genetig'.

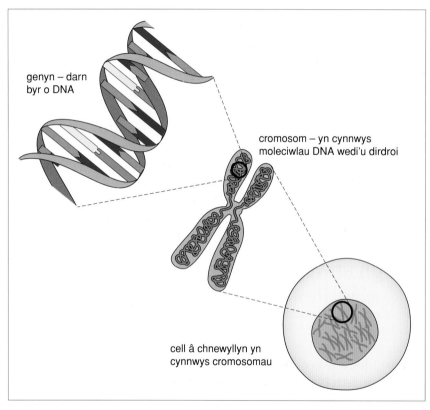

genyn – darn byr o DNA

cromosom – yn cynnwys moleciwlau DNA wedi'u dirdroi

cell â chnewyllyn yn cynnwys cromosomau

**Ffigur 4.13** Adeiledd genyn mewn perthynas â DNA a chromosomau.

## TASG    YDY PROFFILIO GENETIG YN BETH DA?

Dyma weithgaredd sy'n eich helpu i:
★ ystyried moeseg ymchwiliadau gwyddonol
★ llunio barn am ddadl gymhleth
★ defnyddio tystiolaeth i gyfiawnhau casgliadau
★ mynegi syniadau'n glir.

Mae proffilio DNA wedi bod yn ddefnyddiol wrth ddatrys troseddau. Mae hefyd yn gallu canfod problemau iechyd posibl sydd ddim yn amlwg eto, er mwyn eu trin. Fodd bynnag, mae rhai pobl yn credu y gall proffilio genetig ar raddfa fawr amharu ar ryddid personol.

Defnyddiwch y rhyngrwyd i ymchwilio i'r manteision a'r problemau posibl sy'n gysylltiedig â phroffilio genetig. Ysgrifennwch adroddiad sy'n ystyried dwy ochr y ddadl. Rhowch eich barn am broffilio genetig a chyfiawnhewch y farn drwy ddefnyddio tystiolaeth o'ch ymchwil chi.

## GWAITH YMARFEROL    YDYM NI'N GALLU GWELD DNA?

Dyma weithgaredd sy'n eich helpu i:
★ dilyn cyfarwyddiadau
★ mesur yn fanwl gywir
★ cynllunio arbrofion.

Mae'n gymharol hawdd echdynnu DNA o gelloedd. Mae'r arbrawf yn gweithio'n arbennig o dda gyda ffrwythau ciwi gan eu bod nhw'n cynnwys ensym proteas sy'n helpu i dorri'r celloedd i lawr ac i ryddhau'r DNA.

### Cyfarpar
* dŵr distyll
* alcohol iasoer
* ffrwyth ciwi
* rhew
* 2 g sodiwm clorid
* 5 g hylif golchi llestri
* clorian
* morter a phestl
* twndis hidlo
* papur hidlo
* baddon dŵr
* bicer 250 cm$^3$
* silindr mesur gwydr 250 cm$^3$
* rhoden droi wydr
* cyllell llawfeddyg
* teilsen
* 'bachyn' gwifren
* sbectol ddiogelwch

### Asesiad risg
* **Gwisgwch sbectol ddiogelwch.**
* **Bydd eich athro/athrawes yn rhoi asesiad risg i chi.**

### Dull
1 Piliwch y ffrwyth ciwi a'i dorri'n ddarnau bach gan ddefnyddio cyllell llawfeddyg a theilsen wen.
2 Stwnsiwch y ffrwyth ciwi â'r pestl a morter.
3 Ychwanegwch 5 g o hylif golchi llestri a 2 g o halen at 100 cm$^3$ o ddŵr distyll yn y bicer 250 cm$^3$.
4 Trowch gynnwys y bicer *yn araf* i hydoddi'r halen, gan geisio osgoi creu swigod.
5 Ychwanegwch y ffrwyth ciwi a'i gymysgu.
6 Rhowch y bicer mewn baddon dŵr ar 6°C am 15 munud.
7 Rhowch y silindr mesur mewn rhew i'w oeri.
8 Hidlwch y gymysgedd (gan ddefnyddio papur hidlo a thwndis) i'r silindr mesur.
9 Yn ofalus, ac yn araf, arllwyswch 100 cm$^3$ o alcohol iasoer i lawr ochr y bicer.
10 Bydd defnydd tebyg i jeli'n ffurfio rhwng yr haen o ddŵr a'r haen o alcohol – dyma'r DNA.

*parhad...*

11 Gan ddefnyddio bachyn gwifren, gallwch chi fachu'r DNA, ei dynnu allan a'i osod ar eich teilsen wen.

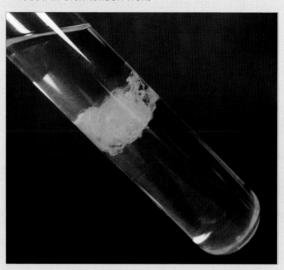

**Ffigur 4.14** Mae DNA tebyg i jeli'n ffurfio lle mae'r haen o ddŵr a'r haen o alcohol yn cwrdd.

### Dadansoddi eich canlyniadau

1 Mae'r arbrawf hwn yn gweithio i ryw raddau gyda ffrwythau eraill. Os ydych chi eisiau cymharu llwyddiant yr arbrawf wrth ddefnyddio ffrwyth ciwi â'r un arbrawf wrth ddefnyddio mefus, sut gallwch chi *fesur* y gwahaniaeth?

2 Pam roedd angen i chi dorri a stwnsio'r ffrwyth ciwi cyn ei ddefnyddio yn yr arbrawf?

## ◯ Sut caiff genynnau newydd eu creu?

**Ffigur 4.15** Rydym ni'n credu bod gan fodau dynol cynhanes wallt du a chroen tywyll gan mwyaf (er bod tystiolaeth newydd yn awgrymu y gallai fod gwallt coch gan rai ohonynt).

Dydy genynnau rhywogaeth ddim yn aros yr un fath am byth. Mae genynnau a nodweddion newydd yn ymddangos drwy'r amser. Er enghraifft, mae'n debygol nad oedd yna unrhyw fodau dynol cynhanes â gwallt melyn. Ar ryw adeg yn hanes bodau dynol, mae'n rhaid bod genyn 'gwallt melyn' wedi ymddangos. Mae genynnau newydd yn brin, ond pan maen nhw'n digwydd, **mwtaniad** sy'n eu hachosi. Newid yn adeiledd genyn yw mwtaniad. Mae'r newidiadau hyn yn digwydd yn naturiol, ond maen nhw'n cael eu hachosi hefyd gan belydriad ïoneiddio a gan gemegion penodol yn yr amgylchedd. Mae'r rhan fwyaf o fwtaniadau'n gwneud gwahaniaethau mor fach fel nad ydym ni'n gallu gweld unrhyw effaith. Mae rhai ohonynt yn niweidiol, ond ar rai adegau prin iawn gall mwtaniad ddigwydd sy'n 'gwella' cynllun organeb ac yn ei helpu i oroesi.

### CWESTIWN

5 Gall pelydrau X achosi mwtaniadau. Os cewch chi belydr X gall mwtaniadau bach ddigwydd yn rhai o'ch celloedd chi, ond chewch chi ddim niwed oherwydd hyn. Fodd bynnag, mae meddygon yn ceisio osgoi rhoi pelydr X i fenywod beichiog, yn enwedig os yw'n gynnar yn y beichiogrwydd. Awgrymwch reswm dros hyn.

## Sut caiff genynnau eu hetifeddu?

Yn aml, mae nodweddion tebyg gan deuluoedd dynol am eu bod nhw'n rhannu llawer o'r un genynnau. Mae rhieni'n trosglwyddo eu genynnau i'w plant, ac yna bydd gan y plant gymysgedd o enynnau a nodweddion eu mam a'u tad. Mae'r genynnau'n cael eu trosglwyddo yng nghnewyll (*nuclei*) y **gametau** (celloedd rhyw – sberm ac wy), sy'n asio i ffurfio sygot a fydd yn datblygu'n blentyn. Mae corffgelloedd bodau dynol yn cynnwys 46 o gromosomau, sef 23 pâr – un o bob pâr yn dod o'r fam a'r llall o'r tad. Dyna pam, fel y gwelsom ni yng ngwaith Mendel, mae dau gopi o bob genyn (sy'n gallu bod yr un fath neu'n wahanol).

Pan gaiff gametau eu creu, dim ond un cromosom o bob pâr sy'n cael ei drosglwyddo i'r gell sberm neu i'r gell wy. Felly, nifer y cromosomau mewn gamet dynol yw 23. Mae hyn yn sicrhau bod corffgelloedd y baban hefyd yn cynnwys 46 o gromosomau, nid 92. Dydy'r 23 cromosom sydd mewn gamet ddim yr un cyfuniad bob tro, felly mae pob cell sberm a phob cell wy yn wahanol o safbwynt genetig. Mae'r un egwyddorion yn digwydd ym mhob organeb fyw er y bydd nifer y cromosomau'n wahanol.

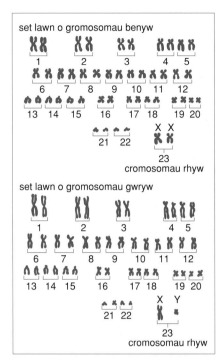

Ffigur 4.16 Set gyfan o gromosomau dyn a benyw.

### CWESTIYNAU

6 Mae corffgelloedd rhywogaeth o lili'n cynnwys 24 cromosom. Sawl cromosom y byddech chi'n disgwyl eu gweld yn ofwl (cell wy) y lili hon?

7 Awgrymwch reswm pam bydd dau o blant yr un rhieni yn edrych yn debyg iawn i'w gilydd mewn rhai achosion, ond yn wahanol iawn mewn achosion eraill?

## Beth sy'n penderfynu ai bachgen neu ferch yw baban?

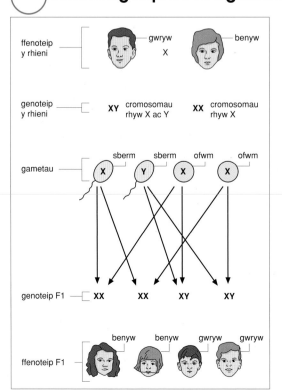

Ffigur 4.17 Cromosomau rhyw dynol.

Yn Ffigur 4.16, fe sylwch chi fod cromosomau pâr 23 yr un fath mewn benywod, ond bod rhai'r gwryw'n edrych yn wahanol. Y pâr hwn o gromosomau sy'n penderfynu ai gwryw neu fenyw yw'r unigolyn. Mae gan fenywod ddau gromosom 'X', ond mae gan wrywod un 'X' ac un 'Y'. Pan gaiff wyau eu ffurfio, maen nhw i gyd yn cynnwys cromosom X (gan nad oes dewis arall), ond mewn sberm mae cromosom X gan hanner y celloedd a chromosom Y gan yr hanner arall. Bydd y celloedd sberm sy'n cludo X yn gwneud babanod benywaidd, a'r rhai sy'n cludo Y yn gwneud rhai gwrywaidd. Mae hyn yn golygu siawns 50% o gael bachgen neu ferch, fel y mae Ffigur 4.17 yn ei ddangos, oherwydd mae celloedd sberm ac wy'n cyfuno ar hap, ac mae tua hanner y sberm yn cludo naill ai cromosom X neu gromosom Y.

## Sut gallwn ni etifeddu clefydau?

Weithiau, caiff clefyd ei achosi gan enyn sy'n gwneud i'r corff weithio'n 'anghywir' mewn rhyw ffordd, yn hytrach na gan ficro-organeb. Mae'n bosibl etifeddu'r genyn hwn, ac felly'r clefyd. Enghraifft o hyn yw'r clefyd **ffibrosis codennog**, lle mae'r ysgyfaint a'r system dreulio'n llenwi â mwcws trwchus. Mae hyn yn ei gwneud yn anodd anadlu a threulio bwyd, ac mae'n lleihau disgwyliad oes.

Mae alel ffibrosis codennog yn enciliol, felly rhaid i'r unigolyn fod â *dau* alel ar gyfer ffibrosis codennog er mwyn i'r clefyd ymddangos. Mae tua 8500 o ddioddefwyr ffibrosis codennog yn y DU ond mae dros 2 filiwn o bobl yn 'cludo' yr alel diffygiol. Os bydd rhywun ag un alel normal ac un alel enciliol (yn heterosygaidd) am ffibrosis codennog, ni fydd yn dioddef o'r clefyd, ond gallai ei drosglwyddo i'w blant. Rydym ni'n galw'r unigolyn hwn yn **gludydd**. Os bydd dau unigolyn sy'n cludo alel ffibrosis codennog yn cael plentyn, mae siawns 1 mewn 4 y bydd eu plentyn yn dioddef o'r clefyd. Gallwn ni ddangos hyn drwy ddefnyddio sgwâr Punnett fel y defnyddiwyd eisoes yn y bennod hon. Dewch i ni alw'r alel normal yn **C** a'r alel ffibrosis codennog yn **c**.

Genoteipiau'r rhieni:   **Cc**   ×   **Cc**
Ffenoteipiau'r rhieni:  normal     normal
Gametau:                **C** neu **c**   **C** neu **c**

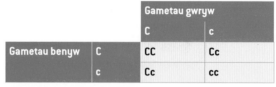

|  |  | Gametau gwryw | |
|---|---|---|---|
|  |  | C | c |
| Gametau benyw | C | CC | Cc |
|  | c | Cc | cc |

Bydd plentyn ag alelau **cc** yn dioddef o ffibrosis codennog.

Mae'n debygol y bydd tua hanner plant y rhieni hyn yn cludo'r clefyd heb fod yn dioddef ohono.

> **CWESTIWN**
>
> 8  Pe bai dioddefwr yn byw'n ddigon hir i gael plant, defnyddiwch sgwariau Punnett i gyfrifo'r siawns y bydd y clefyd gan ei blant:
>
>   a  os oedd y rhiant arall yn gludydd ffibrosis codennog
>
>   b  os nad oedd y rhiant arall yn gludydd (h.y. genoteip **CC**)

## Ydy newid genynnau'n artiffisial yn beth da?

Gall gwyddonwyr heddiw echdynnu genynnau o un organeb a'u rhoi mewn organeb arall, a gallant hefyd 'gyfnewid' un genyn am un arall. Mae cyflwyno genynnau i blanhigion bwyd yn dod yn fwyfwy cyffredin; rydym ni'n galw hyn yn **addasu genynnol**. Yn yr 1980au, datblygwyd y cnwd masnachol cyntaf wedi'i addasu'n enynnol (**GM**) a oedd yn gallu gwrthsefyll pryfed a phlâu. Tatws oedd y cnwd hwn, ac roedden nhw wedi'u haddasu fel eu bod nhw'n gwneud eu **pryfleiddiad** eu hunain. Gwenwyn i bryfed oedd y pryfleiddiad, sy'n cael ei gynhyrchu fel arfer gan fath o facteriwm sy'n byw yn y pridd. Cafodd genyn cynhyrchu'r gwenwyn ei drosglwyddo i blanhigion tatws, a oedd yna'n golygu bod y planhigion yn gallu gwrthsefyll plâu pryfed.

Erbyn hyn, mae gwrthsefyll **chwynladdwr** yn nodwedd gyffredin mewn cnydau wedi'u haddasu'n enynnol. Erbyn 2007, roedd dros 50% o'r soia sy'n cael ei gynaeafu ledled y byd wedi'i addasu'n enynnol. Yn 2010, cymeradwyodd y Comisiwn Ewropeaidd fesur i ganiatáu i wahanol wledydd ddewis drostyn nhw eu hunain a oedden nhw am ddatblygu cnydau wedi'u haddasu'n enynnol ai peidio.

Os nad ydyn nhw'n cael eu rhwystro, bydd chwyn yn cystadlu â chnydau. Ers blynyddoedd lawer, mae ffermwyr wedi ceisio cael gwared â chwyn drwy ddefnyddio cemegion o'r enw chwynladdwyr. Fodd bynnag, mae'n anodd cynhyrchu chwynladdwyr detholus sy'n lladd chwyn yn unig heb ladd y planhigion rydych chi'n ceisio eu tyfu. Gallwn ni gymryd genyn sy'n gwrthsefyll chwynladdwyr o facteriwm sydd fel rheol yn tyfu mewn pridd a'i drosglwyddo i blanhigyn megis soia.

Yn anffodus, mae nifer o broblemau posibl gyda'r dechnoleg hon ac mae rhai pobl yn ei gwrthwynebu. Er enghraifft, mae'n bosibl y gallai planhigion sy'n gwrthsefyll chwynladdwyr ddianc i'r amgylchedd a ffynnu. Sut gallem ni eu dinistrio nhw os na all chwynladdwyr eu lladd nhw? Yr ateb yw sicrhau bod y planhigion yn anffrwythlon ac mai dim ond yn anrhywiol y byddan nhw'n atgenhedlu. Un sgil effaith ddieisiau arall mewn soia sy'n gwrthsefyll chwynladdwyr yw fod coesynnau llawer o'r planhigion yn hollti mewn hinsoddau poeth gan olygu nad ydyn nhw'n gallu cynnal eu hunain.

Manteision planhigion sy'n gwrthsefyll chwynladdwyr ac sy'n gwrthsefyll pryfed yw fod llawer llai o gemegion yn cael eu cyflwyno i'r amgylchedd er mwyn lladd pryfed a chwyn. Yn ddamcaniaethol, mae'n bosibl cael cynnyrch uchel o gnydau heb effeithio ar yr amgylchedd. Fodd bynnag, mae cnydau GM yn dechnoleg newydd ac mae angen cynnal mwy o brofion gwyddonol ddilys i benderfynu a ydyn nhw'n fuddiol. Mae'n ymddangos bod manteision ac anfanteision i gnydau GM.

Yr achos o blaid GM:

- Byddai'n bosibl creu cnydau pwrpasol i weddu i'r gwahanol amodau ffermio ledled y byd. Fel hyn, byddai'r cnydau'n cynhyrchu mwy o werth maethol a mwy o incwm.
- Gallai cnydau cynhyrchu egni arbed adnoddau naturiol a helpu i warchod yr amgylchedd.

Yr achos yn erbyn GM:

- Mae'n bosibl y byddai cnydau GM yn golygu bod gwledydd datblygedig yn dibynnu llai ar gnydau o wledydd sy'n datblygu. Gallai hyn olygu bod y gwledydd sy'n datblygu yn colli masnach ac yn dioddef niwed economaidd difrifol.
- Am resymau gwleidyddol ac oherwydd camreoli, mae amheuaeth mewn sawl achos a fydd buddion cnydau wedi'u haddasu'n enynnol yn cyrraedd pobl mewn gwledydd sy'n datblygu.

Mae'r materion hyn yn codi cwestiynau gwleidyddol, moesegol a masnachol pwysig sydd ddim yn unigryw i fiotechnoleg fodern. Rhaid eu datrys nhw ar lefel llywodraeth ac ar lefel ryngwladol er mwyn sicrhau'r budd mwyaf posibl o dechnoleg genynnau.

# Crynodeb o'r bennod

- Gall amrywiad fod yn barhaus neu'n amharhaus.
- Mewn atgenhedlu anrhywiol mae'r epil yn enetig unfath â'i gilydd ac â'r rhiant, ond mae atgenhedlu rhywiol yn cynhyrchu epil sy'n wahanol i'r rhieni.
- Mae genynnau newydd yn ymddangos pan fydd genynnau sy'n bodoli eisoes yn mwtanu.
- Mae pelydriad ïoneiddio'n gallu cynyddu cyfraddau mwtanu.
- Trefniadau llinol o enynnau yw cromosomau, ac maen nhw wedi'u gwneud o DNA.
- Mae cromosomau'n ymddangos mewn parau, felly mae genynnau hefyd mewn parau.
- Alel yw'r enw ar un o'r ffurfiau gwahanol ar yr un genyn.
- DNA sy'n rheoli pa broteinau sy'n cael eu creu mewn cell.
- Mae gwyddonwyr yn gallu dadansoddi DNA organeb i gynhyrchu 'proffil genetig'.
- Mewn bodau dynol, mae un pâr o gromosomau'n pennu rhyw (XX = benyw, XY = gwryw).
- Pan gaiff gametau eu ffurfio, caiff nifer y cromosomau ei haneru.
- Arbrofion Gregor Mendel a roddodd sail i eneteg fodern.
- Mae rhai clefydau'n cael eu hachosi gan alelau diffygiol ac mae'n bosibl eu hetifeddu nhw (e.e. ffibrosis codennog).
- Mae'n bosibl trosglwyddo genynnau'n artiffisial o un organeb i organeb arall.

# 5 Esblygiad

## Sut mae organebau'n addasu i'w hamgylchedd?

Gwelsom ni ym Mhennod 2 fod organebau'n addasu'n dda i'w hamgylchedd arbennig. Ym Mhennod 4, aethom ni ati i edrych ar sut mae amrywiadau'n digwydd mewn organebau. Mae cysylltiad agos rhwng y ddau syniad hyn, oherwydd heb amrywiad ni allai pethau byw byth addasu i'w hamgylchedd. Mae damcaniaeth **esblygiad** yn egluro sut maen nhw'n gwneud hyn.

Os yw anifeiliaid yn byw mewn amgylchfyd pegynol, sydd bron bob amser dan eira, mae bod yn wyn yn fantais. Bydd cuddliw ganddynt, a bydd hyn yn eu galluogi i osgoi cael eu bwyta neu, os ydyn nhw'n ysglyfaethwyr, gallant fynd yn agos at ysglyfaeth heb gael eu gweld. Oherwydd amrywiad, bydd pob poblogaeth anifeiliaid yn cynnwys unigolion o wahanol 'arlliwiau', gyda rhai'n fwy tywyll na'i gilydd. Mewn amgylchedd pegynol, bydd yr anifeiliaid goleuaf yn goroesi'n well na'r rhai tywyllaf gan y bydd eu cuddliw nhw'n well. Bydd mwy ohonynt yn goroesi i fridio, ac yna byddan nhw'n trosglwyddo eu genynnau 'golau' i'w hepil. Fel hyn, bydd mwy o'r unigolion goleuach yn y genhedlaeth nesaf. Bydd y broses hon yn parhau ym mhob cenhedlaeth, a bydd y boblogaeth yn mynd yn fwyfwy golau nes bydd pob unigolyn bron yn wyn (er y bydd rhywfaint o amrywiaeth mewn lliw o hyd).

Dros gyfnodau hir, mae poblogaethau anifeiliaid a phlanhigion yn newid mewn ffyrdd sy'n eu gwneud yn fwy addas i'w hamgylchedd. Enw'r newid graddol hwn yw esblygiad. Os bydd newid arwyddocaol yn yr amgylchedd am ryw reswm, efallai y bydd rhaid ailosod y broses, ac efallai y bydd angen i addasiadau newydd esblygu ar gyfer yr amodau newydd.

**Ffigur 5.1** Mae eirth gwyn wedi esblygu i weddu'n berffaith i'w hamgylchedd rhewllyd.

## GWAITH YMARFEROL

### ALLWN NI 'FODELU' ESBLYGIAD?

Dyma weithgaredd sy'n eich helpu i:
★ deall defnyddio modelau mewn gwyddoniaeth
★ mesur cywirdeb modelau.

#### Cyfarpar
* 100 pren coctel plaen
* 100 pren coctel wedi'u lliwio'n wyrdd
* stopwatsh

Mae'n anodd cynnal arbrofion esblygiad oherwydd mae'r broses yn aml yn cymryd miloedd o flynyddoedd. Pan mae gwyddonwyr yn methu cynnal arbrofion yn uniongyrchol ar organebau byw am ryw reswm, weithiau maen nhw'n gallu 'modelu' y broses y maen nhw'n dymuno ymchwilio iddi. Gallwn ni wneud hyn i ymchwilio i sut mae cuddliw'n esblygu.

#### Dull
1 Cyfrwch 20 pren coctel plaen ac 20 o rai gwyrdd.
2 Marciwch arwynebedd 1 m x 1 m mewn gwair hir.
3 Dylai un unigolyn yn y grŵp wasgaru'r prennau coctel ar draws y gwair y tu mewn i'r ardal a farciwyd. Mae'n well os bydd y prennau wedi'u lledaenu'n dda heb fod wedi'u clystyru gyda'i gilydd.

*parhad...*

Ni fydd modelau'n rhoi data defnyddiol oni bai eu bod nhw'n adlewyrchu realiti'n eithaf cywir (dydy modelau byth yn 100% cywir). Pa mor gywir yw'r model hwn o ysglyfaethu? Ystyriwch y pethau canlynol:

- Pa mor gywir yw'r prennau coctel fel ysglyfaeth?
- Pa mor gywir mae'r lliwiau'n cynrychioli amrywiad mewn poblogaeth naturiol?
- Pa mor gywir mae'r sawl sy'n casglu'r prennau coctel yn ymddwyn fel ysglyfaethwr?
- Pa mor gywir yw'r broses 'bridio' yn y model?
- Ar y cyfan, ydych chi'n credu bod y model yn ddigon cywir i roi golwg defnyddiol ar sefyllfaoedd real?

4 Nawr, bydd rhywun arall o'r grŵp yn codi prennau coctel am 15 eiliad. Os bydd yn codi 20 pren cyn i'r amser ddod i ben, stopiwch. Mae'r unigolyn hwn yn chwarae rhan ysglyfaethwr, ac mae'r prennau coctel a gasglodd wedi cael eu 'bwyta'.

5 Lluniwch dabl i gofnodi eich canlyniadau ynddo.

6 Nawr, mae'r prennau sy'n weddill yn yr ardal yn 'bridio'. Cyfrifwch faint o brennau coctel gwyrdd a phlaen sydd ar ôl, a dyblwch nifer y ddau liw drwy wasgaru prennau coctel newydd yn ôl yn yr ardal a farciwyd. Er enghraifft, os oes 12 o brennau gwyrdd ar ôl ac 8 o rai plaen, ychwanegwch 12 pren gwyrdd arall ac 8 pren plaen. Cofnodwch niferoedd newydd y prennau coctel gwyrdd a phlaen.

7 Ailadroddwch gamau **4** a **6** bedair gwaith arall, neu nes y byddai'r boblogaeth yn fwy na nifer y prennau coctel sydd ar gael i chi.

8 Plotiwch eich canlyniadau fel siart bar.

**Dadansoddi eich canlyniadau**

1 Beth sy'n digwydd i 'boblogaethau' y prennau coctel gwyrdd a phlaen dros y 'cenedlaethau' yn yr arbrawf hwn?

2 Pam gwnaethoch chi blotio'r data fel siart bar yn hytrach na graff llinell?

---

## Beth yw 'damcaniaeth detholiad naturiol'?

Mae'r ddamcaniaeth detholiad naturiol yn cynnig mecanwaith i ddisgrifio sut mae esblygiad yn digwydd. Mae'n un o ddamcaniaethau enwocaf gwyddoniaeth, a Charles Darwin oedd y cyntaf i gyflwyno'r syniad.

Yng nghyfnod Darwin, roedd llawer o bobl yn credu bod Duw wedi creu pob rhywogaeth ar wahân ac nad oedd un rhywogaeth byth yn newid i greu rhai newydd. Roedd pobl eraill yn credu mewn esblygiad ond yn credu bod newidiadau'n cael eu hachosi gan beth roedd yr organeb yn ei wneud, neu beth oedd yn digwydd iddi, yn ystod ei hoes. Aeth Darwin ar fordaith llawn darganfyddiadau gwyddonol ar y llong *HMS Beagle* rhwng 1831 ac 1836. Daeth o hyd i nifer o rywogaethau newydd, a sylwodd fod gwahanol rywogaethau yn aml yn amrywiadau ar fodel sylfaenol cyffredin. Ar ben hyn, roedd yn ymddangos bod yr amrywiadau i gyd yn gysylltiedig ag amgylchedd neu ffordd o fyw'r organeb.

Doedd Darwin ddim yn gallu cynnal arbrofion ar esblygiad; mae hon yn broses sy'n gallu cymryd miloedd o flynyddoedd. Yr unig beth roedd yn gallu ei wneud oedd arsylwi'n ofalus a cheisio dyfeisio rhagdybiaethau i egluro ei arsylwadau. Sylwodd ar rai rhywogaethau o bincod a oedd i'w cael ar ynysoedd penodol yn ynysfor y Galapagos yn unig. Roedd y pincod hyn yn debyg i'w gilydd, ac yn debyg hefyd i fath o bincod a oedd i'w gael ar dir mawr De America tua 500 milltir i ffwrdd, ond roedd gan bob un eu nodweddion penodol eu hunain. Yn arbennig, roedd yn ymddangos

**Ffigur 5.2** Charles Darwin, y naturiaethwr mawr o Brydain.

**Ffigur 5.3** Amrywiadau mewn crwbanod o'r Galapagos. Mae gan yr un ar y chwith flaen cromennog i'w gragen a gwddf hirach. Mae'n byw ar ynys lle nad oes llawer o lystyfiant ar y ddaear felly rhaid iddo ymestyn i fyny i fwydo ar lwyni. Mae'r addasiadau i'w gragen a'i wddf yn ei alluogi i wneud hyn.

| pincod coed | bwytawyr ffrwythau | pigau fel parot | *Camarhynchus pauper* | | |
| | bwytawyr pryfed | pigau sy'n gafael | *Camarhynchus psittacula* | *Camarhynchus parvulus* | *Camarhynchus pallidus* |
| pincod daear | bwytawyr cacti | pigau sy'n chwilota | *Geospiza scandens* | | |
| | bwytawyr hadau | pigau sy'n malu | *Geospiza difficills* | *Geospiza fuliginosa* | *Geospiza magnirostris* |

**Ffigur 5.4** Pincod y Galapagos, yn dangos amrywiadau o ran siâp a maint pigau yn ôl eu deiet.

bod siâp a maint eu pigau'n adlewyrchu'r bwyd roedden nhw'n ei fwyta. Mae Ffigur 5.4 yn dangos hyn.

Cymerodd Darwin ei arsylwadau o'r pincod a rhoi prawf arnynt fel tystiolaeth o blaid neu yn erbyn y ddwy ragdybiaeth a oedd yn bodoli.

## Rhagdybiaeth 1: Creodd Duw'r holl bincod ar wahân

Roedd yn ymddangos yn debygol iawn bod y pincod ar Ynysoedd y Galapagos wedi dod o'r tir mawr yn wreiddiol, ond nid oedd yr un o'r union amrywiadau hyn yn bresennol ar y tir mawr. Roedd Ynysoedd y Galapagos yn wahanol iawn mewn sawl ffordd i dir mawr De America, ond eto i gyd roedd y pincod yn debyg iawn i'r rhai ar y tir mawr. Roedd Darwin yn gofyn i'w hun: 'Pam dylai'r rhywogaethau sydd i fod wedi eu creu yn Ynysfor y Galapagos, ac nid yn unman arall, fod â thebygrwydd mor amlwg i'r rhai sydd wedi eu creu yn America?' (o *On the Origin of Species* gan Charles Darwin). Fodd bynnag, dydy gwyddoniaeth ddim yn gallu gwrthbrofi bodolaeth na gweithredoedd duw sy'n hollalluog ac sydd ddim o reidrwydd yn ufuddhau i ddeddfau gwyddoniaeth. Ni all rhagdybiaeth sy'n cynnwys gweithredoedd duw fod yn rhagdybiaeth 'wyddonol'.

## Rhagdybiaeth 2: Cafodd y nodweddion eu caffael ac yna eu hetifeddu

Does dim mecanwaith hysbys a fyddai'n achosi i big dyfu'n fwy ac yn gryfach drwy geisio malu hadau, oherwydd dydy'r big ddim wedi'i gwneud o gyhyr. Does dim ffordd ychwaith y gallai chwilota rhisgl am bryfed achosi i big deneuo a mynd yn well am chwilota. Dydy'r arsylwadau ddim yn cyd-fynd â'r rhagdybiaeth hon.

Am y flwyddyn neu ddwy nesaf, bu Darwin yn meddwl am beth oedd wedi'i weld, ac yn y pen draw datblygodd ei **ddamcaniaeth detholiad naturiol** i egluro'r dystiolaeth. Y ddamcaniaeth hon oedd:

- Mae'r mwyafrif o anifeiliaid a phlanhigion yn cael llawer mwy o epil nag sy'n gallu goroesi, felly mae'r epil mewn rhyw fath o 'frwydr' i oroesi. Dyma syniad **gorgynhyrchu**.
- Dydy'r epil ddim i gyd yr un fath; maen nhw'n dangos **amrywiad**.
- Mae'n rhaid bod rhai amrywiaethau mewn gwell sefyllfa i oroesi nag eraill, gan eu bod nhw'n 'fwy cymwys' i'r amgylchedd. Y rhain fydd y mwyaf tebygol o oroesi (h.y. '**goroesiad y cymhwysaf**').
- Bydd y rhai sy'n goroesi yn **bridio** ac yn trosglwyddo eu nodweddion nhw i'r genhedlaeth nesaf (doedd Darwin ddim yn gwybod manylion hyn, oherwydd doedd Mendel heb gynnal ei arbrofion eto i ddarganfod genynnau).
- Dros nifer o genedlaethau, bydd y nodweddion gorau'n mynd yn fwy cyffredin ac yn y pen draw'n lledaenu i bob unigolyn. Bydd y rhywogaeth wedi newid, neu **esblygu**.

## Pam mae rhywogaethau'n diflannu?

1 Eglurwch sut helpodd darganfyddiadau Mendel (gweler pennod 4) i egluro damcaniaeth detholiad naturiol yn fanylach.

2 Dychmygwch fod genyn mewn rhywogaeth anifail yn achosi i'r anifeiliaid fod yn arbennig o ffrwythlon (cyplu'n llwyddiannus) ond sydd hefyd yn achosi marwolaeth gynnar. A fyddai genyn o'r fath yn dod yn gyffredin yn y pen draw oherwydd detholiad naturiol? Eglurwch eich ateb.

Mae miliynau o rywogaethau wedi bodoli yn y gorffennol ac sydd ddim i'w cael ar y Ddaear erbyn hyn – maen nhw'n **ddiflanedig**. Gallai hyn ddigwydd am nifer o resymau.

1 Mae'r organeb wedi methu addasu'n llwyddiannus i'w hamgylchedd.

2 Mae'r organeb wedi addasu i'w hamgylchedd i raddau, ond mae organeb arall debyg wedi addasu'n well. Dydy'r organeb lai llwyddiannus ddim yn gallu cystadlu, ac yn y pen draw maen nhw i gyd yn marw.

3 Mae'r organeb wedi addasu'n dda i'w hamgylchedd, ond mae'r amgylchedd yn newid yn sydyn a dydy'r organeb ddim yn gallu goroesi yn yr amodau newydd.

Mae'r rheswm cyntaf (methiant llwyr i addasu) yn eithriadol o brin. Gallai egluro diflaniad mwtaniad newydd, ond nid rhywogaeth gyfan.

Mae'r ail reswm yn fwy cyffredin. Er enghraifft, ers yr 1990au mae niferoedd y dolffiniaid pig gwyn wedi bod yn lleihau o gwmpas arfordir yr Alban, ac mae hyn wedi cael ei gysylltu â chynnydd

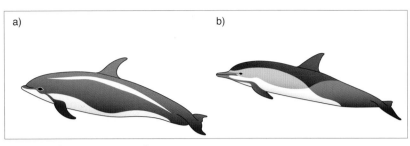

**Ffigur 5.5** a) Dolffin pig gwyn; b) Dolffin pig byr. Mae'r ddwy rywogaeth yn cystadlu yn y moroedd o gwmpas yr Alban.

**Ffigur 5.6** Y dodo, a aeth yn ddiflanedig ar ddiwedd yr ail ganrif ar bymtheg – yn llai na 100 mlynedd ar ôl iddo gael ei ddarganfod.

yn niferoedd rhywogaeth arall, y dolffin pig byr. Mae tymheredd cynhesach y môr wedi annog y dolffin pig byr i symud i'r ardal o'r de, ac mae lle i gredu y gallai fod yn cystadlu'n well na'r ffurf pig gwyn. Mae sefyllfa'r gwiwerod coch a llwyd o Bennod 2 yn enghraifft arall o hyn.

Mae'r trydydd rheswm yn achos cyffredin o ddiflaniad, ac mae'n aml yn gysylltiedig â gweithgarwch bodau dynol. Un anifail diflanedig enwog yw'r dodo, aderyn na allai hedfan a oedd yn arfer byw ar ynys Mauritius. Roedd wedi llwyddo i addasu i'w amgylchedd, a doedd ganddo ddim ysglyfaethwyr naturiol. Pan ddaeth pobl o'r Iseldiroedd i drefedigaethu'r ynys yn 1638, daethant â chathod, cŵn, llygod mawr (oddi ar y llongau) a moch gyda nhw. Roedd y dodos yn ysglyfaeth hawdd i fodau dynol gan nad oedden nhw'n gallu hedfan a gan nad oedden nhw erioed wedi gorfod esblygu i fod yn wyliadwrus. Bwytaodd y bodau dynol lawer ohonynt (er nad oedden nhw'n blasu'n arbennig o dda) a bwytaodd y cathod, y cŵn a'r llygod mawr eu hwyau a'u cywion nhw. O fewn canrif, roedd y dodo wedi diflannu, gan fod ei amgylchedd wedi newid yn llwyr ar ôl i ysglyfaethwyr gael eu cyflwyno iddo.

## Pam mai damcaniaeth yw detholiad naturiol, yn hytrach na rhagdybiaeth neu ddeddf?

**Damcaniaeth** yw syniad sy'n ceisio egluro ffenomena gwyddonol, ac sy'n cael ei derbyn yn gyffredinol a'i hategu gan amrywiaeth o dystiolaeth. Bydd damcaniaeth sy'n cael ei gwrthbrofi'n cael ei gwrthod, ond mae'n anodd iawn profi'n derfynol bod damcaniaeth yn gywir. Mae'n bosibl o hyd y daw tystiolaeth newydd i'r amlwg yn y dyfodol a fyddai'n ein gorfodi i newid neu i wrthod y ddamcaniaeth. Mae damcaniaeth detholiad naturiol Darwin yn awgrymu eglurhad am sut mae esblygiad yn gweithio. Mae llawer o dystiolaeth i'w hategu, a does dim tystiolaeth i'w gwrthbrofi. Mae'r mwyafrif llethol o wyddonwyr (ond nid pob un) yn derbyn ei bod yn wir.

Mae **rhagdybiaeth** yn debyg i ddyfaliad ar sail gwybodaeth. Mae'n ffordd o awgrymu eglurhad am ddigwyddiad neu arsylwad, cyn rhoi prawf arni mewn arbrawf. Mewn geiriau eraill, does dim llawer o dystiolaeth i ategu rhagdybiaeth. Os daw llawer o dystiolaeth i'w hategu, ac os caiff ei defnyddio gan lawer o bobl, bydd yn dod yn ddamcaniaeth. Weithiau, mae damcaniaeth yn cynnwys grŵp o ragdybiaethau. Dydy detholiad naturiol ddim yn rhagdybiaeth oherwydd mae llawer o dystiolaeth i'w ategu.

Mae **deddf** yn dra gwahanol. Mae deddf yn disgrifio sut mae rhywbeth yn gweithio neu'n ymddwyn. Gallwn ei defnyddio i ragfynegi pethau, ond dydy hi ddim yn *egluro* beth sy'n digwydd. Mae deddf disgyrchiant Newton yn disgrifio sut mae gwrthrych yn disgyn, a gallwn ei defnyddio i ragfynegi beth fydd yn digwydd pan gaiff rhywbeth ei ollwng, ond dydy hi ddim yn egluro *pam* mae atyniad rhwng gwrthrychau. Does byth eithriadau i ddeddf – os oes rhai, bydd angen addasu'r ddeddf. Mae damcaniaeth Darwin yn ceisio disgrifio *sut* mae esblygiad wedi digwydd, yn hytrach na disgrifio'r broses. Does dim ffordd o'i defnyddio i ragfynegi'n gywir sut yn union y bydd organeb yn esblygu, felly dydy hi ddim yn ddeddf.

## Beth yw'r dystiolaeth o blaid detholiad naturiol?

**Ffigur 5.7** Mae amrywiaeth o 'arch-fygiau' wedi ymddangos ac mae'n anodd iawn eu trin â gwrthfiotigau.

**CWESTIWN**

3 Eglurwch pam gallai defnyddio gwrthfiotigau gwahanol i drin haint bacteriol penodol atal y bacteria rhag esblygu'r gallu i'w gwrthsefyll.

Fel rheol, mae detholiad naturiol yn cymryd amser hir iawn, ond o dan rai amgylchiadau penodol gall ddigwydd yn eithaf cyflym. Un enghraifft yw esblygiad '**arch-fygiau**' (**superbugs**). Micro-organebau yw'r rhain sy'n gallu gwrthsefyll y gwrthfiotigau sy'n cael eu defnyddio fel arfer i drin heintiau.

Fel pob organeb fyw arall, mae bacteria'n dangos amrywiad. Mae gwrthfiotigau'n lladd y mwyafrif o facteria, ond bydd rhai bacteria bob amser yn gallu gwrthsefyll y moddion hyn yn naturiol a byddan nhw'n goroesi. Os mai dim ond ychydig o'r bacteria hyn sydd ynoch chi, fyddan nhw ddim yn achosi problemau, ond gallant ddal i ledaenu i bobl eraill. Os yw llawer o bobl yn defnyddio'r un gwrthfiotigau, ar ôl ychydig o amser bydd y rhan fwyaf o'r bacteria wedi eu lladd ond bydd y rhai sy'n gallu gwrthsefyll gwrthfiotigau'n dal i allu lluosi. Ar ôl digon o amser, bydd poblogaeth gyfan y bacteria'n gallu gwrthsefyll y gwrthfiotig (gweler Ffigur 5.8). Dydy'r bacteria ddim wedi ffurfio rhywogaeth newydd, ond mewn cyfnod eithaf byr maen nhw wedi esblygu i allu gwrthsefyll rhai gwrthfiotigau penodol drwy broses o ddetholiad naturiol. I atal bacteria rhag datblygu'r gallu i wrthsefyll gwrthfiotigau newydd, mae meddygon yn ceisio peidio â'u rhoi oni bai ei bod yn gwbl angenrheidiol, ac yna maen nhw'n ceisio defnyddio amrywiaeth o wrthfiotigau gwahanol.

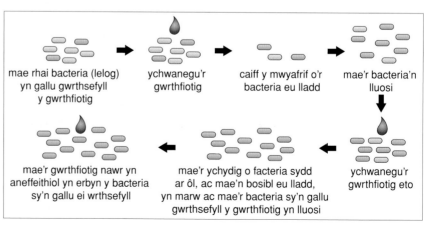

mae rhai bacteria (lelog) yn gallu gwrthsefyll y gwrthfiotig → ychwanegu'r gwrthfiotig → caiff y mwyafrif o'r bacteria eu lladd → mae'r bacteria'n lluosi

mae'r gwrthfiotig nawr yn aneffeithiol yn erbyn y bacteria sy'n gallu ei wrthsefyll ← mae'r ychydig o facteria sydd ar ôl, ac mae'n bosibl eu lladd, yn marw ac mae'r bacteria sy'n gallu gwrthsefyll y gwrthfiotig yn lluosi ← ychwanegu'r gwrthfiotig eto

**Ffigur 5.8** Esblygiad gallu bacteria i wrthsefyll gwrthfiotigau. Noder – mewn gwirionedd, byddai angen llawer mwy o genedlaethau cyn iddynt esblygu'r gallu i wrthsefyll y gwrthfiotigau'n llwyr.

ESBLYGIAD

Mae bacteria yn organebau defnyddiol ar gyfer astudio esblygiad gan eu bod nhw'n atgenhedlu tuag unwaith bob 20 munud. Felly mae'n bosibl astudio nifer o genedlaethau mewn cyfnod byr.

## TASG — PAM MAE GWENWYN LLYGOD MAWR WEDI STOPIO GWEITHIO?

**Dyma weithgaredd sy'n eich helpu i:**
★ dadansoddi data
★ llunio casgliadau
★ mesur cryfder tystiolaeth.

Mae warffarin yn gynhwysyn cyffredin mewn gwenwyn llygod mawr, ond mae'n cael ei ddefnyddio'n llai aml heddiw gan fod poblogaethau llygod mawr yn dod i allu ei wrthsefyll ac mae'r gwenwyn felly'n llai effeithiol. Rydym ni'n credu bod hyn oherwydd detholiad naturiol, yn debyg i'r sefyllfa gyda gwrthfiotigau a ddisgrifiwyd uchod. Mae llygod mawr sy'n gallu gwrthsefyll warffarin yn naturiol wedi goroesi, ac mae'r rhan fwyaf o'r rhai sy'n cael eu lladd ganddo wedi marw.

Mae gwahanol boblogaethau llygod mawr yn gallu gwrthsefyll warffarin i wahanol raddau. Aeth gwyddonwyr ati i samplu poblogaethau llygod mawr o bum safle (A–D) mewn ardal ddaearyddol eithaf eang gan brofi eu gallu i wrthsefyll warffarin. Mae Ffigur 5.9 yn dangos y canlyniadau.

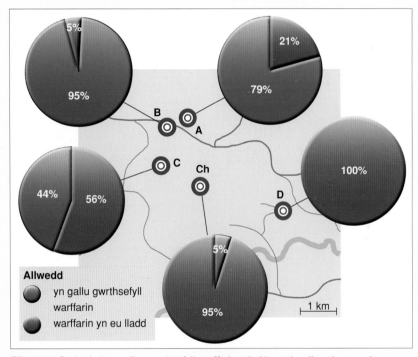

**Ffigur 5.9** Canlyniadau profion gwrthsefyll warffarin ar boblogaethau llygod mawr o bum gwahanol safle (A–D).

### Pwyntiau Trafod

Edrychwch ar y casgliadau isod. Ym mhob achos, dywedwch a ydych chi'n meddwl bod y data'n ategu'r casgliad ac, os ydyn nhw, pa mor gryf yw'r dystiolaeth (gyda rhesymau).

1 Dydy warffarin erioed wedi cael ei ddefnyddio yn safle D.
2 Mae gwahaniaeth genetig rhwng poblogaethau llygod mawr y gwahanol safleoedd.
3 Safle B oedd y man cyntaf lle datblygodd y gallu i wrthsefyll warffarin.
4 Mae amodau amgylcheddol safleoedd Ch a D yn wahanol o'u cymharu â'r safleoedd eraill.
5 Mae llygod mawr sy'n gallu gwrthsefyll warffarin wedi mudo o ardaloedd A a B i ardal C.

### Dadansoddi'r canlyniadau

1 Edrychwch ar Ffigur 5.9. Rhowch safleoedd A–D yn nhrefn eu gallu i wrthsefyll warffarin, fel mae'r poblogaethau llygod mawr yn ei ddangos.
2 Ydych chi'n meddwl bod y gwahaniaethau rhwng y gallu i wrthsefyll warffarin yn y pum safle'n arwyddocaol? Cyfiawnhewch eich ateb.

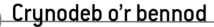

# Crynodeb o'r bennod

○ Mae esblygiad yn dibynnu ar amrywiad etifeddadwy mewn organebau byw.

○ Mae damcaniaeth detholiad naturiol Charles Darwin yn cynnig mecanwaith lle gall organebau esblygu er mwyn addasu i'w hamgylchedd.

○ Mae rhywogaethau sydd heb addasu, neu sydd wedi addasu i amgylchedd sydd wedi newid yn arwyddocaol, yn gallu mynd yn ddiflanedig.

○ Er bod esblygiad yn gallu cymryd llawer o flynyddoedd, weithiau gall ddigwydd yn gyflym hefyd (e.e. gallu llygod mawr i wrthsefyll warffarin, gallu bacteria i wrthsefyll gwrthfiotigau).

○ Gall gwyddonwyr ddefnyddio 'modelau' i lunio casgliadau, a gall y rhain fod yn ddefnyddiol pan mae'n anodd cynnal arbrofion.

# 6

# Ymateb a rheoli

## Os ydw i'n baglu, ydw i'n mynd i gwympo?

Rydym ni i gyd yn baglu weithiau. Fel arfer, gallwn ni osgoi cwympo, gan aros ar ein traed, ond o bryd i'w gilydd byddwn ni'n cwympo i lawr. Ydych chi erioed wedi meddwl am beth sy'n digwydd yn y broses hon?

Pan ydych chi'n baglu, y cam cyntaf at osgoi cwympo yw sylwi eich bod chi wedi baglu. Mae llawer o arwyddion o hyn – mae organau synhwyro yn eich clustiau'n canfod nad ydych chi'n fertigol mwyach; gall eich cyhyrau a'ch croen synhwyro nad ydych chi'n cyffwrdd â'r llawr; gall eich llygaid weld y llawr yn dod tuag atoch chi! Mae'r holl wybodaeth hon yn cael ei hanfon i'ch ymennydd, sy'n gorfod dod i benderfyniad cyflym iawn – allwch chi atal eich hun rhag cwympo? Mae'r penderfyniad hwn yn ymwneud â phob math o ffactorau fel eich cyflymder ac ongl eich corff, ac mae'n bwysig bod yr ymennydd yn penderfynu'n gywir, oherwydd mae'n effeithio ar beth mae'n ei wneud nesaf.

Os gallwch chi gywiro'r baglad, rhaid i'ch ymennydd anfon negeseuon i ail-gydbwyso eich corff. Er enghraifft, os ydych chi'n cwympo ymlaen, y peth gorau i'w wneud yw rhoi un goes ymlaen i flocio'r gwymp, ond ar yr un pryd i bwyso eich corff ychydig yn ôl i gydbwyso eich symudiad tuag ymlaen. Os ydych chi'n mynd i gwympo, rydych chi'n rhoi eich breichiau ymlaen i'ch cynnal pan fyddwch chi'n taro'r llawr ac i amddiffyn eich wyneb a'ch asennau. Ond os ydych chi'n ceisio peidio â chwympo, bydd rhoi eich breichiau ymlaen yn wrthgynhyrchiol. Mae'r holl benderfyniadau a gweithredoedd hyn yn digwydd o fewn ffracsiwn o eiliad, ac mae eich ymennydd yn gwneud y peth cywir bron bob tro.

Dyma beth mae eich ymennydd a'ch system nerfol yn ei wneud – maen nhw'n **rheoli** ac yn **cyd-drefnu**'r synhwyrau ac ymatebion eich corff. Ac maen nhw'n gwneud hynny'n dda iawn.

**Ffigur 6.1** Mae'n amlwg bod ymennydd y pêl-droediwr hwn wedi penderfynu y bydd yn taro'r llawr.

# Sut mae eich ymennydd yn cael ei wybodaeth?

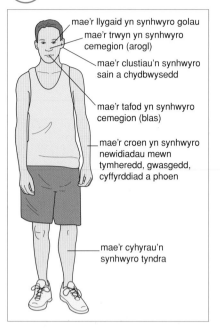

mae'r llygaid yn synhwyro golau

mae'r trwyn yn synhwyro cemegion (arogl)

mae'r clustiau'n synhwyro sain a chydbwysedd

mae'r tafod yn synhwyro cemegion (blas)

mae'r croen yn synhwyro newidiadau mewn tymheredd, gwasgedd, cyffyrddiad a phoen

mae'r cyhyrau'n synhwyro tyndra

**Ffigur 6.2** Rhai o organau synhwyro'r corff.

Mae system o **organau synhwyro,** sydd wedi'u gwasgaru ar hyd y corff, yn bwydo gwybodaeth i'r ymennydd yn barhaus

Mae organau synhwyro yn grwpiau o gelloedd arbennig o'r enw **celloedd derbyn** sy'n gallu canfod newidiadau o'u cwmpas, naill ai y tu mewn i'r corff neu yn yr amgylchedd allanol. **Symbyliadau** (*stimuli*) yw'r enw ar y newidiadau hyn, ac maen nhw'n cynnwys golau, sŵn, cemegion, cyffyrddiad a thymheredd. Mae pob grŵp o gelloedd derbyn yn ymateb i ysgogiad penodol. Mae'r clustiau, er enghraifft, yn canfod sŵn a chydbwysedd, ond mae hynny am eu bod nhw'n cynnwys dau grŵp gwahanol o gelloedd derbyn, un i sain ac un i gydbwysedd. Mae'r wybodaeth o'r organau synhwyro yn teithio i'r ymennydd ac i fadruddyn y cefn (y **brif system nerfol**) ar hyd nerfgelloedd (sydd hefyd yn cael eu galw'n **niwronau**).

## GWAITH YMARFEROL  PA MOR SENSITIF YW EICH CROEN CHI?

Dyma weithgaredd sy'n eich helpu i:
★ dadansoddi data
★ llunio casgliadau
★ gwerthuso ffynonellau cyfeiliornad mewn arbrawf
★ gwella cynllun arbrawf
★ trefnu ac arddangos data.

**Ffigur 6.3** Diagram o arwyneb y croen yn dangos y rhannau sydd â derbynyddion cyffyrddiad. Os bydd ardal binc yn cael ei chyffwrdd, bydd y cyffyrddiad yn cael ei ganfod. Os bydd un o'r bylchau rhwng y mannau pinc yn cael ei gyffwrdd, ni fydd y cyffyrddiad yn cael ei ganfod.

Cyffyrddiad yw un o'r pethau y gall eich croen ei ganfod. Mae derbynyddion cyffyrddiad wedi'u gwasgaru ar hyd eich croen, ac maen nhw'n gallu canfod rhywbeth yn cyffwrdd â'r croen wrth eu hymyl. Os yw'r croen yn cael ei gyffwrdd rhwng 'yr ardaloedd canfod', ni fydd y corff yn canfod hynny.

Mae'r derbynyddion cyffyrddiad hyn wedi'u pacio'n agosach at ei gilydd mewn rhai rhannau o'ch croen nag mewn rhannau eraill. Felly mae sensitifedd eich croen yn amrywio ar wahanol rannau o'ch corff. Gallwn ni weld pa mor sensitif yw gwahanol rannau o'r croen drwy gynnal arbrawf. Byddwn ni'n profi pa mor dda yw'r croen yn gwahaniaethu rhwng dau gyffyrddiad gwahanol sy'n agos iawn at ei gilydd. Bydd mannau sensitif yn canfod eu bod wedi cael eu cyffwrdd ddwywaith. Bydd mannau llai sensitif yn canfod un cyffyrddiad yn unig.

**!** Asesiad risg

**Does dim risgiau arwyddocaol yn gysylltiedig â'r arbrawf hwn.**

Dull

Gweithiwch mewn parau. Bydd un ohonoch yn wrthrych y prawf, a bydd y llall yn arbrofwr.
1  Plygwch y clip papur i siâp tebyg i'r siâp yn Ffigur 6.4. Os gwasgwch yr ochrau, gallwch chi addasu'r bwlch rhwng y pwyntiau.
2  Gwahanwch y pwyntiau fel bod 10 mm rhyngddynt. Gofynnwch i wrthrych y prawf edrych i ffwrdd.

*parhad...*

## GWAITH YMARFEROL *parhad*

### Cyfarpar

* clip papur
* riwl

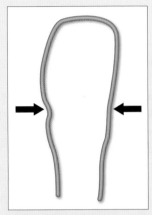

**Ffigur 6.4** Clip papur wedi'i agor i'w ddefnyddio yn yr arbrawf. Wrth wasgu lle mae'r saethau'n dangos, gallwch chi addasu'r pellter rhwng y pwyntiau.

3 Defnyddiwch y clip papur i gyffwrdd â'r croen ar flaen bys gwrthrych y prawf 20 o weithiau. Rhowch y ddau bwynt ar y croen weithiau, a dim ond un pwynt ar yr adegau eraill. Bob tro, rhaid i'r gwrthrych ddweud a yw'n teimlo un pwynt neu ddau. Lluniwch dabl addas i gofnodi eich canlyniadau. Cofnodwch faint o weithiau roedd y gwrthrych yn gywir a sawl gwaith roedd yn anghywir.

4 Ailadroddwch y prawf ar ddau ddarn arall o'r croen – ar gledr y llaw ac ar gefn y llaw.

5 Profwch y tair rhan eto gyda gwahanol bellteroedd rhwng dau bwynt y clip papur – 8 mm, 6 mm a 4 mm.

6 Os oes digon o amser, cewch chi gyfnewid eich rolau ac ailadrodd yr arbrawf.

7 Lluniwch graff addas i ddangos y data.

### Dadansoddi eich data

1 Beth yw eich casgliad ar sail y data? Pa mor gryf yw'r dystiolaeth o blaid y casgliad hwn?

2 Beth yw'r ffynonellau gwallau yn yr arbrawf? Ydy'r data'n awgrymu y gallai unrhyw un o'r gwallau hyn fod yn arwyddocaol? Oes rhywbeth y gallech chi fod wedi'i wneud i leihau'r gwallau hyn?

3 Pam gwnaethoch chi ddewis y math o graff a ddewisoch chi? Allech chi fod wedi defnyddio math arall o graff?

## Sut mae gwybodaeth yn teithio yn y corff?

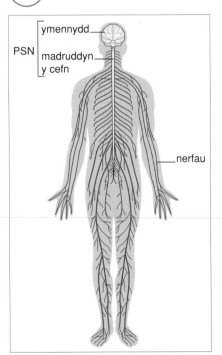

**Ffigur 6.5** Y PSN a'r nerfau yn y corff.

Mae eich ymennydd a madruddyn y cefn yn ffurfio'r **brif system nerfol (PSN)**. Gyda'i gilydd, nhw sy'n cyd-drefnu ac yn rheoli eich corff. Er mwyn gwneud hynny rhaid iddynt gael gwybodaeth o'r organau synhwyro ac anfon gwybodaeth i'r cyhyrau er mwyn gwneud i bethau ddigwydd. Mae'r wybodaeth yn teithio ar ffurf signalau trydanol ar hyd **nerfau**.

Mae rhai nerfau'n mynd â negeseuon i'r brif system nerfol o organau synhwyro, ac mae nerfau eraill yn mynd â gwybodaeth o'r brif system nerfol i'r corff. Felly, pan mae eich corff yn synhwyro symbyliad, mae'r organ synhwyro dan sylw yn anfon signal ar hyd nerf i'r brif system nerfol. Weithiau, bydd y neges yn mynd i'r ymennydd, ac yna bydd yr ymennydd yn penderfynu beth i'w wneud amdani. Os bydd angen gweithredu, bydd yr ymennydd yn anfon signal ar hyd nerf i'r rhan briodol o'r corff, sydd yna'n adweithio. Rydym ni'n galw'r adwaith hwn yn **ymateb**. Yr amser rhwng yr ysgogiad a'r ymateb yw'r **amser adweithio**.

**Dyma weithgaredd sy'n eich helpu i:**

★ cynllunio arbrofion (profi teg, ailadroddiadau)

★ cyflwyno data

★ dadansoddi data (patrymau a thueddiadau, arwyddocâd gwahaniaethau)

★ llunio casgliadau (barnu rhagdybiaethau, cryfder tystiolaeth)

★ gwerthuso data ac arbrofion (cyfeiliornad mewn arbrawf, pa mor hawdd yw ailadrodd).

### Cyfarpar
* Riwl 30 cm

Mae'r arbrawf hwn yn edrych ar allu ymarfer i wella amser adweithio. Gallwch chi fesur amser adweithio drwy weld pa mor gyflym mae rhywun yn dal riwl sy'n cael ei ollwng rhwng ei fysedd. Ein rhagdybiaeth ni yw **bydd ymarfer yn lleihau'r amser adweithio**. Dewch i ni edrych ar y dystiolaeth o blaid y rhagdybiaeth hon, oherwydd mae rhagdybiaeth yn fwy na dyfaliad – rhaid iddi fod yn seiliedig ar egwyddorion gwyddonol.

- Rydym ni'n gwybod bod signal yn cymryd amser penodol i deithio ar hyd nerf. Bob tro rydych chi'n dal y riwl, bydd y signalau'n teithio ar hyd yr un nerfau, ac felly bydd cyfanswm yr amser y mae hyn yn ei gymryd yr un fath bob tro. Mae hyn yn dystiolaeth *yn erbyn* ein rhagdybiaeth ni.

- Mae nifer o wahanol 'lwybrau' yn rhan o ddal riwl. Efallai y gallwch chi sylwi ar 'signalau' bach i ragweld pryd bydd rhywun yn gollwng y riwl; efallai y bydd eich gallu chi i ganolbwyntio'n gwella. Mae'r rhain yn sgiliau sy'n gallu gwella gydag ymarfer. Mae hyn yn dystiolaeth *o blaid* ein rhagdybiaeth ni.

- Rydym ni'n gwybod bod ymarfer yn gallu gwella pethau tebyg. Er enghraifft, mae cricedwyr yn ymarfer dal pêl i wella eu gallu. Mae dal pêl griced yn weithred fwy cymhleth, ond mae hyn yn dal i roi tystiolaeth *o blaid* ein rhagdybiaeth ni.

Mae ein rhagdybiaeth yn un dda. Mae tystiolaeth i'w hategu, ond dydym ni ddim yn gwbl sicr ei bod hi'n wir (os felly, ni fyddai fawr o bwynt i ni gynnal arbrawf!).

Dyma'r dull sylfaenol o gyfrifo amseroedd adweithio.

### Dull
Gweithiwch mewn parau. Bydd un unigolyn yn cynnal yr arbrawf ar ei bartner.

1 Marciwch linell â phensil i lawr canol ewin bawd de eich partner.

2 Gofynnwch i'ch partner eistedd gyda'i ochr at fainc neu fwrdd gyda'i elin yn gorwedd yn fflat ar y fainc a'i law dros yr ymyl.

3 Daliwch riwl yn fertigol rhwng bys cyntaf a bawd eich partner, gyda'r sero gyferbyn â'r llinell ar y bawd ond heb fod yn cyffwrdd â'r bawd na'r bysedd. Dylai'r pellter rhwng y bys a'r bawd fod yn union yr un fath ym mhob prawf.

4 Gofynnwch i'ch partner wylio'r marc sero, a chyn gynted ag y byddwch chi'n gollwng y riwl, rhaid i'ch partner geisio ei ddal rhwng ei fys a'i fawd i'w atal rhag disgyn ymhellach. Lluniwch dabl addas i gofnodi eich canlyniadau. Cofnodwch y pellter ar y riwl gyferbyn â'r marc ar y bawd.

5 Ailadroddwch hyn bedair gwaith arall (i roi cyfanswm o bump) a chyfrifwch y pellter cyfartalog. Defnyddiwch y graff yn Ffigur 6.7 i drawsnewid y pellter hwn yn amser.

6 Nawr, defnyddiwch y dull hwn i gynllunio a chynnal arbrawf i brofi'r hypothesis bod ymarfer yn gwella amser adweithio yn hyn o beth.

**Ffigur 6.6** Cynnal yr arbrawf.

*parhad...*

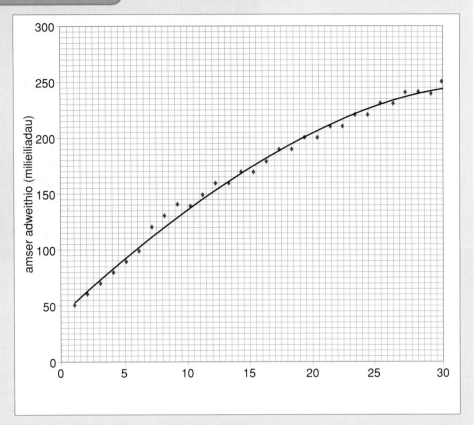

**Ffigur 6.7** Graff trawsnewid ar gyfer trawsnewid pellter dal yn amser adweithio. Mae angen gwneud hyn gan fod y riwl yn cyflymu wrth iddo ddisgyn.

**Dadansoddi eich canlyniadau**

1 Ysgrifennwch adroddiad llawn am eich arbrawf, gan ddisgrifio eich dull, eich canlyniadau a'ch casgliadau.

2 Gwerthuswch eich cynllun. Oes ffordd o'i wella mewn unrhyw ffordd?

**Gwaith estynedig**

Gallech chi ddefnyddio dull tebyg i ymchwilio i sut mae gwahanol bobl yn amrywio o ran eu gallu i ddal y riwl.

1 Ydy rhai pobl yn naturiol ac yn gyson yn well am wneud hyn?

2 Os ydyn nhw, ydy hyn yn gysylltiedig ag unrhyw ffactor arall (e.e. rhyw, chwarae gemau pêl sy'n golygu cydsymud llaw a llygad)?

# Ydy planhigion yn ymateb i symbyliadau?

Dydy planhigion ddim yn symud o gwmpas, felly efallai eich bod chi'n meddwl nad ydyn nhw'n ymateb i newidiadau yn yr amgylchedd, ond maen nhw. Mae ymatebion planhigion yn araf ac yn aml yn golygu symud tuag at symbyliad, neu oddi wrtho. Enw'r 'symudiadau' twf hyn yw **tropeddau**. Mae nifer o wahanol fathau ohonynt. Dyma ddwy enghraifft:

■ **Ffototropedd**. Twf sy'n ymateb i olau yw hwn. Mae cyffion y planhigyn yn tyfu tuag at y golau (ffototropedd *positif*) ac mae'r gwreiddiau'n tyfu oddi wrth y golau (ffototropedd *negatif*).

1 Mae coesynnau'n dangos ffototropedd positif a byddan nhw'n tyfu tuag at ffynhonnell golau. Mae grafitropedd negatif yn achosi i goesynnau dyfu tuag i fyny oddi wrth dyniad disgyrchiant. Sut gallwn ni ddangos bod coesyn planhigyn yn dangos grafitropedd negatif *a* ffototropedd positif?

2 Edrychwch ar Ffigur 6.8. Beth mae hwn yn ei awgrymu am gryfder yr ymatebion ffototropig a grafitropig yng nghyffion y planhigyn hwn?

Ffigur 6.8 Mae'r eginblanhigion hyn wedi tyfu tuag at y golau o ffenestr gyfagos.

■ **Grafitropedd (geotropedd).** Twf tuag at dyniad disgyrchiant yw hwn. Mae gwreiddiau planhigion yn dangos grafitropedd positif ac mae eu coesynnau'n dangos grafitropedd negatif.

Does gan blanhigion ddim nerfau, ac felly mae'r ymatebion hyn yn cael eu hachosi gan gemegion arbennig o'r enw **hormonau**. Caiff hormonau eu cynhyrchu fel ymateb i symbyliad ac maen nhw'n teithio i ran arall o'r planhigyn, lle maen nhw'n achosi ymateb. Mae gan anifeiliaid hormonau hefyd; fe welwn ni hynny'n nes ymlaen.

## GWAITH YMARFEROL YDY LLIW GOLAU'N GWNEUD UNRHYW WAHANIAETH I FFOTOTROPEDD?

Dyma weithgaredd sy'n eich helpu i:
★ deall profi teg a rheolyddion
★ llunio casgliadau.

Mae golau dydd yn olau gwyn, sy'n gymysgedd o bob un o liwiau posibl golau. Mae'r arbrawf hwn yn ymchwilio i weld a yw planhigion yn sensitif i liwiau penodol o olau. Fe roddwn ni gynnig ar olau coch a golau glas.

I wneud hyn, bydd angen 'blwch golau' arbennig arnoch chi, fel mae Ffigur 6.9 yn ei ddangos.

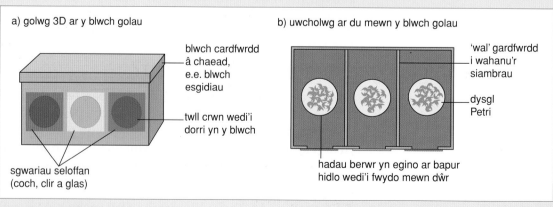

a) golwg 3D ar y blwch golau

blwch cardfwrdd â chaead, e.e. blwch esgidiau

twll crwn wedi'i dorri yn y blwch

sgwariau seloffan (coch, clir a glas)

b) uwcholwg ar du mewn y blwch golau

'wal' gardfwrdd i wahanu'r siambrau

dysgl Petri

hadau berwr yn egino ar bapur hidlo wedi'i fwydo mewn dŵr

Ffigur 6.9 Blwch golau.

*parhad...*

## GWAITH YMARFEROL *parhad*

### Cyfarpar
* i wneud blwch golau:
  blwch cardfwrdd petryal â chaead, e.e. blwch esgidiau; cardfwrdd ychwanegol i rannu'r blwch; sgwariau seloffan (coch, glas a chlir); tâp gludiog
* siswrn miniog
* lamp ddesg
* 3 dysgl Petri
* 3 disg papur hidlo i ffitio yn y dysglau Petri
* hadau berwr

### ⚠ Asesiad risg
* **Bydd eich athro/athrawes yn rhoi asesiad risg i chi.**

### Dull
1 Yn gyntaf, gwnewch y blwch golau. Defnyddiwch y cardfwrdd ychwanegol i rannu'r blwch yn dair adran. Torrwch dwll crwn ar flaen pob adran a'i orchuddio â seloffan fel yn y diagram.
2 Rhowch ddisg o bapur hidlo ym mhob dysgl Petri a'i ddirlenwi â dŵr. Ni ddylech adael i ddŵr gormodol ffurfio pyllau ar ben y papur.
3 Gwasgarwch hadau berwr ym mhob dysgl Petri.
4 Rhowch un ddysgl Petri ym mhob siambr yn y blwch golau a rhoi'r caead yn ôl arno.
5 Rhowch y lamp o flaen y blwch fel y bydd yn disgleirio drwy'r dalenni seloffan. Cynheuwch y lamp.
6 Gadewch y cyfarpar am sawl diwrnod. Bob dydd, agorwch y blwch i weld sut mae'r berwr yn tyfu ac i roi dŵr ar y papur hidlo os oes ei angen.
7 Arsylwch sut mae'r berwr wedi tyfu a chofnodwch eich arsylwadau mewn tabl addas.

### Dadansoddi eich canlyniadau
1 Beth yw eich casgliad chi am effeithiau golau o wahanol liwiau ar ffototropedd?
2 Mae rhai o nodweddion yr arbrawf hwn wedi'u rhestru isod. Ym mhob achos, dywedwch a ydych chi'n credu ei bod yn debygol bod y nodwedd wedi cael effaith arwyddocaol ar y canlyniad. Rhowch resymau dros eich atebion.
  a Doedd dim mesur o faint o ddŵr a gafodd ei ychwanegu at yr hadau berwr.
  b Roedd union nifer yr hadau berwr ym mhob dysgl yn amrywio.
  c Roedd (yn debygol bod) y golau wedi'i leoli'n fwy uniongyrchol o flaen y ddalen glir na'r dalenni coch a glas.
3 Rydym ni'n gwybod bod planhigion yn tyfu tuag at olau gwyn. Pam roeddem ni'n defnyddio dalen o seloffan clir a ninnau'n gwybod beth fyddai'n digwydd yn y siambr honno?

## Beth mae hormonau anifeiliaid yn ei wneud?

Rydym ni wedi dweud eisoes bod hormonau gan anifeiliaid, fel sydd gan blanhigion. Mae'r cemegion hyn yn cael eu creu mewn rhai organau penodol ac maen nhw'n teithio o amgylch yn llif y gwaed, gan effeithio ar wahanol rannau o'r corff. Ar y cyfan, maen nhw'n cael eu defnyddio ar gyfer rheoli yn y tymor canolig a'r tymor hir; nerfau sy'n rheoli ymatebion cyflymach.

Un o swyddogaethau pwysicaf hormonau yw helpu i gadw amodau penodol o fewn y corff yn gymharol gyson. Mae hyn yn bwysig iawn er mwyn i ni oroesi. Nesaf byddwn ni'n edrych ar y prif amodau sy'n cael eu rheoli gan hormonau yn y corff.

### Cynnwys dŵr

Mae crynodiad cemegion yn y celloedd yn gallu effeithio ar yr adweithiau cemegol hanfodol sy'n digwydd yn y corff. Mae'r

**Ffigur 6.10** Os ydym ni'n colli dŵr drwy chwysu, mae angen i ni gymryd mwy o ddŵr i'r corff i gymryd ei le a chynnal y cydbwysedd yn ein corff.

adweithiau hyn i gyd yn digwydd mewn dŵr, sy'n golygu bod dŵr yn hanfodol i fywyd. Gall rhy ychydig o ddŵr (**diffyg hylif**) achosi i hylifau'r corff fynd yn rhy grynodedig, gan niweidio'r corff. Ond mae gormod o ddŵr hefyd yn gallu bod yn beryglus, gan ei fod yn gwanedu hylifau'r corff. Hormonau sy'n cadw crynodiad hylifau ein cyrff o fewn terfynau diogel.

## Lefelau glwcos

Mae'r siwgr, glwcos, yn gemegyn pwysig iawn yn y corff. Glwcos yw prif ffynhonnell egni'r corff, ond gall crynodiadau uchel ohono niweidio celloedd, ac felly mae'n rhaid cadw ei lefel o fewn amrediad diogel. Os aiff lefelau siwgr y gwaed yn rhy uchel ar ôl pryd o fwyd, mae'r hormon **inswlin**, sy'n cael ei ryddhau gan y pancreas, yn gallu eu gostwng. Mae inswlin yn gwneud i'r afu/iau dynnu glwcos hydawdd o'r gwaed sy'n cael ei storio ar ffurf glycogen anhydawdd yn yr afu.

Mae gan rai pobl gyflwr sy'n golygu nad yw eu cyrff nhw'n cynhyrchu llawer o inswlin, os o gwbl. Os na chaiff y cyflwr ei drin, mae lefelau siwgr eu gwaed yn mynd yn beryglus o uchel. Enw'r cyflwr hwn yw **diabetes**. Mae gweithgarwch hefyd yn dylanwadu ar lefelau glwcos y gwaed. Mae bwyta carbohydradau'n cynyddu glwcos y gwaed, ac mae ymarfer corff yn ei leihau.

## CWESTIYNAU

3 Mae'r cyflwr adipsia'n achosi i'r claf golli'r synnwyr o 'syched'. Pam gallai hyn fod yn beryglus?

4 Mae graffiau Ffigur 6.11 yn dangos lefelau glwcos ac inswlin yng ngwaed person iach dros gyfnod o 24 awr.

  a Mae'r graffiau'n dod i ben tua hanner nos. Beth ydych chi'n meddwl sy'n digwydd i lefelau glwcos ac inswlin yr unigolyn dros yr oriau nesaf? Rhowch resymau dros eich ateb.

  b Rydym ni'n gwybod bod inswlin yn gostwng lefelau glwcos, ond mae'r graffiau'n dangos sawl cynnydd serth mewn inswlin heb ostyngiad cyfatebol mewn glwcos. Eglurwch pam mae hyn yn digwydd.

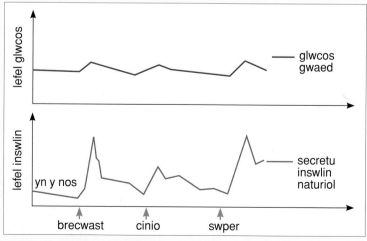

**Ffigur 6.11** Cymharu lefelau glwcos ac inswlin.

## Beth sy'n digwydd os cewch chi ddiabetes?

Mewn **diabetes Math 1** (y mwyaf cyffredin ymysg pobl ifainc), mae eich corff chi'n stopio cynhyrchu inswlin. Mae lefelau siwgr y gwaed yn cynyddu a chynyddu, ac mae eich corff yn ceisio cael gwared â'r siwgr gormodol yn y troeth. Bydd y symptomau canlynol yn dod i'r amlwg:

- Bydd siwgr yn ymddangos yn y troeth (rhaid i feddyg brofi am hyn).
- Mae'r claf yn pasio llawer o droeth gan fod y corff yn ceisio cael gwared o'r glwcos.
- Oherwydd yr holl ddŵr sy'n cael ei golli yn y troeth, mae'r claf yn mynd yn sychedig iawn.
- Dydy'r corff ddim yn gallu defnyddio'r glwcos yn y gwaed heb inswlin, felly mae'r claf yn teimlo'n flinedig iawn.

Mae meddygon yn defnyddio **siwgr yn y troeth** i roi diagnosis o ddiabetes, oherwydd mae pethau eraill heblaw diabetes yn gallu achosi'r holl symptomau eraill.

Os na chaiff diabetes ei drin, bydd lefel siwgr y gwaed yn codi mor uchel nes bydd y claf yn marw. Does dim ffordd o wella'r cyflwr, ond gellir ei reoli fel bod y dioddefwr yn aros yn iach fel arall. Mae triniaeth diabetes Math 1 yn cynnwys tri pheth:

- Rhaid i'r claf chwistrellu inswlin iddo'i hun (fel rheol cyn pob pryd o fwyd) i gymryd lle'r inswlin naturiol sydd ddim yn cael ei gynhyrchu mwyach.
- Rhaid rheoli'r deiet yn ofalus. Rhaid i'r claf fwyta'r swm cywir o garbohydrad (ffynhonnell glwcos) i gyd-fynd â faint o inswlin gafodd ei chwistrellu.
- Fel rheol, mae'r claf yn profi lefelau glwcos y gwaed sawl gwaith bob dydd i ofalu nad yw'r lefel yn rhy uchel nac yn rhy isel.

Mae math arall o ddiabetes yn bodoli (Math 2), sy'n fwy cyffredin ymysg pobl hŷn. Mae'n llai difrifol a gellir ei reoli â thabledi fel rheol, neu hyd yn oed drwy fod yn ofalus â'r deiet yn unig.

**Ffigur 6.12** Mae pobl â diabetes Math 1 yn gorfod chwistrellu inswlin iddyn nhw eu hunain, weithiau sawl gwaith bob dydd.

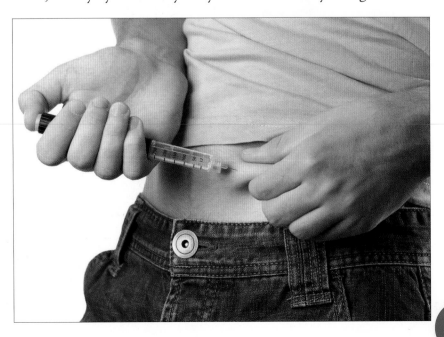

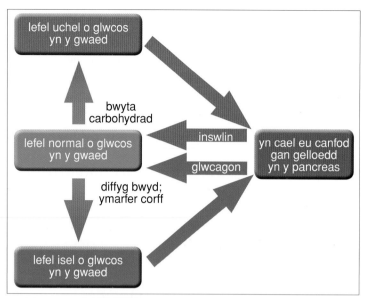

Ffigur 6.13 Adborth negatif yn rheoli lefelau glwcos yn y gwaed.

## Adborth negatif

Mewn pobl iach, mae cynnydd yn siwgr y gwaed yn dechrau cyfres o ddigwyddiadau sydd yn y pen draw yn achosi i'r lefel ostwng eto. Yn yr un ffordd, mae diffyg siwgr yn y gwaed yn achosi proses sy'n codi'r lefel. Mae'r mecanwaith hwn yn enghraifft o **adborth negatif**; mae Ffigur 6.13 yn rhoi crynodeb ohono. Mae'n cynnwys inswlin a hormon arall o'r pancreas, glwcagon, sy'n cynyddu siwgr y gwaed.

SUT RYDYCH CHI'N GWYBOD OS OES SIWGR MEWN TROETH?

Dyma weithgaredd sy'n eich helpu i:
★ cynllunio arbrawf
★ gwerthuso dulliau arbrofol.

Mae'n bosibl cynnal dadansoddiad cemegol cymhleth a manwl ar droeth i ganfod faint o siwgr sydd ynddo, ond mae profion o'r fath yn ddrud ac yn cymryd llawer o amser. Gellir cynnal prawf llawer symlach drwy ddefnyddio ffyn profi; mae'r rhain ar gael gan fferyllwyr. Mae rhan o'r ffon yn newid lliw pan gaiff ei gosod mewn troeth, a gellir defnyddio'r newid lliw i fesur faint o siwgr sydd yn y troeth.

Byddwch chi'n profi pedwar sampl o 'droeth' i asesu pa mor dda mae'r cleifion diabetig sy'n rhoi'r samplau yn rheoli eu diabetes. Ni fydd dim siwgr yn y troeth os yw'r claf yn rheoli ei ddiabetes yn dda. Y mwyaf o siwgr sy'n bresennol, y gwaethaf yw'r rheolaeth. Byddwn ni'n defnyddio prawf Benedict am siwgrau rhydwytho. Byddai meddygon yn defnyddio stribedi profi arbennig sy'n newid lliw heb ferwi.

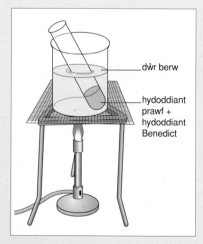

Ffigur 6.14 Cyfarpar cynnal prawf Benedict.

### Cyfarpar
* Hydoddiant Benedict
* 4 sampl 'troeth' wedi'u labelu A-Ch
* silindr mesur 250 cm³
* stopwatsh
* bicer 250 cm³ (i'w ddefnyddio fel baddon dŵr)
* 4 tiwb berwi
* trybedd
* rhwyllen
* llosgydd Bunsen
* sbectol ddiogelwch

*parhad...*

**GWAITH YMARFEROL** *parhad*

### Asesiad risg

- **Gwisgwch sbectol ddiogelwch.**
- **Bydd eich athro/athrawes yn rhoi asesiad risg i chi.**

### Dull

1 Rhowch 10 cm³ o bob sampl troeth mewn tiwb berwi.
2 Profwch bob sampl troeth drwy ychwanegu'r un faint o hydoddiant Benedict, ei ysgwyd yn ysgafn i'w gymysgu a'i roi mewn baddon dŵr berw.
3 Gadewch nhw yn y baddon dŵr am un munud.
4 Bydd yr hydoddiant yn newid lliw o wyrddlas i oren i goch brics, gan ddibynnu ar faint o siwgr sydd yn y troeth.
5 Rhowch gleifion A–Ch yn eu trefn yn ôl pa mor dda mae'n ymddangos eu bod nhw'n rheoli eu diabetes.

### Dadansoddi eich canlyniadau

1 Er mwyn i'r prawf hwn fod yn ddefnyddiol, rhaid iddo roi canlyniadau sy'n fanwl gywir ac sy'n gallu cael eu hailadrodd a'u dyblygu. Sut gallech chi werthuso'r dull hwn o brofi troeth?
2 Sut gallech chi addasu'r dull arbrofol i roi *ffigur* i faint o siwgr sydd ym mhob sampl (h.y. canlyniadau meintiol)?

### Gwaith estynedig

Os caiff ei adael, mae'r siwgr yn torri i lawr yn naturiol dros amser. Cynlluniwch arbrawf i ddarganfod pa mor gyflym mae angen profi'r troeth er mwyn cael canlyniadau cywir.

## Rheoli tymheredd y corff

Mae anifeiliaid yn cael eu cadw'n fyw gan gyfres o adweithiau cemegol sy'n digwydd yn eu celloedd. Mae'r adweithiau hyn yn cael eu rheoli gan gemegion o'r enw **ensymau**, ac mae tymheredd yn effeithio ar y rhain. Os nad yw tymheredd y corff yn cael ei gadw'n gyson, mae adweithiau hanfodol yn gallu stopio. Mae mamolion ac adar yn defnyddio mecanweithiau amrywiol i reoli tymheredd eu cyrff yn fanwl gywir. Mae'n rhaid i anifeiliaid eraill ddefnyddio dulliau eraill, er enghraifft, symud i mewn i'r heulwen neu i'r cysgod i gynhesu neu oeri. Dydy'r mecanweithiau hyn ddim mor fanwl.

## Y croen a rheoli tymheredd

Mae'r croen yn organ cymhleth sy'n cynnwys nifer o wahanol gelloedd derbyn (Ffigur 6.15). Mae hefyd yn cyflawni amryw o weithredoedd sy'n helpu i reoli tymheredd.

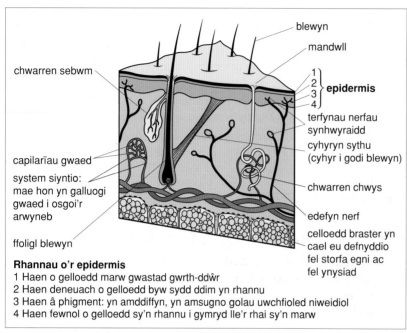

blewyn

mandwll

1
2  } epidermis
3
4

chwarren sebwm

terfynau nerfau synhwyraidd

cyhyryn sythu (cyhyr i godi blewyn)

capilarïau gwaed

system siyntio: mae hon yn galluogi gwaed i osgoi'r arwyneb

chwarren chwys

edefyn nerf

celloedd braster yn cael eu defnyddio fel storfa egni ac fel ynysiad

ffoligl blewyn

**Rhannau o'r epidermis**
1 Haen o gelloedd marw gwastad gwrth-ddŵr
2 Haen deneuach o gelloedd byw sydd ddim yn rhannu
3 Haen â phigment: yn amddiffyn, yn amsugno golau uwchfioled niweidiol
4 Haen fewnol o gelloedd sy'n rhannu i gymryd lle'r rhai sy'n marw

**Ffigur 6.15** Toriad drwy groen dynol.

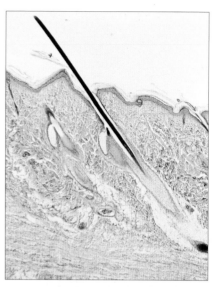

**Ffigur 6.16** Ffotograff o doriad drwy groen dynol. Allwch chi adnabod rhai o'r rhannau sydd wedi'u labelu yn Ffigur 6.15?

---

**Y croen mewn amodau oer**

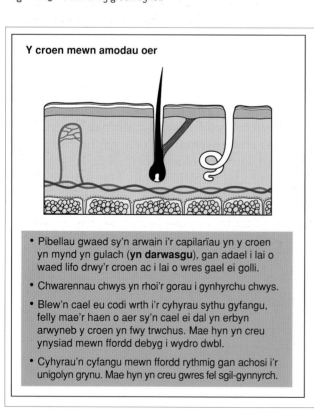

- Pibellau gwaed sy'n arwain i'r capilarïau yn y croen yn mynd yn gulach (**yn darwasgu**), gan adael i lai o waed lifo drwy'r croen ac i lai o wres gael ei golli.

- Chwarennau chwys yn rhoi'r gorau i gynhyrchu chwys.

- Blew'n cael eu codi wrth i'r cyhyrau sythu gyfangu, felly mae'r haen o aer sy'n cael ei dal yn erbyn arwyneb y croen yn fwy trwchus. Mae hyn yn creu ynysiad mewn ffordd debyg i wydro dwbl.

- Cyhyrau'n cyfangu mewn ffordd rythmig gan achosi i'r unigolyn grynu. Mae hyn yn creu gwres fel sgil-gynnyrch.

**Y croen mewn amodau poeth**

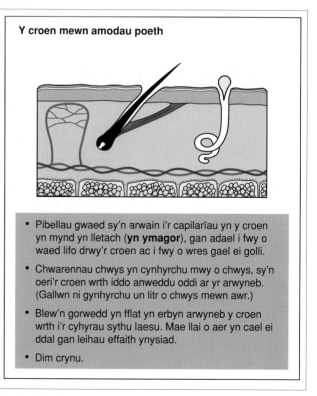

- Pibellau gwaed sy'n arwain i'r capilarïau yn y croen yn mynd yn lletach (**yn ymagor**), gan adael i fwy o waed lifo drwy'r croen ac i fwy o wres gael ei golli.

- Chwarennau chwys yn cynhyrchu mwy o chwys, sy'n oeri'r croen wrth iddo anweddu oddi ar yr arwyneb. (Gallwn ni gynhyrchu un litr o chwys mewn awr.)

- Blew'n gorwedd yn fflat yn erbyn arwyneb y croen wrth i'r cyhyrau sythu laesu. Mae llai o aer yn cael ei ddal gan leihau effaith ynysiad.

- Dim crynu.

**Ffigur 6.17** Rheoli tymheredd. (Braslun i roi argraff o'r broses sydd yma. Gwall cyffredin mewn arholiadau yw dweud bod y pibellau gwaed yn newid lleoliad yn y croen. Dydyn nhw ddim yn symud.)

Mae Ffigur 6.17 yn dangos y gweithredoedd hyn.

■ Mae'n cynhyrchu chwys pan mae'r tymheredd allanol yn uchel. Mae gwres y croen yn cael ei ddefnyddio i anweddu'r chwys, sy'n oeri'r croen.

■ Mewn tywydd poeth, mae pibellau gwaed sy'n agos at arwyneb y croen yn ymagor (mynd yn lletach). Mae hyn yn achosi i fwy o waed lifo drwyddynt, felly caiff gwres ei golli i'r atmosffer ac mae'r corff yn oeri. Mewn tywydd oer, mae'r pibellau'n darwasgu (mynd yn gulach), felly mae llai o waed yn cyrraedd yr arwyneb i'ch atal rhag mynd yn oerach. Dyma pam rydych chi'n tueddu i edrych yn goch pan ydych chi'n boeth ac yn welw pan ydych chi'n oer.

■ Mae'r blew yn y croen yn sefyll i fyny mewn oerfel er mwyn rhoi haen ynysol fwy trwchus i gadw gwres i mewn. Dydy hyn ddim yn effeithiol iawn mewn bodau dynol, gan nad oes gennym ni gymaint â hynny o flew, ond mae'n bwysig mewn mamolion eraill.

■ Pan mae'n mynd yn oer, rydych chi'n crynu. Mae cyfangiadau'r cyhyrau yn cynhyrchu gwres, sy'n cynhesu'r gwaed ychydig.

## Pam gallai gwrthchwyswyr fod yn syniad drwg?

Mae pobl yn defnyddio gwrthchwyswyr i atal eu hunain rhag chwysu, ond mae chwysu'n beth da – mae'n un o'r ffyrdd mae eich croen yn cadw tymheredd mewnol y corff yn gyson, sy'n hanfodol ar gyfer iechyd da.

Fodd bynnag, dydy gwrthchwyswyr ddim yn ddrwg mewn gwirionedd. Does dim llawer o aer yn cylchredeg dan y ceseiliau, felly dydy'r chwys ddim yn anweddu'n dda iawn beth bynnag. Ac maen nhw'n golygu na fyddwch chi'n arogli'n ddrwg!

---

**CWESTIWN**

5 Awgrymwch rywbeth (ar wahân i symud i olau'r haul neu i'r cysgod fel y gwnaethom ni ei awgrymu uchod) y gallai anifeiliaid sy'n methu rheoli tymheredd eu corff ei wneud er mwyn:

a cynhesu

b oeri.

---

## Crynodeb o'r bennod

○ Grwpiau o gelloedd derbyn sy'n ymateb i symbyliadau penodol yw organau synhwyro.

○ Mae'r wybodaeth o'r organau synhwyro yn cael ei hanfon i'r brif system nerfol (yr ymennydd a madruddyn y cefn) fel negeseuon trydanol, ar hyd niwronau.

○ Mae planhigion yn ymateb i olau (ffototropedd) a disgyrchiant (grafitropedd/ geotropedd). Hormonau sy'n achosi'r ymatebion hyn.

○ Mae angen i anifeiliaid gadw rhai amodau penodol (e.e. tymheredd, lefelau glwcos, lefelau dŵr) yn gymharol gyson er mwyn i'w cyrff nhw allu gweithio'n effeithiol.

○ Mae diabetes yn gyflwr sy'n cael ei achosi gan ddiffyg yr hormon inswlin. Os na chaiff ei drin, gall lefelau siwgr y gwaed godi i lefel ddigon uchel i achosi marwolaeth.

■ ○ Mae rheoli siwgr y gwaed yn enghraifft o adborth negatif.

○ Mae'r croen yn chwarae rhan bwysig o ran rheoli tymheredd.

# Iechyd

## Pam mae pobl yn mynd yn dew?

Er mwyn i ni oroesi a chadw'n weithgar mae angen i ni gael egni. Mae pob proses byw yn defnyddio egni, a'r mwyaf gweithgar y byddwn ni yna'r mwyaf o egni a ddefnyddiwn ni. Mae gwahanol fwydydd yn cynnwys gwahanol symiau o egni, ond **glwcos** yw prif ffynhonnell egni'r corff. Mae glwcos yn fath o siwgr a gawn ni drwy fwyta **carbohydrad**. Os ydym ni'n bwyta mwy o garbohydrad nag sydd ei angen arnom ar y pryd, mae'r corff yn ei storio yn yr afu/iau ar ffurf **glycogen**, yn barod i'w ddefnyddio yn nes ymlaen. Os ydym ni'n dal i fwyta mwy nag sydd ei angen, bydd y stôr hwn yn mynd yn llawn. Yna mae'r corff yn newid y carbohydrad yn **fraster**, sy'n cael ei storio o dan y croen ac o amgylch yr organau mewnol. Mewn geiriau eraill byddwn ni'n 'mynd yn dew'. Bydd y storau hyn o fraster hefyd yn cynyddu ar unwaith os byddwn ni'n bwyta gormod o fraster. Os byddwn ni'n bwyta llai ac yn ymarfer mwy bydd y storau hyn yn cael eu defnyddio, ond gall hyn gymryd peth amser gan fod y corff yn defnyddio ei stôr o glycogen cyn defnyddio'r braster.

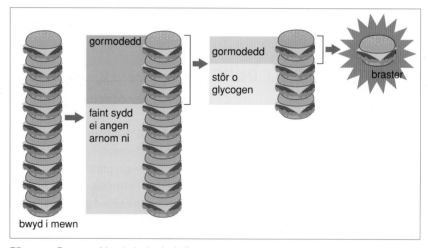

**Ffigur 7.1** Trawsnewid catbohydradau'n fraster.

Os yw rhywun dros bwysau, mae'n golygu eu bod nhw wedi bod yn cymryd i mewn fwy o egni nag sydd ei angen arnynt, a hynny ers peth amser yn ôl pob tebyg. Er mwyn colli pwysau, fel rheol bydd angen cymryd llai o egni i mewn a hefyd gwneud mwy o ymarfer corff er mwyn defnyddio mwy o egni. I gadw'r pwysau i lawr, rhaid dilyn patrwm newydd o fwyta'n iach ac o ymarfer corff am byth.

# Sut rydw i'n gwybod a yw math o fwyd yn afiach?

Mewn gwirionedd, does dim y fath beth â bwyd 'afiach'. Mae pob math o fwyd yn darparu maetholion defnyddiol, ond mae'n bwysig peidio â bwyta gormod o rai mathau o fwyd neu bydd problemau iechyd yn codi. Mae **protein** yn ein deiet yn bwysig ar gyfer twf ac atgyweiriad meinweoedd. Os byddwn ni'n bwyta mwy o brotein nag sydd ei angen, bydd y gormodedd fel arfer yn cael ei dorri i lawr ac/neu ei ysgarthu o'r corff. Mae angen **fitaminau** a **mwynau** ar y corff i'w gadw'n iach. Gan mai dim ond symiau bach o'r rhain sydd mewn bwydydd, mae'n annhebygol iawn y byddwn ni'n cael gormod ohonynt. Mae **dŵr** yn rhan angenrheidiol o'n deiet. Fel y gwelsom ni ym Mhennod 6, mae faint o ddŵr sydd yn y corff yn cael ei reoli gan hormonau. Rhaid inni ofalu peidio â bwyta gormod o **garbohydradau** a **brasterau**. Gall y rhain achosi problemau pwysau wrth iddynt gronni yn y corff a chael eu storio fel braster. Ar y llaw arall mae'r ddau yn ffynonellau defnyddiol o egni ac mae'n bwysig nad ydym ni'n lleihau gormod ar faint o garbohydradau a brasterau rydym ni'n eu bwyta.

Mae tabl maetholion ar becynnau llawer o fwydydd wedi'u prosesu. Gall hyn fod yn ddefnyddiol wrth benderfynu faint ohonynt i'w cynnwys yn y deiet. Mae Ffigur 7.2 yn rhoi enghraifft o dabl maetholion ar becyn o fisgedi, ac yn dangos sut i ddefnyddio'r wybodaeth.

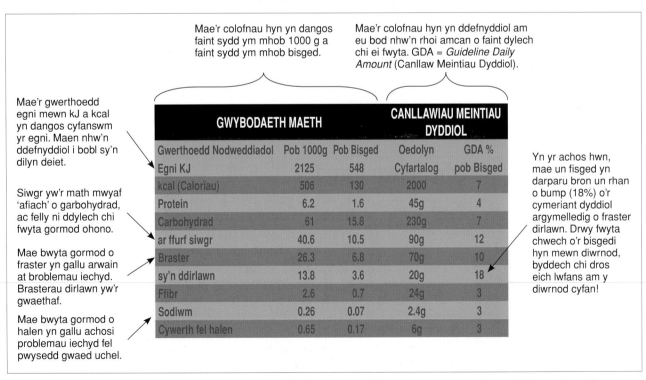

Ffigur 7.2 Tabl maetholion paced o fisgedi. Dim ond enghraifft yw hon, a dydy'r colofnau hyn ddim i gyd yn ymddangos bob amser. Does dim tabl maetholion ar rai bwydydd.

Achos pryder arall yw nifer yr **ychwanegion** yn ein bwyd. Caiff ychwanegion eu defnyddio i ychwanegu blas neu liw, i gynyddu oes silff, ac yn y blaen. Mae ganddynt god adnabod sy'n dechrau â'r llythyren 'E' bob amser, ac felly weithiau maen nhw'n cael eu galw yn 'rhifau E'. Yn y bôn mae pob ychwanegyn E yn ddiogel, gan eu bod yn gorfod cael eu profi cyn iddynt gael rhif E. Fodd bynnag, mae rhai'n gallu achosi sgil effeithiau os gwnewch chi fwyta llawer ohonynt. Felly mae'n well cyfyngu ar faint o'r rhain sydd yn eich deiet chi. Dydy'r ychwanegion ddim wedi'u cynnwys yn y tabl maetholion, ond maen nhw wedi'u cynnwys yn y rhestr o gynhwysion sydd i'w chael ar unrhyw fwyd wedi'i becynnu.

Edrychwch ar y wybodaeth yn Nhabl 7.1.

**Tabl 7.1** Tabl maetholion paced o greision.

| Gwerthoedd cyfartalog | Pob 100 g | Pob bag | Canllaw maint dyddiol (%) |
|---|---|---|---|
| Egni (kcal) | 514 | 257 | 13 |
| Protein (g) | 6.9 | 3.5 | 7 |
| Carbohydrad (g) | 53 | 26.5 | 12 |
| ar ffurf siwgr (g) | 1.2 | 0.6 | 0.6 |
| Braster (g) | 30.5 | 15.3 | 22 |
| sy'n ddirlawn (g) | 3.9 | 2.0 | 10 |
| Ffibr (g) | 4.5 | 2.3 | 10 |
| Sodiwm (g) | 0.7 | 0.4 | 16 |
| Cywerth fel halen (g) | 1.8 | 0.9 | 16 |

Yn seiliedig ar y ffigurau hyn, pe bai rhywun yn gofyn i chi a ddylen nhw fwyta creision, beth y byddech chi'n ei argymell a pham? Yn eich ateb, ystyriwch y gwerth caloriffig, y siwgrau, y brasterau a'r lefelau halen.

## Faint o egni sydd mewn bwyd?

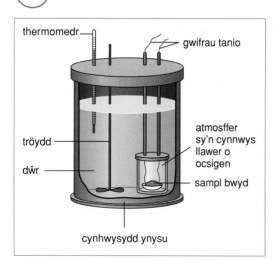

**Ffigur 7.3** Calorimedr bom.

Mae pobl yn gallu gweld faint o egni sydd mewn bwyd wedi'i becynnu drwy edrych ar dabl maetholion, ond sut mae'r ffigurau hyn yn cael eu mesur? Mae gwyddonwyr bwyd yn cael y ffigurau drwy losgi'r bwyd fel bod yr egni'n cael ei ryddhau ar ffurf gwres. Maen nhw'n mesur y gwres sy'n cael ei ryddhau i weld faint o egni y bydd màs penodol o fwyd yn ei gynhyrchu.

I wneud hyn, maen nhw'n defnyddio cyfarpar arbennig o'r enw calorimedr bwyd (neu 'galorimedr bom'). Mae Ffigur 7.3 yn dangos enghraifft.

Mae'n bwysig iawn llosgi'r bwyd yn llwyr (er mwyn cael yr holl egni ohono), ac felly caiff y sampl ei losgi mewn atmosffer sy'n cynnwys llawer o ocsigen. Mae'r gwres sy'n cael ei ryddhau'n cael ei fesur yn ôl y cynnydd yn nhymheredd y dŵr. Mae'r tröydd yn sicrhau bod y gwres yn cael ei wasgaru'n wastad ac mae'r cynhwysydd wedi'i ynysu fel nad oes dim gwres yn cael ei golli i'r atmosffer.

# GWAITH YMARFEROL

## SUT MAE POBL YN GWYBOD FAINT O EGNI SYDD MEWN BWYD?

**Dyma weithgaredd sy'n eich helpu i:**
★ asesu gwall arbrofol
★ gwella cynllun eich cyfarpar.

Mae'n bosibl mesur egni o fwyd sy'n llosgi yn y labordy drwy ddefnyddio cyfarpar symlach na'r calorimedr bom yn Ffigur 7.3.

Dyma sut gallwch chi gyfrifo'r egni, mewn jouleau, sydd mewn 1 g o'r bwyd sy'n cael ei brofi:

$$\text{egni (J)} = \frac{\text{cynnydd yn y tymheredd (°C)} \times \text{cyfaint y dŵr (cm}^3) \times 4.2}{\text{màs y bwyd (g)}}$$

1000 joule = 1 cilojoule
Felly, gallwch chi roi'r ateb ar ffurf cilojouleau drwy ei rannu â 1000.
Un calori yw'r swm o egni sydd ei angen i gynyddu tymheredd 1 $cm^3$ o ddŵr 1 °C.
1 calori = 4.2 joule.

### Cyfarpar

* stand clampio
* tiwb berwi
* nodwydd wedi'i mowntio
* thermomedr
* silindr mesur (100 $cm^3$)
* bwyd byrbryd (e.e. rhyw fath o fyrbryd tatws y gallwch chi ei drywanu â nodwydd wedi'i mowntio)
* llosgydd Bunsen
* mat gwrth-wres
* clorian top padell
* sbectol ddiogelwch

### Asesiad risg

- **Gwisgwch sbectol ddiogelwch.**
- **Bydd eich athro/athrawes yn rhoi asesiad risg i chi.**

### Dull

1 Pwyswch ddarn o'r byrbryd a chofnodwch ei bwysau.
2 Mesurwch 10 $cm^3$ o ddŵr yn y silindr mesur a'i arllwys i'r tiwb berwi.
3 Cydosodwch y cyfarpar fel yn Ffigur 7.4.
4 Mesurwch a chofnodwch dymheredd y dŵr yn y tiwb berwi.
5 Yn ofalus, trywanwch y byrbryd â'r nodwydd wedi'i mowntio, gan ofalu peidio â cholli dim ohono.
6 Defnyddiwch y llosgydd Bunsen i roi'r byrbryd ar dân, a rhowch y bwyd sy'n llosgi o dan y tiwb berwi ar unwaith fel ei fod yn gwresogi'r dŵr.
7 Pan fydd y bwyd wedi llosgi'n llwyr, cofnodwch dymheredd y dŵr yn y tiwb berwi eto.
8 Cyfrifwch faint o egni (mewn cilojouleau) sydd mewn 1 g o'r byrbryd.

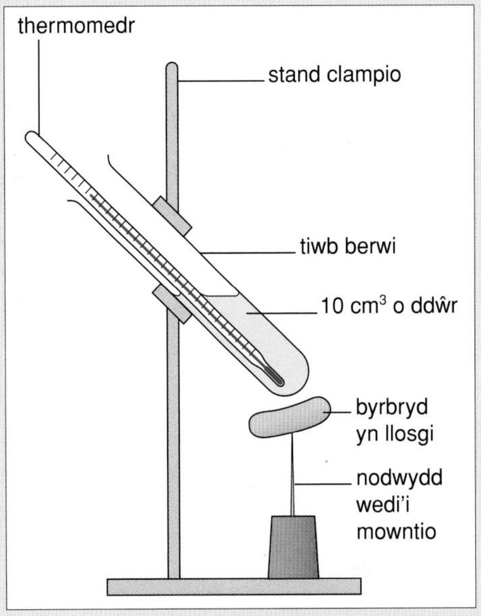


**Ffigur 7.4** Cyfarpar i fesur gwerth egni byrbryd..

### Pwyntiau Trafod

Nid yw'r gwerthoedd a gewch chi drwy ddefnyddio'r dechneg hon yn fanwl gywir fel arfer. Dyma rai o'r ffynonellau cyfeiliornad posibl o gymharu'r dull uchod â defnyddio'r calorimedr:

- Mae'r bwyd yn llosgi mewn aer yn hytrach nag mewn ocsigen; gallai hyn olygu nad yw'r bwyd yn llosgi'n llwyr.
- Dydy'r dŵr ddim yn cael ei droi.
- Dydy'r cyfarpar ddim wedi'i ynysu.
- Mae bwlb y thermomedr yn agos iawn at y gwres.
- Mae llawer o wres yn dianc i'r aer o amgylch y cyfarpar.

1 Yn eich barn chi pa mor ddifrifol yw'r gwall sy'n cael ei achosi gan bob un o'r ffactorau uchod yn eich arbrawf?
2 Ydy'n bosibl addasu'r cyfarpar i leihau rhai o'r gwallau hyn?
3 Sut gallech chi ddarganfod *pa mor* 'anghywir' (*inaccurate*) yw'r gwerth a gyfrifwyd gennych?

# Sut mae fy ffordd o fyw'n effeithio ar fy iechyd?

Mae pawb yn gwneud dewisiadau am eu ffordd o fyw. Rydym ni'n gwybod bod rhai gweithgaredda'n gallu niweidio ein hiechyd a bod eraill yn fuddiol i ni. Dydy'r gweithgareddau sy'n fuddiol i iechyd ddim yn apelio at bawb, ac mae rhai pobl yn mwynhau arferion niweidiol. Felly, mae'n rhaid i bawb wneud dewisiadau am eu hagweddau personol at ffordd iach o fyw. Ond allwn ni ddim gwneud dewisiadau da heb gael gwybodaeth ddibynadwy am effeithiau'r gwahanol weithgareddau.

Rydym ni'n gwybod bod y pethau canlynol yn fuddiol i iechyd:

- ymarfer corff rheolaidd
- deiet cytbwys
- bwyta digon o ffrwythau a llysiau gwahanol.

Rydym ni'n gwybod bod y pethau canlynol yn niweidiol i iechyd:

- ysmygu
- yfed gormod o alcohol
- cymryd cyffuriau adloniant
- gorfwyta
- gormod o fraster dirlawn a halen yn y deiet
- ffordd o fyw eisteddog (diffyg ymarfer corff)
- straen.

Mae rhai gweithgareddau hefyd sy'n cael effeithiau buddiol a niweidiol, ac weithiau does dim digon o dystiolaeth wyddonol eto i fod yn siŵr eu bod yn effeithio ar iechyd o gwbl. Er enghraifft, mae cymryd aspirin yn atal poen ac mae'n gallu bod o fudd i bobl ag anhwylder ar y galon, ond mae hefyd yn gallu achosi i leinin y stumog waedu. Mae rhai pobl yn credu bod defnyddio ffôn symudol yn niweidio'r ymennydd, ond does dim digon o dystiolaeth i ddod i gasgliad pendant.

## TASG — YDY ALCOHOL YN NIWEIDIO EICH YMENNYDD?

**Dyma weithgaredd sy'n eich helpu i:**
- ★ dadansoddi data
- ★ mesur cryfder tystiolaeth
- ★ gwerthuso arbrofion.

Rydym ni'n gwybod bod alcohol yn gyffur sy'n niweidio'r afu (iau), a'i fod yn cael effeithiau dros dro ar yr ymennydd. Mae peth tystiolaeth hefyd fod yfed alcohol yn achosi niwed tymor hir i'r ymennydd, ond dydy hyn ddim wedi cael ei brofi eto.

Cynhaliwyd astudiaeth yn 2001 i edrych ar un agwedd ar niwed i'r ymennydd – culhad llabed flaen yr ymennydd. Edrychodd yr astudiaeth ar 1442 o bobl a oedd â gwahanol lefelau o gymeriant alcohol, er nad oedd dim ohonyn nhw'n alcoholigion. Mae cofnod o'u harferion yfed yn dilyn:

- Roedd 667 yn 'llwyrymwrthodwyr' (ddim yn yfed alcohol o gwbl)
- Roedd 157 yn yfed yn ysgafn
- Roedd 362 yn yfed yn gymedrol
- Roedd 256 yn yfed yn drwm.

Mae'r graff yn Ffigur 7.5 yn cymharu llwyrymwrthodwyr ac yfwyr trwm o wahanol oedrannau.

*parhad...*

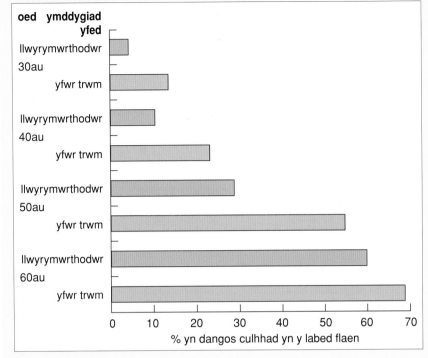

**Ffigur 7.5** Graff yn dangos canran y culhad yn llabed flaen yfwyr trwm a llwyrymwrthodwyr o wahanol oedrannau.

1 Pam rydych chi'n meddwl bod yr ymchwilwyr wedi rhannu'r data'n wahanol grwpiau oed?

2 Mae'r data'n rhoi tystiolaeth bod y llabed blaen yn culhau mwy mewn yfwyr trwm na mewn llwyrymwrthodwyr. Enwch ddwy nodwedd yn y data sy'n cryfhau'r dystiolaeth.

3 Allwch chi ddweud bod yfed yn drwm yn *achosi* culhad yn yr ymennydd

**Gwaith estynedig**

Defnyddiwch y rhyngrwyd i wneud ymchwil cyn ysgrifennu adroddiad ar effeithiau alcohol a chyffuriau eraill ar brosesau cemegol y corff.

**Pwynt Trafod**

Ydych chi'n credu bod maint y sampl yn ddigon mawr i lunio casgliadau dilys?

## Pa strategaethau sy'n gallu atal, trin a gwella clefydau?

'Mae atal yn well na gwella' – dyna'r dywediad, ac mae hynny'n sicr yn wir am glefydau. Unwaith y bydd rhywun yn dal clefyd, byddan nhw'n dioddef symptomau sy'n benodol i'r clefyd hwnnw, a bydd y rhain yn annymunol fel arfer. Os na all system imiwnedd y corff drechu'r clefyd ar ei ben ei hun, bydd angen cyffuriau neu driniaethau eraill ar y claf, naill ai i wella'r clefyd neu i'w wneud yn haws ei oddef. Mae hyn yn anghyfleus i'r unigolyn dan sylw ac yn ddrud, naill ai i'r unigolyn ei hun neu i'r trethdalwr, neu i'r ddau. Gall y cyffuriau achosi sgil effeithiau annymunol hefyd.

Mae'r proffesiwn meddygol yn defnyddio tri gair pwysig i ddisgrifio clefydau:

- **Cronig:** Mae cyflyrau **cronig** yn para'n hir, ac yn aml (ond nid bob tro) does dim ffordd o'u gwella. Fel rheol, bydd triniaeth feddygol yn canolbwyntio ar reoli'r clefyd i ddileu neu leihau'r symptomau a chynnal ansawdd bywyd da. Mae enghreifftiau'n cynnwys diabetes, epilepsi, y rhan fwyaf o ganserau, clefyd y galon ac arthritis.
- **Llym (*acute*):** Mae cyflyrau **llym** yn ymddangos yn sydyn a dydyn nhw ddim yn para'n hir iawn fel rheol. Gall hyn fod am eu bod yn gallu gwella'n gyflym (yn naturiol neu gyda chyffuriau) neu am fod y claf yn marw'n fuan ar ôl i'r cyflwr ymddangos. Mae enghreifftiau'n cynnwys annwyd, ffliw a chlefyd llym ar yr afu.

1 Mae nychdod cyhyrol (*muscular distrophy*) yn gyflwr nad oes ffordd o'i wella ac mae'n lleihau disgwyliad oes. Mae annwyd yn glefyd sy'n achosi symptomau cymharol ysgafn. Er nad oes ffordd feddygol o 'wella' annwyd, mae amddiffynfeydd naturiol y corff yn goresgyn y clefyd ar ôl rhai dyddiau. Pa un o'r termau meddygol: cronig, llym a difrifol, y dylem ni eu defnyddio ar gyfer:

   a  nychdod cyhyrol

   b  annwyd?

3 Awgrymwch achosion posibl y gostyngiad cyson sy'n cael ei ddangos yn y graff yn Ffigur 7.6.

■ **Difrifol:** Mae **difrifol** yn golygu bod y clefyd yn un drwg ac mewn rhai achosion yn peryglu bywyd. Weithiau, bydd pobl yn credu bod y geiriau cronig a llym yn awgrymu bod y clefyd yn ddifrifol iawn, ond dydy hynny ddim yn wir. Gallwch chi gael clefydau cronig difrifol, a chlefydau llym difrifol, ond dydy *pob* clefyd cronig a llym ddim yn ddifrifol.

Mae angen rheoli clefydau cronig. Fel rheol, bydd hyn yn golygu cymryd cyffuriau penodol i arafu'r clefyd, i'w wrthweithio neu i leihau ei symptomau. Weithiau, defnyddir technolegau eraill i helpu gyda'r cyflwr (e.e. mae pobl â diabetes yn defnyddio mesurydd glwcos i brofi eu gwaed, sy'n rhoi gwybod faint o inswlin i'w chwistrellu a sut i reoli deiet).

Mewn clefydau llym mae'r pwyslais fel rheol ar drin â chyffuriau, ond gall fod angen llawdriniaeth hefyd ac mae technoleg yntau'n chwarae rhan bwysig o ran dyfeisio technegau llawfeddygol sy'n effeithiol ac yn golygu cyn lleied â phosibl o risg i'r claf.

## TASG — SUT CAIFF CLEFYD Y GALON EI DRIN?

Dyma weithgaredd sy'n eich helpu i:
★ dadansoddi data.

Mae clefyd y galon yn gyflwr cyffredin ledled y byd, a gall ymddangos mewn amryw o wahanol ffurfiau. Dros y blynyddoedd, mae llawer iawn o waith ymchwil wedi'i wneud er mwyn gallu datblygu cyffuriau a thechnolegau meddygol i drin y clefyd. Mae llawer o ymdrech hefyd wedi'i gwneud o ran mesurau atal.

Mae Ffigur 7.6 yn dangos cyfraddau marwolaethau o glefyd y galon yn Ewrop rhwng 1995 a 2010.

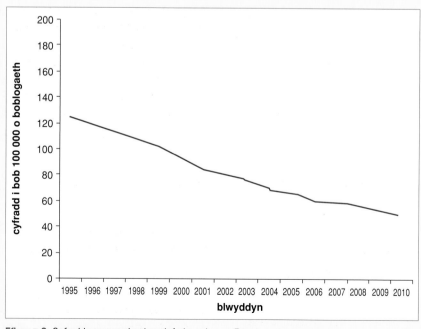

**Ffigur 7.6** Cyfraddau marwolaeth o glefyd y galon yn Ewrop, 1995–2010.

Mae Tabl 7.2 yn rhestru rhai o'r mesurau sy'n cael eu cymryd i drin clefyd y galon. Mae ymchwil presennol yn cynnwys datblygu calonnau artiffisial a thyfu celloedd y galon o gelloedd bonyn i gymryd lle meinwe calon sydd wedi'i niweidio.

Tabl 7.2 Rhai o'r mesurau sy'n cael eu cymryd i drin clefyd y galon.

| Atal | Cyngor am ddeiet iach; hyrwyddo trefn o ymarfer corff rheolaidd; archwiliadau meddygol i gleifion sy'n wynebu risg |
|---|---|
| Cyffuriau | Cyffuriau i ostwng colesterol y gwaed, lleihau pwysedd gwaed, trin angina, atal gwrthod trawsblaniadau calon |
| Technoleg | Datblygiadau mewn technegau llawfeddygol ar y galon, gan gynnwys trawsblaniadau, rheoliaduron, stentiau (i gadw pibellau gwaed ar agor) |

## Ydy pob cyffur yn achosi sgil effeithiau?

Mae cyffur yn gemegyn sy'n effeithio mewn ffordd benodol ar sut mae'r corff yn gweithio. Y brif effaith, fel rheol, yw'r un sydd ei hangen a'r rheswm pam mae'r cyffur yn cael ei gymryd. Fodd bynnag, yn aml bydd cyffuriau'n achosi effeithiau eraill diangen – rydym ni'n galw'r rhain yn sgil effeithiau. Gall y rhain fod yn ddibwys neu'n ddifrifol. Os yw cymryd cyffur yn achosi sgil effeithiau difrifol, rhaid penderfynu a yw budd y cyffur yn werth y sgil effaith. Os nad yw, ni fydd y cyffur yn cael ei ryddhau i'w ddefnyddio. Mae aspirin yn gyffur cyffredin sy'n achosi nifer o sgil effeithiau. Mae'r rhain yn ddibwys cyn belled ag mai niferoedd bach o'r tabledi sy'n cael eu cymryd, a hynny gyda dŵr, ond dylai rhai pobl osgoi defnyddio aspirin os oes ganddynt rai cyflyrau meddygol penodol.

## GWAITH YMARFEROL — EFFAITH ASPIRIN AR ENSYM AMYLAS

**Dyma weithgaredd sy'n eich helpu i:**
★ cyflwyno data
★ dadansoddi data.

Un o sgil effeithiau cyffredin cyffuriau yw atal gweithgarwch ensymau a all fod yn bwysig yn y corff. Mae'r arbrawf hwn yn ceisio gweld a yw aspirin yn effeithio ar weithgarwch ensym penodol.

Yr ensym dan sylw yw amylas. Yn y corff, mae amylas yn catalyddu'r broses o droi startsh yn faltos. Mae i'w gael mewn poer ymysg lleoedd eraill; dyma lle mae'r broses o dorri i lawr y startsh mewn bwyd yn dechrau. Gallwn ni ddefnyddio ïodin i brofi gweithgarwch yr ensym. Mae ïodin yn troi'n ddulas pan mae startsh yn bresennol, ond mae'n aros yn oren-frown gyda maltos.

startsh $\xrightarrow{\text{amylas}}$ maltos

### Rhagdybiaeth
Mae aspirin yn atal yr ensym amylas rhag gweithio.

### Asesiad risg
- **Gwisgwch sbectol ddiogelwch.**
- **Bydd eich athro/athrawes yn rhoi asesiad risg i chi.**

### Dull
1 Rhifwch y tiwbiau profi o 1–4.
2 Gan ddefnyddio chwistrell 5 cm³, rhowch 5 cm³ o ddaliant startsh ym mhob tiwb.

*parhad...*

### Cyfarpar
* cwpan bapur yn cynnwys 40 cm³ o ddŵr tap
* 40 cm³ o ddaliant startsh
* 5 cm³ o ethanol
* 5 cm³ o hydoddiant asid salisylig (aspirin)
* hydoddiant ïodin
* 4 tiwb profi
* rhesel tiwbiau profi
* 3 × chwistrelli plastig 5 cm³
* chwistrell blastig 1 cm³
* stopwatsh
* ysgrifbin i ysgrifennu ar wydr
* sbectol ddiogelwch

**Tabl 7.3** Siart lliwiau hydoddiant ïodin

| Lliw | Graddfa unedau |
|------|----------------|
| Brown golau | 4 |
| Brown tywyll | 3 |
| Brown-borffor, golau | 2 |
| Brown-borffor, tywyll | 1 |
| Glas | 0 |

3 Llenwch chwistrell 5 cm³ â hydoddiant asid salisylig ac ychwanegwch 0.5 cm³ at diwb 2, 1 cm³ at diwb 3 a 2 cm³ at diwb 4.

4 Cymerwch lond ceg o ddŵr o'r gwpan bapur. Golchwch ef o gwmpas eich ceg yn drwyadl er mwyn cael sampl o boer sy'n cynnwys llawer o amylas, yna poerwch ef yn ôl i'r gwpan.

5 Defnyddiwch chwistrell 5 cm³ lân i ychwanegu 2 cm³ o hydoddiant poer at bob tiwb a chylchdroi'r tiwbiau'n ysgafn i gymysgu eu cynnwys. Dechreuwch y stopwatsh.

6 Ar ôl 10 munud, defnyddiwch y chwistrell 1 cm³ i ychwanegu 0.5 cm³ o hydoddiant ïodin at bob tiwb (gweler Ffigur 7.7). Os yw'r lliwiau'n wan, ychwanegwch 0.5 cm³ arall o hydoddiant ïodin at bob tiwb. Defnyddiwch y raddfa yn Nhabl 7.3 i amcangyfrif pa mor gryf yw lliw pob tiwb. Mae sero ar y raddfa'n golygu bod yr amylas heb effeithio ar y startsh; mae 4 ar y raddfa'n golygu bod yr amylas wedi trosi'r startsh i gyd yn faltos.

7 Cofnodwch eich canlyniadau mewn tabl addas.

8 Dangoswch eich canlyniadau mewn graff.

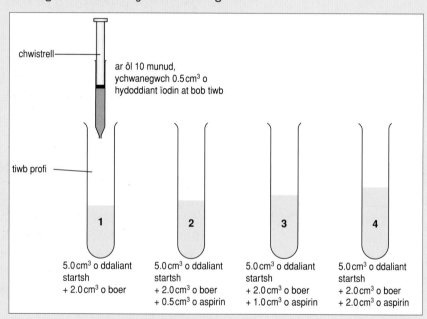

chwistrell

ar ôl 10 munud, ychwanegwch 0.5 cm³ o hydoddiant ïodin at bob tiwb

tiwb profi

1

5.0 cm³ o ddaliant startsh
+ 2.0 cm³ o boer

2

5.0 cm³ o ddaliant startsh
+ 2.0 cm³ o boer
+ 0.5 cm³ o aspirin

3

5.0 cm³ o ddaliant startsh
+ 2.0 cm³ o boer
+ 1.0 cm³ o aspirin

4

5.0 cm³ o ddaliant startsh
+ 2.0 cm³ o boer
+ 2.0 cm³ o aspirin

**Ffigur 7.7** Sut i gydosod y cyfarpar ar gyfer yr arbrawf.

## Dadansoddi eich canlyniadau

I ba raddau y mae eich canlyniadau'n ategu'r rhagdybiaeth 'Mae aspirin yn atal yr ensym amylas rhag gweithio'?

# TASG    A DDYLID PROFI CYFFURIAU NEWYDD AR ANIFEILIAID I GANFOD SGIL EFFEITHIAU?

**Dyma weithgaredd sy'n eich helpu i:**
★ ymchwilio i wybodaeth
★ barnu dilysrwydd a thuedd gwybodaeth eilaidd.

Dewch i ni gymryd bod cyffur newydd yn cael ei ddarganfod sydd â'r potensial i wella neu drin clefyd mewn bodau dynol. Mae'n debygol y bydd rhai sgil effeithiau gan y cyffur, ond dydym ni ddim yn gwybod pa mor ddifrifol y gall y rhain fod. Ar y cam hwn, dydy'r gwyddonwyr ddim yn cael profi'r cyffur ar wirfoddolwyr dynol (mae'n erbyn y gyfraith) oherwydd, mewn achosion eithafol, gallai hynny eu lladd nhw. Y dewis arall yw profi'r cyffuriau ar anifeiliaid, fel rheol ar famolion, oherwydd mamolion yw bodau dynol. Yn y DU, mae'r gyfraith yn dweud bod rhaid profi pob cyffur meddygol newydd ar ddau wahanol fath o famolyn byw o leiaf, a bod rhaid i un ohonynt fod yn famolyn mawr a heb fod yn gnofil.

Mae llawer o bobl yn erbyn profi ar anifeiliaid, ond mae'r dadleuon yn gymhleth a does dim ateb syml. Ystyriwch y pwyntiau canlynol:

- Yn y DU, mae angen trwydded i brofi ar anifeiliaid. Os bydd y profwyr yn cam-drin yr anifeiliaid neu'n eu defnyddio ar gyfer ymchwil diangen, gallant golli eu trwydded. Fodd bynnag, mae 'peidio â cham-drin' yn golygu bod mor drugarog *â phosibl*. Weithiau, mae'r profion yn annymunol (er enghraifft, cymryd samplau gwaed) ond yn angenrheidiol – dydy profion o'r fath ddim yn cael eu hystyried yn 'gam-drin' yr anifail.

- Mae dewisiadau eraill heblaw profi ar anifeiliaid (er enghraifft, profi ar gelloedd dynol sydd wedi'u tyfu mewn labordy), ond dydy'r rhain ddim yn addas ym mhob achos. Hefyd mae corff yn fwy cymhleth na chelloedd arunig, ac felly mae'n bosibl na fydd y canlyniadau'n berthnasol.

- Mae bodau dynol a llygod mawr yn anifeiliaid gwahanol, ac mae protestwyr yn dweud bod hyn yn golygu nad yw canlyniadau profion ar anifeiliaid o reidrwydd yn berthnasol i fodau dynol. Mae profwyr yn dweud y gallant gymryd gwahaniaethau o'r fath i ystyriaeth yn eu casgliadau. Mae'n debygol nad yw canlyniadau profion ar anifeiliaid yn gwbl berthnasol i fodau dynol, ond eu bod yn darparu rhywfaint o wybodaeth ddefnyddiol.

- Mae rhai pobl yn credu bod defnyddio anifeiliaid yn anfoesegol gan na all yr anifeiliaid 'wirfoddoli' am brofion, ac y dylem ni ystyried bod bywyd anifail yr un mor werthfawr â bywyd bod dynol. Os ydych chi'n credu hynny, yna mae profi ar anifeiliaid yn amlwg yn anghywir, hyd yn oed os yw'n achub bywydau bodau dynol.

- Yn y gorffennol, mae cyffuriau na fyddai wedi cael trwydded heb eu profi ar anifeiliaid *wedi* achub bywydau bodau dynol.

- Mae'n debygol nad oes gan anifeiliaid emosiynau fel bodau dynol. Efallai nad ydyn nhw'n teimlo ofn fel yr ydym ni, ond mae'n anodd iawn bod yn siŵr am hyn.

Gwnewch ymchwil pellach i brofion ar anifeiliaid. Lluniwch gasgliad personol am werth y fath brofion, gan nodi a ddylid parhau i'w cynnal ac os felly sut . Defnyddiwch dystiolaeth i gyfiawnhau eich barn, a gofalwch rhag dangos tuedd.

**Ffigur 7.8** Beth yw eich barn chi am brofion ar anifeiliaid?

## ◯ Crynodeb o'r bennod

- ◯ Mae gwahanol fwydydd yn amrywio o ran eu cynnwys egni a maeth.
- ◯ Mae'r corff yn storio egni gormodol o fwyd ar ffurf braster.
- ◯ Rhaid bod yn ofalus faint o siwgr, braster, halen ac ychwanegion sydd yn y deiet.
- ◯ Mae dewisiadau personol am ffordd o fyw'n gallu cael effaith arwyddocaol ar iechyd.
- ◯ Mae cymryd alcohol a chyffuriau eraill yn effeithio ar brosesau cemegol yn y corff a gallant niweidio ein hiechyd.
- ◯ Mae gwyddoniaeth a thechnoleg yn cynnig atebion a thriniaethau i lawer o broblemau iechyd.
- ◯ Gallwn ni atal rhai cyflyrau os oes gwybodaeth addas ar gael.
- ◯ Gallwn ni ddefnyddio cyffuriau i drin clefydau, ond mae bron pob un ohonynt yn achosi sgil effeithiau.
- ◯ Mae profion ar anifeiliaid wedi bod yn ddefnyddiol o ran datblygu cyffuriau newydd, ond mae materion moesegol yn gysylltiedig â'u defnyddio nhw.

# Elfennau a'r Tabl Cyfnodol

## Beth yw elfen?

**Elfennau** yw blociau adeiladu sylfaenol mater. Does dim ffordd o dorri elfennau i lawr yn rhywbeth symlach drwy ddulliau cemegol. Mae gan bob elfen ei symbol ei hun. Mae elfennau wedi'u gwneud o **atomau**, ac mae pob atom mewn elfen yr un fath.

- Mae pob atom yn cynnwys craidd bach sydd â gwefr bositif, sef y **niwclews**.
- Mae'r niwclews yn cynnwys dau fath o ronynnau – **protonau** (sydd â gwefr bositif) a **niwtronau** (sydd heb wefr).
- Mae **electronau** ysgafn â gwefr negatif yn amgylchynu'r niwclews (gweler Ffigur 8.1) ac yn cael eu hatynnu ato. (Mae positif yn atynnu negatif.)
- Mae holl atomau elfen benodol yn cynnwys yr un nifer o brotonau; hwn yw'r **rhif atomig**. Mae gan bob elfen ei rhif atomig ei hun. Er enghraifft, rhif atomig hydrogen yw 1; rhif atomig lithiwm yw 3; rhif atomig clorin yw 17.
- **Màs atomig cymharol** yw'r enw ar fàs atom elfen. Yr uned màs atomig (*atomic mass unit: amu*) yw'r uned sy'n cael ei defnyddio i ddynodi hyn.
- Mae bron i holl fàs yr atom yn y niwclews.

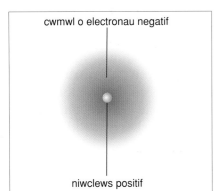

cwmwl o electronau negatif

niwclews positif

**Ffigur 8.1** Model o adeiledd atom.

## Beth yw Tabl Cyfnodol yr elfennau?

Siart yw'r Tabl Cyfnodol. Mae'n dangos yr holl elfennau rydym ni'n gwybod amdanynt, wedi'u trefnu mewn ffordd resymegol sy'n galluogi cemegwyr i ragfynegi priodweddau elfennau unigol. **Dmitri Mendeléev**, gwyddonydd o Rwsia, a greodd y Tabl Cyfnodol llwyddiannus cyntaf yn 1869. Dyma sail y Tabl rydym ni'n ei ddefnyddio o hyd.

Roedd gan Mendeléev ddiddordeb mewn ceisio trefnu'r elfennau mewn ffordd ddefnyddiol. Yn y tablau cyfnodol cynnar mae'r elfennau wedi'u trefnu yn ôl màs atomig cymharol (pwysau atomig oedd y term am hyn ar y pryd). Pan aeth Mendeléev ati i'w rhoi yn nhrefn eu masau atomig cymharol sylwodd fod yr elfennau'n dangos priodweddau tebyg ar gyfyngau rheolaidd. Er mwyn bod yn sicr bod y patrwm hwn yn cyd-fynd â'r ffeithiau dan sylw (*observed facts*), fodd bynnag, roedd rhaid iddo adael bylchau yn ei dabl ar gyfer elfennau oedd heb gael eu darganfod ar y pryd, megis germaniwm, galiwm a scandiwm (gweler Ffigur 8.3). Aeth Mendeléev ati i ragfynegi priodweddau'r elfennau hyn. Er enghraifft, dyma sut y rhagfynegodd briodweddau'r elfen rydym ni nawr yn ei galw'n germaniwm:

**Ffigur 8.2** Dmitri Mendeléev (1834–1907).

- Dylai fod â màs atomig cymharol o 72 (72.6 mewn gwirionedd).
- Byddai ei dwysedd yn 5.5 (5.47 mewn gwirionedd).
- Byddai'n ffurfio clorid hylifol, $XCl_4$, a fyddai'n berwi islaw 100 °C (mae germaniwm yn ffurfio $GeCl_4$ ac mae'n berwi ar 84 °C).

## CWESTIYNAU

1 Ym mha grŵp mae'r elfennau canlynol?

  a  carbon (C)

  b  calsiwm (Ca)

  c  bromin (Br)

2 Beth yw rhif atomig yr elfennau canlynol?

  a  aur (Au)

  b  haearn (Fe)

  c  radiwm (Ra)

3 Dewch o hyd i enwau (nid dim ond fformiwlâu) yr elfennau canlynol:

  a  elfen yn yr un cyfnod â sylffwr (S)

  b  yr elfen yn Grŵp 5 sydd yn yr un cyfnod â lithiwm

  c  yr elfen sydd â'r rhif atomig 41.

| Cyfres | Grŵp I | | Grŵp II | | Grŵp III | Grŵp IV | Grŵp V | Grŵp VI | Grŵp VII | Grŵp VIII |
|---|---|---|---|---|---|---|---|---|---|---|
| 1 | 1 | H | | | | | | | | |
| 2 | Li | 2 | Be | | B | C | N | O | F | |
| 3 | 3 | Na | | Mg | Al | Si | P | S | Cl | Fe Co Ni |
| 4 | K | 4 | Ca | | ? | Ti | V | Cr | Mn | |
| 5 | 5 | Cu | | Zn | ? | ? | As | Se | Br | Ru Rh Pd |
| 6 | Rb | 6 | Sr | | ? | Zr | Nb | Mo | ? | |

**Ffigur 8.3** Rhan o fersiwn cynnar o Dabl Cyfnodol Mendeléev, sy'n dangos sut roedd yn gadael bylchau i elfennau oedd heb eu darganfod.

Yn ddiweddarach, sylweddolwyd bod anghysonderau yn y tablau cyfnodol cynnar (a oedd yn seiliedig ar bwysau atomig/masau atomig cymharol) yn cael eu cywiro wrth drefnu'r elfennau yn ôl eu rhifau atomig. Heddiw, mae'r elfennau'n cael eu rhoi yn nhrefn eu rhifau atomig. Mae Ffigur 8.4 yn dangos y Tabl Cyfnodol modern. Yr enw ar bob colofn yw **grŵp**. Yr enw ar bob rhes lorweddol o elfennau yw **cyfnod**.

Mae rhai priodweddau anarferol gan hydrogen, ac felly caiff ei roi mewn grŵp ar ei ben ei hun. Fel rheol, caiff heliwm ei roi gyda hydrogen mewn cyfnod ar wahân sy'n cynnwys y ddwy elfen hyn yn unig. Rhwng Grwpiau 2 a 3, mae yna gasgliad o fetelau, sef y **metelau trosiannol**.

**Ffigur 8.4** Y Tabl Cyfnodol modern, yn dangos y symbolau a'r rhifau atomig (mae elfennau 58–71, y lanthanidau neu'r elfennau prinfwyn, ac elfennau â rhifau atomig dros 89 wedi'u hepgor er mwyn symlrwydd). Mae'r metelau wedi'u lliwio'n wyrdd a'r anfetelau'n borffor.

# Beth yw'r gwahaniaeth rhwng metel ac anfetel?

Metelau yw'r rhan fwyaf o'r elfennau yn y Tabl Cyfnodol. Oherwydd ei bod hi'n bosibl defnyddio'r Tabl Cyfnodol i gael syniad o briodweddau cemegol yr elfennau, dydy hi ddim yn syndod gweld bod y metelau wedi'u trefnu gyda'i gilydd a'r anfetelau gyda'i gilydd (gweler Ffigur 8.4).

Dyma rai o briodweddau metelau:

- yn dargludo trydan yn dda (**dargludedd trydanol uchel**)
- yn dargludo gwres yn dda (**dargludedd thermol uchel**)
- **hydrin** (mae'n bosibl curo metel i ffurf llen)
- **hydwyth** (mae'n bosibl tynnu metel i greu gwifren)
- **sgleiniog** (bydd arwyneb sydd newydd ei ddatgelu'n sgleinio)
- dwysedd uchel fel rheol
- ymdoddbwynt uchel
- berwbwynt uchel.

Mae anfetelau'n frau, yn afloyw (pŵl) ac mae ganddynt ddwysedd isel. Fel rheol, maen nhw'n **wael wrth ddargludo** gwres a thrydan, ac mae ganddynt **ymdoddbwyntiau a berwbwyntiau isel**.

Mae rhai elfennau rhwng y ddau; er enghraifft, mae silicon a germaniwm yn **lled-ddargludyddion** ac maen nhw'n bwysig iawn ym maes electroneg. Mae ffurf **graffit** carbon yn dangos holl nodweddion anfetel, heblaw ei fod yn ddargludydd trydan da.

## GWAITH YMARFEROL — SUT GALLWCH CHI FESUR DARGLUDEDD THERMOL?

Dyma weithgaredd sy'n eich helpu i:
- ★ cynnal profion teg
- ★ gwerthuso arbrofion
- ★ cyflwyno canlyniadau.

### Cyfarpar
* 4 rhoden fetel o'r un maint ond wedi'u gwneud o fetelau gwahanol
* 4 pìn
* Vaseline
* trybedd
* llosgydd Bunsen
* mat gwrth-wres
* stopwatsh

### Asesiad risg
- **Bydd eich athro/athrawes yn rhoi asesiad risg i chi.**

Mae pob metel yn dargludo gwres yn dda, ond mae rhai'n well na'i gilydd. Mae'r arbrawf hwn yn edrych ar ffyrdd o gymharu dargludedd thermol.

### Dull
1. Rhowch y rhodenni ar drybedd fel bod pen pob rhoden yn agos at ei gilydd.
2. Defnyddiwch Vaseline i lynu pinnau at ben arall pob rhoden.
3. Dechreuwch y stopwatsh a defnyddiwch losgydd Bunsen i wresogi'r pennau sydd heb binnau am yr un amser â'i gilydd.
4. Amserwch faint mae'n ei gymryd i bob pìn ddisgyn i ffwrdd, a chofnodwch eich canlyniadau.

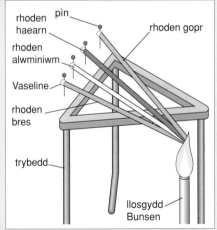

Ffigur 8.5 Cydosodiad prawf am ddargludedd thermol.

### Dadansoddi eich canlyniadau
1. Pa un o'r rhodenni metel oedd y cyntaf i golli ei bìn a pha un oedd yr olaf?
2. Pa fetel oedd y dargludydd thermol gorau a pha un oedd y gwaethaf?
3. Sut gwnaethoch chi'r prawf yn deg?
4. Yn ddelfrydol, dylech chi ddefnyddio'r un maint o Vaseline i lynu pob pìn gan y byddai meintiau mwy'n cymryd mwy o amser i ymdoddi, ond mae'n anodd iawn cyflawni hyn. Edrychwch ar eich canlyniadau ac eglurwch a ydych chi'n meddwl bod y diffyg cysondeb hwn wedi cael effaith arwyddocaol ar yr arbrawf hwn.
5. Ydych chi'n credu y byddai'n ddefnyddiol lluniadu graff o'r canlyniadau hyn? Os ydych chi, pa fath o graff y byddech chi'n ei ddewis?

# TASG

### SUT GALLWN NI DDEFNYDDIO'R TABL CYFNODOL I RAGFYNEGI PRIODWEDDAU?

Mae tueddiadau i'w gweld yn rhai o briodweddau'r elfennau sydd yn yr un grŵp. Gallwn ni ddefnyddio'r tueddiadau hyn i ragfynegi priodweddau elfennau eraill yn y grŵp. Er enghraifft, edrychwch ar Dabl 8.1. Mae dau werth ar goll ynddo.

Tabl 8.1 Rhai o briodweddau Grŵp 1 y Tabl Cyfnodol.

| Elfen | Ymdoddbwynt (°C) | Berwbwynt (°C) |
|---|---|---|
| Lithiwm | 180 | 1 347 |
| Sodiwm | 98 | 883 |
| Potasiwm | 64 | ? |
| Rwbidiwm | 39 | 688 |
| Cesiwm | ? | 678 |

Gallwn ni ddefnyddio'r data hyn i ragfynegi'r gwerthoedd coll (ymdoddbwynt cesiwm a berwbwynt potasiwm). Mae'r tabl yn dangos tueddiadau clir yn ymdoddbwyntiau a berwbwyntiau'r metelau hyn, ond mae angen lluniadu graff i weld union natur pob tuedd.

1 Lluniadwch graffiau o'r data i weld y tueddiadau. Fel rheol, gan fod yr elfennau'n newidynnau arwahanol (*discontinuous* neu *discrete*), byddech chi'n lluniadu graff bar. Fodd bynnag, yn yr achos hwn, mae'n haws gwneud rhagfynegiadau os lluniadwch chi graff llinell.

2 Defnyddiwch eich graffiau i ragfynegi ymdoddbwynt cesiwm a berwbwynt potasiwm.

3 Edrychwch ar y rhyngrwyd neu mewn llyfr i ganfod y gwerthoedd gwirioneddol ac i weld pa mor agos oedd eich rhagfynegiad chi. Cofnodwch y gwerthoedd gwirioneddol.

4 Mae'n debygol bod eich rhagfynegiad chi'n eithaf cywir ond ddim yn hollol gywir. Awgrymwch un rheswm pam na fyddech chi'n disgwyl i'r dull hwn roi gwerth manwl gywir.

## Priodweddau cemegol

Gallwn ni ddefnyddio'r Tabl Cyfnodol hefyd i ragfynegi priodweddau cemegol yr elfennau. Mae llawer o briodweddau cemegol yn dangos tuedd benodol wrth i chi symud i lawr y grŵp. Er enghraifft, mae metelau Grŵp 1 i gyd yn adweithio â dŵr i ffurfio hydrocsidau a hydrogen. Hafaliad hyn yw:

$$2X + 2H_2O \rightarrow 2XOH + H_2$$

Mae X yn cynrychioli'r elfen Grŵp 1; byddech chi'n rhoi symbol yr elfen yn ei le yn yr hafaliad. Mae'r adwaith hwn yn **ecsothermig** – mae'n cynhyrchu gwres. Wrth i chi symud i lawr y grŵp, mae'r adwaith yn mynd yn fwy ffyrnig a chaiff mwy o wres ei gynhyrchu. Mae Tabl 8.2 yn disgrifio'r adweithiau.

Tabl 8.2 Adwaith elfennau Grŵp 1 â dŵr.

| Symbol | Elfen | Adwaith â dŵr |
|---|---|---|
| Li | Lithiwm | Mae'r metel yn ffisian ac mae'n adweithio'n raddol ac yn diflannu. |
| Na | Sodiwm | Mae'r metel yn adweithio'n gyflym ac mae'r gwres sy'n cael ei gynhyrchu'n toddi'r sodiwm. Bydd pêl o sodiwm tawdd yn rhuthro ar draws arwyneb y dŵr. Yn aml (ond nid bob tro) caiff digon o wres ei gynhyrchu i danio'r hydrogen sy'n cael ei ryddhau. |
| K | Potasiwm | Mae'r adwaith yn debyg i'r adwaith â sodiwm ond yn gyflymach, ac mae'r gwres yn tanio'r hydrogen bob tro. |
| Ru | Rwbidiwm | Mae rwbidiwm yn adweithio mor ffyrnig nes bod y metel a'r dŵr yn saethu allan o'r cynhwysydd. |
| Cs | Cesiwm | Mae cesiwm yn ffrwydro wrth gyffwrdd dŵr. Gall y ffrwydrad hwn chwalu'r cynhwysydd. |
| Fr | Ffranciwm | Does neb wedi arunigo swm mesuradwy o ffranciwm erioed. Mae'n ymbelydrol ac yn ansefydlog dros ben, ac mae'n debyg nad oes mwy na 400 g ohono ar y blaned ar unrhyw un adeg. Dydy ffranciwm erioed wedi cael ei adweithio â dŵr, ond mae'n sicr y byddai'r adwaith yn anhygoel o beryglus! |

# Cemeg a chyfansoddion – egluro sut mae pethau'n adweithio

Mor gynnar â 4000 CC, roedd yr Hen Eifftwyr yn gwneud pethau y gallwn ni eu hadnabod heddiw fel agweddau ar gemeg fodern. Erbyn 1000 CC, roedden nhw'n gwneud metelau o'u mwynau, yn perffeithio eplesu, yn gwneud pob math o bigmentau ar gyfer cosmetigau a chrochenwaith ac yn gwneud moddion a phersawrau o blanhigion, heb sôn am amrywiaeth eang o brosesau cemegol eraill. Rydym ni'n gwybod hyn gan fod yr Hen Eifftwyr yn cofnodi'r gweithgareddau hyn yn eu hieroglyffigau ac yn y gwaith celf yn eu temlau.

**Ffigur 8.6** 'Cemegwyr' yr Aifft.

**Ffigur 8.7** Robert Boyle (1627–1691).

Cafodd sylfeini cemeg fodern eu gosod gan wyddonwyr Groegaidd ac Arabaidd a 'ddyfeisiodd' ddulliau gwyddonol yn ystod y mileniwm cyntaf Oed Crist, ond y 'cemegydd' gwirioneddol cyntaf oedd Robert Boyle. Yn 1661, cyhoeddodd ei lyfr, *The Sceptical Chymist*, a oedd yn amlinellu am y tro cyntaf ei syniadau am ffurfio defnyddiau newydd a'r gwahaniaeth rhwng cymysgeddau a chyfansoddion.

I bob diben, Boyle a ddiffiniodd beth yw cyfansoddyn. Heddiw, gyda'n gwybodaeth ni am wyddoniaeth fodern, rydym ni'n diffinio cyfansoddion fel yr hyn sy'n cael ei ffurfio pan mae dwy neu fwy o elfennau'n cyfuno'n gemegol i ffurfio sylwedd newydd. Er bod enw gan bob cyfansoddyn, fformiwla cyfansoddyn sy'n datgelu ei wir natur. Mae'r fformiwla gemegol yn dweud wrthych chi pa elfennau sydd yn y cyfansoddyn, a hefyd beth yw cymhareb yr atomau ynddo.

Mae dau fath o gyfansoddyn: cyfansoddion **ïonig** (sy'n cynnwys gronynnau â gwefr drydanol, fel yr ïonau sodiwm a chlorid mewn sodiwm clorid, neu halen cyffredin) a **moleciwlau**, sy'n drydanol niwtral.

Un o'r cyfansoddion moleciwlaidd symlaf yw dŵr, $H_2O$. Mae'r fformiwla'n dweud wrthych chi fod y moleciwl yn cynnwys tri atom: dau atom hydrogen ac un atom ocsigen. Gallwn ni luniadu diagram llenwi lle i ddangos sut mae'r atomau wedi'u cysylltu â'i gilydd i wneud y moleciwl (Ffigur 8.8).

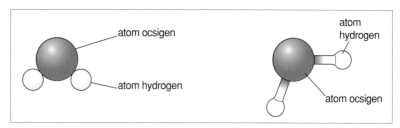

atom ocsigen

atom hydrogen

atom hydrogen

atom ocsigen

**Ffigur 8.8** Dau fodel gwahanol o foleciwl dŵr. Yr un ar y chwith yw'r diagram llenwi lle.

Mae diagramau llenwi lle yn ddefnyddiol iawn gan eu bod nhw'n dynwared y modelau plastig mae cemegwyr yn eu defnyddio i gynrychioli atomau a moleciwlau.

Mae fformiwlâu cemegol hefyd yn ddefnyddiol iawn i'r 'gyfrifeg' atomau sy'n digwydd pan mae cemegion yn adweithio â'i gilydd. Mewn unrhyw adwaith cemegol, does dim atomau newydd yn cael eu creu a does dim atomau'n cael eu dinistrio. Mae adweithiau cemegol yn aildrefnu'r ffordd y mae'r atomau'n bondio â'i gilydd, ac mae'r fformiwla'n dweud wrthych chi sut caiff yr atomau eu haildrefnu.

Caiff dŵr ei ffurfio pan mae nwy hydrogen yn llosgi mewn nwy ocsigen. Mae moleciwlau hydrogen ac ocsigen yn ddeuatomig, sy'n golygu bod y ddau foleciwl yn cynnwys dau atom yr un. Fformiwla nwy hydrogen yw $H_2$, a fformiwla ocsigen yw $O_2$. Felly, hafaliad hylosgiad hydrogen yw:

$$2H_2(n) + O_2(n) \rightarrow 2H_2O(h)$$

Mae'r llythrennau mewn cromfachau'n dweud wrthych chi beth yw cyflwr yr adweithyddion a'r cynnyrch ($n$ = nwy; $h$ = hylif). Mae'r hafaliad yn dangos i chi fod dau foleciwl hydrogen yn adweithio ag un moleciwl ocsigen i ffurfio dau foleciwl dŵr. Gallwch chi weld bod fformiwlâu'r ddau foleciwl yn dweud wrthych chi sut i gyfrifo nifer y moleciwlau sydd eu hangen i gydbwyso'r hafaliad. Mae'r gyfrifeg gemegol yn dangos i chi fod yna bedwar atom hydrogen cyn yr adwaith a phedwar ar ôl yr adwaith; a dau atom ocsigen cyn yr adwaith a dau ar ôl yr adwaith – mae'n cydbwyso!

## GWNEUD MOLECIWLAU

**Dyma weithgaredd sy'n eich helpu i:**
★ gwneud modelau cemegol
★ ysgrifennu fformiwlâu moleciwlaidd
★ lluniadu diagramau llenwi lle.

**Cyfarpar**
* pecyn modelu moleciwlau

**Dull**

Bydd eich athro/athrawes yn rhoi pecyn modelu moleciwlau i chi ac yn dangos sut i'w ddefnyddio, gan gynnwys pa 'atomau' lliw sy'n cynrychioli pa elfennau. Mae modelau moleciwlaidd yn ddefnyddiol iawn gan eu bod nhw'n dangos cynrychioliad 3D o'r moleciwl i chi.

1 Defnyddiwch y pecyn modelu i wneud modelau o'r moleciwlau canlynol:
   **a** dŵr, $H_2O$
   **b** carbon deuocsid, $CO_2$
   **c** methan, $CH_4$
   **ch** amonia, $NH_3$

2 Lluniadwch ddiagram llenwi lle priodol i bob un o'r rhain.

Nawr, bydd eich athro/athrawes yn dangos rhai moleciwlau wedi'u gwneud yn barod i chi.

3 Lluniadwch ddiagram llenwi lle o bob un ac ysgrifennwch eu fformiwlâu moleciwlaidd.

# Sut caiff cyfansoddion ïonig eu ffurfio?

Pan fydd metelau'n adweithio ag anfetelau, bydd cyfansoddion ïonig yn cael eu ffurfio fel rheol. Caiff ïonau eu ffurfio pan fydd gronynnau trydanol niwtral fel atomau yn trosglwyddo electronau. Mae'n well gan atomau **metel** *golli*'r electronau hyn i ffurfio ïonau *positif*. Mae'n well gan **anfetelau** *ennill* electronau i ffurfio ïonau *negatif*. Mae enwau'r halwynau sy'n cael eu ffurfio pan mae metelau'n adweithio ag anfetelau yn adlewyrchu'r ïon metel a'r ïon anfetel. Mae gan yr ïonau metel yr un enw â'u hatom, felly mae atomau sodiwm yn creu ïonau sodiwm. Mae gan ïonau anfetel enwau ychydig yn wahanol. Mae ocsigen yn ffurfio ocsidau, mae fflworin yn ffurfio fflworidau, mae clorin yn ffurfio cloridau, mae bromin yn ffurfio bromidau ac mae ïodin yn ffurfio ïodidau.

## Sut mae ysgrifennu fformiwlâu cyfansoddion ïonig syml?

Gallwn ni ddefnyddio fformiwlâu'r ïonau sydd yn Nhablau 8.3 ac 8.4 i ysgrifennu fformiwlâu cyfansoddion ïonig syml. Pryd bynnag caiff cyfansoddion ïonig eu ffurfio o fetelau ac anfetelau, mae'r cyfansoddion sy'n cael eu creu'n drydanol niwtral – mae nifer y gwefrau positif yn cydbwyso nifer y gwefrau negatif. Mae sodiwm clorid yn hawdd. Yr ïon sodiwm yw $Na^+$ a'r ïon clorid yw $Cl^-$. Y fformiwla yw $(Na^+)(Cl^-)$; fel rheol, byddwn ni'n ei hysgrifennu fel NaCl.

Yr ïon calsiwm yw $Ca^{2+}$. Mae hyn yn golygu bod angen dau ïon clorid i gydbwyso'r un ïon clorin. Fformiwla calsiwm clorid yw $(Ca^{2+})(2Cl^-)$; fel rheol, byddwn ni'n ei hysgrifennu fel $CaCl_2$.

Tabl 8.3 Fformiwlâu rhai ïonau positif.

| Ïon | Fformiwla |
| --- | --- |
| **Grŵp 1** | |
| Lithiwm | Li |
| Sodiwm | Na |
| Potasiwm | $K^+$ |
| **Grŵp 2** | |
| Magnesiwm | $Mg^2$ |
| Calsiwm | $Ca^2$ |
| Strontiwm | $Sr^2$ |

Tabl 8.4 Fformiwlâu rhai ïonau negatif.

| Ïon | Fformiwla |
| --- | --- |
| **Grŵp 6** | |
| Ocsid | $O^{2-}$ |
| **Grŵp 7** | |
| Fflworid | $F^-$ |
| Clorid | $Cl^-$ |
| Bromid | $Br^-$ |
| Ïodid | $I^-$ |

## CWESTIYNAU

4 Copïwch y tabl hwn a'i lenwi:

| Cyfansoddyn | Fformiwla'r ïon positif | Fformiwla'r ïon negatif | Fformiwla'r cyfansoddyn |
| --- | --- | --- | --- |
| Calsiwm bromid | $Ca^{2+}$ | $Br^-$ | $CaBr_2$ |
| Sodiwm ocsid | | | |
| Magnesiwm bromid | | | |
| Potasiwm clorid | | | |
| Calsiwm ocsid | | | |
| Sodiwm ïodid | | | |
| Potasiwm ïodid | | | |

5 Beth yw enwau'r cyfansoddion canlynol? Ar gyfer pob un, ysgrifennwch yr ïonau sydd wedi'u cynnwys yn y cyfansoddyn:

a LiCl      b NaF      c $MgI_2$

ch MgO      d $SrBr_2$      dd $Li_2O$

e $CaF_2$      f $K_2O$

## Ysgrifennu fformiwlâu cyfansoddion ïonig eraill

Gallwn ni ysgrifennu fformiwlâu cyfansoddion eraill o fformiwlâu'r ïonau sydd ynddynt. Bydd fformiwlâu rhai ïonau cyffredin yn cael eu rhoi i chi yn yr arholiadau (yng nghefn y papur arholiad) – mae Tablau 8.5 ac 8.6 yn dangos hyn.

**Tabl 8.5** Fformiwlâu ïonau positif.

| Gwefr: +1 | | Gwefr: +2 | | Gwefr: +3 | |
|---|---|---|---|---|---|
| Sodiwm | $Na^+$ | Magnesiwm | $Mg^{2+}$ | Alwminiwm | $Al^{3+}$ |
| Potasiwm | $K^+$ | Calsiwm | $Ca^{2+}$ | Haearn(III) | $Fe^{3+}$ |
| Lithiwm | $Li^+$ | Bariwm | $Ba^{2+}$ | Cromiwm(III) | $Cr^{3+}$ |
| Amoniwm | $NH_4^+$ | Copr(II) | $Cu^{2+}$ | | |
| Arian | $Ag^+$ | Plwm(II) | $Pb^{2+}$ | | |
| | | Haearn(II) | $Fe^{2+}$ | | |

**Tabl 8.6** Fformiwlâu ïonau negatif.

| Gwefr: -1 | | Gwefr: -2 | | Gwefr: -3 | |
|---|---|---|---|---|---|
| Clorid | $Cl^-$ | Ocsid | $O^{2-}$ | Ffosffad | $PO_4^{3-}$ |
| Bromid | $Br^-$ | Sylffad | $SO_4^{2-}$ | | |
| Ïodid | $I^-$ | Carbonad | $CO_3^{2-}$ | | |
| Hydrocsid | $OH^-$ | | | | |
| Nitrad | $NO_3^-$ | | | | |

### ENGHRAIFFT

**C** Darganfyddwch fformiwla calsiwm nitrad.

**A** Yr ïon calsiwm yw $Ca^{2+}$ a'r ïon nitrad yw $NO_3^-$. Y fformiwla yw $(Ca^{2+})(2NO_3^-)$; fel rheol, byddwn ni'n ei hysgrifennu fel $Ca(NO_3)_2$. Sylwch ein bod ni'n defnyddio cromfachau: $Ca(NO_3)_2$ yn hytrach na $CaNO_{32}$.

## CWESTIYNAU

6 Ysgrifennwch fformiwlâu'r canlynol. (*Awgrym:* Peidiwch ag anghofio sut i ddefnyddio cromfachau.)

a sodiwm hydrocsid

b calsiwm hydrocsid

c haearn(III) ocsid

ch bariwm clorid

d copr(III) sylffad

dd amoniwm sylffad

e magnesiwm sylffad

f sodiwm carbonad

ff alwminiwm ocsid

g sodiwm ffosffad

## TASG  BETH YW'R FFORMIWLA HUD?

**Dyma weithgaredd sy'n eich helpu i:**
★ gweithio fel rhan o dîm
★ defnyddio modelau gwyddonol
★ cael gwybodaeth o fodelau
★ ysgrifennu fformiwlâu
★ enwi cyfansoddion
★ gwybod a yw cyfansoddion yn foleciwlaidd neu'n ïonig
★ enwi'r ïonau mewn cyfansoddyn os yw'n ïonig.

Yn 1814, cyhoeddodd y cemegydd o Sweden, Jöns Jacob Berzelius, bapur a gyflwynodd y system o enwi elfennau cemegol rydym ni'n ei defnyddio heddiw. Berzelius oedd y cyntaf i ddefnyddio'r system o lythrennau sengl a dwbl ar gyfer symbolau elfennau ac yna dangosodd sut i ddefnyddio'r rhain i ddisgrifio cyfansoddion.

Mae fformiwla gemegol cyfansoddyn yn dweud popeth amdano – y fformiwla hud!

Bydd eich athro/athrawes yn rhoi cardiau i chi (neu'n eu dangos nhw ar sgrin), a bydd fformiwla cyfansoddyn penodol ar bob un.

**Ffigur 8.9** Jöns Jacob Berzelius (1779–1848).

1 Dewiswch bartner a gweithiwch fel tîm.
2 Dewch o hyd i gymaint â phosibl o wybodaeth am bob cyfansoddyn o edrych ar ei fformiwla.
3 Lluniwch dabl addas (fel yr un ar y tudalen nesaf) i'ch helpu. Mae manylion dau gyfansoddyn wedi'u llenwi i chi. *parhad...*

| Fformiwla | Enw | Cyfansoddyn moleciwlaidd neu ïonig | Atomau'n bresennol (a'r nifer) | Ïonau'n bresennol (os yw'n ïonig) |
|---|---|---|---|---|
| $CO_2$ | Carbon deuocsid | Moleciwlaidd | 1 × C, carbon<br>2 × O, ocsigen | – |
| $MgCl_2$ | Magnesiwm clorid | Ïonig | 1 × Mg, magnesiwm<br>2 × Cl, clorin | $Mg^{2+}$<br>$Cl^-$ |

## Crynodeb o'r bennod

- ○ Elfennau yw blociau adeiladu sylfaenol pob sylwedd a dydy hi ddim yn bosibl eu torri i lawr yn sylweddau symlach drwy ddulliau cemegol.
- ○ Dim ond un math o atom sydd mewn elfen.
- ○ Mae atomau'n cynnwys niwclews â gwefr bositif ac electronau â gwefr negatif yn troi o amgylch y niwclews.
- ○ Dmitri Mendeléev oedd y cyntaf i ddatblygu'r Tabl Cyfnodol modern.
- ○ Roedd Mendeléev yn meddwl yn greadigol er mwyn rhagfynegi priodweddau elfennau oedd heb gael eu darganfod.
- ○ Rydym ni'n galw rhesi'r Tabl Cyfnodol yn gyfnodau, a'r colofnau'n grwpiau.
- ○ Mae gan fetelau'r priodweddau canlynol:
  - Maen nhw'n dargludo gwres a thrydan yn dda.
  - Maen nhw'n hydrin ac yn hydwyth.
  - Fel rheol, maen nhw'n galed, yn ddwys ac yn sgleiniog.
  - Fel rheol, mae ganddynt ymdoddbwyntiau a berwbwyntiau uchel.
- ○ Fel rheol, dydy anfetelau ddim yn dargludo gwres a thrydan yn dda, ac mae ganddynt ymdoddbwyntiau a berwbwyntiau isel.
- ○ Mae metelau wedi'u lleoli ar ochr chwith a chanol y Tabl Cyfnodol. Mae'r anfetelau ar yr ochr dde.
- ○ Mae priodweddau rhai elfennau'n gorwedd rhwng priodweddau metelau ac anfetelau (e.e. silicon).
- ○ Mae tueddiadau i'w gweld ym mhriodweddau ffisegol a chemegol elfennau sydd yn yr un grŵp.
- ○ Mewn adwaith cemegol, mae atomau'n cael eu haildrefnu ond dydyn nhw ddim yn cael eu creu na'u dinistrio.
- ○ Pan mae atomau dwy neu fwy o elfennau'n cyfuno, maen nhw'n ffurfio sylweddau newydd o'r enw cyfansoddion. Mae gan bob cyfansoddyn ei fformiwla gemegol ei hun.
- ○ Mae fformiwla gemegol cyfansoddyn yn dweud wrthych chi beth yw enwau'r elfennau, faint o atomau sydd ym mhob elfen a chyfanswm yr atomau sy'n bresennol yn y cyfansoddyn.
- ○ Gallwn ni luniadu diagramau llenwi lle a fformiwlâu adeileddol ar gyfer moleciwlau syml – mae'r rhain yn dangos pa atomau sydd wedi'u cysylltu â pha rai eraill.
- ○ Pan gaiff cyfansoddion ïonig eu ffurfio, caiff electronau eu trosglwyddo o atomau metel i atomau anfetel, gan ffurfio ïonau metel â gwefr bositif ac ïonau anfetel â gwefr negatif.
- ○ Gallwn ni ysgrifennu fformiwlâu cemegol cyfansoddion ïonig os ydym ni'n gwybod fformiwlâu'r ïonau sydd ynddynt.

# 9 Metelau

## Metel trwm o Gymru?

Mae yna rywbeth am Gymru a metelau! Mae'r diwydiannau mwyngloddio, cynhyrchu a gweithio metel wedi bod yn rhan o asgwrn cefn diwydiant Cymru ers cyfnodau cynhanes. Ymddangosodd yr offer metel cyntaf yng Nghymru tua 2500cc – rhai copr yn gyntaf, a rhai wedi'u gwneud o'r aloi efydd yn fuan ar ôl hynny. Dechreuodd gemwaith aur ymddangos tua'r un pryd, ac un o drysorau gorau'r DU o'r Oes Efydd yw Mantell yr Wyddgrug, sef addurn ysgwydd aur wedi'i wneud o un ingot aur. Cafodd ei ddarganfod mewn beddrod (burial tomb) ym Mryn yr Ellyllon, Sir y Fflint yn 1833. Mae'r fantell dros 3500 o flynyddoedd oed. Mae'n rhaid bod bodau dynol wedi bod yn mwyngloddio ac yn gweithio metelau am gannoedd o flynyddoedd cyn gallu cynhyrchu peth mor hardd gyda chymaint o sgil.

Mae haearn a dur wedi bod yn gysylltiedig â De Cymru ers amser maith. Y gwythiennau mwyn haearn helaeth yng nghymoedd Morgannwg a Sir Fynwy oedd tanwydd y Chwyldro Diwydiannol rhwng 1730 ac 1850. Ar yr un pryd, arweiniodd cynnydd y diwydiannau glo a haearn at ffrwydrad poblogaeth enfawr yn Ne Cymru, a chreodd hynny ei broblemau cymdeithasol ei hun. Cododd poblogaeth Sir Fynwy'n unig o 45 000 yn 1801 i 300 000 yn 1901. Roedd y gwaith metel (a glo) yn llythrennol yn creu tirwedd ddaearyddol a dynol newydd.

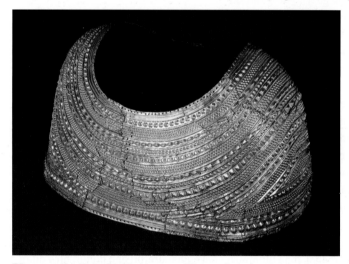

**Ffigur 9.1** Mae Mantell yr Wyddgrug wedi'i gwneud o un ingot aur.

**Ffigur 9.2** Gwaith haearn yn Ne Cymru yn yr 1800au.

**Ffigur 9.3** Gwaith Alwminiwm Môn yng Nghaergybi.

**Ffigur 9.4** Gwaith dur Port Talbot.

Ym mis Medi 2009, daeth diwedd ar echdynnu alwminiwm o'i fwyn yng ngwaith Alwminiwm Môn yng Nghaergybi. Roedd y gwaith wedi bod yn cynhyrchu alwminiwm ers 1971, ond wedi i Atomfa Wylfa gael ei datgomisiynu, methodd y cwmni sicrhau cyflenwad trydan dichonadwy, ac roedd rhaid iddynt roi'r gorau i echdynnu'r mwyn. Am gyfnod roedd y gwaith yn dal i fwyndoddi alwminiwm wedi'i ailgylchu, ond erbyn hyn mae popeth wedi cau. Caiff alwminiwm ei gynhyrchu drwy electrolysis, sydd, ar raddfa ddiwydiannol, yn defnyddio symiau enfawr o bŵer trydanol. Dim ond dau waith echdynnu alwminiwm sydd ar ôl yn y Deyrnas Unedig.

Ar hyn o bryd, prif safle gwaith metel Cymru yw'r gwaith dur enfawr ym Mhort Talbot, sy'n cynhyrchu 5 miliwn tunnell fetrig o ddur slab bob blwyddyn. Mae gan y safle rai o'r cyfleusterau gwneud dur mwyaf modern yn y byd, ac mae'n cynhyrchu dur yn bennaf i'r diwydiant gwneud ceir ac ar gyfer nwyddau domestig.

## Sut rydym ni'n cael metelau o'r ddaear?

Cafodd y talp mwyaf o aur erioed ei ddarganfod yn 1869 yn Victoria, Awstralia gan ddau ddyn o Gernyw, Richard Oates a John Deason, a oedd yn gyn-fwynwyr tun. Enw'r talp oedd y *Welcome Stranger* ac roedd yn pwyso 72 kg! Cafodd ei ddarganfod ychydig o dan arwyneb y ddaear wrth fôn coeden, a phan aethon nhw i'w gyfnewid yn y banc cawson nhw £9381, a fyddai bron yn £2 miliwn heddiw. Diwrnod eithaf da o waith! Mae Ffigur 9.5 yn dangos replica modern o'r *Welcome Stranger*, ynghyd â'r ffotograff gwreiddiol.

**Ffigur 9.5** Y *Welcome Stranger* a replica modern.

Dim ond chwe metel sy'n bodoli'n naturiol mewn ffurf bur – aur ac arian yw'r enghreifftiau amlwg. Y metelau eraill sy'n bodoli yn eu cyflwr naturiol yw platinwm, copr, haearn (ond dim ond o feteorynnau) a mercwri (ond dim ond gyda'r mwyn sinabar). Cafodd y talp mwyaf o arian ei ddarganfod yn 1894 yn Colorado, UDA ac roedd yn pwyso 835 kg!

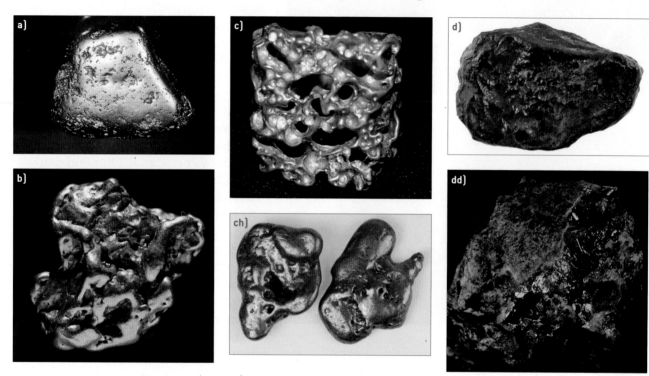

**Ffigur 9.6** Mae'r metelau hyn yn bodoli mewn ffurf bur: a) platinwm; b) aur; c) arian; ch) copr; d) haearn (meteoryn); dd) mercwri (gyda sinabar).

Mae pob un o'r metelau 'naturiol' yn anadweithiol iawn. Wrth i fetelau fynd yn fwy adweithiol, maen nhw'n bodoli mewn cyfuniad ag elfennau eraill yn unig, sef anfetelau gan amlaf. **Mwynau** – creigiau sy'n cynnwys cyfansoddion metel – yw'r enw ar y rhain. Mae'n rhaid echdynnu'r metelau o'u mwynau naill ai drwy ddefnyddio adweithiau cemegol gyda gwres, neu drwy **electrolysis**. Mae Tabl 9.1 ar dudalen 93 yn dangos rhai mwynau cyffredin.

Mae dull echdynnu metel o'i fwyn yn dibynnu ar ei safle yn y gyfres adweithedd (Ffigur 9.7). Mae'r metelau ar waelod y gyfres adweithedd yn bodoli'n naturiol, mae'r rhai yn y canol fel rheol yn cael eu hechdynnu drwy adwaith dadleoli â charbon, ac mae'n rhaid defnyddio electrolysis i echdynnu'r metelau mwyaf adweithiol.

Mae unrhyw fetel yn y gyfres adweithedd yn gallu dadleoli metel sy'n is nag ef yn y gyfres o gyfansoddyn sy'n cynnwys y metel hwnnw. Fe welwch chi fod carbon wedi'i gynnwys yn y gyfres adweithedd, er nad yw'n fetel. Gallwn ni ddefnyddio carbon i echdynnu'r metelau sy'n is nag ef yn y gyfres adweithedd o'u mwynau.

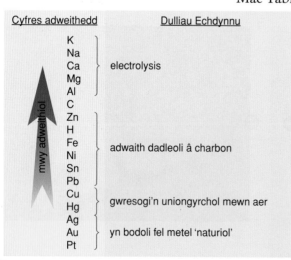

**Ffigur 9.7** Y gyfres adweithedd, yn dangos dulliau echdynnu.

Tabl 9.1 Enghreifftiau o rai mwynau cyffredin.

| Elfen | Mwyn | Fformiwla'r mwyn | Enghraifft |
|---|---|---|---|
| Haearn | Haematit, mwyn ocsid | $Fe_2O_3$ | |
| Haearn | Pyrit haearn (aur ffyliaid) | $FeS_2$ | |
| Haearn | Siderit, mwyn carbonad | $FeCO_3$ | |
| Alwminiwm | Bocsit, mwyn ocsid | $Al_2O_3.2H_2O$ | |
| Plwm | Galena, mwyn sylffid | $PbS$ | |
| Magnesiwm | Epsomit (halwynau Epsom), mwyn sylffad | $MgSO_4.7H_2O$ | |
| Titaniwm | Rwtil | $TiO_2$ | |

Dyma weithgaredd sy'n eich helpu i:

★ gweithio mewn tîm
★ cynllunio ffordd drefnus o gynnal arbrawf
★ cynllunio tabl i gofnodi arsylwadau arbrofol
★ cofnodi arsylwadau
★ defnyddio arsylwadau i lunio casgliadau
★ ysgrifennu hafaliadau cytbwys mewn geiriau a symbolau.

### Cyfarpar
* teilsen sbotio
* darnau bach o fetelau amrywiol
* hydoddiannau halwynau metel sy'n cynnwys y metelau sydd ar gael
* diferyddion
* sbectol ddiogelwch

Yn y dasg ymarferol hon, byddwch chi'n defnyddio metelau sy'n uwch yn y gyfres adweithedd i ddadleoli metelau sy'n is yn y gyfres o'u halwynau.

### ⚠ Asesiad risg

● **Gwisgwch sbectol ddiogelwch.**
● **Mae rhai o'r cemegion isod yn niweidiol. Bydd eich athro/athrawes yn rhoi asesiad risg i chi.**

### Dull

Y ffordd orau o gynnal yr arbrawf hwn yw mewn parau. Mae hwn yn arbrawf eithaf anodd ei drefnu. Mae angen i chi a'ch partner weithio'n systematig er mwyn darganfod pa fetelau fydd yn dadleoli ei gilydd. Bydd y gyfres adweithedd yn eich helpu ond efallai na fyddwch chi'n gallu arsylwi'r adwaith yn y labordy (efallai y bydd yr adwaith yn cymryd llawer o amser, neu efallai y bydd angen ei gwresogi).

Bydd eich athro/athrawes yn dweud pa fetelau sydd ar gael i chi a pha hydoddiannau halwyn y gallwch chi eu defnyddio. Y metelau sydd ar gael yn gyffredinol yw: magnesiwm, alwminiwm, sinc, haearn, nicel, tun, plwm a chopr. Efallai y gallwch chi ddefnyddio halwynau clorid, nitrad a sylffad pob un o'r metelau hyn.

1 Rhestrwch y metelau a'r halwynau metel sydd ar gael i chi.
2 Dyluniwch grid yn seiliedig ar y deilsen sbotio, i brofi cynifer â phosibl o'r metelau â chynifer o'r hydoddiannau halwynau metel – efallai y bydd angen mwy nag un deilsen sbotio i wneud hyn. Mae Ffigur 9.8 yn dangos un ffordd o gynllunio eich arbrawf.

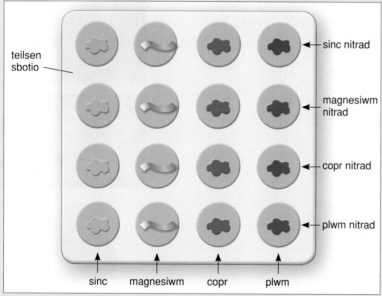
Ffigur 9.8 Enghraifft o sut i drefnu'r metelau a'r hydoddiannau.

3 Lluniwch dabl i gofnodi eich arsylwadau – bydd y rhain yn cynnwys newidiadau yn lliwiau'r hydoddiannau halwyn a'r metelau, ac unrhyw solidau sy'n ymddangos ym mhantau'r teils sbotio.
4 Gan ddefnyddio diferydd glân ar gyfer pob hydoddiant, llenwch y pantau fesul rhes (gw. Ffigur 9.8) nes bod gennych res gyfan o bob un o'r hydoddiannau halwyn.
5 Rhowch ddarn bach o un o bob un o'r metelau mewn pant, gan ddilyn eich grid.
6 Cynhaliwch eich arbrofion yn drefnus ar y teils sbotio. Cofnodwch eich arsylwadau.
7 Dilynwch gyfarwyddiadau eich athro/athrawes wrth glirio eich arbrawf. Peidiwch ag arllwys cynnwys y teils sbotio i lawr y sinc.

*parhad...*

METELAU

### Adwaith enghreifftiol

Bydd metel magnesiwm lliw arian yn dadleoli copr o hydoddiant glas o gopr sylffad. (Mae'r copr lliw pinc eog sy'n cael ei ffurfio'n adweithio ar unwaith ag ocsigen yn yr hydoddiant, gan ffurfio copr ocsid du.)

Mae'r hafaliad canlynol yn disgrifio'r adwaith dadleoli:

magnesiwm + copr sylffad → magnesiwm sylffad + copr

$$Mg(s) + CuSO_4(dyfrllyd) \rightarrow MgSO_4(dyfrllyd) + Cu(s)$$

### Dadansoddi eich canlyniadau

1 Defnyddiwch eich arsylwadau i adeiladu eich cyfres adweithedd 'arbrofol'.
2 Sut mae eich cyfres adweithedd yn cymharu â'r gyfres yn Ffigur 9.7?
3 Bydd eich athrawes/athro'n rhoi i chi fformiwla pob un o'r halwynau metel rydych chi wedi eu defnyddio. Ar gyfer pob adwaith llwyddiannus (un lle gwnaethoch chi arsylwi adwaith), ysgrifennwch yr hafaliad dadleoli fel hafaliad geiriau ac fel hafaliad symbolau wedi'i gydbwyso.

**Pwynt Trafod**

Pam nad yw hi'n bosibl defnyddio'r metelau lithiwm, sodiwm, potasiwm na chalsiwm i wneud yr arbrawf hwn yn labordy'r ysgol?

## Yr adwaith thermit

Bydd metel mwy adweithiol yn disodli ocsigen o ocsid metel llai adweithiol pan gaiff cymysgedd o'r ddau ei wresogi – adwaith **cystadleuaeth** yw'r enw ar hyn. Un enghraifft ddiddorol a thrawiadol o hyn yw'r thermit (neu'r adwaith thermit, gweler Ffigurau 9.9 a 9.10). Pan gaiff cymysgedd o bowdr alwminiwm a haearn(III) ocsid ei danio â ffiws tymheredd uchel, caiff haearn tawdd ei ffurfio. Mae'r diwydiant rheilffordd yn defnyddio'r adwaith hwn i weldio cledrau at ei gilydd ar drac.

**Ffigur 9.9** Defnyddio'r adwaith thermit i weldio cledrau.

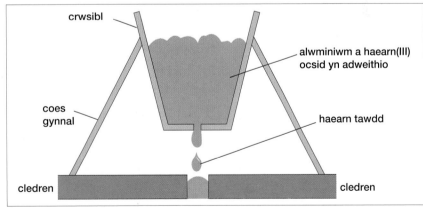

**Ffigur 9.10** Yr adwaith thermit.

Dyma weithgaredd sy'n eich helpu i:
★ arsylwi adwaith egnïol yn ofalus ac yn ddiogel
★ ysgrifennu hafaliadau adwaith
★ anodi diagram.

### Asesiad risg

- Gwisgwch sbectol ddiogelwch (rhaid i'ch athro/athrawes wisgo mwgwd wyneb cyfan).
- Rhaid i chi fod o leiaf 4 m i ffwrdd o'r adwaith, a rhaid i'r adwaith fod y tu ôl i sgriniau diogelwch.
- Bydd eich athrawes/athro'n rhoi asesiad risg i chi.

### Dull

Bydd eich athro/athrawes yn dangos yr adwaith thermit egnïol ac ecsothermig iawn i chi. Mae'r adwaith hwn yn drawiadol iawn, ac mae'n gwbl ddiogel cyn belled â'ch bod chi'n dilyn yr asesiad risg gawsoch chi gan eich athro/athrawes. Gallwch chi lwytho i lawr nodiadau'r arbrawf sy'n cael eu defnyddio o: www.practicalchemistry.org/experiments/the-thermite-reaction,172,EX.html

1. Bydd eich athro'n rhoi diagram o'r cyfarpar i chi.
2. Arsylwch yr adwaith ac yna anodwch y diagram, gan ddangos yr adweithiau cemegol sy'n digwydd.

## Gwneud metelau – ocsidiad neu rydwythiad?

Mewn adweithiau diwydiannol fel yr adwaith thermit lle mae'r adwaith yn cael ei ddefnyddio i weldio cledrau at ei gilydd, neu mewn ffwrnais chwyth lle caiff carbon ei ddefnyddio i echdynnu haearn o'i fwyn, y tric yw defnyddio elfen fwy adweithiol i 'ddadleoli' y metel targed o'i ocsid. Yn y ddwy enghraifft hyn, y metel targed yw haearn, ar ffurf haearn(III) ocsid. Yn yr adweithiau hyn, mae ocsigen yn cael ei dynnu o'r haearn (rydym ni'n dweud bod yr haearn yn cael ei rydwytho) ac mae'r elfen fwy adweithiol (alwminiwm neu garbon yn yr achosion hyn) yn ennill ocsigen (rydym ni'n dweud ei bod yn cael ei hocsidio).

- rhydwytho = colli ocsigen
- ocsidio = ennill ocsigen

Hafaliad yr adwaith thermit yw:

alwminiwm + haearn(III) ocsid → alwminiwm ocsid + haearn

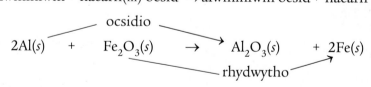

$$2Al(s) \quad + \quad Fe_2O_3(s) \quad \rightarrow \quad Al_2O_3(s) \quad + \quad 2Fe(s)$$

### Gwneud haearn

Mae haearn yn fetel sy'n cael ei echdynnu o'i fwynau drwy rydwytho cemegol â charbon, sy'n fwy adweithiol na haearn. Er bod y diwydiant haearn a dur wedi lleihau yn y blynyddoedd diwethaf, yn enwedig yng Nghymru, mae'n dal i fod yn ddiwydiant pwysig iawn ledled y byd.

Mae'r echdynnu'n digwydd mewn ffwrnais chwyth – mae Ffigur 9.11 yn dangos hyn.

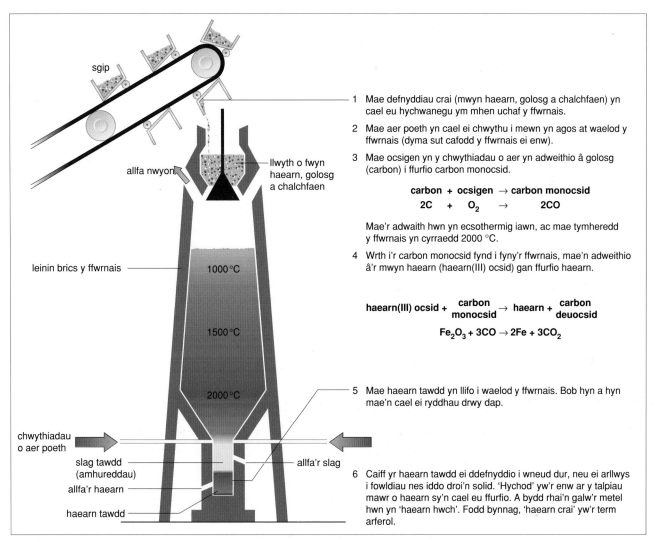

1 Mae defnyddiau crai (mwyn haearn, golosg a chalchfaen) yn cael eu hychwanegu ym mhen uchaf y ffwrnais.

2 Mae aer poeth yn cael ei chwythu i mewn yn agos at waelod y ffwrnais (dyma sut cafodd y ffwrnais ei enw).

3 Mae ocsigen yn y chwythiadau o aer yn adweithio â golosg (carbon) i ffurfio carbon monocsid.

$$\text{carbon} + \text{ocsigen} \rightarrow \text{carbon monocsid}$$
$$2C + O_2 \rightarrow 2CO$$

Mae'r adwaith hwn yn ecsothermig iawn, ac mae tymheredd y ffwrnais yn cyrraedd 2000 °C.

4 Wrth i'r carbon monocsid fynd i fyny'r ffwrnais, mae'n adweithio â'r mwyn haearn (haearn(III) ocsid) gan ffurfio haearn.

$$\text{haearn(III) ocsid} + \frac{\text{carbon}}{\text{monocsid}} \rightarrow \text{haearn} + \frac{\text{carbon}}{\text{deuocsid}}$$
$$Fe_2O_3 + 3CO \rightarrow 2Fe + 3CO_2$$

5 Mae haearn tawdd yn llifo i waelod y ffwrnais. Bob hyn a hyn mae'n cael ei ryddhau drwy dap.

6 Caiff yr haearn tawdd ei ddefnyddio i wneud dur, neu ei arllwys i fowldiau nes iddo droi'n solid. 'Hychod' yw'r enw ar y talpiau mawr o haearn sy'n cael eu ffurfio. A bydd rhai'n galw'r metel hwn yn 'haearn hwch'. Fodd bynnag, 'haearn crai' yw'r term arferol.

Labels on figure: sgip; allfa nwyon; llwyth o fwyn haearn, golosg a chalchfaen; leinin brics y ffwrnais; 1000 °C; 1500 °C; 2000 °C; chwythiadau o aer poeth; slag tawdd (amhureddau); allfa'r slag; allfa'r haearn; haearn tawdd

**Ffigur 9.11** Ffwrnais chwyth.

Caiff mwyn haearn, golosg a chalchfaen eu gwresogi mewn ffwrnais chwyth i wneud haearn. Y broblem yw troi'r haearn(III) ocsid o'r mwyn haearn yn haearn. Mae hyn yn golygu tynnu ocsigen ohono. Caiff aer poeth ei chwythu i'r ffwrnais, lle mae'n cyfuno â'r golosg (carbon gan mwyaf) gan ffurfio carbon monocsid a rhyddhau gwres. Mae'r carbon monocsid yn adweithio â'r mwyn haearn yn uchel yn y ffwrnais i ffurfio haearn tawdd, sy'n ymgasglu yng ngwaelod y ffwrnais. Hafaliad yr adwaith yw:

$$\text{carbon monocsid} + \text{haearn(III) ocsid} \rightarrow \text{carbon deuocsid} + \text{haearn}$$
$$3CO(n) + Fe_2O_3(s) \rightarrow 3CO_2(n) + 2Fe(h)$$

Yn yr adwaith hwn, caiff yr haearn ei rydwytho a chaiff y carbon (yn y carbon monocsid) ei ocsidio.

Mae'r golosg ei hun yn gallu cymryd rhan mewn rhydwytho'r haearn:

$$\text{carbon} + \text{haearn(III) ocsid} \rightarrow \text{carbon deuocsid} + \text{haearn}$$
$$3C(s) + Fe_2O_3(s) \rightarrow 3CO(n) + 2Fe(h)$$

Caiff yr haearn ei rydwytho a chaiff y carbon ei ocsidio.

Mae'r calchfaen yn tynnu defnyddiau tywodlyd o'r mwyn metel i gynhyrchu slag tawdd o galsiwm silicad sy'n arnofio ar ben yr haearn tawdd. Caiff y slag ei ddefnyddio fel craidd caled i ffyrdd ac ym maes adeiladu. Caiff y nwyon gwastraff ym mhen uchaf y ffwrnais eu defnyddio i ragboethi'r chwythiad o aer yn y gwaelod. Mewn rhai ffwrneisi, caiff yr aer hwn ei gyfoethogi ag ocsigen.

Enw'r haearn sy'n cael ei gynhyrchu gan y ffwrnais chwyth yw haearn crai. Weithiau caiff ei alw'n 'haearn hwch' (*pig iron*) gan fod y mowldiau gwreiddiol i wneud ingotau haearn mewn gwaith haearn yn edrych fel moch bach yn sugno tethi hwch. Mae'n fetel brau gan ei fod yn cynnwys swm sylweddol o garbon, hyd at 4.5%. I droi'r haearn yn ddur, sy'n fwy defnyddiol, mae angen cael gwared â rhywfaint o'r carbon drwy chwythu ocsigen drwyddo. Mae dur yn galetach ac yn llawer llai brau na haearn crai.

## TASG · DUR GWYRDD?

**Dyma weithgaredd sy'n eich helpu i:**
★ astudio a gwerthuso cynaliadwyedd prosesau gwyddonol a'u heffeithiau ar gymdeithas, yr amgylchedd a'r economi.

Mae dur yn ddefnydd pwysig ac felly mae'n cael ei ailgylchu ar raddfa fawr. Mae ailgylchu dur:

- yn arbed hyd at 50% o gostau egni o'i gymharu â chynhyrchu dur newydd
- yn helpu i warchod mwyn haearn
- yn lleihau allyriadau nwyon tŷ gwydr o'r ffwrneisi.

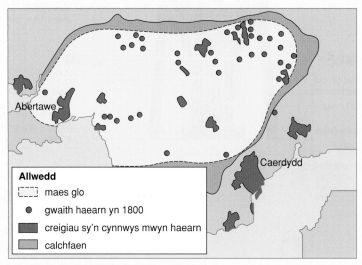

**Allwedd**

⌐¬ maes glo
● gwaith haearn yn 1800
■ creigiau sy'n cynnwys mwyn haearn
▨ calchfaen

Ffigur 9.12 Y diwydiant haearn a dur yn Ne Cymru.

Yn wreiddiol, tyfodd y diwydiant haearn a dur yng Nghymru o'r ffaith bod y defnyddiau crai, sef glo, mwyn haearn a chalchfaen, ar gael yn lleol. Fodd bynnag, mae'r diwydiant wedi lleihau dros y blynyddoedd diwethaf, ac mae nifer o weithfeydd wedi cau. Cafodd hyn effaith ddinistriol iawn ar gymunedau a oedd yn dibynnu ar fwyngloddio a'r gweithfeydd haearn. Collodd miloedd o bobl eu swyddi wrth i'r pyllau a'r gweithfeydd gau, a dim ond yn gymharol ddiweddar y mae buddsoddiad newydd a swyddi eraill wedi dychwelyd i'r ardal mewn niferoedd mawr. Mae'r dirwedd gyfan wedi'i siapio gan y diwydiannau glo a haearn. Mae adfywio a thirweddu wedi bod yn broses hir a drud, ac mae'r ardal yn dal i gynnwys safleoedd diwydiannol sylweddol sydd heb gael eu clirio eto.

Yng ngwaith dur Port Talbot, mae'r mwyafrif llethol o ddefnyddiau crai cynhyrchu dur nawr yn cael eu mewnforio drwy ddoc Port Talbot, un o'r setiau mwyaf o ddociau yn y Deyrnas Unedig. Mae'r dociau'n rhoi digon o le i'r llongau swmp enfawr sy'n dod â'r defnyddiau crai i'r gwaith dur. *parhad...*

**Ffigur 9.13** Dociau Port Talbot.

### Pwyntiau Trafod

1 Pam mae hi mor anodd ailddechrau defnyddio hen safleoedd diwydiannol yn ddiogel heddiw?

2 Mae digonedd o lo a mwyn haearn yn Ne Cymru o hyd. Pam rydych chi'n meddwl bod y rhan fwyaf o ddefnyddiau crai ar gyfer gweithfeydd haearn a dur Port Talbot yn cael eu mewnforio mewn cynwysyddion swmp o wledydd fel Brasil?

1 Pam mae dur yn fetel mor bwysig?
2 Beth yw manteision byd-eang ailgylchu dur?
3 Pam rydych chi'n meddwl bod nifer o'r pyllau glo a'r gweithfeydd haearn a dur yn Ne Cymru wedi cau?
4 Beth oedd yr effaith ar y boblogaeth leol wedi i'r pyllau glo a'r gweithfeydd dur gau ar raddfa fawr?

## Electrolysis a gwneud alwminiwm

Mae **electrolysis** yn adwaith cemegol sy'n digwydd pan gaiff cerrynt trydan ei basio drwy hylif dargludol. Enw'r hylif dargludol yw'r **electrolyt** ac mae'n cynnwys ïonau â gwefr bositif (**catïonau**), ac ïonau â gwefr negatif (**anïonau**). Mae'r cerrynt yn mynd i'r electrolyt drwy ddau ddargludydd solet o'r enw **electrodau**. Enw'r electrod positif yw'r **anod**, ac enw'r electrod negatif yw'r **catod**. Caiff y cerrynt ei gludo drwy'r electrolyt wrth i'r ïonau symud. Mae'r anïonau negatif yn symud tuag at yr anod. Mae'r catïonau positif yn cael eu hatynnu at y catod.

Mae Ffigur 9.14 yn dangos cydosodiad nodweddiadol ar gyfer arbrawf electrolysis.

### CWESTIYNAU

1 Eglurwch beth yw ystyr y geiriau canlynol: electrod, electrolyt, anïon, catïon, catod, ac anod

2 Ysgrifennwch hafaliadau electrod ïonig ar gyfer electrolysis yr halwynau tawdd canlynol hyn:

  a sodiwm clorid ($Na^+Cl^-$)

  b magnesiwm ocsid ($Mg^{2+}O^{2-}$)

  c lithiwm ïodid ($Li^+I^-$)

  ch calsiwm ocsid ($Ca^{2+}O^{2-}$)

  d plwm bromid ($Pb^{2+}Br^-$)

  dd copr clorid ($Cu^{2+}Cl^-$)

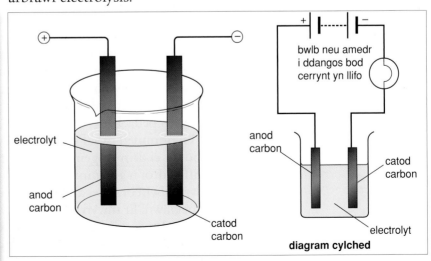

**Ffigur 9.14** Cyfarpar electrolysis.

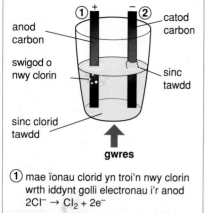

① mae ïonau clorid yn troi'n nwy clorin wrth iddynt golli electronau i'r anod
$$2Cl^- \rightarrow Cl_2 + 2e^-$$

② mae ïonau sinc yn cael eu newid yn atomau sinc wrth iddynt ennill electronau o'r catod
$$Zn^{2+} + 2e^- \rightarrow Zn$$

**Ffigur 9.15** Electrolysis sinc clorid tawdd.

Yr achos symlaf o electrolysis yw un lle mae'r electrolyt yn cynnwys dau ïon yn unig. Un enghraifft yw electrolyt o sinc clorid tawdd, $ZnCl_2$. Mae sinc clorid yn ymdoddi ar dymheredd eithaf uchel, felly mae angen crwsibl a rhaid bod yn ofalus wrth gydosod yr arbrawf electrolysis. Rydym ni'n defnyddio rhodenni carbon fel electrodau. Dim ond ïonau sinc (y catïonau) ac ïonau clorid (yr anïonau) sydd mewn sinc clorid tawdd.

## GWAITH YMARFEROL    ELECTROLYSIS SINC CLORID

**Dyma weithgaredd sy'n eich helpu i:**
★ arsylwi arbrawf electrolysis halwyn tawdd
★ profi am nwy clorin
★ ysgrifennu hafaliadau electrod ïonig.

**Dull**
Bydd eich athrawes/athro'n arddangos electrolysis sinc clorid tawdd i chi. Gallwch chi lwytho i lawr nodiadau'r arbrawf o: www.practicalchemistry.org/experiments/electrolysis-of-zinc-chloride,50,EX.html

Yn yr arbrawf hwn, caiff cerrynt trydan ei basio drwy'r electrolyt sinc clorid tawdd a chaiff nwy clorin ei ffurfio ar yr anod, a chaiff metel sinc ei ffurfio ar y catod.

1 Lluniadwch ddiagram cynllunio i ddangos electrolysis sinc clorid.
2 Ysgrifennwch hafaliadau electrodad ïonig i ddangos sut mae'r ïonau yn yr halwyn tawdd yn ffurfio nwy clorin a metel sinc ar y ddau electrod.

## ⭕ Cynhyrchu alwminiwm drwy electrolysis

Mae'r elfennau metelig adweithiol iawn fel rheol yn cael eu hechdynnu o fwynau drwy electrolysis, oherwydd dydy hi ddim yn hawdd eu dadleoli drwy adweithiau rhydwytho cemegol. Mae alwminiwm yn fetel adweithiol iawn, er ei bod yn bosibl ei ddefnyddio mewn fframiau ffenestri ac at ddibenion adeiladu eraill. Y rheswm pam nad yw'n ymddangos yn adweithiol yw fod haen denau iawn o alwminiwm ocsid gwarchodol yn ffurfio ar arwyneb y metel. Mae'r haen hon yn gwarchod y metel rhag unrhyw adwaith pellach.

Ffynhonnell fwyaf cyffredin alwminiwm yw'r mwyn bocsit. Caiff y bocsit ei drin yn gemegol i gael gwared ag amhureddau ac yna caiff ei droi'n alwminiwm ocsid solet gwyn, $Al_2O_3$. Weithiau, caiff alwminiwm ocsid ei alw'n alwmina. Mae ganddo ymdoddbwynt uchel iawn. Er mwyn electroleiddio alwminiwm ocsid (Ffigur 9.16), rhaid ei hydoddi mewn cryolit tawdd (mwyn – sodiwm alwminiwm fflworid – sy'n gweithredu fel hydoddydd i alwminiwm ocsid). Mae hwn yn dod â thymheredd gweithio'r electrolyt i tua 950 °C.

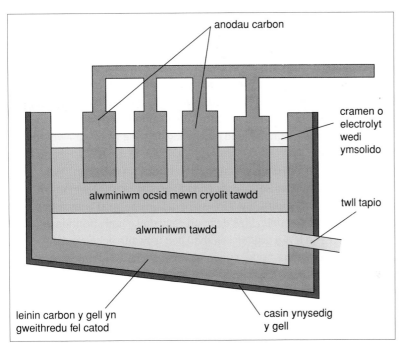

Ffigur 9.16 Electrolysis alwminiwm ocsid.

Caiff nwy ocsigen ei ffurfio ar yr anodau carbon, ac ar dymheredd uchel mae'r anodau'n adweithio ag ocsigen, gan losgi i ffwrdd. O ganlyniad, rhaid cael rhai newydd o bryd i'w gilydd. Mae leinin carbon y gell hefyd yn gweithredu fel catod, a bydd alwminiwm yn ffurfio yma fel metel tawdd. Caiff y metel alwminiwm ei dynnu allan o bryd i'w gilydd, caiff y gramen ei thorri, a chaiff mwy o alwminiwm ocsid ei ychwanegu.

Mae'r ïonau alwminiwm yn cael eu hatynnu at y catod lle maen nhw'n ennill electronau ac yn ffurfio metel alwminiwm:

$$Al^{3+} \quad + 3e^- \quad \rightarrow \quad Al$$

| ïon alwminiwm | atom alwminiwm |
|---|---|

Caiff yr ïonau ocsid eu hatynnu at yr anod ble maen nhw'n colli electronau ac yn ffurfio nwy ocsigen.

$$2O^{2-} \quad - 4e^- \quad \rightarrow \quad O_2$$

| ïon ocsid | moleciwl ocsigen |
|---|---|

## TASG — STORI DRIST ALWMINIWM MÔN

**Dyma weithgaredd sy'n eich helpu i:**
★ ymchwilio i'r cysylltiadau rhwng gwyddoniaeth ac economeg, cymdeithas a'r amgylchedd.

Mae angen llawer iawn o drydan i gynhyrchu alwminiwm drwy electrolysis. Roedd y gwaith mwyndoddi (echdynnu) alwminiwm yng Nghaergybi ar Ynys Môn (gweler Ffigur 9.17) yn defnyddio 250 MW, a oedd ar un adeg yn fwy na 12% o'r holl bŵer oedd yn cael ei ddefnyddio yng Nghymru. Yn aml, mae gweithfeydd alwminiwm yn agos i gyflenwad pŵer rhad, er enghraifft, ger ffynonellau pŵer trydan dŵr. Yn achos Alwminiwm Môn, roedd y gwaith wedi'i adeiladu'n agos at atomfa Wylfa. Roedd dau adweithydd niwclear Wylfa'n cynhyrchu cyfanswm o 980 MW o allbwn pŵer trydanol – ac roedd gwaith Alwminiwm Môn yn defnyddio tua chwarter holl allbwn yr atomfa.

Ffigur 9.17 Gwaith mwyndoddi Alwminiwm Môn (chwith) ac atomfa Wylfa (dde).

*parhad...*

Mae'r ffactorau i'w hystyried wrth adeiladu gwaith mwyndoddi alwminiwm yn bwysig iawn. Yng Nghymru, cafodd safle Ynys Môn ei ddewis am ei fod yn cynnig porthladd môr dwfn a chysylltiadau ffordd a rheilffordd da â chwsmeriaid yn y Deyrnas Unedig a'r Undeb Ewropeaidd. Caiff alwminiwm ocsid a golosg eu mewnforio ar y môr. Fodd bynnag, y prif reswm oedd bod y Grid Cenedlaethol yn gallu cyflenwi pŵer trydanol o atomfa Wylfa gerllaw.

Ar 20 Gorffennaf 2006, cyhoeddodd perchenogion safle Wylfa, yr Awdurdod Datgomisiynu Niwclear (*Nuclear Decommissioning Authority*: NDA), y byddai'r atomfa yn cau yn 2010 gan y byddai cynhyrchu trydan yn mynd yn 'gwbl aneconomaidd'. Ar 15 Ionawr 2009, cyhoeddodd perchenogion Alwminiwm Môn y byddai'r gwaith echdynnu alwminiwm hefyd yn cau, ac y byddai 500 o swyddi'n cael eu colli. Doedden nhw ddim yn gallu dod o hyd i ffynhonnell economaidd arall o 250 MW o drydan i sicrhau bod y gwaith echdynnu'n ddichonadwy. Ar 25 Chwefror 2009, cyhoeddodd yr NDA eu bod nhw'n ystyried cadw'r atomfa ar agor tan 2014. Ym mis Medi 2009, stopiodd Alwminiwm Môn echdynnu alwminiwm ac erbyn mis Medi 2011 roedd y gwaith wedi cau.

Mae'r costau egni uchel sy'n gysylltiedig â chynhyrchu alwminiwm yn golygu bod ei ailgylchu'n economaidd iawn – dyma beth roedd Alwminiwm Môn yn ei wneud tan yn ddiweddar. Mae cost egni pob tunnell fetrig o alwminiwm wedi'i ailgylchu tua 5% o gost egni pob tunnell fetrig o alwminiwm wedi'i gynhyrchu o focsit. Hefyd, mae'r broses electrolytig yn treulio'r anodau carbon ac yn cynhyrchu ocsidau carbon – nwyon tŷ gwydr.

1 Beth yw'r brif ystyriaeth wrth gynllunio gwaith echdynnu alwminiwm?
2 Beth arall sydd angen ei ystyried?
3 Pam mae gwaith mwyndoddi Lochaber Aluminium yn yr Alban wedi'i leoli wrth ymyl pwerdy trydan dŵr?
4 Pam roedd rhaid rhoi'r gorau i echdynnu alwminiwm yn Alwminiwm Môn ym mis Medi 2009?
5 Eglurwch pam mae cau gwaith mawr fel Alwminiwm Môn yn achosi problemau cymdeithasol enfawr yn yr ardal leol.
6 Mae Alwminiwm Môn yn amcangyfrif y bydd yn cymryd 12 mis i ddatgomisiynu'r gwaith. Ydych chi'n meddwl, ar ôl iddo gael ei lanhau, y bydd safle'r gwaith yn lle da i adeiladu stad o dai? Pa fath o weithgareddau fyddai'r mwyaf addas i'r math hwn o safle yn eich barn chi?

**Pwynt Trafod**

Pam mae ailgylchu alwminiwm mor bwysig, o safbwyntiau economaidd ac amgylcheddol?

# Defnyddio metelau

Mae alwminiwm, copr a thitaniwm yn dri metel masnachol pwysig iawn. Caiff y metelau hyn eu defnyddio mewn ffyrdd gwahanol gan ddibynnu ar briodweddau'r metel. Mae Tabl 9.2 yn crynhoi rhai o briodweddau'r tri metel hyn ynghyd â rhai ffyrdd o'u cymhwyso a'u defnyddio.

**Tabl 9.2** Priodweddau tri metel pwysig ynghyd â rhai ffyrdd o'u cymhwyso a'u defnyddio.

| Metel | Priodweddau | Ffyrdd o'i gymhwyso a'i ddefnyddio |
|---|---|---|
| Alwminiwm | • Cryf<br>• Dwysedd isel (tua 2.7 g/cm³, o'i gymharu â haearn, 7.9 g/cm³)<br>• Dargludydd gwres da<br>• Dargludydd trydan da<br>• Yn gwrthsefyll cyrydiad (oherwydd yr haen denau o ocsid ar ei arwyneb) | • Ceblau pŵer foltedd uchel i'r Grid Cenedlaethol; mae'r ffaith ei fod mor ysgafn yn golygu bod y peilonau'n gallu bod yn adeiladweithiau ysgafn (er mai o ddur y caiff y rhain eu gwneud)<br>• Sosbenni, ffoil coginio alwminiwm (sy'n gysylltiedig â'r ffaith ei fod yn dargludo gwres yn dda a'i fod yn ddiwenwyn)<br>• Mae'r ffaith ei fod mor gryf ac ysgafn yn golygu ei fod yn addas i adeiladu fframiau ffenestri a thai gwydr<br>• Caniau diodydd, gan ei fod yn ysgafn ac yn ddiwenwyn<br>• Gweithgynhyrchu cyrff awyrennau a cheir, gan ei fod yn ysgafn ac â chryfder tynnol uchel |
| Copr | • Dargludydd gwres da iawn<br>• Dargludydd trydan da iawn<br>• Hydrin – mae'n hawdd creu gwahanol siapiau ohono<br>• Hydwyth – mae'n hawdd ei dynnu'n wifren hir heb ei dorri<br>• Lliw deniadol<br>• Gloyw – 'sgleiniog' | • Gwneud aloion fel efydd a phres<br>• Gemwaith ac addurniadau<br>• Pibelli copr mewn plymwaith<br>• Gwifrau cysylltu mewn cylchedau trydanol, moduron a nwyddau trydanol eraill<br>• Mae nifer o sosbenni dur gwrthstaen yn cynnwys gwaelod copr i ddargludo gwres yn well |
| Titaniwm | • Caled<br>• Cryf<br>• Dwysedd isel (4.5 g/cm³)<br>• Yn gwrthsefyll cyrydiad<br>• Ymdoddbwynt uchel (1941 °C, o'i gymharu â haearn, 1536 °C) | • Darnau peiriannau jet<br>• Darnau llongau gofod<br>• Darnau i weithfeydd diwydiannol<br>• Darnau cerbydau modur<br>• Cryfhau dur<br>• Mewnblaniadau meddygol<br>• Gemwaith<br>• Cyfarpar chwaraeon (racedi tennis, fframiau beiciau) |

## CWESTIYNAU

3  Pam mae alwminiwm yn cael ei ddefnyddio ar gyfer ceblau trydan uwchben?

4  Eglurwch pam mae cymaint o duniau bwyd wedi'u gwneud o alwminiwm. Pam nad yw titaniwm yn cael ei ddefnyddio ar gyfer tuniau bwyd, yn eich barn chi?

5  Pam mai dim ond gwaelod sosbenni o safon uchel sy'n cael ei wneud o gopr?

6  Pam mae cymalau clun newydd metel yn cael eu gwneud o ditaniwm yn hytrach nag alwminiwm er bod titaniwm ddwywaith mor ddwys?

7  Caiff fframiau ffenestri eu gwneud o alwminiwm yn aml. Pam nad yw titaniwm a chopr yn cael eu defnyddio ar gyfer y cymhwysiad hwn?

8  Pam mae llafnau gwyntyllau (*fan blades*) peiriannau jet yn cael eu gwneud o ditaniwm?

9  Chi sy'n gyfrifol am ddylunio math newydd o degell i'w ddefnyddio ar yr Orsaf Ofod Ryngwladol. Brasluniwch eich syniadau ar gyfer y dyluniad gan nodi'n benodol pa ddefnyddiau y byddech chi'n eu defnyddio ar gyfer gwahanol ddarnau eich dyluniad. Ar gyfer pob defnydd, nodwch pam rydych chi wedi ei ddefnyddio.

# Aloion

## CWESTIYNAU

10 Beth yw aloi?

11 Pam gallai pres fod yn ddefnydd da i wneud offerynnau cerdd ohono?

12 Mae ychwanegu tun at bres yn gwneud iddo ffurfio araen warchodol denau iawn o ocsid. Pam mae'r math hwn o bres yn ddefnyddiol iawn i wneud darnau cychod, fel cleddau a handlenni drysau?

13 Mae cyfuniadau o haearn, alwminiwm, silicon a manganîs yn gwneud i bres allu gwrthsefyll traul a gwisgo. Ar gyfer pa fath o gymwysiadau ydych chi'n meddwl y byddai'r mathau hyn o bres yn dda?

Cymysgedd o fetelau yw **aloi**. Weithiau, bydd ar ddylunwyr a pheirianwyr angen darnau metel â phriodweddau penodol iawn ar gyfer cymwysiadau penodol iawn. Mewn nifer o achosion, nid yw'r priodweddau hyn gan y metelau naturiol, neu byddai cost metelau naturiol ar gyfer y cymwysiadau hyn yn rhy uchel ac felly'n aneconomaidd. Yn yr achosion hyn, caiff aloion eu defnyddio. Mae gwyddonwyr defnyddiau wedi dod yn fedrus iawn wrth gymysgu metelau tawdd â'i gilydd i ffurfio aloion newydd â phriodweddau wedi'u haddasu. Mae **pres** yn enghraifft dda iawn o hyn. Aloi ydyw sydd wedi'i wneud o gopr a sinc.

Mae pres yn fetel melyn euraidd, disglair, cymharol galed. Mae'n bosibl amrywio ei gyfansoddiad drwy amrywio cymarebau copr a sinc, a hyd yn oed drwy ychwanegu metelau eraill fel alwminiwm, sy'n ei wneud yn galetach. Drwy addasu'r cyfansoddiad, mae'n bosibl gwneud pres ag amrywiaeth eang o wahanol briodweddau, sy'n golygu y gallwn ni ddefnyddio'r aloi ar gyfer cyplyddion peipiau, offerynnau cerdd a sgriwiau sefydlu (*fixing screws*), yn ogystal â nifer fawr o gymwysiadau eraill. Hefyd, gan fod pres wedi'i wneud o gopr a sinc, mae'n gymharol rad.

Mae dur gwrthstaen yn aloi arall. Caiff ei ddefnyddio i wneud sosbenni, cyllyll a ffyrc a sinciau. Mae fframiau sbectolau metel yn cael eu gwneud o amrywiaeth o aloion. Mae aloion nicel ac aloion titaniwm yn cael eu defnyddio'n gyffredin, ac mae rhai fframiau modern yn cael eu gwneud o aloion clyfar sy'n adennill eu siâp ar ôl cael eu plygu neu eu hanffurfio.

Ffigur 9.18  Fel rheol, caiff pres ei wneud o 35% sinc a 65% copr.

Ffigur 9.19  Fel rheol, caiff dur ei wneud o 99% haearn ac 1% carbon.

Ffigur 9.20  Fel rheol, caiff efydd ei wneud o 87.5% copr a 12.5% tun.

# Beth yw nano-ronynnau?

**Ffigur 9.21** Mae'r cynnyrch hwn yn cynnwys ïonau metel.

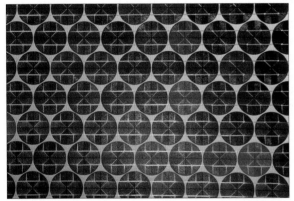

**Ffigur 9.22** Arae o gelloedd solar ffotofoltaidd.

Wrth gerdded drwy archfarchnad, fe welwch chi gynhyrchion sy'n cynnwys symiau bach o fetelau fel arian. Mae'r rhain yn cael eu hychwanegu at lawer o gynhyrchion, o sebonau i oergelloedd, lle maen nhw'n gweithio fel cyfryngau gwrthfacteria, gwrthfirysol a gwrthffyngol.

Felly beth sy'n mynd ymlaen? Mae gwyddonwyr wedi gwybod ers canrifoedd fod gan arian effaith wrthfacteria. Roedd y Phoeniciaid yn byw tua 1000cc mewn ardal yn nwyrain Môr y Canoldir, ac roedden nhw'n defnyddio poteli arian i storio dŵr a finegr i'w hatal rhag difetha, yn enwedig ar fordeithiau maith. Mae'r system dŵr yfed ar yr Orsaf Ofod Ryngwladol yn defnyddio arian fel diheintydd.

Erbyn hyn mae gwyddonwyr yn gwybod bod yr ïon arian ($Ag^+$) yn fioactif ac y bydd crynodiadau digonol ohono'n lladd bacteria mewn dŵr. Mae'r ïonau arian yn gwneud difrod parhaol i ensymau allweddol yng nghellbilenni'r micro-organebau. Mae arian hefyd yn lladd bacteria mewn clwyfau allanol mewn meinweoedd byw. Mae meddygon a pharafeddygon yn defnyddio gorchuddion clwyfau sy'n cynnwys arian sylffadeuasin neu nano-ddefnyddiau arian i drin heintiau allanol.

Mae nifer o gynhyrchion heddiw'n cynnwys gronynnau bach iawn o arian a metelau eraill fel sinc er mwyn cynyddu eu gallu i ladd micro-organebau. Mae nifer o fetelau eraill, fel plwm neu fercwri, yn cael yr un effaith ar ficro-organebau, ond arian sy'n cael ei ddefnyddio amlaf gan mai arian yw'r lleiaf gwenwynig i fodau dynol.

Mae'r symiau o arian sy'n cael eu hychwanegu at y cynhyrchion yn eithaf bach, ac fel rheol caiff yr arian ei ychwanegu ar ffurf y cyfansoddyn arian nitrad. Mae ychwanegu gronynnau bach iawn fel hyn yn enghraifft o dechnoleg 'nano-raddfa', lle mae maint y gronynnau rhwng 1 a 100 nm (nanometr). (1 nm = $1 \times 10^{-9}$ m, neu 0.000000001 m.)

Weithiau, bydd priodweddau nano-ronynnau defnydd yn wahanol i'r priodweddau sydd ganddo fel defnydd swmp (*bulk material*). Er enghraifft, mae nano-ronynnau aur neu silicon yn amsugno golau haul yn llawer mwy effeithlon na haenau tenau parhaus o aur neu silicon, sy'n golygu eu bod nhw'n llawer mwy defnyddiol wrth ddylunio celloedd solar ffotofoltaidd.

Mae nano-dechnoleg hefyd yn cael ei defnyddio i ddatblygu batrïau newydd, yn enwedig mewn cerbydau trydan. Yn y cymhwysiad hwn, caiff electrodau'r batri eu gorchuddio â nano-ronynnau silicon, titaniwm, carbon neu fanganîs. Mae'r defnyddiau nano-raddfa hyn yn golygu bod y batrïau'n llai tebygol o fynd ar dân, yn rhoi mwy o bŵer, yn ailwefru'n gynt ac yn para'n hirach.

Mae ymchwil gronynnau nano-raddfa yn destun diddordeb gwyddonol dwys ar hyn o bryd oherwydd yr amrywiaeth eang o gymwysiadau posibl mewn meysydd biofeddygol, optegol ac electronig. Ond mae rhai pobl yn pryderu am ddefnyddio nano-ronynnau ar raddfa fawr, yn enwedig arian, ac yn enwedig mewn cynhyrchion gwrthfacteria fel sebon a diheintyddion, ac mewn dillad.

105

14 Beth yw nano-ronyn?

15 Sut mae arian nano-raddfa'n lladd micro-organebau?

16 Eglurwch pam mae defnyddiau nano-raddfa'n cael eu defnyddio i wneud celloedd ffotofoltaidd.

17 Mae'r cwmni electroneg o Korea, Samsung, yn gwneud ystod o ddyfeisiau i'r cartref sy'n defnyddio arian nano-raddfa. Beth yw mantais prynu oergell sy'n cynnwys y dechnoleg hon?

18 Pam rydych chi'n meddwl bod gan weithgynhyrchwyr moduron mawr lawer o ddiddordeb mewn defnyddio nano-dechnoleg wrth ddylunio ceir trydan?

19 Eglurwch pam mae'r Comisiwn Brenhinol ar Lygredd Amgylcheddol yn pryderu am ddefnyddio arian nano-raddfa ar raddfa fawr.

20 Beth allai ddigwydd o ganlyniad i grynodiadau uwch o arian mewn afon?

Yn 2008, dywedodd y BBC fod y Comisiwn Brenhinol ar Lygredd Amgylcheddol yn galw am 'weithredu rheoleiddio brys' (*urgent regulatory action*) ar y defnyddiau nano-raddfa sy'n cael eu defnyddio'n gyffredin mewn diwydiant. Dywedodd y comisiwn nad yw'r defnyddiau wedi dangos unrhyw dystiolaeth o niwed i bobl na'r amgylchedd hyd yn hyn, ond bod 'bwlch mawr' mewn ymchwil i risgiau posibl y defnyddiau, sydd i'w cael mewn dros 600 o gynhyrchion yn fyd-eang. Dywedodd cadeirydd y comisiwn, yr Athro Syr John Lawton, na fyddai'n argymell dillad ag arian nano-raddfa. 'Rydym ni'n pryderu am arian nano-raddfa mewn dillad yn mynd i'r amgylchedd oherwydd mae'n bosibl y byddai'n niweidiol iawn . . . mae'n anodd iawn rhagfynegi ei ymddygiad yn yr amgylchedd ac yn y corff.' Mae arian nano-raddfa wedi cael ei gynnwys mewn ffabrigau dillad er mwyn atal bacteria rhag cronni ac achosi aroglau. Ond gan ei fod yn cael ei dreulio i ffwrdd pan gaiff y dillad eu golchi, gallai priodweddau lladd bacteria arian nano-raddfa achosi difrod mawr mewn ecosystemau sensitif neu systemau dŵr gwastraff trefol sy'n dibynnu ar facteria. Meddai Syr John: 'Fyddwn i ddim yn argymell dillad arian nano-raddfa nac yn eu gwisgo nhw fy hun'.

**Pwynt Trafod**

Fyddech chi'n gwisgo dillad sy'n cynnwys ffibrau ag arian nano-raddfa ynddynt?

## Crynodeb o'r bennod

○ Mae mwynau sydd i'w cael yng nghramen y Ddaear yn cynnwys metelau wedi'u cyfuno ag elfennau eraill. Gallwn ni ddefnyddio adweithiau cemegol i echdynnu'r metelau hyn.

○ Mae rhai metelau anadweithiol (e.e. aur) yn gallu cael eu canfod heb eu cyfuno ag elfennau eraill.

○ Y mwyaf yw adweithedd metel, y mwyaf anodd yw echdynnu'r metel hwnnw.

○ Gallwn ni ymchwilio i adweitheddau cymharol metelau drwy gynnal adweithiau dadleoli ac adweithiau cystadleuaeth.

○ Rhydwytho yw cael gwared ag ocsigen (o gyfansoddyn metel); ocsidio yw pan mae metel yn ennill ocsigen.

○ Mwyn haearn, golosg a chalchfaen yw'r defnyddiau crai sy'n cael eu defnyddio i echdynnu haearn.

○ Hafaliadau geiriau a symbolau rhydwytho haearn(III) ocsid â charbon monocsid yw:

$$\text{carbon monocsid} + \text{haearn (III) ocsid} \rightarrow \text{carbon deuocsid} + \text{haearn}$$
$$3CO(n) + Fe_2O_3(s) \rightarrow 3CO_2(n) + 2Fe(h)$$

○ Mae angen mwy o fewnbwn egni i echdynnu alwminiwm nag i echdynnu haearn. Rydym ni'n echdynnu'r metelau mwyaf adweithiol (gan gynnwys alwminiwm) drwy electrolysis.

○ Gallwn ni egluro proses electrolysis cyfansoddion ïonig tawdd yn nhermau symudiad ïonau ac ennill/colli electronau, gan ddefnyddio'r termau electrod, anod, catod ac electrolyt.

○ Caiff alwminiwm ei echdynnu ar raddfa ddiwydiannol gan ddefnyddio electrolysis ar raddfa fawr. Gallwn ni grynhoi hyn yn nhermau gwefr ac atomau gyda'r hafaliadau electrodau canlynol:

$$Al^{3+} + 3e^- \rightarrow Al$$
$$2O^{2-} - 4e^- \rightarrow O_2$$

○ Mae llawer o faterion amgylcheddol, cymdeithasol ac economaidd yn gysylltiedig ag echdynnu a defnyddio metelau fel haearn ac alwminiwm. Mae'r rhain yn cynnwys: lleoliad gweithfeydd, costau tanwydd ac egni, allyriadau tŷ gwydr ac ailgylchu.

○ Mae modd egluro sut caiff alwminiwm, copr a thitaniwm eu defnyddio yn nhermau'r priodweddau perthnasol canlynol:

● alwminiwm – cryf, dwysedd isel, dargludydd gwres a thrydan da, yn gwrthsefyll cyrydiad

● copr – dargludydd gwres a thrydan da iawn, hydrin a hydwyth, gloywedd a lliw deniadol

● titaniwm – caled, cryf, dwysedd isel, yn gwrthsefyll cyrydiad, ymdoddbwynt uchel.

○ Cymysgedd yw aloi, a chaiff ei wneud drwy gymysgu metelau tawdd. Gallwn ni newid ei briodweddau drwy newid ei gyfansoddiad.

○ Mae priodweddau gwrthfacteria, gwrthfirysol a gwrthffyngol gan ronynnau arian nano-raddfa, ac mae ffyrdd newydd o'u defnyddio nhw'n cael eu datblygu ym meysydd hylendid a meddygaeth.

○ Mae'r defnydd (use) o nano-ronynnau'n dibynnu ar eu priodweddau nhw; gall y rhain fod yn wahanol i briodweddau'r defnydd swmp (bulk material).

○ Er bod buddion posibl sylweddol i ddefnyddio defnyddiau nano-raddfa, mae'n bosibl bod rhai risgiau yn gysylltiedig â datblygiadau'r presennol a'r dyfodol ym maes nano-wyddoniaeth.

# 10 Anfetelau

## Byw gyda nwyon

Mae nwyon ym mhobman! Rydym ni'n byw mewn atmosffer nwy – heb yr ocsigen yn yr aer, ni fyddai ein cyrff ni'n gweithio; heb hydrogen, ni fyddai ein Haul ni'n cynhyrchu'r golau haul sy'n caniatáu i fywyd fodoli; heb y ddau nwy hyn, ni fyddai dŵr gennym. Nwyon sy'n ein galluogi ni i fodoli ar y blaned hon.

Ffigur 10.1  Mae nwyon yn hanfodol i fywyd.

Ffigur 10.2  Ocsigen yn cynnal bywyd.

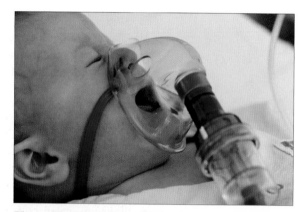

Ffigur 10.3  Mae'r car hwn yn cael ei bweru gan gell danwydd hydrogen.

Ffigur 10.4  Mae clorin yn lladd bacteria.

Ffigur 10.5  Mae heliwm yn ysgafnach nag aer.

Ffigur 10.6  Mae neon ac argon yn diddanu.

# Beth yw aer?

Cymysgedd o nwyon yw aer. Mae union gyfansoddiad aer yn amrywio, a hynny gydag uchder gan mwyaf, ond hefyd oherwydd y tywydd (cymylau) a nwyon o simneiau diwydiannol a domestig. Mae Tabl 10.1 yn dangos cyfansoddiad cyfartalog aer ar lefel y môr.

Tabl 10.1  Cyfansoddiad cyfartalog aer ar lefel y môr.

| Nwy | Symbol cemegol | % yn ôl cyfaint |
|---|---|---|
| Nitrogen | $N_2$ | 78.08 |
| Ocsigen | $O_2$ | 20.95 |
| Carbon deuocsid | $CO_2$ | 0.036 (ond newidiol) |
| Dŵr | $H_2O$ | Newidiol |
| Argon | Ar | 0.93 |
| Neon | Ne | 0.0018 |
| Heliwm | He | 0.0005 |
| Crypton | Kr | 0.00011 |
| Xenon | Xe | $9 \times 10^{-6}$ |

Aer yw'r defnydd crai ar gyfer y gwahanol nwyon, ac mae'n bosibl echdynnu'r nwyon o'r aer drwy broses o'r enw distyllu ffracsiynol. Yn ystod distyllu ffracsiynol, sy'n cael ei ddangos yn Ffigur 10.8 ar dudalen 110, caiff yr aer ei sychu, caiff y carbon deuocsid ei dynnu ohono ac yna caiff yr aer ei hylifo. Yna, caiff yr amrywiol nwyon eu gwahanu yn ôl eu berwbwyntiau. Bydd y nwyon nobl mwy prin, neon (berwbwynt: –246 °C) ac argon (berwbwynt: –186 °C) yn cael eu hechdynnu drwy ddistyllu ffracsiynol pellach. Mae neon ac argon yn nwyon anadweithiol iawn, a'r broses hon yw'r unig ffordd o'u cynhyrchu nhw ar raddfa ddiwydiannol. Mae'r ddau nwy'n bwysig iawn yn y diwydiant goleuo. Pan mae cerrynt trydan yn pasio drwyddynt, maen nhw'n allyrru golau sydd â lliwiau deniadol a phenodol iawn – mae neon yn cynhyrchu lliw oren-felyn ac mae argon yn tywynnu â lliw glas trydan. Mae llwyddiant goleuadau Las Vegas yn dibynnu ar neon ac argon.

## CWESTIYNAU

1  Cyfrifwch ganran yr holl nwyon eraill yn yr atmosffer, heblaw nitrogen ac ocsigen, gyda'i gilydd.

2  Defnyddiwch Dabl 10.1 a'ch ateb i Gwestiwn 1 i blotio siart cylch sy'n dangos cyfansoddiad aer. Rhannwch y siart yn nitrogen, ocsigen a 'nwyon eraill'.

3  Sut caiff ocsigen ei echdynnu o aer?

4  Berwbwynt heliwm yw –272 °C – dim ond un radd uwchben sero absoliwt. Eglurwch pam mae heliwm masnachol yn cael ei echdynnu o gronfeydd yn ddwfn dan ddaear (sy'n aml yn gysylltiedig â chronfeydd nwy methan), ac nid drwy hylifo a distyllu ffracsiynol aer.

Ffigur 10.7  Las Vegas – sioe olau ysblennydd.

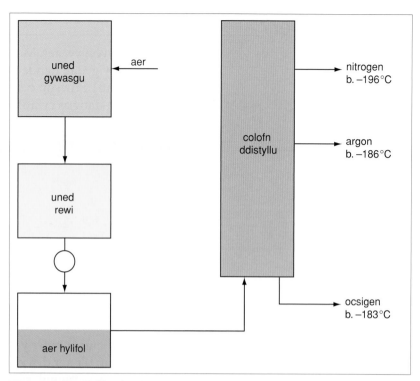

Ffigur 10.8 Distyllu ffracsiynol aer hylifol.

## Hydrogen ac ocsigen

**Moleciwlau deuatomig** yw hydrogen ac ocsigen. Mae hyn yn golygu bod yr atomau bob tro yn uno ag atom arall i ffurfio moleciwl sy'n cynnwys dau atom. Fformiwla foleciwlaidd nwy hydrogen yw $H_2$ a fformiwla nwy ocsigen yw $O_2$.

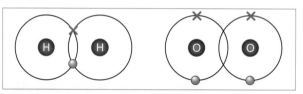

Ffigur 10.9 Diagramau moleciwlaidd o hydrogen ac ocsigen.

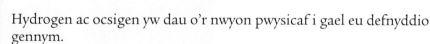

Hydrogen ac ocsigen yw dau o'r nwyon pwysicaf i gael eu defnyddio gennym.

Caiff ocsigen ei ddefnyddio:

- mewn meddygaeth fel cymorth anadlu
- i gynhyrchu tymheredd uchel, fel mewn weldio ocsi-asetylen
- ar ffurf hylif fel ocsidydd mewn rhai rocedi
- i gyfoethogi cyflenwad aer rhai prosesau gwneud dur
- mewn awyrennau sy'n hedfan yn uchel

Caiff hydrogen ei ddefnyddio:

- yn y diwydiant petrocemegol i wneud rhai mathau penodol o hydrocarbonau
- yn y diwydiant bwyd i wneud margarin

Ffigur 10.10 Rhai ffyrdd o ddefnyddio ocsigen.

- mewn weldio i atal amhureddau
- i oeri generaduron trydan mawr
- fel tanwydd mewn celloedd tanwydd hydrogen.

Ffigur 10.11 Rhai ffyrdd o ddefnyddio hydrogen.

Gallwn ni echdynnu ocsigen o aer drwy ddistyllu ffracsiynol aer hylifol, ond gallwn ni hefyd ei echdynnu o ddŵr drwy broses electrolysis. Mae'r broses hon hefyd yn cynhyrchu hydrogen, ond ar raddfa ddiwydiannol caiff hydrogen ei gynhyrchu fel sgil gynnyrch i'r diwydiant petrocemegol.

Mewn electrolysis dŵr, caiff cerrynt trydan ei basio drwy ddŵr. Mae nwy ocsigen yn ffurfio ar yr anod (yr electrod positif); mae nwy hydrogen yn ffurfio ar y catod (yr electrod negatif). Fel rheol, mae'r ddau electrod wedi'u gwneud o stribedi metel platinwm. Yr hafaliad sy'n crynhoi'r broses hon yw:

$$\text{dŵr} \rightarrow \text{hydrogen} + \text{ocsigen}$$
$$2H_2O(h) \rightarrow 2H_2(n) + O_2(n)$$

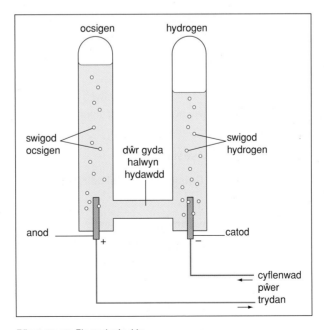

Ffigur 10.12 Electrolysis dŵr.

Gallwch chi weld o'r hafaliad ac o'r diagram bod dwywaith cymaint o nwy hydrogen â nwy ocsigen yn cael ei gynhyrchu.

Dyma weithgaredd sy'n eich helpu i:
★ arsylwi adwaith electrolysis
★ dysgu a chynnal y profion am nwyon hydrogen ac ocsigen.

**Cyfarpar**
* prenynnau
* tiwbiau profi o nwyon hydrogen ac ocsigen
* sbectol ddiogelwch

Gall eich athro/athrawes ddefnyddio darn o gyfarpar o'r enw foltamedr Hofmann (Ffigur 10.13) i ddangos adwaith electrolysis dŵr i chi.

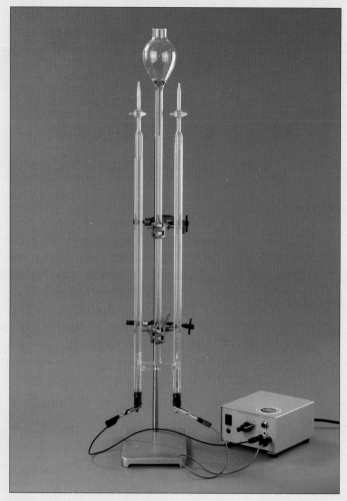

**Ffigur 10.13** Foltamedr Hofmann.

Bydd eich athro/athrawes yn defnyddio'r foltamedr i gynhyrchu tiwbiau profi o nwy hydrogen ac ocsigen i chi eu profi.

 Asesiad risg

● **Gwisgwch sbectol ddiogelwch.**

Dull
**Prawf am nwy hydrogen:**
1 Rhowch brennyn sy'n llosgi yng ngheg tiwb profi wyneb i waered sy'n cynnwys nwy hydrogen.
2 Dylech chi glywed 'pop gwichlyd'. Ffrwydrad bach yw hwn wrth i'r hydrogen gyfuno ag ocsigen yn yr aer i ffurfio dŵr.

**Prawf am nwy ocsigen:**
1 Rhowch brennyn sy'n mudlosgi mewn tiwb profi wyneb i waered sy'n cynnwys nwy ocsigen.
2 Dylai'r prennyn sy'n mudlosgi ailgynnau.

# Hydrogen ac ocsigen – tanwydd roced!

**Ffigur 10.14** Mae'r Wennol Ofod yn defnyddio cymysgedd ffrwydrol o hydrogen ac ocsigen i'w gyrru ymlaen.

Mae'r Wennol Ofod yn defnyddio hydrogen hylif ac ocsigen hylif sydd wedi'u storio mewn tanc allanol oren enfawr. Mae'r ffrwydrad rheoledig rhwng y ddau hylif yn llosgi ar dymheredd o 3300 °C ac mae pob un o'r peiriannau'n cynhyrchu 1.8 MN (miliwn newton) o wthiad. Ar bŵer llawn, mae'r tri phrif beiriant yn defnyddio 4000 litr o danwydd hylif pob eiliad. Mae hyn yr un gyfradd â gwagio pwll nofio maint canolig mewn 25 eiliad!

Yn siambr hylosgi'r peiriannau, mae hydrogen hylif yn llosgi mewn ocsigen hylif, gan ffurfio dŵr (sy'n anweddu ar unwaith).

$$\text{hydrogen} + \text{ocsigen} \rightarrow \text{dŵr} + \text{egni}$$
$$2H_2(h) + O_2(h) \rightarrow 2H_2O(n) + \text{egni}$$

Mae ffrwydrad hydrogen mewn ocsigen yn eithriadol o ecsothermig, ac mae'n rhyddhau symiau enfawr o egni. Yn y Wennol Ofod, mae'r egni hwn yn cael ei ddefnyddio i gynhyrchu gwthiad y peiriannau roced, ond dydy'r math hwn o beiriant ddim yn ymarferol i beiriannau llai, fel y rhai sy'n pweru ceir a lorïau.

# Y gell danwydd hydrogen

Mae'r car yn y llun yn Ffigur 10.3 (tudalen 108) yn defnyddio cell danwydd hydrogen fach fel ffynhonnell bŵer. Mewn cell danwydd hydrogen, mae hydrogen ac ocsigen yn adweithio â'i gilydd, gan gynhyrchu cerrynt trydan. Mae hyn ychydig yn debyg i fatri safonol, ond bydd cell danwydd hydrogen yn parhau i gynhyrchu trydan cyn belled â bod hydrogen ac ocsigen (aer) yn cael eu bwydo iddi. Yn wahanol i beiriant petrol neu ddiesel safonol, cynnyrch yr hylosgi (gwastraff) yw dŵr. Does dim carbon deuocsid, sylffwr deuocsid nac ocsidau nitrogen yn cael eu cynhyrchu – mae car fel hyn yn gar dim llygredd. Hefyd, mae'r Bydysawd yn cynnwys mwy o hydrogen nag unrhyw elfen arall. Mae gennym ni lawer iawn o

## CWESTIYNAU

5 Sut caiff tanwydd hydrogen ei storio mewn car?

6 Sut gallai'r ffaith mai nifer fach iawn o orsafoedd petrol sy'n gwerthu tanwydd hydrogen olygu bod ceir cell danwydd hydrogen yn llai defnyddiol yn y Deyrnas Unedig?

7 Beth yw'r adwaith cemegol sy'n digwydd yn y gell danwydd hydrogen? Ysgrifennwch:
   a hafaliad geiriau'r adwaith hwn
   b hafaliad symbolau cytbwys yr adwaith hwn.

8 Sut mae'r egni sy'n cael ei gynhyrchu gan adwaith hydrogen ac ocsigen yn cael ei drawsnewid yn egni cinetig y car?

9 Pam rydych chi'n meddwl bod angen stac fawr o gelloedd tanwydd yn y car?

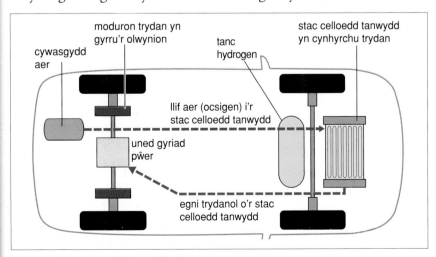

**Ffigur 10.15** System cell danwydd hydrogen mewn car.

**Pwynt Trafod**

Pam mae'n bwysig ar raddfa fyd-eang ddefnyddio egni adnewyddadwy i echdynnu'r tanwydd hydrogen ar gyfer ceir cell danwydd?

hydrogen ar y Ddaear, ond mae'r rhan fwyaf ohono wedi'i uno ag elfennau eraill mewn moleciwlau a chyfansoddion eraill. Felly, mae angen defnyddio egni i hollti'r moleciwlau a'r cyfansoddion hyn. Yn wir, mae'n cymryd mwy o egni i echdynnu'r nwy hydrogen o hydrocarbonau neu o ddŵr nag a gewch chi wrth ddefnyddio'r hydrogen fel ffynhonnell danwydd. Mae'n iawn os yw'r egni hwn yn dod o ffynonellau adnewyddadwy fel golau'r haul neu bŵer gwynt, ond os yw'r egni'n dod o losgi tanwydd ffosil, beth yw'r pwynt? Man a man i chi losgi'r tanwydd ffosil yn y lle cyntaf!

Mae Ffigur 10.15 ar dudalen 113 yn dangos system cell danwydd hydrogen.

Ar hyn o bryd, mae'r rhwydwaith byd-eang o orsafoedd tanwydd hydrogen yn gyfyngedig iawn. Dim ond pum gorsaf tanwydd hydrogen sydd yn y Deyrnas Unedig hyd yma, er bod wyth arall wedi'u cynllunio. Mae car cell danwydd hydrogen nodweddiadol yn gallu gyrru am tua 240 milltir – sy'n golygu bod ail-lenwi'r ceir â thanwydd yn broblem ar hyn o bryd.

Mae celloedd tanwydd yn ddyfeisiau effeithlon iawn, yn llawer mwy effeithlon na pheiriannau hylosgi cywerth, ond mae materion diogelwch yn gysylltiedig â nhw. Mae'r tanwydd hydrogen yn cael ei storio yn y car mewn silindr gwasgeddedig. Mewn damwain, pe bai'r silindr gwasgeddedig yn torri, gallai achosi ffrwydrad peryglus iawn – mae hydrogen yn llawer mwy fflamadwy na phetrol. Fodd bynnag, ydy hyn yn fwy peryglus na thanc petrol yn ffrwydro?

## Halogenau defnyddiol

Grŵp o elfennau deuatomig yw'r halogenau ac maen nhw i'w cael yng Ngrŵp 7 y Tabl Cyfnodol. Yr elfennau hyn yw fflworin, $F_2$, clorin, $Cl_2$, bromin, $Br_2$, ïodin, $I_2$ ac astatin, $At_2$.

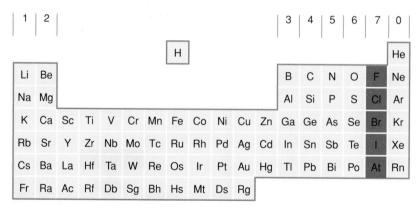

Ffigur 10.16 Safle'r halogenau yn y Tabl Cyfnodol.

Mae astatin yn ddefnydd ymbelydrol prin sydd ddim yn ddefnyddiol iawn y tu allan i'r diwydiant niwclear. Mae'r lleill i gyd yn ddefnyddiol mewn amrywiaeth eang o gymwysiadau (Tabl 10.2).

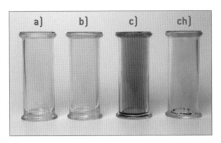

Ffigur 10.17 Yr halogenau: a) fflworin
b) clorin c) bromin ch) ïodin

Tabl 10.2 Ymddangosiad a phriodweddau'r halogenau a sut maen nhw'n cael eu defnyddio.

| Halogen | Ymddangosiad | Priodweddau | Sut caiff ei ddefnyddio |
|---------|--------------|-------------|-------------------------|
| Fflworin | Nwy melyn-frown golau | Adweithiol iawn; gwenwynig | Lleihau pydredd dannedd (ar ffurf y cyfansoddyn sodiwm fflworid) |
| Clorin | Nwy melyn-wyrdd golau | Gwenwynig | Lladd bacteria |
| Bromin | Nwy/hylif coch-frown | Gwenwynig | Lladd bacteria |
| Ïodin | Solid llwyd metelig/nwy porffor | Gwenwynig | Lladd bacteria |

Mae clorin ac ïodin i'w cael mewn dŵr môr. Mae clorin yn un o'r elfennau mewn sodiwm clorid, sef halen cyffredin. Mae tuag 1.9% o fâs dŵr môr yn glorin. Mae hyn yn golygu bod oddeutu 19 g o glorin ym mhob litr o ddŵr môr. Dim ond tua 0.05 p.p.m. (rhan y miliwn) o ddŵr môr sy'n ïodin. Defnydd crai gwneud clorin yw sodiwm clorid; caiff hwn ei echdynnu o ddŵr môr. Roedd ïodin yn arfer cael ei echdynnu o ddŵr mor, ond dydym ni ddim yn ystyried bod hyn yn economaidd ddichonadwy mwyach. Mae cynhyrchu ïodin modern yn defnyddio heli sy'n gysylltiedig â dyddodion olew neu nwy.

Caiff clorin ei gynhyrchu drwy electrolysis heli (sodiwm clorid crynodedig wedi'i hydoddi mewn dŵr). Yn y broses hon, caiff cerrynt trydan ei basio drwy'r heli. Caiff nwy clorin ei gynhyrchu ar yr anod a nwy hydrogen ar y catod.

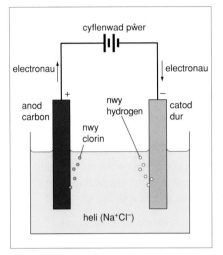

Ffigur 10.18 Cyfarpar electrolysis heli.

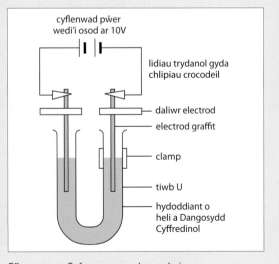

Ffigur 10.19 Cyfarpar gwneud nwy clorin.

Yn ymarferol, y ffordd orau o gynnal yr arbrawf hwn yw drwy ddefnyddio tiwb U (Ffigur 10.19).

*parhad...*

## Cyfarpar

* Uned cyflenwi pŵer trydanol 0-12 V DC
* lidiau trydanol
* clipiau crocodeil
* electrodau graffit a daliwr
* cell electrolysis tiwb U
* hydoddiant o heli a hydoddiant Dangosydd Cyffredinol
* sbectol ddiogelwch

## Asesiad risg

* **Sbectol ddiogelwch.**
* **Bydd eich athrawes/athro'n rhoi asesiad risg i chi.**

### Dull

1 Cydosodwch yr arbrawf fel mae'r diagram yn ei ddangos, gan ddefnyddio dalwyr electrodau addas (nid topynnau â thyllau).
2 Gwnewch hydoddiant o heli gan ddefnyddio 2 sbatwla o sodiwm clorid mewn 75 cm³ o ddŵr distyll.
3 Ychwanegwch 4 diferyn o hydoddiant Dangosydd Cyffredinol.
4 Arllwyswch yr hydoddiant heli gwyrdd i'r tiwb U fel mae Ffigur 10.19 yn ei ddangos.
5 Cysylltwch y gylched allanol a rhowch y cyflenwad pŵer rhwng 9 a 12 V, yn dibynnu pa gyflenwad pŵer rydych chi'n ei ddefnyddio.
6 Cyneuwch y cyflenwad pŵer ac arsylwch yn ofalus beth sy'n digwydd yn y tiwb U.
7 Diffoddwch y cyflenwad pŵer cyn gynted ag rydych chi'n dechrau arogli arogl 'cannydd pwll nofio' — mae'n debygol y bydd hyn yn llai na 5 munud.
8 Datgysylltwch yr holl gyfarpar trydanol oddi wrth y gell electrolysis, ond gadewch i'ch athro neu dechnegydd gwyddoniaeth wagio'r gell.

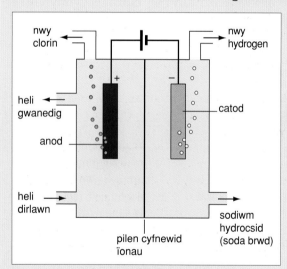

**Ffigur 10.20** Cynhyrchu clorin ar raddfa ddiwydiannol.

Mae Ffigur 10.20 yn dangos sut caiff clorin ei echdynnu o heli ar raddfa ddiwydiannol. Enw'r broses hon yw'r broses cloralcali. Mae'r broses hon yn defnyddio pilen cyfnewid ïonau anathraidd yng nghanol y gell, sy'n caniatáu i'r ïonau sodiwm (Na⁺) basio i'r ail siambr lle maen nhw'n adweithio â'r ïonau hydrocsid i gynhyrchu sodiwm hydrocsid, soda brwd (NaOH).

### Dadansoddi eich canlyniadau

1 Pa elfen sy'n ffurfio ar yr:
   a anod
   b catod?
2 Yn yr hydoddiant heli, mae'r sodiwm clorid yn hydoddi, gan ffurfio hydoddiant ïonig o ïonau clorid ($Cl^-$), ïonau sodiwm ($Na^+$), ïonau hydrogen ($H^+$) (o'r dŵr) ac ïonau hydrocsid ($OH^-$) (o'r dŵr). Beth sy'n digwydd i'r ïonau clorin ar yr anod?
3 Pam rydych chi'n meddwl mai nwy hydrogen sy'n ffurfio ar y catod, yn hytrach na metel sodiwm? (*Awgrym:* meddyliwch am y gyfres adweithedd.)
4 Astudiwch ddiagram y broses cloralcali (Ffigur 10.20). Beth sy'n debyg ac yn wahanol rhwng y dechneg hon a'r dechneg roeddech chi'n ei defnyddio yn y labordy?

## TASG

## ACHOS HYNOD FFLWORID, DŴR A DANNEDD

Darllenwch yr erthygl ac yna atebwch y cwestiynau sy'n ei dilyn.

Dyma weithgaredd sy'n eich helpu i:

★ canfod tystiolaeth
★ meddwl am faterion moesegol gwyddonol
★ ystyried astudiaeth achos wyddonol ddadleuol
★ archwilio sut mae mater gwyddonol wedi newid dros amser
★ archwilio'r cysylltiad rhwng gwyddoniaeth, cymdeithas a llywodraeth.

Mae ïonau fflworid (o sodiwm fflworid gan fwyaf) i'w cael yn naturiol mewn dŵr yfed. Fel rheol, mae'r ïonau hyn yn mesur llai na 0.5 mg/l. Mae rhai cwmnïau dŵr yn y DU, fel rhai Gorllewin Canolbarth Lloegr, yn rhoi fflworid ychwanegol (hyd at tuag 1 mg/l) mewn dŵr yfed i leihau pydredd dannedd ymysg y boblogaeth gyffredinol. Maen nhw'n gwneud hyn er ein bod ni'n gwybod bod crynodiadau uchel iawn yn gallu achosi i ddannedd bydru, a bod fflworid wedi cael ei gysylltu ag afiechydon fel canser esgyrn.

Yn 2002, galwodd meddygon a deintyddion yng Nghymru ar Gynulliad Cymru i orchymyn Dŵr Cymru i ychwanegu fflworid at gyflenwadau dŵr Cymru. Achosodd y cais hwn lawer o ddadlau, gan fod ychwanegu fflworid yn creu penbleth foesegol; rhaid i bawb ddefnyddio'r cyflenwad dŵr cyhoeddus – does gan unigolion ddim dewis ond ei ddefnyddio. Yn ôl ymchwil a gyhoeddwyd gan Ystadegau Gwladol yn 2003 mae dannedd plant Cymru'n pydru mwy na dannedd plant yng Nghanolbarth Lloegr lle mae fflworid wedi cael ei ychwanegu ers 1964. Ym mis Ebrill 2005, dywedodd y *Western Mail* nad oedd gan y Cynulliad gynlluniau i ychwanegu fflworid at ddŵr yfed er gwaethaf yr alwad gan feddygon a deintyddion Cymru, gyda chefnogaeth Cymdeithas Feddygol Prydain (*British Medical Association*: BMA). Cyhoeddodd y BMA bapur crynodeb ym mis Mehefin 2004 a oedd yn datgan nad oedden nhw'n gallu dod o hyd i unrhyw dystiolaeth argyhoeddiadol o risg anffafriol i iechyd pobl o ganlyniad i fflworeiddio dŵr.

Yn 2008, galwodd Ysgrifennydd Iechyd y DU ar y pryd, Alan Johnson, ar i bob awdurdod iechyd strategol yn y Deyrnas Unedig orfodi cwmnïau dŵr i ychwanegu fflworid at ddŵr yfed fel ffordd allweddol o frwydro yn erbyn problem gynyddol pydredd dannedd. Dywedodd 'Nid wyf eisiau rhoi hyn ar waith mewn ardaloedd lle nad oes dim ymgynghori wedi bod o gwbl, ond bob amser mae'r cyhoedd yn clywed y dadleuon maen nhw'n dewis fflworeiddio bob tro. Y broblem yw fod y ddadl wedi dod i ben.' Dim ond 10% o ddŵr Lloegr sy'n cael ei fflworeiddio – yn bennaf mewn ardaloedd fel Gorllewin Canolbarth Lloegr a'r Gogledd-Ddwyrain (Ffigur 10.22) – mae hyn yn gyfran gymharol fach o boblogaeth y Deyrnas Unedig ac mae wedi'i dargedu'n bennaf at blant mewn ardaloedd difreintiedig sydd ddim yn brwsio eu dannedd.

Hyd at ddiwedd 2011, doedd Llywodraeth Cymru ddim wedi gorchymyn Dŵr Cymru i ychwanegu fflworid at gyflenwadau dŵr Cymru, er bod ganddynt y pŵer i wneud hynny. Mae ymgyrchwyr yn erbyn fflworid yn dal i alw am fwy o ymchwil, yn enwedig i risgiau hirdymor fflworeiddio. Mae hyn yn seiliedig ar bryderon (sydd heb gael eu profi) am bosibilrwydd risg uwch o ganser, anffrwythlondeb, torri esgyrn a chyflwr o'r enw fflworosis, sy'n newid lliw dannedd. Dywedodd Alan Johnson fod cynlluniau fflworeiddio hirdymor wedi cael eu defnyddio ers yr 1940au yn UDA heb unrhyw effeithiau drwg. Mae dros 70% o holl gyflenwadau dŵr UDA yn cael eu fflworeiddio.

**Ffigur 10.21** Oes angen fflworid yn ein dŵr ni?

*parhad...*

Newcastle
Upon Tyne

Lincoln

Derby  Nottingham

Birmingham

Northampton

Llundain

English
Channel

ardaloedd lle mae'r
awdurdod iechyd
yn fflworeiddio

**Ffigur 10.22**  Ardaloedd yn Lloegr sy'n fflworeiddio.

Ar ôl datganiad Mr Johnson, galwodd BMA Cymru unwaith eto am ychwanegu fflworid at gyflenwadau dŵr Cymru. Meddai Ysgrifennydd Cymru y BMA, Dr Richard Lewis: 'Mae'r BMA wedi bod o blaid fflworeiddio prif gyflenwadau dŵr ers blynyddoedd lawer. Rydym ni'n credu bod fflworeiddio dŵr yn strategaeth iechyd cyhoeddus effeithiol ar gyfer lleihau pydredd dannedd yn y boblogaeth. Mae'r dystiolaeth yn dangos bod fflworeiddio dŵr yn un o'r ffyrdd mwyaf effeithiol o leihau pydredd dannedd yn y gymuned. Mae gwahanol anghenion gan wahanol gymunedau, ac mae'n hanfodol cynnal dadl leol a phroses ddemocrataidd cyn gwneud penderfyniadau terfynol.'

Cwestiynau

1   Beth yw'r dystiolaeth bod fflworid mewn dŵr yn gwella iechyd deintyddol?

2   Pam mae ychwanegu fflworid at ddŵr yn bwnc dadleuol?

3   Pam mae rhai pobl yn meddwl ei bod hi'n anfoesegol ychwanegu fflworid at gyflenwadau dŵr?

4   Sut rydych chi'n meddwl mae gwyddonwyr sy'n gweithio gyda'r Llywodraeth wedi cynnal arolygon i gasglu'r dystiolaeth i gefnogi ychwanegu fflworid at ddŵr?

5   Er bod pobl wedi awgrymu bod fflworeiddio dŵr yn gallu achosi risg uwch o ganser, anffrwythlondeb a thorri esgyrn, pa dystiolaeth hirdymor sy'n edrych fel ei bod yn gwrthbrofi hyn?

6   Yng Nghymru, pwy sy'n gyfrifol yn y pen draw am y penderfyniad i ychwanegu fflworid at ddŵr?

7   Pam mae BMA Cymru'n galw eto am ychwanegu fflworid at ddŵr? Pam mae'n bwysig bod sefydliadau fel y BMA yn cefnogi materion fel hyn?

**Pwynt Trafod**

Ydych chi'n meddwl y dylai Llywodraeth Cymru bleidleisio o blaid ychwanegu fflworid at gyflenwadau dŵr Cymru? Eglurwch eich rhesymau.

# Crynodeb o'r bennod

○ Mae nifer o anfetelau, gan gynnwys nitrogen, ocsigen, neon ac argon, i'w cael yn yr aer.

○ Gallwn ni gynhyrchu hydrogen ac ocsigen o ddŵr drwy electrolysis.

○ Mae proses electrolysis dŵr yn cynhyrchu o ran cyfaint ddwywaith cymaint o hydrogen ag o ocsigen.

○ Caiff y prawf am nwy hydrogen ei wneud drwy roi prennyn sy'n llosgi yn y nwy – os yw'n ffrwydro gyda sŵn 'pop gwichlyd' yna hydrogen yw'r nwy.

○ Caiff y prawf am nwy ocsigen ei wneud â phrennyn sy'n mudlosgi – bydd nwy ocsigen yn ailgynnau'r prennyn.

○ Mae nwy hydrogen yn llosgi mewn aer gan ryddhau egni rydym ni'n gallu ei ddefnyddio.

○ Dyma hafaliad geiriau a hafaliad symbolau cytbwys hylosgi hydrogen:

$$\text{hydrogen} + \text{ocsigen} \rightarrow \text{dŵr} \quad (+ \text{egni})$$
$$2H_2(h) + O_2(h) \rightarrow 2H_2O(n) \quad (+ \text{egni})$$

○ Mae yna fanteision ac anfanteision dros ddefnyddio hydrogen fel tanwydd. Mae llawer iawn o hydrogen yn bodoli, ond dim ond wedi'i gyfuno ag elfennau eraill mewn cyfansoddion. Mae dŵr yn gynnyrch hylosgi hydrogen, ac mae dŵr hefyd yn un o brif ffynonellau hydrogen; mae hyn yn golygu ei fod yn danwydd adnewyddadwy iawn. Fodd bynnag, mae yna faterion yn gysylltiedig â storio a diogelwch. Hefyd mae'r costau echdynnu'n uchel iawn ar hyn o bryd ac er mwyn iddynt fod yn ddichonadwy, rhaid i ni ddefnyddio ffynhonnell egni adnewyddadwy addas i'w gynhyrchu.

○ Mae'n bosibl cael clorin ac ïodin o gyfansoddion mewn dŵr môr. Dydy hyn ddim yn cael ei ystyried yn ffynhonnell economaidd ddichonadwy o ïodin erbyn hyn.

○ Mae yna sawl ffordd o ddefnyddio clorin, ïodin, heliwm, neon ac argon oherwydd y priodweddau perthnasol canlynol:
  ● clorin – gwenwynig, lladd bacteria
  ● ïodin – gwenwynig, lladd bacteria
  ● heliwm – dwysedd isel iawn, anadweithiol iawn
  ● neon – anadweithiol iawn ac yn allyrru golau pan gaiff cerrynt trydan ei basio drwyddo
  ● argon – anadweithiol iawn ac yn allyrru golau pan gaiff cerrynt trydan ei basio drwyddo

○ Mae sodiwm fflworid, pan gaiff ei gymryd mewn past dannedd neu yn y cyflenwad dŵr, yn atal pydredd dannedd. Mae gwyddonwyr wedi defnyddio amryw o dechnegau arolwg i gasglu tystiolaeth i gefnogi'r ffaith hon.

○ Mae yna ddadleuon o blaid ac yn erbyn fflworeiddio'r cyflenwad dŵr, gan gynnwys mater moesegol dileu rhyddid dewis yr unigolyn.

# Asidau

11

## Taith newydd i'r blaned Gwener?

Yn 1975, glaniodd Venera 9, chwiliedydd gofod o Rwsia, ar y blaned Gwener. Llwyddodd Venera 9 i drawsyrru lluniau am 53 munud cyn iddo gyrydu'n llwyr!  Cafodd y chwiliedydd gofod ei fwyta (yn llythrennol!) gan y crynodiadau uchel o asid sylffwrig yn atmosffer y blaned Gwener.

Felly, un o'r problemau niferus sy'n wynebu pobl o ran archwilio'r blaned Gwener yw'r asid yn yr atmosffer. Mae'r asid hwn mor grynodedig fel y bydd y rhan fwyaf o ddefnyddiau'n adweithio ag ef ar unwaith. Fe wnaeth ddinistrio casin amddiffynnol llong ofod Venera 9. Mae'n ymddangos yn annhebygol iawn y bydd bodau dynol byth yn cerdded ar y blaned Gwener!

**Ffigur 11.1** Y chwiliedydd gofod Venera 9 ac arwyneb digroeso'r blaned Gwener.

## Sut mae dosbarthu asidedd defnyddiau?

Rydym ni'n defnyddio'r **raddfa pH** i ddosbarthu asidau (ac alcalïau). Mae'r raddfa'n rhedeg o 0 i 14 ac mae'n mesur crynodiad yr ïonau hydrogen mewn sylwedd. Mae pob asid yn cynnwys ïonau $H^+$ mewn dŵr – y mwyaf yw crynodiad yr ïonau $H^+$, yr isaf yw'r pH a'r cryfaf yw'r asid. Caiff asid hydroclorig ei wneud pan mae'r nwy hydrogen clorid (HCl) yn adweithio â dŵr, gan ffurfio ïonau hydrogen ac ïonau clorid:

$$HCl(n) \; (+ \; dŵr) \rightarrow H^+(\textit{dyfrllyd}) + Cl^-(\textit{dyfrllyd})$$

Mae sylweddau'n alcalïaidd os ydyn nhw'n cynnwys ïonau hydrocsid, $OH^-$. Pan mae'r cyfansoddyn sodiwm hydrocsid yn hydoddi mewn dŵr, caiff ïonau hydrocsid ac ïonau sodiwm eu ffurfio:

$$NaOH(s) \; (+ \; dŵr) \rightarrow Na^+(\textit{dyfrllyd}) + OH^-(\textit{dyfrllyd})$$

Os yw crynodiad yr ïonau $OH^-$ yn uchel, mae'r pH yn uchel ac mae'r hydoddiant yn alcali cryf.

Caiff y raddfa pH ei defnyddio i ddosbarthu sylweddau fel rhai asidig, alcalïaidd neu niwtral. Mae sylweddau â pH isel (llai na 7) yn asidig, mae sylweddau â pH o 7 yn niwtral, ac mae sylweddau â pH uwch na 7 yn alcalïaidd. Yna, gallwn ni ddefnyddio'r raddfa pH i isrannu asidau ac alcalïau'n rhai **cryf** neu'n rhai **gwan**. Mae Ffigur 11.2 yn dangos hyn ac yn rhoi pH rhai cemegion cyffredin yn y cartref.

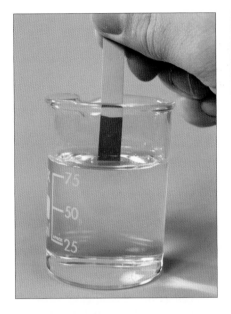

| 0 | 1 | 2 | 3 | 4 | 5 | 6 | 7 | 8 | 9 | 10 | 11 | 12 | 13 | 14 |
|---|---|---|---|---|---|---|---|---|---|----|----|----|----|----|
| asidau cryf | | | asidau gwan | | | | | alcalïau gwan | | | | alcalïau cryf | | |
| asid batri, asid hydrofflworig cryf | asid hydroclorig sy'n cael ei secretu gan leinin y stumog | sudd lemwn, asid gastrig (asid y stumog), finegr | grawnffrwyth, sudd oren, dŵr soda, gwin | tomatos, glaw asid, cwrw | dŵr yfed meddal, coffi du, glaw pur | troeth, melynwy, poer, llaeth buwch | dŵr pur | dŵr môr | dŵr sebon | Y Llyn Halen Mawr, llaeth magnesia, glanedydd | hydoddiant amonia, defnyddiau glanhau'r tŷ | soda tŷ | canyddion, defnyddiau glanhau ffwrn, soda brwd | defnyddiau hylifol i lanhau draeniau |

← yn mynd yn fwy asidig          yn mynd yn fwy alcalïaidd →

**Ffigur 11.2** Y raddfa pH.

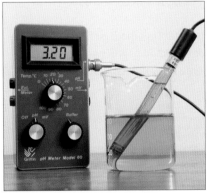

**Ffigur 11.3** Papur Dangosydd Cyffredinol; a chwiliedydd pH a chofnodydd data.

Mae nifer o wahanol ffyrdd o fesur pH. Un o'r ffyrdd gorau yw defnyddio dangosydd cemegol. Mae dangosyddion cemegol yn gemegion sydd yn un lliw mewn amodau asidig ac yn lliw arall mewn amodau alcalïaidd. Maen nhw'n ddefnyddiol iawn i ymchwilio i'r adweithiau rhwng asidau ac alcalïau – mae'r ymchwiliadau hyn yn defnyddio techneg gemegol o'r enw **titradiad**. Caiff y dangosydd ei ddefnyddio i ddangos diweddbwynt yr adwaith, sef pan mae un cemegyn wedi adweithio'n llwyr â'r llall. Mae **Dangosydd Cyffredinol** yn gymysgedd clyfar o nifer o wahanol ddangosyddion cemegol. Mae i'w gael naill ai ar ffurf hydoddiant neu bapur prawf (sef darn o bapur hidlo â'r hydoddiant wedi ei fwydo iddo a'i sychu). Mae Dangosydd Cyffredinol yn troi'n wahanol liwiau gan ddibynnu ar y pH (gweler Ffigur 11.3). Mae'n troi'n goch mewn asidau cryf, yn felyn mewn asidau gwan, yn wyrdd mewn hydoddiannau niwtral, yn las mewn alcalïau gwan ac yn borffor mewn alcalïau cryf. Ffordd arall fwy cywir o fesur pH yw drwy ddefnyddio synhwyrydd pH electronig. Mae'r synwyryddion hyn naill ai'n chwiliedyddion/mesuryddion sy'n gweithio ar eu pennau eu hunain neu sy'n dod fel rhan o system cofnodi data.

## Dyma weithgaredd sy'n eich helpu i:

★ gweithio'n drefnus fel rhan o dîm

★ cynllunio dull safonol

★ dylunio tabl i gofnodi mesuriadau ac arsylwadau gwyddonol

★ cynnal arbrawf cemegol yn ddiogel

★ gwneud mesuriadau ac arsylwadau a'u cofnodi

★ enwi sylweddau o ganlyniad i brofion arbrofol

★ gwerthuso dulliau arbrofol

## Cyfarpar

* papur pH
* hydoddiant Dangosydd Cyffredinol
* system chwiliedydd pH a chofnodwr data
* mesurydd pH electronig
* hydoddiannau wedi'u labelu A–D
* tiwbiau profi
* rhesel tiwbiau profi
* diferyddion
* sbectol ddiogelwch

### Asesiad risg

● **Gwisgwch sbectol ddiogelwch.**
● **Bydd eich athro/athrawes yn rhoi asesiad risg i chi.**

### Dull

Bydd eich athro/athrawes yn rhoi amrywiaeth o wahanol ddulliau mesur pH i chi. Bydd y rhain yn cynnwys dangosyddion cemegol (rhai ar ffurf hydoddiant a rhai ar ffurf papur) a mesuryddion pH electronig. Hefyd, cewch chi gasgliad o bum hydoddiant di-liw gwahanol. Bydd yr hydoddiannau wedi'u labelu o A–D a byddan nhw'n cynnwys hydoddiannau cryf/gwan/niwtral o asidau, alcalïau neu ddŵr. Eich TASG chi yw defnyddio pob techneg mesur pH i fesur pH pob hydoddiant, yna defnyddio eich mesuriadau i ddosbarthu pob hydoddiant yn asid cryf, asid gwan, niwtral, alcali gwan neu alcali cryf. Yna, byddwch chi'n defnyddio eich canlyniadau, eich arsylwadau a'ch profiad o ddefnyddio'r gwahanol ddulliau i benderfynu pa un yw'r dull gorau i fesur pH hydoddiant.

1 Gweithiwch gyda phartner. Bydd angen i chi weithio'n drefnus er mwyn cwblhau'r dasg yn gywir. Bydd eich athro/athrawes yn dangos amrywiaeth o wahanol offer y gallwch chi eu defnyddio fel rhan o'ch ymchwiliad.

2 Cynlluniwch ddull safonol gyda'ch partner, gan gynnwys pa offer y byddwch chi'n eu defnyddio a pha ddull y byddwch chi'n ei ddilyn wrth gynnal yr arbrofion.

3 I gwblhau'r dasg, bydd angen i chi ddylunio tabl i gofnodi eich arsylwadau a'i lenwi. Hefyd, bydd angen i chi roi dadansoddiad ysgrifenedig o'r gwahanol dechnegau, gan drafod cryfderau a gwendidau pob dull, a'ch casgliad.

## Beth ddigwyddodd i Venera 9?

Roedd y gwyddonwyr a'r peirianwyr o Rwsia a ddyluniodd ac a adeiladodd Venera 9 yn gwybod bod atmosffer y blaned Gwener yn cynnwys llawer o asid sylffwrig. Felly, roedden nhw'n gwybod mai dim ond am rai oriau y byddai'r chwiliedydd yn para ar yr arwyneb cyn i'r asid adweithio â'r casin metel a dinistrio'r chwiliedydd. Roedden nhw hefyd yn gwybod bod rhaid i'r chwiliedydd fod yn eithaf ysgafn i ffitio ar y lansiwr rocedi ac i'w godi i'r gofod er mwyn hedfan i'r blaned Gwener. Pe bai'r chwiliedydd yn rhy drwm, ni fyddai'r roced a'r chwiliedydd yn gallu cludo digon o danwydd i gwblhau'r daith hir i'r blaned Gwener. Felly, roedd y dyluniad yn gyfaddawd. Roedd rhaid i'r casin fod wedi'i wneud o fetel cryf a allai wrthsefyll glanio; roedd rhaid i'r metel fod mor anadweithiol â phosibl ag asid sylffwrig crynodedig; ac roedd rhaid i'r paneli metel fod yn ddigon tenau i fod yn ddigon ysgafn i'r roced a'r chwiliedydd allu cludo digon o danwydd i gyrraedd y blaned Gwener. Problem go iawn!

# Sut mae metelau'n adweithio ag asidau?

Mae adwaith asidau â metelau'n rhan sylfaenol iawn o gemeg. Mae rhai metelau'n adweithio'n ffrwydrol ag asidau gwan hyd yn oed, ond mae eraill sydd ddim yn adweithio o gwbl bron – dim ond ag asidau crynodedig iawn ac ar dymereddau uchel (yr union amodau sydd i'w cael ar y blaned Gwener). Mae yna dri asid cyffredin – asid hydroclorig (HCl), asid sylffwrig ($H_2SO_4$) ac asid nitrig ($HNO_3$). Mae pob un o'r rhain yn bodoli'n naturiol. Pan mae asid hydroclorig yn adweithio â metelau mae'n ffurfio cyfansoddion o'r enw cloridau; mae asid sylffwrig yn ffurfio sylffadau; ac mae asid nitrig yn ffurfio nitradau.

Gallwn ni osod metelau yn nhrefn eu hadweithedd â sylweddau cyffredin fel dŵr ac asidau. Mae Tabl 11.1 yn dangos cyfres adweithedd metelau, gan gynnwys rhai o'r metelau mwyaf cyffredin.

Mae adweithiau potasiwm, sodiwm a chalsiwm ag asid yn egnïol iawn. Mae pob adwaith yn cynhyrchu llawer o wres, ac mae'r nwy hydrogen sy'n cael ei gynhyrchu yn ystod yr adwaith yn ffrwydro gyda'r ocsigen yn yr aer. Mae angen i'r adweithiau hyn ddigwydd dan amodau rheoledig iawn a dydyn nhw ddim yn bosibl mewn labordy myfyrwyr.

**Tabl 11.1** Y gyfres adweithedd.

| Mwy adweithiol | |
|---|---|
| | Potasiwm |
| | Sodiwm |
| | Calsiwm |
| | Magnesiwm |
| | Alwminiwm |
| | Sinc |
| | Haearn |
| | Tun |
| | Plwm |
| | Arian |
| Llai adweithiol | Aur |

$$\text{potasiwm} + \text{asid hydroclorig} \rightarrow \text{potasiwm clorid} + \text{hydrogen}$$
$$2K(s) + 2HCl(\textit{dyfrllyd}) \rightarrow 2KCl(\textit{dyfrllyd}) + H_2(n)$$

## CWESTIYNAU

1 Mae sodiwm a lithiwm yn adweithio ag asid mewn ffordd debyg i botasiwm. Ysgrifennwch hafaliadau geiriau adweithiau:

   a  sodiwm ac asid sylffwrig

   b  lithiwm ac asid nitrig.

2 Pan mae calsiwm yn adweithio ag asidau mae'n ffurfio: calsiwm clorid, $CaCl_2$, ag asid hydroclorig; calsiwm sylffad, $CaSO_4$, ag asid sylffwrig; a chalsiwm nitrad, $Ca(NO_3)_2$, ag asid nitrig. Ysgrifennwch hafaliadau geiriau a hafaliadau symbolau cytbwys ar gyfer adweithiau calsiwm ag:

   a  asid hydroclorig

   b  asid sylffwrig

   c  asid nitrig.

3 Mae rwbidiwm (Rb) yn fetel alcalïaidd sydd hyd yn oed yn fwy adweithiol na photasiwm.

   a  Ysgrifennwch hafaliadau symbolau cytbwys ar gyfer adweithiau ffrwydrol rwbidiwm ag asid hydroclorig, asid sylffwrig ac asid nitrig.

   b  Os yw adwaith potasiwm â dŵr yn ffrwydrol, pa amodau arbennig ydych chi'n meddwl sydd eu hangen i arsylwi adwaith rwbidiwm ag asid crynodedig?

**Dyma weithgaredd sy'n eich helpu i:**
★ gweithio fel rhan o dîm
★ cynnal adweithiau cemegol yn ddiogel
★ gwneud arsylwadau a mesuriadau gwyddonol a'u cofnodi
★ chwilio am batrymau mewn arsylwadau a mesuriadau gwyddonol
★ llunio casgliadau'n seiliedig ar arsylwadau a mesuriadau gwyddonol.

**Cyfarpar**
* tiwbiau profi
* rhesel tiwbiau profi
* thermomedr
* detholiad o fetelau cyffredin
* asid gwanedig: hydroclorig; sylffwrig; nitrig
* prenynnau
* sbectol ddiogelwch

**Asesiad risg**

- **Gwisgwch sbectol ddiogelwch.**
- **Bydd eich athro/athrawes yn rhoi asesiad risg i chi.**

**Dull**

Bydd eich athro/athrawes yn rhoi detholiad o wahanol fetelau cyffredin i chi ynghyd â photeli o asidau hydroclorig, sylffwrig a nitrig gwanedig.

1 Ymchwiliwch i adweithiau pob un o'r metelau â phob un o'r asidau. Rhowch tuag 1 cm³ o asid gwanedig mewn tiwb profi ac ychwanegwch ddarn bach o fetel. Arsylwch yr adwaith. Mae rhai o'r adweithiau'n eithaf hawdd eu gweld, a bydd nwy hydrogen yn cael ei gynhyrchu.

2 Profwch am nwy hydrogen drwy wrando am y pop gwichlyd wrth ichi ddefnyddio prennyn sy'n llosgi. Mae rhai o'r adweithiau'n anodd iawn eu harsylwi, neu dydyn nhw ddim yn digwydd o gwbl.

3 Arsylwch bob adwaith a nodwch unrhyw newidiadau lliw a/neu faint o eferwad (swigod) sy'n digwydd.

4 Defnyddiwch thermomedr i fesur newidiadau mewn tymheredd.

5 Golchwch bob tiwb profi â digonedd o ddŵr oer cyn ei ailddefnyddio ar gyfer adwaith arall.

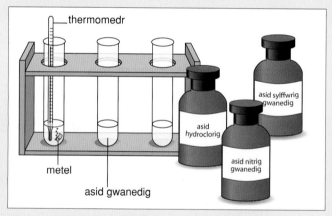

**Ffigur 11.4** Cyfarpar yr ymchwiliad.

6 Copïwch y tabl canlynol a'i lenwi. Mae angen i chi roi sylwadau am:
- newidiadau lliw
- eferwad (swigod)
- canlyniadau'r prawf nwy hydrogen (os yn berthnasol)
- newidiadau mewn tymheredd.

*parhad...*

ASIDAU

# GWAITH YMARFEROL *parhad*

Os nad oes unrhyw adweithiau gweladwy, cofnodwch 'DAG' ('dim adwaith gweladwy').

| Metel, symbol | Adwaith ag asid hydroclorig | Adwaith ag asid sylffwrig | Adwaith ag asid nitrig |
|---|---|---|---|
| Magnesiwm, Mg | | | |
| Alwminiwm, Al | | | |
| Sinc, Zn | | | |
| Haearn, Fe | | | |
| Tun, Sn | | | |
| Plwm, Pb | | | |
| Copr, Cu | | | |

## Dadansoddi eich canlyniadau

1 Ar gyfer pob adwaith gweladwy:
   a ysgrifennwch hafaliad geiriau
   b dewch o hyd i fformiwla gemegol pob halwyn metel sy'n cael ei gynhyrchu
   c ysgrifennwch hafaliad symbolau cytbwys.
2 Oes unrhyw amrywiadau ymysg adweithiau metelau unigol ag asidau unigol?
3 Gan ddefnyddio popeth sydd yn eich tabl arsylwadau, lluniwch gyfres adweithedd yn seiliedig ar eich arsylwadau. Sut mae eich cyfres yn cymharu â'r un yn Nhabl 11.1?
4 Pam mae'n anodd rhoi metelau fel copr a phlwm mewn cyfres adweithedd yn seiliedig ar yr arbrawf hwn?
5 Pa arbrofion eraill y gallech chi eu gwneud i ganfod cyfres adweithedd y metelau mwy anadweithiol fel copr a phlwm?

## TASG — PA FETEL Y BYDDECH CHI'N EI DDEWIS AR GYFER CHWILIEDYDD GOFOD I FYND I'R BLANED GWENER?

**Dyma weithgaredd sy'n eich helpu i:**
★ chwilio am batrymau mewn data gwyddonol
★ llunio casgliadau'n seiliedig ar ddata gwyddonol.

Mae llawer o fetelau sydd heb eu cynnwys yn y gyfres adweithedd syml yn Nhabl 11.1. Wrth gynllunio chwiliedydd gofod i lanio ar y blaned Gwener, mae angen ystyried tair o briodweddau metelau. Yn y pen draw, mae peirianneg ofod bob tro yn fater o gyfaddawd. Yn y dasg hon, byddwch chi'n astudio cyfres adweithedd fanylach (Tabl 11.2) sy'n cynnwys llawer mwy o fetelau ynghyd â gwybodaeth am gryfder y metelau a'u dwysedd (mesur o ba mor dynn mae'r mater sydd ynddynt wedi ei bacio). Mae dwysedd uchel yn golygu y bydd maint cyfwerth o sylwedd yn pwyso mwy na'r un maint o sylwedd sydd â dwysedd llai. Astudiwch y tabl — y metelau uchaf yn y tabl yw'r mwyaf adweithiol.

*parhad...*

Tabl 11.2  Priodweddau metelau yn nhrefn adweithedd.

| Mwy adweithiol | Metel, symbol | Adweithedd | Dwysedd (kg/m³) | Cryfder (GPa) |
|---|---|---|---|---|
| | Potasiwm, K | Yn adweithio â dŵr | 890 | 3.53 |
| | Sodiwm, Na | Yn adweithio â dŵr | 968 | 10 |
| | Lithiwm, Li | Yn adweithio â dŵr | 534 | 4.9 |
| | Strontiwm, Sr | Yn adweithio â dŵr | 2 640 | 15.7 |
| | Calsiwm, Ca | Yn adweithio â dŵr | 1 550 | 20 |
| | Magnesiwm, Mg | Yn adweithio ag asid | 1 738 | 45 |
| | Alwminiwm, Al | Yn adweithio ag asid | 2 700 | 70 |
| | Sinc, Zn | Yn adweithio ag asid | 7 140 | 108 |
| | Cromiwm, Cr | Yn adweithio ag asid | 7 190 | 279 |
| | Haearn, Fe | Yn adweithio ag asid | 7 874 | 211 |
| | Cadmiwm, Cd | Yn adweithio ag asid | 8 650 | 50 |
| | Cobalt, Co | Yn adweithio ag asid | 8 900 | 209 |
| | Nicel, Ni | Yn adweithio ag asid | 8 908 | 200 |
| | Tun, Sn | Yn adweithio ag asid | 7 365 | 50 |
| | Plwm, Pb | Yn adweithio ag asid | 10 660 | 16 |
| | Copr, Cu | Yn adweithio ag asidau cryf pan gaiff ei wresogi a'i wasgeddu | 8 940 | 128 |
| | Arian, Ag | Yn adweithio ag asidau cryf pan gaiff ei wresogi a'i wasgeddu | 10 490 | 83 |
| Llai adweithiol | Mercwri, Hg (hylif – berwbwynt = −38 °C | Yn adweithio ag asidau cryf pan gaiff ei wresogi a'i wasgeddu | 13 534 (hylif) | Amherthnasol |
| | Aur, Au | Yn adweithio ag asidau cryf pan gaiff ei wresogi a'i wasgeddu | 19 300 | 79 |
| | Platinwm, Pt | Yn adweithio ag asidau cryf pan gaiff ei wresogi a'i wasgeddu | 21 450 | 168 |

### Pwynt Trafod

Gallwn ni gymysgu rhai metelau â'i gilydd i ffurfio aloion. Mae priodweddau aloion yn tueddu i fod yn gymysgedd o briodweddau'r metelau sy'n eu gwneud nhw. Pe baech chi'n cynllunio aloi metel newydd ar gyfer chwiliedydd gofod i fynd i'r blaned Gwener, pa fetelau y byddech chi'n ceisio eu cymysgu a pham?

### Cwestiynau

1 Pa fetel yn y tabl sydd â:
   a  yr adweithedd lleiaf
   b  y dwysedd leiaf
   c  y cryfder mwyaf?
2 Pa mor ddefnyddiol fyddai'r tri metel yn eich ateb i gwestiwn 1 fel defnyddiau i adeiladu chwiliedydd gofod i fynd i'r blaned Gwener?
3 Yn eich barn chi pa fetel sy'n cynnig y cyfaddawd gorau i adeiladu chwiliedydd gofod i fynd i'r blaned Gwener?

## Beth mae atmosffer y blaned Gwener yn ei wneud i'r creigiau?

Yn raddol, mae'r asid sylffwrig crynodedig yn atmosffer y blaned Gwener yn bwyta rhai o'r creigiau sy'n ffurfio lithosffer (arwyneb creigiog) y blaned. Mae Ffigur 11.5 yn dangos delwedd lliwiau ffug o ran o arwyneb Gwener sydd wedi'i rhoi at ei gilydd o ddelweddau radar a gymerwyd o chwiliedydd gofod Magellan rhwng 1990 ac 1994. Gallwch chi weld effaith yr hindreulio cemegol oherwydd y 'glaw' asid sylffwrig yn y delweddau. Mae arweddion yr arwyneb yn tueddu i ymdoddi i'w gilydd, yn debyg i sut mae glaw asid ar y Ddaear yn hindreulio'r creigiau a gafodd eu defnyddio i adeiladu adeiladau a cherfluniau.

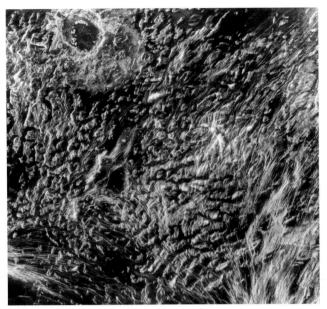

**Ffigur 11.5** Mae arwyneb y blaned Gwener yn cael ei erydu gan yr atmosffer asidig mewn ffordd debyg iawn i sut mae glaw asid yn erydu calchfaen ar y Ddaear.

Mae asidau'n adweithio ag ocsidau metel, hydrocsidau (**basau** yw'r enw ar y rhain), ac â charbonadau. Mae'r rhan fwyaf o'r creigiau sy'n bodoli yng Nghysawd yr Haul yn cynnwys cyfansoddion metel fel y rhain. Ar y blaned Gwener mae sylffadau, sy'n cael eu ffurfio wrth i'r cyfansoddion hyn adweithio â'r asid sylffwrig, yn raddol yn cymryd lle'r cyfansoddion yn y lithosffer.

**Niwtralu** yw'r enw ar adwaith asid â bas neu ag alcali (sef, bas wedi'i hydoddi mewn dŵr). Mewn adwaith niwtralu o'r math hwn, mae asid yn adweithio â'r bas neu'r alcali, gan ffurfio halwyn metel a dŵr. Ar y blaned Gwener, mae'r dŵr yn adweithio ar unwaith â mwy o asid sylffwrig.

$$\text{asid} + \text{bas} \rightarrow \text{halwyn} + \text{dŵr}$$

Er enghraifft:

$$\begin{array}{ccccc} \text{asid} & + & \text{magnesiwm} & \rightarrow & \text{magnesiwm} & + & \text{dŵr} \\ \text{sylffwrig} & & \text{ocsid} & & \text{sylffad} & & \end{array}$$

$$H_2SO_4(\textit{dyfrllyd}) + MgO(s) \rightarrow MgSO_4(\textit{dyfrllyd}) + H_2O(h)$$

$$\text{asid} + \text{alcali} \rightarrow \text{halwyn} + \text{dŵr}$$

Er enghraifft:

$$\begin{array}{ccccc} \text{asid} & + & \text{sodiwm} & \rightarrow & \text{sodiwm} & + & \text{dŵr} \\ \text{hydroclorig} & & \text{hydrocsid} & & \text{clorid} & & \end{array}$$

$$HCl(\textit{dyfrllyd}) + NaOH(\textit{dyfrllyd}) \rightarrow NaCl(\textit{dyfrllyd}) + H_2O(h)$$

Mae carbonadau'n adweithio ag asid mewn ffordd wahanol. Yn ogystal â'r halwyn metel a'r dŵr, mae'r nwy carbon deuocsid yn cael ei ffurfio:

$$\text{asid} + \text{carbonad} \rightarrow \text{halwyn} + \text{dŵr} + \text{carbon deuocsid}$$

Er enghraifft:

asid hydroclorig + calsiwm carbonad → calsiwm clorid + dŵr + carbon deuocsid

$$2HCl(dyfrllyd) + CaCO_3(s) \rightarrow CaCl_2(dyfrllyd) + H_2O(h) + CO_2(n)$$

Mae adweithiau asid â basau, alcalïau a charbonadau i gyd yn **ecsothermig** – mae hyn yn golygu eu bod nhw'n rhyddhau egni ar ffurf gwres.

## GWAITH YMARFEROL | MESUR GWRES NIWTRALIAD ADWEITHIAU ASID/BAS

Mae adwaith asid sylffwrig a'r cyfansoddion yn y creigiau ar y blaned Gwener yn cynyddu tymheredd arwyneb y blaned. Gwener yw'r blaned boethaf yng penodol Haul yn barod, ac mae hyn yn rhannol oherwydd ei geocemeg eithafol. Gallwn ni fesur faint o wres mae adwaith niwtralu'n ei gynhyrchu yn ôl y newid yn nhymheredd yr asid a'r dŵr yn ystod yr adwaith.

 Asesiad risg

- **Gwisgwch sbectol ddiogelwch.**
- **Bydd eich athro/athrawes yn rhoi asesiad risg i chi.**

### Dull

Yn yr arbrawf hwn, byddwch chi'n ychwanegu gormodedd o asid at fàs penodol o'r bas metel, felly byddwch chi'n mesur newid tymheredd pob uned màs.

Dim ond tua 2 cm³ o asid sydd ei angen ar gyfer pob adwaith. Golchwch bob tiwb profi â digonedd o ddŵr oer cyn ei ailddefnyddio mewn adwaith arall.

1 Rhowch ddarn o bapur glân ar ben y glorian a phwyswch y botwm TARE i gael darlleniad sero.
2 Mesurwch 0.5 g o un o'r basau metel.
3 Arllwyswch y bas metel yn ofalus i diwb profi.
4 Arllwyswch tuag 20 cm³ o asid hydroclorig gwanedig i ficer bach.
5 Defnyddiwch y thermomedr i fesur tymheredd yr asid a chofnodwch y tymheredd hwn.
6 Rhowch y thermomedr yn y tiwb profi.
7 Defnyddiwch ddiferydd i roi 2 cm³ o'r asid yn y tiwb profi.
8 Mesurwch dymheredd uchaf y gormodedd asid yn ystod yr adwaith, a'i gofnodi.
9 Cyfrifwch newid tymheredd yr adwaith.
10 Ailadroddwch y broses gyda'r basau metel eraill.
11 Ailadroddwch yr holl broses gyda'r ddau asid arall.
12 Cofnodwch eich mesuriadau mewn tabl fel hwn. Bydd angen tabl ar wahân arnoch chi i bob asid.

### Dyma weithgaredd sy'n eich helpu i:

★ gweithio fel rhan o dîm
★ cynnal adweithiau cemegol yn ddiogel
★ gwneud arsylwadau a mesuriadau gwyddonol a'u cofnodi
★ chwilio am batrymau mewn arsylwadau a mesuriadau gwyddonol
★ llunio casgliadau'n seiliedig ar arsylwadau a mesuriadau gwyddonol.

### Cyfarpar

* tiwbiau profi
* rhesel tiwbiau profi
* thermomedr
* clorian
* detholiad o fasau metel
* asidau gwanedig: hydroclorig, sylffwrig, nitrig
* bicer 100 cm³
* diferydd
* sbectol ddiogelwch

| Bas metal | Adwaith ag asid hydroclorig | | |
|---|---|---|---|
| | Tymheredd cychwynnol (°C) | Tymheredd uchaf (°C) | Newid tymheredd (°C) |
| | | | |
| | | | |

*parhad...*

## GWAITH YMARFEROL *parhad*

Dadansoddi eich canlyniadau

1. Pa adwaith gynhyrchodd y newid tymheredd uchaf?
2. Oes unrhyw batrymau yn y newidiadau tymheredd mae'r tri gwahanol asid yn eu cynhyrchu?
3. Pa fas metel gynhyrchodd y newid tymheredd cyfartalog uchaf ar draws pob un o'r tri asid?
4. Ar gyfer pob adwaith, ysgrifennwch:
   a. hafaliad geiriau
   b. hafaliad symbolau cytbwys.
5. Sut gallech chi ddefnyddio mesuriad gwres i adnabod bas metel penodol?

## GWAITH YMARFEROL  MESUR GWRES NIWTRALIAD ADWEITHIAU ASID/BAS

Dyma weithgaredd sy'n eich helpu i:
★ gweithio fel rhan o dîm
★ dilyn dull safonol cymhleth
★ cynnal adweithiau cemegol yn ddiogel
★ cynnal titradiad yn ddiogel
★ gwneud arsylwadau a mesuriadau gwyddonol a'u cofnodi
★ chwilio am batrymau mewn arsylwadau a mesuriadau gwyddonol
★ llunio casgliadau'n seiliedig ar arsylwadau a mesuriadau gwyddonol.

### Cyfarpar
* bwred
* twndis
* piped safonol a dyfais llenwi pipedau
* thermomedr (thermomedrau digidol sy'n gweithio orau)
* fflasg gonigol
* nifer o ficeri 100 cm³
* hydoddiant dangosydd
* asidau gwanedig: hydroclorig; sylffwrig; nitrig
* alcalïau gwanedig: sodiwm hydrocsid; potasiwm hydrocsid

⚠ Asesiad risg
● Gwisgwch sbectol ddiogelwch.
● Bydd eich athro/athrawes yn rhoi asesiad risg i chi.

Dull
Yn yr arbrawf hwn, byddwch chi'n mesur gwres niwtraliad adweithiau asid/alcali. Mae dwy ran i'r arbrawf hwn. Yn gyntaf, bydd angen i chi gynnal titradiad rhwng yr asid a'r alcali gan ddefnyddio dangosydd addas i ganfod diweddbwynt yr adwaith. Yna, byddwch chi'n mesur newid tymheredd yr un adwaith.

Gweithiwch gyda phartner. Bydd pob pâr yn y dosbarth yn gwneud adwaith gwahanol, ac yna byddwch chi'n cyfuno eich casgliadau. Mae crynodiad pob asid a phob alcali yr un fath.

### Rhan A – Canfod diweddbwynt yr adwaith
Dull safonol
1. Defnyddiwch biped safonol i arllwys 25 cm³ o'r asid o'ch dewis i fflasg gonigol.
2. Ychwanegwch ddau neu dri diferyn o ddangosydd (bydd eich athro/athrawes yn dweud wrthych chi pa un yw'r mwyaf addas).
3. Arllwyswch 100 cm³ o'r alcali o'ch dewis i ficer.
4. Defnyddiwch dwndis i arllwys 50 cm³ o'r alcali'n ddiogel i fwred wedi'i mowntio ar stand addas.
5. Addaswch lefel yr alcali yn y fwred nes ei bod yn rhoi darlleniad o 0 cm³.
6. Ychwanegwch yr alcali'n araf at yr asid yn y fflasg, tuag 1 cm³ ar y tro.
7. Cofnodwch gyfaint yr alcali sydd ei angen i niwtralu'r asid yn y fflasg yn llwyr – sef (yn union) pryd mae'r dangosydd yn newid lliw.

Ffigur 11.6 Cyfarpar titradu.

*parhad...*

**Rhan B – Mesur gwres niwtraliad**

Dull safonol

1 Defnyddiwch yr un dull â Rhan A i gydosod yr adwaith ond **peidiwch ag ychwanegu'r dangosydd** at yr asid.

2 Rhowch thermomedr yn yr asid. Mesurwch y tymheredd a'i gofnodi.

3 Ychwanegwch y swm gofynnol o alcali'n gyflym (y swm gwnaethoch chi ei fesur yn Rhan A).

4 Mesurwch y tymheredd uchaf a'i gofnodi.

Dadansoddi eich canlyniadau

1 Ysgrifennwch hafaliad geiriau a hafaliad symbolau cytbwys ar gyfer eich adwaith.

2 Cyfunwch eich canlyniadau â chanlyniadau gweddill y dosbarth. Rhowch eich canlyniadau yn eu trefn o'r mwyaf ecsothermig i'r lleiaf ecsothermig.

3 Sut gallech chi ddefnyddio'r wybodaeth hon i adnabod alcali anhysbys?

## Asidau a charbonadau

Pan mae asidau'n adweithio â charbonadau, maen nhw'n eferwi (cynhyrchu swigod nwy). Mae'r adwaith yn cynhyrchu nwy carbon deuocsid. Ar y blaned Gwener, caiff nwy carbon deuocsid ei gynhyrchu pan mae'r asid sylffwrig yn yr atmosffer yn adweithio â charbonadau yn y creigiau. Mae'n symud i'r atmosffer, gan gynyddu crynodiad y carbon deuocsid ac ychwanegu at effaith tŷ gwydr enfawr Gwener.

Os cewch chi sylwedd a'ch bod chi'n meddwl y gallai fod yn garbonad, gallwch chi brofi'r nwy sy'n cael ei ryddhau wrth iddo adweithio ag asid drwy basio'r nwy drwy ddŵr calch (hydoddiant calsiwm hydrocsid).

Pan gaiff swigod carbon deuocsid eu pasio drwy ddŵr calch, maen nhw'n ffurfio gwaddod gwyn o galsiwm hydrocsid. Os pasiwch chi'r carbon deuocsid drwyddo am amser hir, bydd y gwaddod gwyn yn diflannu gan adael hydoddiant di-liw.

PROFI AM GARBONADAU

Dyma weithgaredd sy'n eich helpu i:
★ gweithio mewn tîm
★ gwneud arsylwadau gwyddonol
★ profi am nwyon.

Cyfarpar
* 2 diwb profi (neu diwbiau berwi)
* tiwb cludo
* asid hydroclorig gwanedig
* powdr calsiwm carbonad
* sbatwla
* dŵr calch
* diferydd
* sbectol ddiogelwch

⚠ Asesiad risg

• **Gwisgwch sbectol ddiogelwch.**
• **Bydd eich athro/athrawes yn rhoi asesiad risg addas i chi.**

*parhad...*

Mae dwy ffordd o wneud y prawf hwn:

Dull 1

1 Ychwanegwch asid hydroclorig gwanedig at y cemegyn a allai fod yn garbonad. Rhowch y caead ar y tiwb (gweler Ffigur 11.7).

2 Pasiwch y nwy drwy gyfaint bach o ddŵr calch.

3 Dylai gwaddod gwyn, sy'n gwneud i'r dŵr calch gymylu, gadarnhau bod carbonad yn bresennol. Mae rhai pobl yn dweud bod y dŵr calch yn 'troi'n llaethog'.

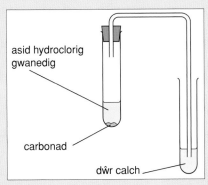

asid hydroclorig gwanedig

carbonad

dŵr calch

**Ffigur 11.7** Cyfarpar prawf $CO_2$.

Dull 2

Sugnwch y nwy a allai fod yn garbon deuocsid i mewn i ddiferydd glân. Rhowch hyd at 1 $cm^3$ o ddŵr calch (dim mwy na hyn) mewn tiwb profi glân a gorfodwch y nwy drwyddo. Mae'n hanfodol bod popeth yn lân.

## GWAITH YMARFEROL — MAGNESIWM – OND PA FATH?

**Dyma weithgaredd sy'n eich helpu i:**
★ gweithio fel rhan o dîm mewn ffordd drefnus
★ cynhyrchu asesiad risg ar gyfer arbrawf
★ cynllunio dull safonol
★ cynllunio tabl i gofnodi mesuriadau ac arsylwadau gwyddonol
★ cynnal arbrofion cemegol yn ddiogel
★ gwneud mesuriadau ac arsylwadau a'u cofnodi
★ adnabod sylweddau o ganlyniad i brofion arbrofol
★ gwerthuso dulliau arbrofol.

Byddwch chi'n cael dysglau Petri'n cynnwys pedwar powdr, wedi'u labelu A, B, C ac Ch. Un yw metel magnesiwm, un yw magnesiwm carbonad, un yw magnesiwm ocsid ac un yw magnesiwm clorid. Dydych chi ddim yn gwybod pa lythyren sy'n cyfateb i ba bowdr. Eich TASG chi yw cynnal profion cemegol i adnabod y pedwar powdr.

Cyfarpar
Darllenwch y dull safonol a phenderfynwch pa offer sydd eu hangen arnoch. Bydd angen i chi ofyn i'ch athro/athrawes a'ch technegydd gwyddoniaeth am y rhain.

Asesiad risg
● **Gwisgwch sbectol ddiogelwch.**
● **Bydd eich athro/athrawes yn rhoi asesiad risg gwag a chardiau peryglon (*hazcards*) i chi.**

*parhad...*

**Dull safonol**

1 Gweithiwch gyda phartner.

2 Defnyddiwch y cardiau peryglon (*hazcards*) i lunio asesiad risg addas.

3 Dewch o hyd i'r profion am bob sylwedd.

4 Casglwch offer addas i gynnal pob prawf.

5 Cynhaliwch y prawf a chofnodwch eich arsylwadau a/neu fesuriadau ar fformat addas.

**Dadansoddi eich canlyniadau**

1 Defnyddiwch eich arsylwadau a'ch mesuriadau i enwi sylweddau A, B, C ac Ch.

2 Ysgrifennwch hafaliad geiriau a hafaliad symbolau cytbwys ar gyfer eich adweithiau.

## Grisialau Gwener?

**Ffigur 11.8** Mae arwyneb Gwener wedi'i orchuddio â grisialau.

**Ffigur 11.9** Grisialau copr sylffad mawr, rheolaidd.

Mae cynhyrchion yr adweithiau cemegol sy'n digwydd rhwng yr asid sylffwrig a'r cyfansoddion yn lithosffer y blaned Gwener yn creu ffurfiadau grisialog gwych. Mae'r lluniau a gymerodd Venera 9 yn awgrymu i'r chwiliedydd gofod lanio ar arwyneb wedi'i orchuddio â grisialau.

Mae'r cyfuniad o grynodiadau uchel o asid ynghyd â'r tymheredd a gwasgedd uchel yn golygu bod gan arwyneb Gwener botensial i fod yn 'ardd grisialau'. Mae grisialau'n ffurfio pan mae sylweddau'n dod allan o hydoddiant (dŵr fel arfer) ac yn dechrau ffurfio rhesi rheolaidd solet o ronynnau'r sylwedd. Os yw'r amodau'n addas, mae'r grisialau bach yn dod yn 'hadau' i risialau llawer mwy, ac weithiau mae ffurfiadau grisialog enfawr yn cael eu ffurfio.

Yn y labordy, gallwn ni wneud grisialau bach drwy anweddu'r hydoddiannau sy'n cael eu cynhyrchu yn ystod adweithiau niwtralu basau metel, alcalïau ac asidau. Os yw'r halwyn metel sy'n cael ei gynhyrchu o ganlyniad i'r adwaith niwtralu yn hydawdd, bydd gwresogi hydoddiant yr halwyn metel mewn dysgl anweddu'n ein galluogi ni i anweddu'r dŵr a gadael grisialau bach solet o'r halwyn metel yng ngwaelod y ddysgl anweddu. Yna, gallwn ni ddefnyddio'r grisialau bach hyn fel 'hadau' i 'dyfu' grisialau mwy o'r halwyn, drwy eu hongian mewn hydoddiant crynodedig iawn o'r halwyn metel. Wrth i'r 'hedyn-risialau' hyn eistedd yn yr hydoddiant crynodedig o'u halwyn, mae'r dŵr yn yr hydoddiant crynodedig yn anweddu'n raddol. Mae hyn yn cynyddu crynodiad yr halwyn yn uwch fyth. Yn y pen draw, mae'r halwyn yn dechrau dod allan o'r hydoddiant, ac wrth iddo ffurfio mae'n 'ymuno' â'r hadau bach ac yn 'tyfu' ar ffurf grisial.

## GWAITH YMARFEROL | GWNEUD GRISIALAU O GOPR SYLFFAD A CHOPR CLORID

Gallwn ni wneud grisialau copr clorid o gopr ocsid ac asid hydroclorig gwanedig:

$$copr\ ocsid\ +\ asid\ hydroclorig\ \rightarrow\ copr\ clorid\ +\ dŵr$$
$$CuO(s)\ +\ 2HCl(dyfrllyd)\ \rightarrow\ CuCl_2(dyfrllyd)\ +\ H_2O(h)$$

I wneud grisialau copr sylffad, defnyddiwch gopr ocsid neu gopr carbonad ac asid sylffwrig gwanedig:

$$copr\ ocsid\ +\ asid\ sylffwrig\ \rightarrow\ copr\ sylffad\ +\ dŵr$$
$$CuO(s)\ +\ H_2SO_4(dyfrllyd)\ \rightarrow\ CuSO_4(dyfrllyd)\ +\ H_2O(h)$$

$$copr\ carbonad\ +\ asid\ sylffwrig\ \rightarrow\ copr\ sylffad\ +\ dŵr\ +\ carbon\ deuocsid$$
$$CuCO_3(s)\ +\ H_2SO_4(dyfrllyd)\ \rightarrow\ CuSO_4(dyfrllyd)\ +\ H_2O(h)\ +\ CO_2(n)$$

Ym mhob achos, mae angen rhoi'r hydoddiant halwyn copr sy'n ffurfio mewn dysgl anweddu i'w anweddu dros fflam Bunsen isel.

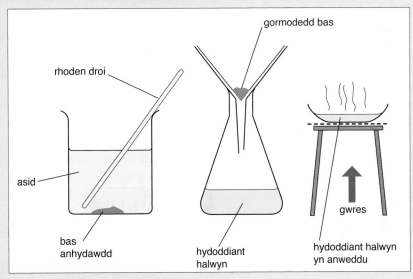

Ffigur 11.10  Paratoi hydoddiant halwyn hydawdd drwy niwtralu asid.

### Asesiad risg
- **Gwisgwch sbectol ddiogelwch.**
- **Bydd eich athro/athrawes yn rhoi asesiad risg i chi.**
- **Gwnewch yn sicr fod ychydig bach o hylif yn dal yn weddill yn y ddysgl anweddu cyn i chi ddiffodd y llosgydd Bunsen, neu bydd yn poeri grisialau poeth atoch chi.**

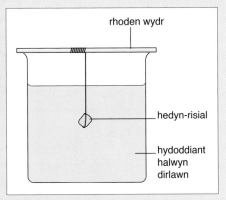

Ffigur 11.11  Pwy sy'n gallu tyfu'r grisial mwyaf?

*parhad...*

## Cyfarpar

* asid hydroclorig gwanedig
* asid sylffwrig gwanedig
* powdr copr carbonad
* powdr copr ocsid
* sbatwla
* bicer
* rhoden droi
* twndis
* papur hidlo
* fflasg gonigol
* dysgl anweddu
* llosgydd Bunsen; trybedd; rhwyllen; mat gwrth-wres
* hedyn-risialau
* hydoddiant halwyn copr crynodedig
* edau gotwm
* bicer bach
* microsgop
* tâp gludiog
* sleid glir ar gyfer microsgop
* sbectol ddiogelwch

## Dull safonol

1 Gweithiwch gyda phartner.
2 Dewiswch un o'r adweithiau sy'n cael eu dangos uchod.
3 Cynhaliwch yr arbrawf fel mae'r diagram yn ei ddangos. Cofiwch, bydd copr carbonad yn eferwi gyda'r asid sylffwrig.
4 Byddwch yn ofalus pan mae'r hylif bron i gyd wedi anweddu o'r ddysgl anweddu (gweler yr asesiad risg uchod).
5 Arhoswch i'r ddysgl anweddu oeri, yna crafwch swm bach o'r grisialau ar sleid microsgop, gorchuddiwch nhw â stribed o dâp gludiog clir ac arsylwch y grisialau dan ficrosgop ar bŵer isel.
6 Tynnwch fraslun o rai o'ch grisialau chi. Efallai y gwnaiff eich athro/athrawes roi sleidiau o grisialau eraill i chi i'w harsylwi gyda'r microsgop. Tynnwch frasluniau o'r grisialau hyn hefyd – gofalwch eich bod chi'n labelu pob braslun ag enw'r grisial a chwyddhad y microsgop.
7 Mae'n debyg y bydd y grisialau a wnaethoch chi'n rhy fach i fod yn hadau mewn gardd tyfu grisialau. Bydd eich athro/athrawes yn rhoi hedyn-risialau mwy i chi i dyfu grisialau mwy. Clymwch ddarn byr o gotwm o gwmpas un o'r hedyn-risialau a glynwch ben arall y cotwm at roden wydr. Rhowch yr hedyn-risial mewn daliant o hydoddiant crynodedig o'r halwyn mewn bicer bach (Ffigur 11.11). Gadewch y bicer mewn man cynnes, neu ar silff ffenestr i 'dyfu'. Bydd y grisial yn parhau i dyfu nes i lefel yr hydoddiant fynd yn is na lefel y grisial.

## CWESTIYNAU

4 Mae strontiwm yn fetel adweithiol yn yr un grŵp â chalsiwm a magnesiwm yn y Tabl Cyfnodol.
   a Pa risialau sy'n gallu cael eu ffurfio o adwaith strontiwm ocsid (SrO) ag asid sylffwrig?
   b Sut gallwn ni ffurfio'r grisialau?
5 Ysgrifennwch hafaliad geiriau a hafaliad symbolau cytbwys ar gyfer adweithiau strontiwm carbonad ag:
   a asid hydroclorig
   b asid nitrig.
6 Sut byddech chi'n tyfu grisialau mawr o strontiwm sylffad?

# Ar werth! Cartref dymunol ar y blaned Gwener

**Ffigur 11.12** Y blaned Gwener – lle deniadol i fyw?

Mae'r blaned Gwener yn lle uffernol. Mae'r tymheredd yn ystod y dydd yn ddigon poeth i doddi plwm, mae'r gwasgedd atmosfferig yn uchel iawn ac mae cymylau enfawr o asid sylffwrig crynodedig ym mhobman. Mae'n bosibl nad oes unman anoddach i bobl anfon chwiliedyddion gofod iddo, heb sôn am fyw ynddo. Mae maint a màs Gwener tua'r un maint â'r Ddaear, ac mae grym disgyrchiant tua'r un mor gryf. Yn bwysig, mae'n 'adlewyrchiad' o sut y gallai'r Ddaear fod os na fyddwn ni'n llwyddo i reoli cynhesu byd-eang. Os na fydd pobl yn rheoli'r carbon deuocsid sy'n cael ei ryddhau i'r atmosffer, bydd angen i genedlaethau o bobl yn y dyfodol adael y Ddaear gan y bydd wedi mynd bron mor uffernol â Gwener. I ble allwn ni fynd?

**Pwynt Trafod**

Beth y gallwn ni ei wneud fel unigiolion, os nad ydym ni eisiau i'r Ddaear fod yn debyg i'r blaned Gwener?

# Crynodeb o'r bennod

○ Gallwn ni ddosbarthu sylweddau fel rhai asidig, alcalïaidd neu niwtral yn unol â'r raddfa pH.
○ Gallwn ni ddosbarthu asidau ac alcalïau'n wan neu'n gryf gan ddibynnu ar eu pH nhw.
○ Mae asidau'n adweithio â rhai metelau. Mae ffyrnigrwydd yr adweithio yn dibynnu ar safle'r metel yn y gyfres adweithedd.
○ Enw adwaith asidau gwanedig â basau (ac ag alcalïau) yw niwtralu, ac mae'r adweithiau hyn yn ecsothermig (yn rhyddhau gwres).
○ Mae adwaith asidau gwanedig â charbonadau hefyd yn ecsothermig; mae carbonadau'n eferwi mewn asid, gan ryddhau nwy carbon deuocsid.
○ Y prawf i adnabod nwy carbon deuocsid yw pasio'r nwy drwy ddŵr calch. Os yw'n troi'n llaethog, yna carbon deuocsid yw'r nwy.
○ Gallwn ni wneud halwynau hydawdd, fel copr sylffad, drwy adweithio basau anhydawdd a charbonadau ag asidau. Mae'r halwynau hydawdd hyn yn gallu ffurfio grisialau.
○ Gallwn ni ddefnyddio hafaliadau geiriau a hafaliadau symbolau cytbwys i ddisgrifio adweithiau metelau, basau (gan gynnwys alcalïau) a charbonadau ag asid hydroclorig, asid nitrig ac asid sylffwrig.

# 12 Tanwyddau a phlastigion

## Beth yw olew crai?

**Olew crai** yw'r enw ar olew sy'n cael ei echdynnu o'r Ddaear. Caiff ei alw'n olew crai am mai 'crai' yw'r gwrthwyneb i 'buredig', a phuro yw enw'r prosesau sy'n troi'r olew'n sylweddau defnyddiol.

Dydy olew crai ddim yn gemegyn syml, a phan ddewch i wybod sut cafodd ei ffurfio byddwch chi'n gwybod pam. Byddwch chi'n gwybod hefyd pam mae olew crai o wahanol leoedd yn amrywio mewn nifer o ffyrdd.

Cafodd olew crai ei ffurfio o weddillion organebau morol syml (planhigion gan mwyaf) oedd yn byw miliynau o flynyddoedd yn ôl. Ar ôl iddynt farw, roedd eu gweddillion yn ymgasglu ar waelod y moroedd. Dros gyfnod hir iawn, cafodd eu cyrff eu gorchuddio â haenau o fwd, silt a thywod gan ffurfio craig yn y pen draw. Roedd hyn yn creu llawer iawn o wasgedd a gwres, a gwnaeth hyn, ynghyd â diffyg ocsigen, droi'r gweddillion yn hylif, sef olew crai.

Roedd y gwasgedd parhaus yn gorfodi'r olew i ardaloedd lle roedd creigiau mandyllog; heddiw, rydym ni'n galw'r rhain yn **gronfeydd**. Mae'r broses ffurfio olew hefyd yn cynhyrchu nwy naturiol, ac felly yn aml bydd cyflenwadau o nwy ac o olew i'w cael yn yr un lle, fel ym Môr y Gogledd.

Mae cyrff pethau byw'n cynnwys llawer o wahanol gemegion, felly mae olew'n gymysgedd cymhleth o sylweddau o'r enw **hydrocarbonau** (am mai dim ond carbon a hydrogen maen nhw'n eu cynnwys). Roedd yr organebau a ffurfiodd yr olew'n amrywiol iawn, felly mae gwahaniaethau rhwng union gyfansoddiad yr olew mewn gwahanol gronfeydd.

Mae proses ffurfio olew'n fath o ffosileiddio. Am y rheswm hwn, rydym ni'n galw olew a nwy (a glo) yn **danwyddau ffosil**.

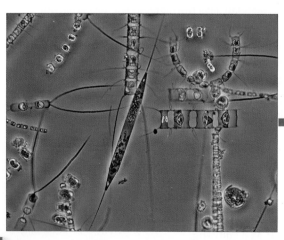

gwres, gwasgedd ac absenoldeb ocsigen

**Ffigur 12.1** Ffurfio olew.

YDY OLEW YN MYND I DDOD I BEN?

Dyma weithgaredd sy'n eich helpu i:
★ dadansoddi graffiau
★ canfod ffynonellau cyfeiliornad.

Mae olew'n cael ei ystyried yn ffynhonnell egni **anadnewyddadwy**. Mae'n cymryd miliynau o flynyddoedd i ffurfio, ac felly i bob pwrpas dydym ni ddim yn gallu gwneud mwy ohono. Dros y ganrif ddiwethaf, mae pobl wedi bod yn defnyddio mwy a mwy o olew. Dydym ni ddim yn gallu bod yn sicr pryd yn union y cafodd y ffynnon olew fasnachol gyntaf ei chloddio, ond roedd hi tua 1850. Cyn hynny, doedd cronfeydd olew'r Ddaear ddim wedi cael eu cyffwrdd am filiynau o flynyddoedd. Yn y pen draw, bydd cronfeydd olew'r blaned yn dod i ben. Bydd hyn yn digwydd pan fydd yr olew sy'n weddill naill ai'n rhy anodd ei dynnu allan, neu fod cyn lleied ohono fel nad oes pwynt gwneud hynny.

Mae Ffigur 12.2 yn rhagfynegi'r defnydd o olew yn y dyfodol ac yn dangos sut bydd y cronfeydd yn lleihau.

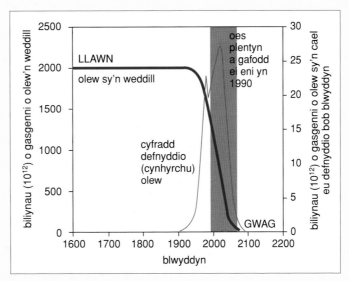

**Ffigur 12.2** Rhagfynegiad o gronfeydd olew yn y dyfodol a sut byddan nhw'n cael eu defnyddio.

1 Yn ôl y rhagfynegiadau hyn, pryd bydd y cronfeydd olew yn dod i ben?
2 Ar un adeg, mae llinell cyfradd defnyddio olew'n mynd yn uwch na'r llinell 'olew sy'n weddill'. Eglurwch pam *nad* yw hyn yn golygu ein bod ni'n defnyddio mwy o olew na'r cyfanswm sy'n weddill mewn gwirionedd (sy'n amlwg yn amhosibl).
3 Dydy rhagfynegiadau byth yn gallu bod yn hollol gywir. Eglurwch pam gallai fod ffynonellau cyfeiliornad:
  a yn rhagfynegiad yr olew sy'n cael ei ddefnyddio
  b yn rhagfynegiad yr olew sy'n weddill.

A DDYLEM NI DDEFNYDDIO LLAI O OLEW?

Dyma weithgaredd sy'n eich helpu i:
★ deall effaith gymdeithasol, economaidd ac amgylcheddol defnyddio llai o olew.

Mae llawer o bobl yn dadlau y dylem ni ddefnyddio llai o olew, am amrywiaeth o resymau. Fel y rhan fwyaf o faterion gwyddonol, fodd bynnag, dydy'r sefyllfa ddim yn syml. Mae defnyddio olew neu beidio â'i ddefnyddio yn creu effeithiau cymdeithasol, economaidd ac amgylcheddol. Mae olew'n cael ei ddefnyddio i wneud y cynhyrchion canlynol (ond dydy hon ddim yn rhestr lawn):

*parhad...*

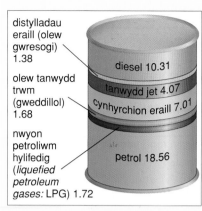

distylladau eraill (olew gwresogi) 1.38

olew tanwydd trwm (gweddillol) 1.68

nwyon petroliwm hylifedig (*liquefied petroleum gases:* LPG) 1.72

diesel 10.31

tanwydd jet 4.07

cynhyrchion eraill 7.01

petrol 18.56

**Ffigur 12.3** Sut caiff casgen o olew ei defnyddio (galwyni).

- gwahanol fathau o danwydd, gan gynnwys petrol, diesel a thanwydd awyrennau
- olewau iro i'w defnyddio ym mhob math o beiriannau
- plastigion
- paent (mae rhai paentiau'n ddyfrsail, ond mae llawer yn cael eu gwneud ag olew)
- cynnyrch dillad a defnyddiau fel neilon a pholyester
- defnyddiau pecynnu fel polystyren
- asffalt, sy'n cael ei ddefnyddio i wneud ffyrdd.

Mae Tablau 12.1, 12.2 a 12.3 yn rhestru effeithiau cymdeithasol, economaidd ac amgylcheddol defnyddio llai o olew.

**Tabl 12.1** Effaith gymdeithasol defnyddio llai o olew

| Drwg | Da |
|---|---|
| Mae'r diwydiant olew'n darparu swyddi i niferoedd enfawr o bobl – tua 400 miliwn ledled y byd. Gallai defnyddio llai o olew olygu bod llawer o bobl yn colli eu swyddi.<br>Mae'r diwydiant olew'n gwneud plastigion rhad sy'n galluogi pobl i brynu nwyddau na fydden nhw'n gallu eu fforddio pe baen nhw wedi'u gwneud o ddefnyddiau drutach. Gallai defnyddio llai o olew wneud pethau'n ddrutach yn y siopau.<br>Mae'n hawdd cludo olew i orsafoedd pŵer yn unrhyw le. Dim ond mewn mannau penodol y gellir adeiladu gorsafoedd pŵer egni adnewyddadwy (sy'n defnyddio golau haul, dŵr neu wynt) ac ni fydd pobl yn hoffi cael y gorsafoedd pŵer hyn ar stepyn y drws.<br>Pe bai awyrennau'n gorfod defnyddio llai o olew, byddai'n golygu bod tocynnau hedfan yn costio llawer mwy. Efallai y byddai llawer o bobl yn methu fforddio gwyliau tramor. | Mae arllwysiadau olew'n gallu difetha bywoliaeth pobl os yw llygredd yn effeithio arnynt, yn enwedig pysgotwyr a phobl sy'n gweithio yn y diwydiant twristiaeth. Byddai pobl fel hyn mewn sefyllfa fwy cadarn. |

**Tabl 12.2** Effaith economaidd defnyddio llai o olew.

| Drwg | Da |
|---|---|
| Mae'r llywodraeth yn cael llawer iawn o arian o drethi ar betrol. Mae'r trethi hyn yn talu am adeiladu ffyrdd, y GIG, addysg, gofalu am bobl dlawd, ac ati.<br>Os bydd pobl yn colli eu swyddi am ein bod ni'n defnyddio llai o olew, bydd rhaid i drethdalwyr y Deyrnas Unedig dalu mwy i roi budd-daliadau diweithdra i bobl ddi-waith. | Er bod y Deyrnas Unedig yn cynhyrchu olew, dydym ni ddim yn cynhyrchu cymaint ag rydym ni'n ei ddefnyddio, ac mae'n rhaid i ni ei brynu o wledydd eraill. Byddai'r bil hwn yn lleihau pe bai pobl yn y Deyrnas Unedig yn defnyddio llai o olew. Byddai defnyddio llai o olew'n golygu twf mewn cyflenwadau egni amgen, a byddai hyn yn galluogi entrepreneuriaid i ddatblygu busnesau llwyddiannus i roi hwb i'r economi a darparu swyddi. |

**Tabl 12.3** Effaith amgylcheddol defnyddio llai o olew.

| Drwg | Da |
|---|---|
| Byddai mwy o ffermydd gwynt yn golygu llawer o dyrbinau gwynt ledled y wlad. Mae llawer o bobl yn meddwl bod y rhain yn hyll. | Pe bai llai o olew'n cael ei ddefnyddio, byddai llai o achosion o lygredd olew o danceri a ffynhonnau olew.<br>Mae llosgi olew'n rhyddhau llawer o garbon deuocsid i'r atmosffer, gan gyfrannu at gynhesu byd-eang. Mae hylosgi anghyflawn yn gallu cynhyrchu carbon monocsid gwenwynig. Byddai defnyddio llai o olew'n golygu llai o'r llygredd hwn. |

Dim ond rhai o'r materion sy'n gysylltiedig ag effaith defnyddio llai o olew sydd wedi'u rhestru yn Nhablau 12.1, 12.2 a 12.3. Wrth gwrs, ar ryw adeg, bydd rhaid i ni ddefnyddio llai o olew neu fe ddaw i ben yn gynt, efallai cyn i bobl lwyddo'n llwyr i ddatblygu ffynonellau egni amgen. Gwir destun y ddadl yw pa mor fuan y dylem ni ddechrau defnyddio llai o olew, a faint yn llai.

## Cwestiwn

Edrychwch ar effeithiau da a drwg posibl defnyddio llai o olew yn Nhabl 12.1, 12.2 a 12.3. Pa rai o'r dadleuon hyn yw'r *gwannaf* yn eich barn chi, naill ai o blaid neu yn erbyn defnyddio llai o olew? Eglurwch sut gwnaethoch chi ffurfio eich barn.

# Sut mae olew'n cael ei droi'n betrol?

Rydym ni wedi disgrifio olew crai fel cymysgedd cymhleth o wahanol gemegion. Mae nifer o'r cemegion hyn yn gallu gwneud cynhyrchion defnyddiol, ond yn gyntaf rhaid i ni eu hechdynnu nhw o'r olew. Petrol yw un o nifer o gynhyrchion sy'n dod o'r broses **buro** hon.

**Ffigur 12.4** Purfa olew Chevron yn sir Benfro, De Cymru.

I buro olew, rhaid iddo fynd drwy nifer o brosesau. Y gyntaf o'r rhain yw **distyllu ffracsiynol**. Mae hyn yn gwahanu'r cymysgedd cymhleth o hydrocarbonau mewn olew crai i roi cymysgeddau symlach o hydrocarbonau (ffracsiynau), gan ddibynnu ar eu berwbwyntiau (gweler Ffigur 12.5). Cofiwch mai cymysgeddau yw'r ffracsiynau hyn o hyd, nid cyfansoddion syml.

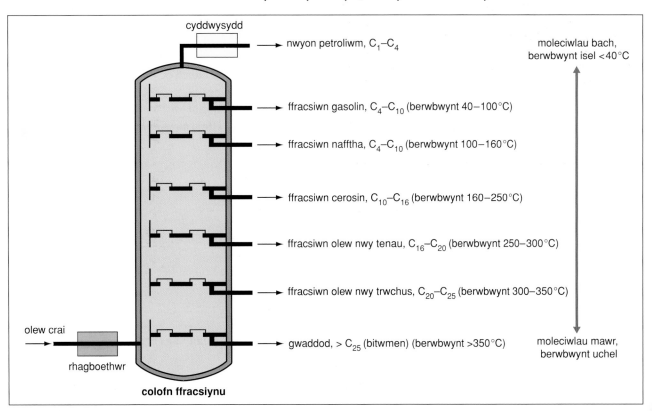

**Ffigur 12.5** Distyllu ffracsiynol olew crai.

Caiff olew crai ei anweddu cyn iddo fynd i waelod y golofn ffracsiynu. Mae tymheredd y golofn yn gostwng gydag uchder. Wrth i'r olew crai anweddol godi i fyny'r golofn ffracsiynu, mae'n mynd drwy blatiau capiau swigod. Mae'r rhain yn casglu'r hylif sy'n cyddwyso ar y tymheredd hwnnw ac yn caniatáu i anweddau hylifau â berwbwyntiau is symud yn uwch i fyny'r golofn. Mae pob plât yn cynnwys llawer o gapiau swigod fel yr un yn Ffigur 12.6.

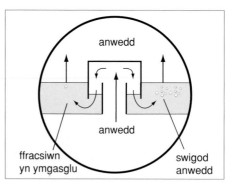

**Ffigur 12.6** Mae platiau capiau swigod yn casglu hylif ac yn gadael i anwedd basio.

## CWESTIYNAU

1 Pam mae'r tymheredd yn gostwng wrth iddo fynd i fyny'r golofn ffracsiynu?

2 Eglurwch yn glir sut *yn union* mae cap swigod yn gwahanu'r hylif a'r anwedd.

3 Gwnewch ymchwil i ddod o hyd i rai ffyrdd o ddefnyddio'r ffracsiwn cerosin.

Mae rhai o'r cynhyrchion sy'n dod o ddistyllu ffracsiynol olew yn danwyddau. Mae'r rhain yn cynnwys y ffracsiynau â'r berwbwyntiau isaf, y nwyon a gasolin (petrol).

## GWAITH YMARFEROL    GWNEUD EICH DISTYLLU FFRACSIYNOL EICH HUN

Dyma weithgaredd sy'n eich helpu i:
★ cynllunio arbrofion

Cyfarpar
* llosgydd Bunsen
* mat gwrth-wres
* stand clampio
* tiwb profi 'gwydr caled' (borosilicad) â braich ochr
* tiwb cludo plyg a thiwbin cysylltu rwber
* 4 tiwb sampl bach (20 mm x 5 mm) o leiaf
* thermomedr 0−360 °C gyda chorcyn i ffitio mewn tiwb profi â braich ochr
* diferydd
* bicer (100 cm³)
* gwydryn oriawr 'gwydr caled'
* ffibr mwynol neu geramig
* prenynnau
* amnewidyn olew crai
* sbectol ddiogelwch

 Asesiad risg
● **Gwisgwch sbectol ddiogelwch.**
● **Bydd eich athro/athrawes yn rhoi asesiad risg i chi.**

*parhad...*

## GWAITH YMARFEROL *parhad*

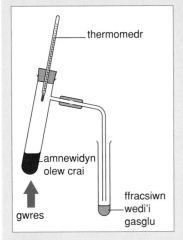

Ffigur 12.7

### Dull

1 Rhowch ddyfnder o tua 2 cm$^3$ o ffibr ceramig yng ngwaelod y tiwb profi â braich ochr. Defnyddiwch y diferydd i ychwanegu tua 2 cm$^3$ o amnewidyn olew crai ato.

2 Cydosodwch y cyfarpar fel yn Ffigur 12.7 ond gydag un peth ychwanegol – bicer o ddŵr oer o gwmpas y tiwb casglu. Dylai bwlb y thermomedr fod gyferbyn â'r fraich ochr, neu ychydig yn is. Gwresogwch waelod y tiwb profi braich ochr yn ysgafn, gyda'r fflam Bunsen isaf. Gwyliwch y thermomedr.

3 Pan mae'r tymheredd yn cyrraedd 100 °C, rhowch diwb gwag arall yn lle'r tiwb casglu. Does dim angen y bicer o ddŵr oer mwyach.

4 Casglwch dri ffracsiwn ychwanegol, i roi'r ffracsiynau canlynol:
   a tymheredd ystafell i 100°C
   b 100–150 °C
   c 150–200 °C
   ch 200–250 °C

5 Mae gwaddod du ar ôl yn y tiwb profi braich ochr. Profwch y pedwar ffracsiwn am y priodweddau hyn: gludedd (pa mor rhwydd maen nhw'n arllwys), lliw, arogl a fflamadwyedd. I brofi'r arogl, gwthiwch yr arogl *yn ysgafn* tuag atoch chi gyda'ch llaw. I brofi'r fflamadwyedd, arllwyswch y ffracsiynau ar wydryn oriawr caled a thaniwch nhw â phrennyn sy'n llosgi.

6 Cadwch un set o ffracsiynau a'u cymysgu nhw gyda'i gilydd. Byddwch chi'n gweld eu bod nhw'n cyfuno i roi cymysgedd tebyg iawn i'r sampl gwreiddiol.

### Pwynt Trafod

Mae'r ffracsiynau sy'n cael eu casglu yn yr arbrawf hwn yn dal i gynnwys cymysgedd o gemegion. Yn ystod yr arbrawf, beth yw'r dystiolaeth sy'n dangos **nad** un cemegyn sengl yw'r hylif a gaiff ei gasglu?

### Cwestiynau

1 Pam roedd angen y bicer o ddŵr oer gyda'r sampl cyntaf ond ddim gydag unrhyw un o'r lleill?

2 Pam mae safle bwlb y thermomedr yn bwysig?

## Beth yw plastig?

Mae llawer o wahanol fathau o blastig, ond rhaid i ddefnydd fod â phriodweddau penodol cyn y gallwn ei alw'n blastig. Mae'r gair 'plastig' yn dod o'r gair Groeg *plastikos* sy'n golygu *yn gallu cael ei fowldio neu ei siapio*, a'r briodwedd hon sy'n gwneud plastig yn blastig. Gall plastig gael ei newid yn bob math o siapiau – dalennau, ffibrau, tiwbiau, poteli, blychau, llestri ac ati.

Er bod gwahanol blastigion i gyd yn gallu cael eu mowldio neu eu siapio, bydd gan y plastigion hyn briodweddau sy'n wahanol i'w gilydd. Y priodweddau hyn sy'n gwneud plastigion yn ddefnyddiol mewn gwahanol sefyllfaoedd. Mae **thermoplastigion**, er enghraifft, yn meddalu wrth iddynt gael eu gwresogi, ond mae **thermosetiau** yn gwrthsefyll gwres.

| Plastig | Priodweddau | Sut caiff ei ddefnyddio |
|---|---|---|
| Polystyren | Thermoplastig; yn gwrthsefyll asidau, alcalïau a nifer o hydoddyddion; ddim yn amsugno dŵr; ynysydd trydanol rhagorol | Cwpanau yfed, blychau cig, casys DVD a CD, ynysu oergelloedd, cyllyll a ffyrc plastig, blychau bwyd parod, defnyddiau pacio |
| Polypropen | Thermoplastig; yn ymdoddi ar dymheredd uchel; ysgafn a chryf; ddim yn amsugno dŵr; ynysydd rhagorol; yn gwrthsefyll nifer o gemegion cyrydol | Cynwysyddion bwyd diogel i beiriannau golchi llestri, ffibrau sy'n cael eu defnyddio i wneud carpedi gwydn, cyfarpar meddygol, bymperi ceir, pibelli |
| Polyethen dwysedd uchel | Thermoplastig; anhyblyg a chryf; yn gwrthsefyll gwres; yn gwrthsefyll asidau ac alcalïau | Bagiau rhewgell, poteli llaeth, teganau, tybiau margarin, poteli glanedydd, biniau sbwriel |
| Polyethen dwysedd isel | Thermoplastig; ddim mor gryf, a mwy hyblyg na'r ffurf dwysedd uchel | Bagiau plastig, haenen lynu i lapio bwyd, bagiau bin |
| Polyfinyl clorid (PVC) | Thermoplastig; yn gwrthsefyll cyrydiad; yn gallu bod yn hyblyg neu'n anhyblyg; ynysydd rhagorol | Nwyddau enchwythu (inflatable), gwelyau dŵr, peipiau dŵr hyblyg, pilenni to, fframiau ffenestri a drysau, recordiau finyl, dillad, ynysu gwifrau |
| Polytetrafflworo-ethen (PTFE) | Thermoplastig; yn gwrthsefyll gwres ac oerfel yn dda iawn; does dim cemegyn hysbys yn gallu ymosod arno; 'llithrig' iawn; ei enw brand yw 'teflon' | Llestri gwrthlud; offer tywydd gwlyb a dillad chwaraeon |
| Resin epocsi | Thermoset; caled, anhyblyg a brau ar adegau; yn gwrthsefyll cemegion; priodweddau adlynol rhagorol | Gludion epocsi; caiff ei ddefnyddio mewn defnyddiau cyfansawdd, e.e. gwydr ffibr |
| Bakelite | Thermoset; caled, yn gwrthsefyll gwres a chemegion; ynysydd trydanol da | Yn y gorffennol, cafodd ei ddefnyddio'n helaeth mewn offer cartref a phlygiau trydanol; nawr caiff ei ddefnyddio i wneud peli biliards a darnau gemau bwrdd (e.e. gwyddbwyll) |

## CWESTIYNAU

4 Dewiswch ddau o'r thermoplastigion yn Nhabl 12.4 ac un ffordd o ddefnyddio'r ddau ohonynt. Eglurwch sut mae priodweddau'r plastigion yn addas ar gyfer y dibenion hyn.

5 Ymchwiliwch i enw plastig thermosodol arall ac i beth mae'n cael ei ddefnyddio.

## Sut caiff plastigion eu gwneud?

Caiff plastigion eu gwneud o foleciwlau cadwyn hir o'r enw **polymerau**, sydd wedi'u gwneud o nifer o unedau llai o'r enw **monomerau**. Enw'r broses o uno'r monomerau â'i gilydd i ffurfio polymerau yw **polymeriad**.

Mae nifer o'r monomerau sy'n cael eu defnyddio i wneud plastig yn dod yn anuniongyrchol o ddistyllu ffracsiynol olew, o'r ffracsiynau nafftha neu olew nwy. Mae'r cemegion sy'n cael eu defnyddio'n perthyn i grŵp o'r enw alcanau, ond cyn y gallwn ni eu defnyddio, rhaid eu prosesu nhw ymhellach i ffurfio monomerau adweithiol. Caiff y rhain eu gwresogi, naill ai dan wasgedd neu gyda chatalydd (sy'n cyflymu'r adweithiau cemegol gofynnol) mewn proses o'r enw '**cracio**' i wneud moleciwlau alcan byrrach ac alcenau.

Enghraifft o alcan sy'n cael ei ddefnyddio ar gyfer cracio yw decan, sy'n ffurfio octan ac ethen.

decan → octan + ethen

Gallwn ni ddefnyddio octan wrth gynhyrchu petrol, a gallwn ni ddefnyddio ethen i wneud amrywiaeth eang o gemegion, gan gynnwys polymerau. Mae monomerau fel ethen yn ffurfio **polymerau adio**. Caiff polymerau adio eu ffurfio o un math o fonomer. Mae'r monomer ethen yn ffurfio'r polymer poly(ethen) neu bolythen (gweler Ffigur 12.8).

**Ffigur 12.8** Ffurfio polyethen o ethen.

Mae polymerau adio eraill yn cael eu gwneud o gyfansoddion sy'n deillio o ethen, ac mae'r rhain i gyd yn blastigion cyffredin defnyddiol, e.e. polytetrafflworoethen (PTFE) a pholy(cloroethen) neu bolyfinylclorid (PVC). Mae Ffigur 12.9 yn dangos bod y monomer ychydig bach yn wahanol ym mhob achos, ac mae'r monomerau hyn yn rhoi gwahanol briodweddau i'r plastigion.

**Ffigur 12.9** Ffurfio (a) PTFE a (b) PVC.

Mae Ffigur 12.10 yn rhoi crynodeb o broses ffurfio plastig.

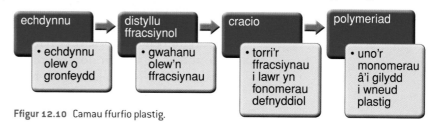

| echdynnu | distyllu ffracsiynol | cracio | polymeriad |
|---|---|---|---|
| • echdynnu olew o gronfeydd | • gwahanu olew'n ffracsiynau | • torri'r ffracsiynau i lawr yn fonomerau defnyddiol | • uno'r monomerau â'i gilydd i wneud plastig |

**Ffigur 12.10** Camau ffurfio plastig.

## Pam mae'n bwysig ailgylchu plastigion?

Mae nifer o blastigion yn dda iawn am wrthsefyll ymosodiad cemegol, ac maen nhw bron i gyd yn **anfioddiraddadwy** – mewn geiriau eraill, dydyn nhw ddim yn pydru. Os ydym ni'n rhoi'r plastigion hyn gyda gwastraff arferol y cartref, byddan nhw'n cael eu claddu dan ddaear lle byddan nhw'n aros am gannoedd o flynyddoedd. Gan nad ydyn nhw'n pydru, mae plastigion yn tueddu i lenwi safleoedd tirlenwi nes bod rhaid dod o hyd i safleoedd newydd. Mae'r Deyrnas Unedig yn defnyddio dros 5 miliwn o dunelli metrig o blastig bob blwyddyn, felly mae hyn yn broblem fawr.

Mae'n llawer gwell ailgylchu gwastraff plastig. Mae nifer o fanteision i hyn:

- mae llai o blastig yn mynd i safleoedd tirlenwi
- rydym ni'n defnyddio llai o olew i gynhyrchu plastig
- rydym ni'n defnyddio llai o egni.

Er ei bod yn bosibl ailgylchu pob plastig, mae rhai'n anoddach ac yn ddrutach eu hailgylchu. Mae'n rhaid gwahanu rhai plastigion oddi wrth rai eraill er mwyn eu hailgylchu, felly i helpu â hyn mae symbol ar y rhan fwyaf o becynnau plastig i ddynodi pa fath o blastig ydyw (gweler Tabl 12.5).

**Tabl 12.5** Symbolau ailgylchu plastig. Mae mathau 1–3 yn cael eu hailgylchu mewn llawer o ardaloedd yn y Deyrnas Unedig, ond mae'n anodd ailgylchu mathau 4–7 ac efallai na fydd y cyfleusterau hyn ar gael yn eich ardal chi.

| Symbol | Math o bolymer | Enghreifftiau |
|---|---|---|
| △ 1 PETE | PET Polyethen terepthalad | Poteli diodydd pop Poteli dŵr mwynol Poteli diod ffrwythau Poteli olew coginio |
| △ 2 HDPE | HDPE Polyethen dwysedd uchel | Poteli llaeth Poteli sudd ffrwythau Poteli hylif golchi llestri Poteli swigod baddon a gel cawod |
| △ 3 V | PVC Polyfinyl clorid | Fel arfer ar ffurf poteli, ond dydy'r rhain ddim yn gyffredin iawn heddiw |

| Symbol | Math o bolymer | Enghreifftiau |
|---|---|---|
| 4 LDPE | LDPE<br>Polyethen dwysedd isel | Mae sawl math o ddefnydd pacio'n cael eu gwneud o'r defnyddiau hyn, er enghraifft, plastig o gwmpas cig a llysiau ffres |
| 5 PP | PP<br>Polypropen | |
| 6 PS | PS<br>Polystyren | |
| 7 OTHER | Arall<br>Pob resin ac amlddefnydd arall | |

## TASG — PA MOR DDA YW'R DEYRNAS UNEDIG AM AILGYLCHU PLASTIGION?

Dyma weithgaredd sy'n eich helpu i:
★ darllen data o graffiau
★ dadansoddi graffiau
★ datblygu eich sgiliau mathemategol.

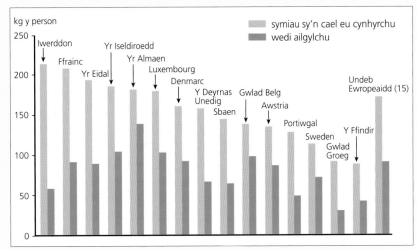

**Ffigur 12.11** Data cynhyrchu defnyddiau pacio o bob math a data ailgylchu ar gyfer rhai o wledydd Ewrop, 2001.

Edrychwch ar ddata ailgylchu defnyddiau pacio yn rhai o wledydd Ewrop a chyfartaledd yr Undeb Ewropeaidd cyfan yn Ffigur 12.11. Nodwch fod tua 50% o holl ddefnyddiau pacio Ewrop yn blastig.

Cwestiynau

1 Pa wlad sy'n cynhyrchu'r swm mwyaf o ddefnyddiau pacio y person?
2 Pa wlad sy'n ailgylchu'r swm mwyaf o blastig y person?
3 Pa wlad sy'n 'gwneud orau' o ran y ffigurau hyn?
4 Eglurwch sut gwnaethoch chi eich penderfyniad yng nghwestiwn 3.
5 Eglurwch pam ei bod yn bosibl nad yw'r data hyn yn rhoi asesiad cywir o ba mor dda roedd gwlad yn ailgylchu plastig yn 2001.
6 Amcangyfrifwch ganran y defnyddiau pacio gafodd ei ailgylchu yn y Deyrnas Unedig yn 2001.

# Crynodeb o'r bennod

○ Mae olew crai'n gymysgedd o hydrocarbonau a gafodd ei ffurfio dros filiynau o flynyddoedd o weddillion organebau morol syml.

○ Mae olew crai'n adnodd cyfyngedig ac mae penderfyniadau am ei ddefnyddio'n cael effaith gymdeithasol, economaidd ac amgylcheddol yn fyd-eang.

○ Caiff olew crai ei wahanu'n gymysgeddau llai cymhleth, o'r enw ffracsiynau. Mae'r rhain yn cynnwys hydrocarbonau sydd â berwbwyntiau o fewn yr un amrediad.

○ Mae'n bosibl prosesu rhai ffracsiynau ymhellach drwy gracio i wneud moleciwlau bach adweithiol o'r enw monomerau. Caiff y rhain eu defnyddio i wneud plastigion.

○ Caiff monomerau eu huno â'i gilydd i wneud polymerau drwy broses o'r enw polymeriad.

○ Mae yna amrywiaeth o blastigion â gwahanol briodweddau, ond mae'n bosibl eu siapio neu eu mowldio nhw i gyd.

○ Mae priodweddau gwahanol blastigion yn eu gwneud nhw'n addas at wahanol ddibenion.

○ Mae manteision mawr i ailgylchu plastig oherwydd ei natur anfiodiraddadwy, a hefyd er mwyn defnyddio llai o adnoddau olew i wneud plastigion newydd.

# 13 Y Ddaear sy'n newid yn barhaus

## Ydy'r Ddaear bob tro wedi edrych fel mae hi heddiw?

Yr ateb i hyn yw nac ydy. Mae'r Ddaear yn bodoli ers biliynau o flynyddoedd, ac yn ystod y cyfnod hwnnw mae ei hymddangosiad wedi newid yn araf ond yn gyson (gweler Ffigur 13.1).

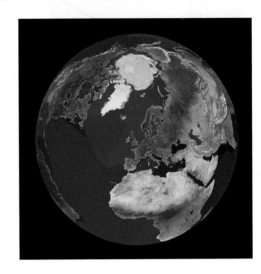

**Ffigur 13.1** Y Ddaear 200 miliwn o flynyddoedd yn ôl (chwith) ac fel mae hi heddiw (de).

Dau gan miliwn o flynyddoedd yn ôl, roedd eangdiroedd y Ddaear i gyd wedi'u grwpio gyda'i gilydd mewn un bloc. Heddiw, mae gwyddonwyr yn galw'r bloc hwn yn **Pangaea**. Efallai eich bod chi'n meddwl bod y cyfandiroedd yn aros yn yr un lle ond, mewn gwirionedd, maen nhw'n symud ar draws arwyneb y blaned ac yn gallu symud o le i le. Yn Ffigur 13.1, mae'r llun modern yn ffotograff sydd wedi'i dynnu o'r gofod, ond 200 miliwn o flynyddoedd yn ôl doedd bodau ddim wedi heb ymddangos eto ar y Ddaear, felly doedd neb yn tynnu ffotograffau. Mae hyn felly'n arwain at gwestiwn arall.

## Sut rydym ni'n gwybod bod y cyfandiroedd wedi symud?

Erbyn heddiw mae gwyddonwyr yn gwybod bod arwyneb y Ddaear, neu'r lithosffer, wedi'i wneud o saith **plât** mawr a rhai platiau llai. Mae'r rhain tua 70 km o drwch, ac maen nhw'n symud rhai centimetrau bob blwyddyn. Enw'r symudiad hwn yw **drifft cyfandirol**.

Cafodd syniad drifft cyfandirol ei gynnig gan Alfred Wegener (1880–1930), ac mae'r problemau a wynebodd ef wrth geisio perswadio pobl i dderbyn ei syniadau'n rhoi enghraifft dda o sut mae gwyddoniaeth yn gweithio.

Ffigur 13.2 Alfred Wegener.

Mae cyfandiroedd y Ddaear, yn fras, yn ffitio i'w gilydd fel jig-so. Mae morlinau gorllewin Affrica a dwyrain De America'n ffitio'n arbennig o dda (gweler Ffigur 13.3).

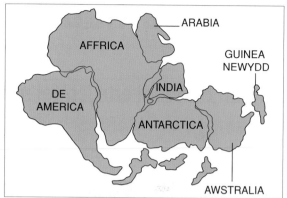

Ffigur 13.3 'Jig-so' y cyfandiroedd. Enw'r grŵp hwn o gyfandiroedd yw 'Gondwana'. Rydym ni'n meddwl bod ehangdir gwreiddiol Pangaea wedi rhannu'n ddau, sef Laurasia a Gondwana.

I egluro hyn, roedd rhai pobl wedi awgrymu y gallai'r cyfandiroedd fod wedi symud, ond doedd dim tystiolaeth glir o blaid hyn heblaw bod y 'jig-so'n ffitio'. Roedd daearegwyr y bedwaredd ganrif ar bymtheg yn credu bod y cyfandiroedd wedi symud, ond dim ond i fyny ac i lawr (nid o ochr i ochr) wrth i arwyneb y Ddaear oeri a chyfangu (doedd dim tystiolaeth o blaid hyn ychwaith).

Chwiliodd Alfred Wegener am dystiolaeth o blaid drifft cyfandirol, a daeth o hyd i rywfaint:

■ Mae ffurfiannau creigiau ar ddwy ochr Môr Iwerydd yn union yr un fath.
■ Mae ffosiliau anifeiliaid a phlanhigion tebyg neu unfath yn cael eu canfod mewn ardaloedd sydd wedi'u gwahanu gan gefnforoedd, e.e. mae ffosil malwen wedi'i ganfod yn Sweden a hefyd yn Newfoundland yng Nghanada, a does dim ffordd y gallai malwen nofio ar draws Môr Iwerydd!
■ Mae rhai ffosilau'n edrych fel eu bod nhw yn y 'lle anghywir', e.e. gweddillion ffosiliau rhywogaethau lled-drofannol yng ngogledd Norwy.

Fodd bynnag, roedd gwendid yn namcaniaeth drifft cyfandirol Wegener. Doedd neb yn gwybod am unrhyw fecanwaith a fyddai'n galluogi cyfandiroedd i symud drwy gramen y Ddaear heb adael unrhyw fath o 'ôl'.

Cafodd model Wegener ei wrthod ar y pryd, a chynigiodd daearegwyr fodel gwahanol i ddisgrifio dosbarthiad rhyfedd rhai ffosiliau. Eu hawgrym nhw oedd bod 'pont dir' wedi bodoli rhwng cyfandiroedd ar ryw adeg, gan alluogi anifeiliaid a phlanhigion i groesi o un cyfandir i un arall. Yna, diflannodd y pontydd tir hyn (heb adael unrhyw ôl, mae'n debyg) gan adael y cyfandiroedd wedi'u gwahanu.

**Pwynt Trafod**

Ydy'r ffaith bod neb yn gwybod am fecanwaith i egluro rhagdybiaeth yn rheswm da dros ei gwrthod?

# TASG
## BLE AETH Y TRILOBITAU?

Dyma weithgaredd sy'n eich helpu i:
★ barnu gwerth model
★ defnyddio tystiolaeth i gefnogi casgliad.

Ystyriwch y darn hwn o dystiolaeth. Mae yna ffosiliau Trilobit sy'n gyffredin yn Ewrop ac sydd hefyd i'w gweld yn Newfoundland ar ochr arall Môr Iwerydd, dros 3000 km i ffwrdd. Fodd bynnag, dim ond ar ochr ddwyreiniol yr ynys y mae'r rhywogaeth hon i'w gweld, a byth ar yr ochr orllewinol. Lled Newfoundland yw tua 300 km.

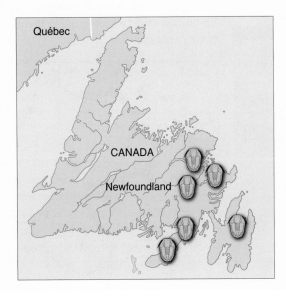

**Ffigur 13.4** Dosbarthiad ffosiliau Trilobit Ewropeaidd yn Newfoundland, Canada.

Cwestiwn:
Sut mae'r dystiolaeth hon yn ffitio â'r ddau fodel sy'n cael sylw ar dudalennau 140–141 (drifft cyfandirol yn erbyn pontydd tir)?

# Sut cafodd damcaniaeth Wegener ei derbyn?

I argyhoeddi pobl bod y cyfandiroedd yn gallu symud ar draws arwyneb y Ddaear, roedd angen tystiolaeth newydd. Yn y pen draw, daeth y dystiolaeth hon i'r amlwg.

■ Dangosodd astudiaethau o lawr y cefnfor ei fod yn cynnwys cadwyni o fynyddoedd a chanionau. Pe bai llawr y cefnfor yn hynod o hen, dylai fod yn esmwyth, oherwydd yr holl waddod sy'n llifo iddo o afonydd.

■ Yn 1960, cafodd samplau craidd o lawr Môr Iwerydd eu dadansoddi a'u dyddio. Roedd y rhain yn dangos bod y creigiau yng nghanol yr Iwerydd yn llawer iau na'r creigiau ar yr ymylon gorllewinol a dwyreiniol.

■ Doedd dim unrhyw ddarn o lawr y cefnfor yn hŷn na thua 175 miliwn o flynyddoedd, ond roedd creigiau wedi'u darganfod ar dir a oedd sawl biliwn o flynyddoedd oed.

■ Mae creigiau'n cynnwys cofnod o faes magnetig y Ddaear, sy'n newid o bryd i'w gilydd. Roedd dadansoddiad o'r cofnodion magnetig hyn yn dangos bod Prydain wedi troelli a symud i'r gogledd yn y gorffennol, a bod y patrymau'n cyd-fynd yn union â rhai Gogledd America.

Daeth yn amlwg fod llawr newydd yn ffurfio ar waelod y cefnforoedd drwy'r amser ac yn lledaenu tuag allan, a'i fod yn suddo'n ôl i'r gramen mewn mannau'n agos at ymylon y cyfandiroedd. Dangosodd hyn fod cramen y Ddaear yn 'symudol'.

Erbyn yr 1960au, roedd pobl yn gyffredinol yn derbyn syniad drifft cyfandirol, a chafodd y ddamcaniaeth enw newydd: **tectoneg platiau**.

Seismoleg yw astudio daeargrynfeydd a llosgfynyddoedd. Mae astudiaethau seismig wedi dangos bod daeargrynfeydd yn digwydd mewn patrwm, a heddiw rydym ni'n gwybod bod y patrwm hwn yn dangos y ffiniau rhwng platiau'r Ddaear (gweler Ffigur 13.6).

Mae hyn yn golygu ein bod ni'n gallu rhagfynegi lle bydd daeargrynfeydd a llosgfynyddoedd newydd yn digwydd, a'n bod ni'n gallu defnyddio safleoedd llosgfynyddoedd a daeargrynfeydd rydym ni'n gwybod amdanyn nhw i ganfod ffiniau'r platiau.

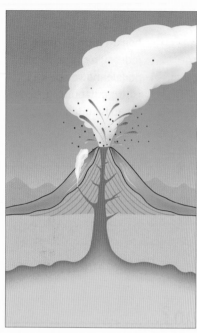

Ffigur 13.5 Mae llosgfynyddoedd yn digwydd pan mae craig dawdd (magma) yn dod drwy'r arwyneb dan wasgedd. Mae haenau o graig yn oeri ac yn caledu i ffurfio côn y llosgfynydd.

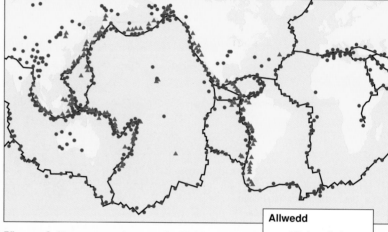

Ffigur 13.6 Mae patrwm y daeargrynfeydd a'r llosgfynyddoedd yn diffinio ffiniau platiau. Er enghraifft, y cylch o losgfynyddoedd o gwmpas y Môr Tawel yw ffin plât y Môr Tawel.

**Allwedd**
- ⌒ Ffiniau platiau
- • Daeargrynfeydd
- ▲ Llosgfynyddoedd

Mae pedwar math o symudiad yn gallu digwydd lle mae dau blât yn uno:
- Mae'r platiau'n gallu symud oddi wrth ei gilydd – caiff craig dawdd (magma) o dan yr arwyneb ei rhyddhau. Os yw hyn yn digwydd dan wasgedd, mae hyn yn echdoriad folcanig.
- Mae'r platiau'n gallu gwrthdaro. Mae hyn yn 'crychu' ymylon y platiau, gan greu cadwyni o fynyddoedd.
- Mae un plât yn gallu llithro o dan y llall (yr enw ar hyn yw **tansugno**). Caiff magma ei ryddhau ac mae llosgfynyddoedd yn gallu digwydd.
- Mae'r platiau'n gallu llithro heibio i'w gilydd, heb symud tuag at ei gilydd nac oddi wrth ei gilydd.

Mae unrhyw symudiad yn y platiau'n gallu achosi daeargrynfeydd. Mae symudiad plât yn achosi i symiau enfawr o egni gronni yn y graig. Pan gaiff yr egni ei ryddhau, mae dirgryniadau'n digwydd sy'n teithio drwy'r graig, gan achosi daeargrynfeydd mân neu fawr yn dibynnu faint o egni oedd wedi cronni.

### Cwestiynau
Edrychwch ar Ffigur 13.6.
1 Mae daeargrynfeydd yn digwydd ger rhai ffiniau platiau lle does dim llosgfynyddoedd. Awgrymwch reswm am hyn.
2 Mae rhai mannau ble mae daeargrynfeydd a/neu losgfynyddoedd yn digwydd er nad ydyn nhw ar ffin plât. Awgrymwch reswm am hyn.

# Sut gwnaeth llosgfynyddoedd helpu bywyd ar y Ddaear i esblygu?

**Tabl 13.1** Cyfansoddiad yr atmosffer heddiw. Mae'r atmosffer hefyd yn cynnwys anwedd dŵr, ond mae'r swm yn amrywio.

| Nwy | Swm mewn aer sych, yn ôl cyfaint |
|---|---|
| Nitrogen ($N_2$) | 78.1% |
| Ocsigen ($O_2$) | 20.9% |
| Argon (Ar) | 0.9% |
| Carbon deuocsid ($CO_2$) | 0.035% |
| Eraill:<br>Neon (Ne)<br>Heliwm (He)<br>Crypton (Kr)<br>Hydrogen ($H_2$)<br>Xenon (Xe)<br>Oson ($O_3$)<br>Radon (Rn) | 0.065% |

Oni bai am losgfynyddoedd, ni fyddai'r Ddaear wedi esblygu atmosffer sy'n gallu cynnal bywyd. Roedd atmosffer gwreiddiol y Ddaear yn cynnwys **hydrogen** a **heliwm** yn bennaf ond, yn fuan, dihangodd y nwyon dwysedd isel hyn o ddisgyrchiant y Ddaear gan ddrifftio i'r gofod. Ar y pryd, roedd y Ddaear yn ifanc ac yn dal i oeri ar ôl cael ei ffurfio. Roedd llawer iawn o losgfynyddoedd ar yr arwyneb ac roedden nhw'n echdorri'n gyson. Roedd yr echdoriadau'n cynnwys amrywiaeth o nwyon, gan gynnwys **anwedd dŵr, carbon deuocsid** ac **amonia**. Dechreuodd y nwyon hyn gronni yn yr atmosffer, a hydoddodd y carbon deuocsid yn y moroedd cynnar. Yn y pen draw, esblygodd celloedd bacteriol yn y moroedd. Roedd y celloedd hyn yn defnyddio'r carbon deuocsid a golau'r haul i wneud bwyd drwy ffotosynthesis. Roedden nhw'n rhyddhau **ocsigen** fel cynnyrch gwastraff, ac roedd hwn yn cael ei ychwanegu at yr atmosffer. Roedd ocsigen yn galluogi bywyd anifeiliaid i esblygu, gan fod angen ocsigen ar anifeiliaid i resbiradu. Roedd yr amonia gwenwynig a gafodd ei ryddhau o'r llosgfynyddoedd yn dadelfennu yng ngolau'r haul i ffurfio nitrogen a hydrogen. Dihangodd yr hydrogen o'r atmosffer, ond arhosodd y nitrogen, gan greu'r atmosffer fel y mae heddiw.

# Pam mae'r nwyon yn yr atmosffer yn aros yn gyson?

Ar hyn o bryd mae yna bryder bod lefel y carbon deuocsid yn yr atmosffer yn cynyddu (gweler tud. 152). Mae hyn yn achos pryder am ei fod yn newydd – mae cyfrannau'r nwyon yn yr atmosffer wedi aros yn gyson am filiynau o flynyddoedd. Mae hyn er gwaethaf y ffaith bod organebau byw'n defnyddio ocsigen a charbon deuocsid, ac yn cynhyrchu'r ddau ohonyn nhw hefyd. Yn y gorffennol, mae'r prosesau sy'n defnyddio ocsigen wedi cael eu cydbwyso gan rai sy'n ei gynhyrchu, ac mae'r un peth wedi bod yn wir am garbon deuocsid. Mae cynhyrchu a defnyddio ocsigen yn dal i fod mewn cydbwysedd, ond erbyn hyn mae mwy o garbon deuocsid yn cael ei gynhyrchu nag sy'n cael ei ddefnyddio.

## Ocsigen

Mae pob peth byw bron yn defnyddio ocsigen i gael egni o resbiradu. Mae planhigion yn cynhyrchu ocsigen yn ystod ffotosynthesis, a gan eu bod nhw'n cynhyrchu mwy nag sydd ei angen arnynt i resbiradu, maen nhw'n ei roi'n ôl yn yr amgylchedd. O ran ocsigen, mae resbiradu a ffotosynthesis yn cydbwyso ei gilydd (Ffigur 13.7).

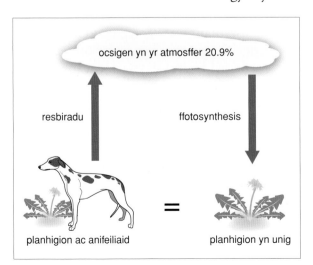

**Ffigur 13.7** Y cydbwysedd rhwng defnyddio ocsigen a'i gynhyrchu.

## Carbon deuocsid

Yn y gorffennol, mae'r **gylchred garbon** wedi cadw lefelau carbon deuocsid yn yr atmosffer yn gyson. Mae resbiradu a ffotosynthesis eto'n chwarae rhan yn hwn. Mae Ffigur 13.8 yn rhoi crynodeb o'r gylchred garbon.

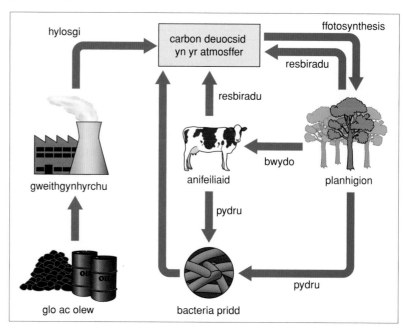

**Ffigur 13.8** Y gylchred garbon.

Yn rhan 'naturiol' y gylchred garbon, mae symiau bach o garbon sydd ddim yn cael eu hailgylchu. Mae hyn oherwydd o dan rai amodau penodol mae cyrff marw planhigion ac anifeiliaid yn ffosileiddio yn hytrach na phydru. Mae'r carbon yn eu cyrff yn aros ynddynt yn hytrach na chael ei ryddhau'n ôl i'r atmosffer fel carbon deuocsid. Fel hyn, mae tanwyddau ffosil (olew, glo a nwy naturiol) wedi storio carbon ers miliynau o flynyddoedd. Mae glo wedi cael ei losgi ers cannoedd o flynyddoedd ac mae hyn wedi rhyddhau rhywfaint o garbon deuocsid i'r atmosffer. Fodd bynnag, yn y 150 mlynedd diwethaf, mae darganfod olew a nwy naturiol ynghyd â'r twf enfawr mewn diwydiant wedi golygu bod llawer mwy o danwydd yn cael ei losgi. O ganlyniad, mae carbon sydd wedi cymryd miliynau o flynyddoedd i gronni yn y Ddaear wedi cael ei ryddhau'n gyflym i'r atmosffer ar ffurf carbon deuocsid. Mae'r broses hon o **hylosgi** (llosgi) tanwydd ffosil wedi tarfu ar y cydbwysedd a oedd yn bodoli cynt, ac mae lefel y carbon deuocsid yn yr atmosffer wedi cynyddu yn hytrach nag aros yn gyson. Rydym ni'n meddwl bod y newid hwn wedi achosi newidiadau i hinsawdd y Ddaear; fe welwn ni hyn yn nes ymlaen.

**Pwynt Trafod**

Mae hylosgi tanwyddau ffosil yn defnyddio ocsigen ac yn cynhyrchu carbon deuocsid, ond dydy lefelau ocsigen yn yr atmosffer heb leihau'n sylweddol. Awgrymwch reswm posibl am hyn.

SUT GALLWN NI DDANGOS CYNHYRCHION HYLOSGIAD?

Dyma weithgaredd sy'n eich helpu i:
★ cynllunio arbrofion.

Bydd eich athro/athrawes yn arddangos yr arbrawf hwn.

Mae llosgi'r hydrocarbonau mewn tanwyddau ffosil yn cynhyrchu carbon deuocsid a dŵr. Mae'r **papur cobalt clorid** yn nhiwb profi A yn canfod dŵr, gan droi o las i binc. Mae dwy ffordd o ddangos carbon deuocsid yn nhiwb B:

● drwy ddefnyddio **dŵr calch**, sy'n troi'n gymylog pan mae carbon deuocsid yn bresennol

● drwy ddefnyddio **dangosydd hydrogen carbonad**, sy'n canfod newid mewn pH. Mae carbon deuocsid yn nwy asid ac mae hyn yn troi'r dangosydd deucarbonad o goch i felyn.

Cwestiynau

1 Awgrymwch un rheswm pam gallai fod yn well defnyddio dŵr calch yn yr arbrawf hwn na dangosydd deucarbonad.

2 Cynlluniwch arbrawf i brofi pa un o'r ddwy ffordd o ganfod carbon deuocsid yw'r mwyaf sensitif (h.y. yn canfod llai o garbon deuocsid) gan ddefnyddio'r cyfarpar hwn.

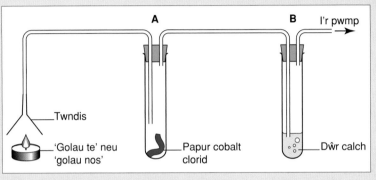

**Ffigur 13.9** Arbrawf i ddangos cynhyrchion hylosgiad.

YDYM NI'N ACHOSI CYNHESU BYD-EANG?

Dyma weithgaredd sy'n eich helpu i:
★ barnu cryfder tystiolaeth
★ asesu effeithiau tuedd mewn data eilaidd
★ datblygu sgiliau cyfathrebu.

Mae cynhesu byd-eang a'i achosion posibl yn y newyddion yn gyson. Mae bron bob gwyddonydd sy'n ymchwilio i gynhesu byd-eang yn credu mai gweithgarwch pobl yw'r prif achos – llosgi tanwyddau ffosil yn bennaf. Fodd bynnag, mae rhai'n anghytuno, gan feddwl mai ffenomenon naturiol yw cynhesu byd-eang sy'n digwydd o bryd i'w gilydd yn hanes y Ddaear, neu nad yw'n digwydd mewn gwirionedd, neu ei fod yn digwydd, ond ei fod yn cael ei achosi gan rywbeth heblaw allyriadau carbon deuocsid o danwyddau ffosil.

Felly, pam mae gwyddonwyr yn methu cytuno, wrth edrych ar dystiolaeth debyg, ac os yw'r rhan fwyaf ohonynt yn credu mai pobl sy'n achosi cynhesu byd-eang, pam na allant brofi hynny?

Mae problem cynhesu byd-eang yn enghraifft dda o sut mae llawer o wyddoniaeth yn gweithio. Mae'r byd yn gymhleth dros ben ac anaml iawn y cawn ni atebion syml. Gyda chynhesu byd-eang, mae rhai ffeithiau'n rhoi tystiolaeth y naill ffordd a'r llall.

● Mae tymheredd arwyneb y Ddaear wedi codi dros tua'r 100 mlynedd diwethaf (tystiolaeth o blaid cynhesu byd-eang).

● Mae lefel y carbon deuocsid yn yr atmosffer wedi codi ers tuag 1750, ac mae'n ymddangos bod y duedd hon yn cyfateb i'r cynnydd yn nhymheredd y Ddaear (tystiolaeth o blaid y ddadl bod carbon deuocsid yn achosi cynhesu byd-eang).

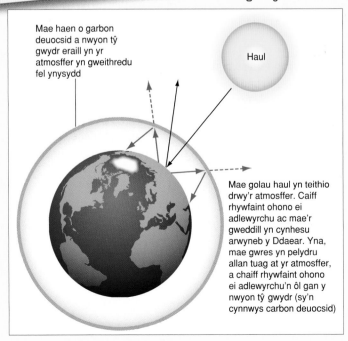

Mae haen o garbon deuocsid a nwyon tŷ gwydr eraill yn yr atmosffer yn gweithredu fel ynysydd

Haul

Mae golau haul yn teithio drwy'r atmosffer. Caiff rhywfaint ohono ei adlewyrchu ac mae'r gweddill yn cynhesu arwyneb y Ddaear. Yna, mae gwres yn pelydru allan tuag at yr atmosffer, a chaiff rhywfaint ohono ei adlewyrchu'n ôl gan y nwyon tŷ gwydr (sy'n cynnwys carbon deuocsid)

**Ffigur 13.10** Egwyddor cynhesu byd-eang.

*parhad...*

- Mae tymheredd y Ddaear yn mynd drwy gylchredau naturiol o fod yn boeth neu'n oer, ac mae'n bosibl iawn ei bod hi'n bryd i ni gael cynnydd naturiol mewn tymheredd byd-eang (tystiolaeth yn erbyn y ddadl mai carbon deuocsid sy'n achosi'r cynnydd).

- Mae yna fecanwaith clir i egluro sut byddai mwy o garbon deuocsid yn yr atmosffer yn achosi cynhesu byd-eang (dydy hyn ddim wir yn *dystiolaeth* o gwbl, ond mae'n eglurhad posibl).

- Mae'n debygol bod y cynnydd mewn tymheredd yn fwy nag y byddem ni'n ei ddisgwyl gan y gylchred dymheredd arferol (tystiolaeth bod carbon deuocsid yn achosi cynhesu byd-eang, ond dydy pawb ddim yn cytuno â hyn).

- Mae'r rhan fwyaf o wyddonwyr yn credu y dylai gweithgarwch diweddar yr Haul, sy'n achosi cylchredau tymheredd naturiol, fod yn gysylltiedig â gostyngiad mewn tymheredd ac nid cynnydd (tystiolaeth o blaid y ddadl mai pobl sy'n achosi cynhesu byd-eang, ond dydy pawb ddim yn cytuno gan fod y data'n gymhleth).

Mae llawer o ddarnau eraill o dystiolaeth y bydd pobl sy'n credu mewn newid yn yr hinsawdd, neu sydd ddim yn credu ynddo, yn eu dyfynnu er mwyn cefnogi eu hachos. Mae'r dystiolaeth mai pobl sy'n achosi cynhesu byd-eang (drwy losgi tanwyddau ffosil yn bennaf) yn gryf, ond dydy hi ddim yn gwbl argyhoeddiadol, ac mae'n debyg na fydd hi byth. Rhaid i bobl ddod i'w penderfyniadau eu hunain drwy farnu safon y dystiolaeth. Mae'r **Panel Rhynglywodraethol ar y Newid yn yr Hinsawdd (IPCC)**, grŵp o wyddonwyr cymwys iawn a gafodd ei sefydlu gan y Cenhedloedd Unedig yn 1988 i archwilio'r dystiolaeth dros newid yn yr hinsawdd, wedi dod i'r casgliad bod tebygolrwydd uwch na 90% bod y newid yn yr hinsawdd wedi digwydd o ganlyniad i gynnydd mewn nwyon tŷ gwydr sydd wedi'i achosi gan weithgarwch pobl.

### Cwestiwn

Defnyddiwch y rhyngrwyd i wneud gwaith ymchwil i geisio dod o hyd i dystiolaeth sy'n cysylltu cynhesu byd-eang â lefelau uwch o garbon deuocsid. Penderfynwch pa mor gryf yw'r dystiolaeth hon yn eich barn chi, a chyfiawnhewch eich barn.

### Gwaith estynedig

Dewch o hyd i wefan am gynhesu byd-eang sy'n ymddangos fel ei bod yn dangos tuedd. Fel rheol, dim ond un safbwynt fydd yn cael ei gyflwyno gan y gwefannau hyn a byddan nhw'n ceisio awgrymu bod y safbwynt arall yn gwbl ddi-sail. Edrychwch ar un o'u honiadau nhw, naill ai i gefnogi eu barn eu hunain, neu yn erbyn pobl â barn wahanol. Ymchwiliwch i safleoedd eraill mwy cytbwys i weld a yw'n bosibl cyfiawnhau'r honiad hwn mewn gwirionedd.

# Ydy llosgi tanwyddau ffosil yn achosi effeithiau niweidiol eraill?

**Ffigur 13.11** Glaw asid sydd wedi difrodi'r cerflunwaith hwn.

Yn ogystal â chynhyrchu nwyon tŷ gwydr, mae llosgi tanwyddau ffosil yn un o brif achosion **glaw asid**. Mae sylffwr deuocsid ac ocsidau nitrogen (nwyon eraill sy'n cael eu cynhyrchu wrth losgi tanwydd ffosil) yn nwyon asidig sy'n adweithio â dŵr i ffurfio asidau.

ocsidau nitrogen + dŵr → asid nitrig

sylffwr deuocsid + dŵr → asid sylffwrig

Mae'r nwyon hyn yn hydoddi yn yr anwedd dŵr yn yr atmosffer ac yn cyddwyso i ffurfio cymylau, sydd yn eu tro'n cynhyrchu glaw asid. Mae'r glaw asid yn gallu lladd bywyd gwyllt, gan effeithio'n arbennig ar bysgod a choed conwydd. Mae'r glaw asid hefyd yn difrodi adeiladau calchfaen gan fod asidau'n adweithio â chalchfaen, gan achosi iddo hydoddi mewn dŵr.

## GWAITH YMARFEROL — PA MOR ASIDIG YW'R GLAW YN EICH ARDAL CHI?

**Dyma weithgaredd sy'n eich helpu i:**
★ cynllunio a chynnal ymchwiliad
★ dadansoddi data
★ llunio casgliadau.

### Cyfarpar
* Papur neu hydoddiant Dangosydd Cyffredinol
* eitemau eraill gan ddibynnu ar gynllun yr unigolyn

Mae unrhyw law di-lygredd ychydig yn asidig (pH 5–6) oherwydd effeithiau lefelau naturiol carbon deuocsid (sy'n nwy asid) yn yr atmosffer. Os yw pH glaw yn 4 neu'n llai, mae'n golygu mai llygredd sydd wedi achosi hyn.

### Asesiad risg
● **Bydd angen i chi baratoi asesiad risg wrth gynllunio eich arbrawf.**

### Dull
1 Dyfeisiwch ddull o gasglu'r glaw sy'n bwrw yn eich cymdogaeth chi.
2 Ar bob un o'r diwrnodau pan fydd hi'n bwrw glaw, defnyddiwch hydoddiant neu bapur Dangosydd Cyffredinol i brofi'r pH. Lluniwch dabl addas i gofnodi eich canlyniadau ynddo.
3 Nodwch brif gyfeiriad y gwynt bob dydd. Mae rhagolygon tywydd lleol fel rheol yn rhoi rhagolwg o hyn – gallwch chi gael y rhain ar y rhyngrwyd. Mae'n anoddach cael gwybod beth oedd cyfeiriad y prifwynt yn y gorffennol agos, felly cofiwch edrych ar y rhagolygon yn gynnar yn y bore neu'r diwrnod cynt.
4 Parhewch â'r arolwg am o leiaf pythefnos (neu fwy os nad oes llawer o lawiad).

### Dadansoddi eich canlyniadau
1 Oedd y glaw yn eich ardal chi:
   a heb ei lygru
   b wedi ei lygru
   c wedi ei lygru ar rai dyddiau ac yn 'lân' ar ddyddiau eraill?
2 Os daethoch chi o hyd i rywfaint o lygredd ond bod y lefel yn amrywio, oedd y glaw asid yn gysylltiedig ag unrhyw gyfeiriad gwynt penodol? Os oedd, allwch chi awgrymu rheswm am y cysylltiad hwn?

# Ydym ni'n gallu glanhau allyriadau tanwydd ffosil?

Mae'n bosibl cael gwared â rhai o'r nwyon niweidiol sy'n cael eu cynhyrchu drwy losgi tanwydd ffosil cyn iddynt gyrraedd yr atmosffer. Ar hyn o bryd, dim ond ar raddfa fawr mae hyn yn ymarferol, mewn gorsafoedd pŵer er enghraifft.

Mae **dal carbon** yn gallu lleihau allyriadau carbon deuocsid gorsafoedd pŵer tua 90%. Mae'n broses tri cham:

- dal y $CO_2$ o orsafoedd pŵer a ffynonellau diwydiannol eraill
- ei gludo, drwy bibelli fel rheol, i fannau storio
- ei storio'n ddiogel mewn safleoedd daearegol fel meysydd olew a glo wedi disbyddu (*depleted*)

Y ffordd fwyaf cyffredin o ddal carbon yw ei ddal ar ôl hylosgi. Mae hyn yn golygu dal y carbon deuocsid o'r nwyon sy'n cael eu rhyddhau wrth losgi. Caiff hydoddydd cemegol ei ddefnyddio i wahanu carbon deuocsid o'r nwyon gwastraff.

Mae technegau'n cael eu datblygu hefyd i gael gwared â sylffwr deuocsid o'r nwyon gwastraff sy'n cael eu cynhyrchu mewn gorsafoedd pŵer. Yr enw ar brosesau o'r fath yw **sgrwbio sylffwr**, a gall hyn leihau lefelau sylffwr deuocsid dros 95%.

# Crynodeb o'r bennod

- Datblygodd Alfred Wegener ddamcaniaeth bod cyfandiroedd yn symud ar draws arwyneb y blaned. Enw'r ddamcaniaeth hon yw damcaniaeth drifft cyfandirol.
- Cafodd hon ei datblygu'n ddamcaniaeth fodern tectoneg platiau.
- Gallwn ni ganfod ffiniau platiau drwy edrych ar ddosbarthiad daeargrynfeydd mawr a llosgfynyddoedd.
- Cafodd yr atmosffer ei ffurfio pan gafodd nwyon, gan gynnwys carbon deuocsid ac anwedd dŵr, eu hallyrru o losgfynyddoedd.
- Mae cyfansoddiad yr atmosffer wedi newid dros amser daearegol.
- Mae'r atmosffer wedi'i wneud o nitrogen (78.1%), ocsigen (20.9%) a symiau bach o nwyon eraill.
- Mae'r cydbwysedd rhwng resbiradu, hylosgi a ffotosynthesis yn cynnal lefelau ocsigen a charbon deuocsid yn yr atmosffer.
- Mae hylosgi mwy o danwyddau ffosil yn y 200 mlynedd diwethaf wedi ychwanegu mwy o garbon deuocsid at yr atmosffer.
- Mae llawer o ddadlau yn y cyfryngau am gynhesu byd-eang, ond mae'r mwyafrif helaeth o wyddonwyr yn credu mai prif achos cynhesu byd-eang yw'r cynnydd mewn carbon deuocsid yn yr atmosffer oherwydd hylosgi tanwyddau ffosil.
- Mae sylffwr deuocsid ac ocsidau nitrogen mewn aer wedi'i lygru yn achosi glaw asid, a gall hwn ladd anifeiliaid a phlanhigion a difrodi adeiladau calchfaen.
- Mae cael gwared â charbon deuocsid (drwy ddal carbon) a sylffwr deuocsid (drwy sgrwbio sylffwr) yn gallu lleihau'r llygredd sy'n cael ei achosi gan losgi tanwyddau ffosil.

# 14 Cynhyrchu a thrawsyrru trydan

## Trydan – yr egni mwyaf amlbwrpas?

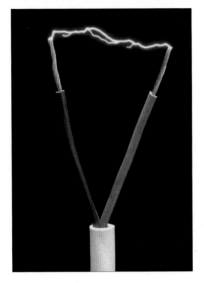

Ffigur 14.1

Pam mae cymaint o alw am drydan? Pam mae defnyddio trydan yn dominyddu bywyd modern?

### Rheswm 1

Mae trydan yn ffurf ar egni, fel golau a gwres, ond yn wahanol i'r mathau hyn o egni mae'n eithaf hawdd ei drawsffurfio (newid) i fathau eraill. Felly, mae'n hawdd defnyddio trydan i wneud ffurfiau mwy defnyddiol o egni, fel egni cinetig (mudiant) ac egni sain.

### Rheswm 2

Mae'n hawdd symud trydan dros bellteroedd hir – bydd cerrynt trydan yn teithio'n rhwydd drwy wifrau metel – sy'n golygu ei bod hi'n hawdd iawn symud trydan o'r man lle mae'n cael ei gynhyrchu i'r man lle mae ei angen.

### Rheswm 3

Mae'n hawdd cynhyrchu trydan o ffurfiau eraill ar egni. Mae gorsafoedd trydan yn llosgi tanwydd. (Stôr grynodedig o egni cemegol yw tanwydd, er enghraifft olew.) Mae hyn yn cynhyrchu gwres, sy'n troi dŵr yn ager. Mae symudiad yr ager yn troi tyrbin, sy'n troi generadur, gan gynhyrchu trydan. Mae symiau cymharol fach o drydan hefyd yn cael eu cynhyrchu pan mae rhai cemegion penodol yn adweithio mewn batri. Er bod technoleg batrïau'n gwella, a hynny'n bennaf oherwydd datblygiad ceir trydan, mae

**CWESTIYNAU**

1 Beth yw'r tri phrif reswm pam mae trydan mor ddefnyddiol i ni?
2 Pa danwyddau, heblaw olew, sy'n gallu cael eu defnyddio i wneud trydan mewn gorsaf drydan?
3 Disgrifiwch sut caiff egni ei drawsffurfio o un ffurf i ffurf arall mewn gorsaf drydan.

batrïau'n dal i fethu cynhyrchu digon o drydan i gyflenwi tai neu fusnesau. Fodd bynnag, maen nhw'n wych am bweru peiriannau bach cludadwy fel gliniaduron, ffonau symudol ac iPods.

## CWESTIYNAU

4 Pan mae cerrynt trydan yn teithio drwy wifren, mae'n achosi i'r wifren gynhesu. Eglurwch pam mae hyn yn broblem i gwmnïau cyflenwi trydan.

5 Fel rheol, bydd trydan yn cael ei drawsyrru ar gerrynt isel iawn ond ar foltedd uchel iawn. Pam gallai hyn wneud trydan yn rhatach i ni fel defnyddwyr?

6 Y tu mewn i fatri, mae adwaith electrocemegol yn digwydd rhwng cemegyn, fel asid sylffwrig, ac electrodau metel neu garbon. Pam rydych chi'n meddwl bod hyn yn ei gwneud hi'n anodd dylunio a gwneud batrïau sy'n gallu cyflenwi llawer o drydan am gyfnodau hir?

### Pwyntiau Trafod

Mae ffonau symudol clyfar yn gwthio technoleg batrïau i'r eithaf. Beth ydych chi'n meddwl yw'r prif ystyriaethau wrth ddylunio batri ar gyfer ffôn symudol clyfar newydd?

## TASG     YMCHWILIO I FATRÏAU

**Dyma weithgaredd sy'n eich helpu i:**
★ cynllunio arbrawf.

Pam mae batrïau'n dod mewn gwahanol feintiau? Mae batrïau cyffredin yn cynnwys AAA, AA, C a D.

**Dull**

Cynlluniwch arbrawf i gymharu pa mor effeithiol y mae dau fatri gwahanol yn pweru dyfais drydanol. Yna, er mwyn i chi gynnal yr arbrawf rydych chi wedi ei gynllunio, bydd angen i chi:

- llunio rhestr o offer addas
- rhoi trefn ar y cyfarpar gyda'ch athro a'ch technegydd gwyddoniaeth
- cynhyrchu asesiad risg addas ar gyfer y gweithgaredd. Bydd eich athro/athrawes yn rhoi ffurflen asesiad risg wag addas i chi.

## Sut rydym ni'n gwneud trydan?

Bob blwyddyn, mae'r Asiantaeth Egni Ryngwladol (*International Energy Agency*: IEA) ac Adran Egni a Newid yn yr Hinsawdd Llywodraeth y Deyrnas Unedig (*Department of Energy and Climate Change*: DECC) yn casglu data am faint o drydan sy'n cael ei gynhyrchu o wahanol ffynonellau. Caiff y ffynonellau hyn eu rhannu'n ddau brif grŵp: rhai **adnewyddadwy** a rhai **anadnewyddadwy**. Y diffiniad o ffynhonnell anadnewyddadwy o egni yw un na allwn ni ei chreu eto ar ôl ei defnyddio. Mae tanwyddau ffosil a thanwydd niwclear yn anadnewyddadwy – dydy amodau ffisegol y Ddaear ddim yn caniatáu i'r tanwyddau hyn gael eu creu eto. Ffynonellau egni adnewyddadwy yw rhai sy'n cael eu cynhyrchu'n barhaus, yn bennaf oherwydd effaith yr Haul.

**Ffigur 14.2** Fferm wynt a gorsaf drydan gonfensiynol.

## CWESTIYNAU

7 Lluniwch dabl yn rhestru'r gwahanol fathau o ffynonellau egni adnewyddadwy ac anadnewyddadwy.

8 Ar gyfer pob un o'r ffynonellau egni adnewyddadwy yn eich rhestr, rhowch eglurhad byr o'i gysylltiad ag effaith yr Haul.

# Ydy gwynt a dŵr yn cynnig ateb i'n hanghenion egni ni?

Cafodd y siartiau yn Ffigur 14.3 eu cynhyrchu gan yr Asiantaeth Egni Ryngwladol a'r Adran Egni a Newid yn yr Hinsawdd. Maen nhw'n dangos cyfrannau'r trydan sy'n cael eu cynhyrchu gan y gwahanol fathau o ffynonellau egni.

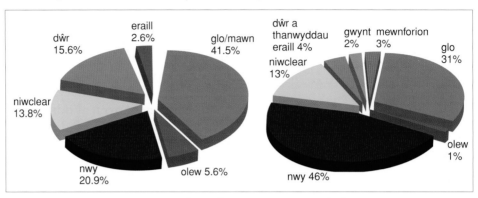

**Ffigur 14.3** Cynhyrchu trydan drwy'r Byd (chwith) ac yn y Deyrnas Unedig (de) yn ôl math o danwydd.

### Pwyntiau Trafod

Mae llawer o sôn yn y wasg am yr angen am 'ddiogelwch egni'. Beth yw ystyr hyn yn eich barn chi? Meddyliwch am rai rhesymau pam dylai'r Byd cyfan a'r Deyrnas Unedig ar ei phen ei hun gynhyrchu gwahanol gyfrannau o drydan drwy wahanol ffynonellau egni.

## CWESTIYNAU

9 Ar gyfer y Byd ac ar gyfer y Deyrnas Unedig, cyfrifwch ganran y trydan sy'n cael ei gynhyrchu o:
   a ffynonellau adnewyddadwy
   b ffynonellau anadnewyddadwy.
10 Cyfrifwch y gwahaniaethau rhwng y cyfrannau sy'n cael eu cynhyrchu ar draws y Byd o'u cymharu â rhai'r Deyrnas Unedig.

# Ydy pob cartref yn gallu dod yn orsaf drydan ficro?

**Ffigur 14.4** Tyrbin micro a phanel solar ar do tŷ.

Rydym ni i gyd yn dibynnu ar allu cael trydan a nwy ar unwaith yn ein cartrefi. Mae cynnau tegell yn gallu defnyddio tua 3 cilowat o bŵer trydan (3000 joule o egni yr eiliad) – tua'r un maint â 400 o fylbiau golau egni isel! Fodd bynnag, mae pris i'w dalu am gael mynd at egni mor rhwydd – pris economaidd a phris amgylcheddol. Mae gorsafoedd trydan enfawr, wedi'u pweru gan danwyddau ffosil neu niwclear, argaeau a thyrbinau trydan dŵr enfawr a channoedd o dyrbinau gwynt mawr wrthi'n gyson yn cynhyrchu'r miliynau o gilowatiau o drydan sydd eu hangen i sicrhau cyflenwad cyson. Mae effeithlonrwydd y gorsafoedd trydan mawr gorau tua 40% sy'n golygu, o bob tunnell fetrig (1000 kg) o lo neu olew sy'n cael ei losgi mewn gorsaf drydan, fod tua 600 kg yn cael ei wastraffu'n gwresogi'r orsaf drydan a'r aer o'i chwmpas. Hefyd, caiff 1500 kg o garbon deuocsid ei ryddhau i'r atmosffer, sy'n ychwanegu at gynhesu byd-eang.

Yn fras iawn mewn termau economaidd, mae'n costio £100 i ni gynhyrchu gwerth £40 o drydan!

# Oes dewis arall heblaw gorsafoedd trydan mawr?

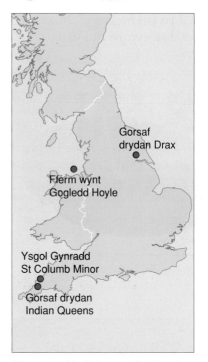

**Ffigur 14.5** Lleoliadau gorsafoedd trydan astudiaethau achos 1–4.

Wel, oes a nac oes! Ar yr un llaw, gallem ni osod paneli solar (sy'n gweithio mewn golau dydd; does dim angen tywydd heulog o reidrwydd) a thyrbinau micro os yw'n ddigon gwyntog yn gyson, ar dai unigol, ysgolion, busnesau ac adeiladau'r llywodraeth. Drwy gyfuno hyn â rhaglen ynysu adeiladau, byddem ni'n lleihau'r galw am egni ac yn cynhyrchu rhan sylweddol o'r egni sy'n cael ei ddefnyddio at ddibenion domestig a masnachol. Fodd bynnag, mae rhai cyfyngiadau i hyn. Dydy hi ddim yn olau dydd drwy'r amser, dydy'r gwynt ddim yn chwythu drwy'r amser, ac ni fyddai microgynhyrchu lleol yn gallu cyflenwi'r symiau mawr o bŵer sicr a dibynadwy sydd eu hangen ar ddiwydiannau mawr.

Efallai mai'r ateb yw cyfuniad cymhleth o nifer o wahanol ffynonellau – atomfeydd a gorsafoedd trydan yn llosgi tanwydd ffosil ar raddfa fawr, ynghyd â chymysgedd o ffynonellau egni adnewyddadwy, gwella ynysiad adeiladau, a dyfeisiau sy'n defnyddio egni'n fwy effeithlon. Ffordd dda o ddeall y broblem yw edrych ar wahanol astudiaethau achos.

## Astudiaeth achos 1 – gorsaf drydan tanwydd glo Drax

Gorsaf drydan gonfensiynol yn defnyddio tanwydd glo yw gorsaf drydan Drax yng Ngogledd Swydd Efrog (gweler Ffigur 14.6). Pan mae ar-lein, mae'n gallu cynhyrchu hyd at 3960 **megawat** (**MW**) o drydan yn barhaus am 24 awr y diwrnod, 7 diwrnod yr wythnos – tua 7% o drydan y DU gyfan! Mae 36 000 o dunelli metrig o lo'n cyrraedd yr orsaf drydan bob dydd ar reilffordd o byllau glo'r DU ac wedi'u mewnforio o Rwsia, Colombia ac UDA. Caiff y glo ei losgi, ynghyd ag aer/ocsigen, mewn ffwrnais ar sawl mil gradd Celsius, gan gynhyrchu digon o egni gwres thermol i droi bron i 60 tunnell fetrig o ddŵr yn ager bob eiliad. Yna, caiff yr ager ei or-wresogi (*superheated*) i 568 °C a'i wasgeddu i 166 gwaith gwasgedd atmosfferig.

**Ffigur 14.6** Gorsaf drydan Drax.

Mae'r ager poeth iawn yn troi'r tyrbinau, gan achosi iddynt droelli ar 3000 rpm. Mae pob un o'r chwe thyrbin wedi'i gysylltu â generadur trydan sy'n cynhyrchu 660 MW o drydan sy'n cael ei allbynnu i'r Grid Cenedlaethol.

## Ffeithiau Drax

**Math:** Gorsaf drydan gonfensiynol yn defnyddio tanwydd ffosil

**Adeiladwyd:** 1974

**Prif ffynhonnell egni:** glo

**Allbwn trydan:** 3960 MW

**Mewnbwn egni:** 11 250 MW

**Ôl troed carbon:** 22.8 miliwn tunnell fetrig y flwyddyn

**Cost sefydlu:** amcangyfrif o £1 biliwn i adeiladu gorsaf drydan debyg

**Prisiau a chostau 2008:** pris trydan cyfartalog: £58.30/MWawr; costau tanwydd cyfartalog: £25.10/MWawr

**Rhagamcaniad oes:** 2020au cynnar os na chaiff systemau storio a dal carbon eu gosod

**Rhagamcaniad cost datgomisiynu:** £10 miliwn

**Amser cynnau:** ymlaen drwy'r amser

**Effaith amgylcheddol:** uchel iawn

## Effaith amgylcheddol

Mae safle Drax yn sefyll ar 750 hectar o dir a fu'n dir amaethyddol gynt. Bydd hi'n anodd iawn troi'r tir hwn yn ôl yn dir i adeiladu tai arno neu'n dir fferm. Mae'r adeiladau'n enfawr ac maen nhw'n dominyddu'r golygfeydd lleol. Mae prif ffyrdd wedi'u hadeiladu i roi mynediad i'r holl draffig sy'n mynd i'r safle. Mae rheilffordd yn rhedeg yn uniongyrchol i'r orsaf drydan i gludo glo. Caiff dŵr oeri ei godi o Afon Ouse, a chaiff ei ddychwelyd ar dymheredd ychydig yn uwch, sy'n achosi gwresogi lleol sy'n effeithio ar yr anifeiliaid a'r planhigion dyfrol. Mae llosgi glo'n cynhyrchu'r nwy tŷ gwydr carbon deuocsid, gan gyfrannu at gynhesu byd-eang. Mae'r glo hefyd yn cynnwys amhureddau fel sylffwr a nitrogen sydd, wrth gael eu llosgi ar dymheredd uchel, yn creu sylffwr deuocsid ($SO_2$) ac ocsidau nitrogen ($NO_x$). Mae sylffwr deuocsid ac ocsidau nitrogen yn hydawdd ac yn cyfrannu at law asid. Mae peilonau trydan uwchgrid enfawr yn cludo'r trydan o'r gwaith i'r Grid Cenedlaethol. Mae'r gwaith yn cynhyrchu sŵn cefndir parhaol.

## Astudiaeth achos 2 – gorsaf drydan tyrbin nwy Indian Queens

Ffigur 14.7 Gorsaf drydan tyrbin nwy Indian Queens.

I bob pwrpas, mae gorsaf drydan Indian Queens (gweler Ffigur 14.5) yn beiriant jet enfawr wedi'i leoli ar Goss Moor sy'n Safle o Ddiddordeb Gwyddonol Arbennig (*Site of Special Scientific Interest*: SSSI) yng nghanol Cernyw. Mae'n gallu cynhyrchu 140 MW o drydan am hyd at 24 awr ar y tro, a dim ond am 450 awr y flwyddyn ar gyfartaledd y mae'n gweithredu.

Ar bŵer llawn, caiff 44 000 litr yr awr o gerosin (tanwydd jet) neu danwydd diesel eu chwistrellu dan wasgedd, ynghyd â dŵr puredig ac aer, i beiriant jet enfawr. Caiff y gymysgedd danwydd ei chynnau ac mae'r ffrwydrad rheoledig parhaus sy'n dilyn hyn yn cynhyrchu nwy gwacáu sy'n troelli tyrbin. Yn ei dro, mae'r tyrbin yn troi generadur 140 MW.

**Math:** tyrbin nwy cylch agored

**Adeiladwyd:** 1996

**Prif ffynhonnell egni:** cerosin/diesel

**Allbwn trydan:** 140 MW

**Mewnbwn egni:** 425 MW

**Ôl troed carbon:** 57 000 tunnell fetrig y flwyddyn

**Cost sefydlu:** £60 miliwn

**Prisiau a chostau 2010:** caiff trydan ei werthu i'r Grid am tua £270/MWawr; mae diesel yn costio tua 45c y litr.

**Rhagamcaniad oes:** 30 mlynedd

**Rhagamcaniad cost datgomisiynu:** £2 miliwn

**Amser cynnau:** 14 munud

**Effaith amgylcheddol:** uchel

## Effaith amgylcheddol

Mae gorsaf drydan Indian Queens yn sefyll ar sawl hectar o weundir sy'n gyfagos i warchodfa natur SSSI. Mae'r simnai wacáu dal yn hawdd ei gweld yn lleol, ac mae'r tanwydd yn cyrraedd y safle mewn tanceri mawr ar hyd ffordd fynediad a gafodd ei hadeiladu'n arbennig. Fodd bynnag, does dim angen y tanceri oni bai bod yr orsaf ar waith, sef tuag 20 diwrnod y flwyddyn yn unig. Mae llosgi cerosin neu ddiesel yn cynhyrchu'r nwy tŷ gwydr carbon deuocsid, sy'n cyfrannu at gynhesu byd-eang. Mae'r tanwydd hefyd yn cynnwys amhureddau fel sylffwr a nitrogen, sydd, wrth gael eu llosgi ar dymheredd uchel, yn creu sylffwr deuocsid ($SO_2$) ac ocsidau nitrogen ($NO_x$). Mae sylffwr deuocsid ac ocsidau nitrogen yn hydawdd ac yn cyfrannu at law asid. Mae peilonau trydan mawr yn cludo'r trydan o'r gwaith i'r Grid Cenedlaethol. Pan mae'r peiriant tyrbin nwy'n weithredol, mae'n gwneud llawer o sŵn.

## Astudiaeth Achos 3 – fferm wynt alltraeth Gogledd Hoyle

Mae fferm wynt Gogledd Hoyle yn fferm wynt 30 tyrbin sydd wedi'i lleoli ar y môr, 5 milltir o Brestatyn yng Ngogledd Cymru.

**Ffigur 14.8** Fferm wynt alltraeth Gogledd Hoyle.

Gogledd Hoyle yw un o'r mannau mwyaf gwyntog yn hanner gogleddol y Deyrnas Unedig. Mae buanedd cyfartalog blynyddol y gwynt yn 9 m/s! Pan mae'r gwynt yn chwythu, mae llafnau tyrbin *pob un* o'r tyrbinau gwynt yn troi generadur sy'n cynhyrchu 2 MW o drydan. Mae'r 30 tyrbin gwynt gyda'i gilydd yn cynhyrchu 60 MW o drydan – digon i bweru 50 000 o gartrefi y flwyddyn.

**Math:** tyrbin gwynt

**Adeiladwyd:** 2003

**Prif ffynhonnell egni:** gwynt

**Allbwn trydan:** 60 MW

**Mewnbwn egni:** dibynnu ar gryfder y gwynt

**Ôl troed carbon: yn arbed** 160 000 tunnell fetrig y flwyddyn

**Cost sefydlu:** £80 miliwn

**Prisiau a chostau 2010:** £60/MWawr (ar ôl cymhorthdal – costau cynhyrchu gwirioneddol = £144/MWh)

**Rhagamcaniad oes:** 25 mlynedd

**Rhagamcaniad cost datgomisiynu:** wedi'i chynnwys yn y gost sefydlu

**Amser cynnau:** Ar unwaith

**Effaith amgylcheddol:** canolig/isel.

### Effaith amgylcheddol

Mae pob un o'r 30 tyrbin gwynt yn 67m o uchder, ac mae'r safle cyfan yn cymryd 10 km² o le. Ar ddiwrnod clir, mae'n bosibl ei weld o dros 16 milltir i ffwrdd. Mae cyfyngiadau ar bysgota o gwmpas y fferm wynt, ond mae hyn wedi achosi cynnydd mewn sawl rhywogaeth yn lleol. Mae llafnau'r tyrbinau sy'n troelli'n creu perygl i adar môr. Mae cebl dan y môr yn cysylltu'r fferm wynt â pheilonau atraeth sydd yna'n cysylltu â'r Grid Cenedlaethol. Mae'r 30 tyrbin yn cynhyrchu sŵn cefndir pan maen nhw'n gweithredu.

## Astudiaeth achos 4 – Ysgol Gynradd St Columb Minor, Newquay

Mae Ysgol Gynradd St Columb Minor yn ysgol gynradd anarferol yn Newquay, Gogledd Cernyw.

**Ffigur 14.9** Paneli ffotofoltaidd a thyrbin gwynt Ysgol Gynradd St Columb Minor.

Yn ogystal â thyrbin gwynt micro 6 kW ar gaeau chwarae'r ysgol, mae rhes hir o baneli solar ffotofoltaidd ar do'r ysgol sy'n cynhyrchu 13.8 kW mewn golau dydd, yn ogystal â system dŵr thermol solar 4 kW. Ers 2008, mae'r defnydd o drydan wedi gostwng 37%, o ganlyniad i osod y paneli solar a'r tyrbin gwynt, ynghyd ag arbedion o ddefnyddio llai o oleuadau ac offer trydanol eraill. Mae ynysiad gwell a gosod boeleri egni effeithlon hefyd wedi creu gostyngiad o 6% yn y nwy sy'n cael ei ddefnyddio. O ganlyniad i hyn, lleihaodd costau egni'r ysgol 10% yn 2008/09 ac 20% ymhellach yn 2009/10, er bod cost yr egni sy'n cael ei gyflenwi wedi cynyddu 50%.

### Effaith amgylcheddol

Uchder y tyrbin gwynt micro yw 15m ac mae i'w weld yn glir yn yr ardal breswyl leol. Mae'n cynhyrchu sŵn cefndir pan mae'n gweithredu. Mae'r paneli ffotofoltaidd a'r paneli thermol solar wedi eu gosod ar doeau fflat a thoeau ar ongl yr ysgol ac maen nhw i'w gweld o'r ardal gyfagos. Mae'r ysgol wedi ei chysylltu â'r Grid Cenedlaethol drwy ei leiniau pŵer arferol.

Ffeithiau Ysgol Gynradd St Columb Minor

**Math:** un tyrbin gwynt micro, paneli solar ffotofoltaidd (PV) a phaneli dŵr thermol solar

**Adeiladwyd:** 2008

**Prif ffynhonnell egni:** gwynt a solar

**Allbwn trydan:** 19.8 kW (ac arbediad 4 kW o'r paneli thermol solar)

**Mewnbwn egni: yn arbed** 23.8 kW

**Ôl troed carbon: yn arbed** 11 tunnell fetrig y flwyddyn

**Cost sefydlu:** £118 000

**Prisiau a chostau 2010: yn arbed** tua £2300 y flwyddyn; y Grid yn talu tua 40c/kWawr am y trydan mae'r paneli ffotofoltaidd yn ei gynhyrchu a'r Grid yn talu 27c/kWawr am y trydan mae'r tyrbin gwynt yn ei gynhyrchu.

**Rhagamcaniad oes:** 20 mlynedd

**Rhagamcaniad cost datgomisiynu:** anhysbys

**Amser cynnau:** ar unwaith

**Effaith amgylcheddol:** isel

---

## TASG    ADRODDIAD LLYWODRAETH

Dyma weithgaredd sy'n eich helpu i:
★ cyflwyno gwybodaeth mewn graff
★ cynhyrchu adroddiad ysgrifenedig
★ ymchwilio i wybodaeth wyddonol
★ dethol gwybodaeth wyddonol
★ nodi ffynonellau gwybodaeth wyddonol.

1 Defnyddiwch y wybodaeth yn y pedair astudiaeth achos a gwybodaeth arall o ymchwil ar y rhyngrwyd (gan nodi'ch ffynonellau) i gynhyrchu adroddiad ar gyfer yr Adran Egni a Newid yn yr Hinsawdd i egluro sut gallai'r Deyrnas Unedig ddefnyddio cymysgedd o wahanol fathau o gyflenwadau egni i fodloni lefelau defnyddio trydan yn y presennol a'r dyfodol.

2 Rhowch fanylion am effaith amgylcheddol yr opsiynau rydych chi wedi eu dewis. Mae angen i chi drafod effeithlonrwydd y gwahanol ffyrdd o gynhyrchu trydan *ac* mae angen i chi drafod olion troed carbon pob dull ynghyd â'i effaith ar gynhesu byd-eang. Cofiwch gyfeirio'n llawn at unrhyw wybodaeth rydych chi'n ei defnyddio yn eich adroddiad.

---

## TASG    YSGOL WERDD

Dyma weithgaredd sy'n eich helpu i:
★ cyflwyno gwybodaeth mewn diagram
★ ymchwilio i wybodaeth wyddonol
★ dethol gwybodaeth wyddonol
★ nodi ffynonellau gwybodaeth wyddonol
★ defnyddio data a'u dadansoddi.

Dychmygwch fod eich ysgol chi'n mynd i gael ei dymchwel a'i hailadeiladu fel ysgol newydd 'o'r radd flaenaf' â'r 'ôl troed carbon lleiaf posibl'.

1 Cynhyrchwch gyfres o frasluniau wedi'u labelu ar gyfer eich pennaeth, i ddangos eich cynllun newydd a'r mesurau arbed/cynhyrchu egni y byddech chi'n eu cynnwys.

2 Ar gyfer pob syniad i arbed neu i gynhyrchu egni, rhowch fanylion eich ymchwil (gyda chyfeiriadau at eich ffynonellau) i system addas sydd ar gael yn fasnachol. Dylai'r manylion gynnwys dadansoddiad o'r costau a rhagamcaniad o'r arbedion o ran arian ac o ran carbon deuocsid.

## Patrymau cenedlaethol yn y defnydd o drydan

Mae Ffigur 14.10 yn dangos patrymau defnyddio trydan y Deyrnas Unedig.

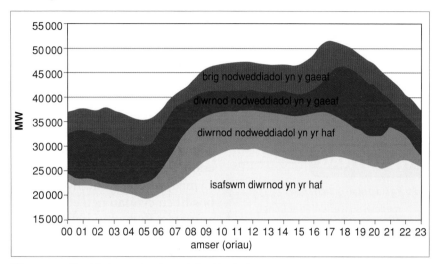

**Ffigur 14.10** Newidiadau tymhorol yn y defnydd o drydan.

Y Grid Cenedlaethol sy'n gyfrifol am gynhyrchu digon o drydan i gyfateb i faint sy'n cael ei ddefnyddio'n flynyddol ac yn ddyddiol yn y DU. Mae'r Grid wedi'i leoli yn y Ganolfan Reoli Genedlaethol yn Wokingham. Rhaid i'r ddwy broses sy'n cystadlu gael eu cydbwyso'n union. Weithiau, does dim digon o allu cynhyrchu yn y DU i gyfateb yn llawn i'r trydan sy'n cael ei ddefnyddio, a rhaid i'r Grid Cenedlaethol brynu trydan ychwanegol gan Grid Cenedlaethol Ffrainc. Mae'r Grid Cenedlaethol wrthi'n gyson yn rhagfynegi ac yn rhagweld faint o drydan sy'n mynd i gael ei ddefnyddio, er mwyn gallu paratoi'r generaduron i gynhyrchu'r swm union gywir o drydan.

## Sut rydym ni'n symud trydan o le i le?

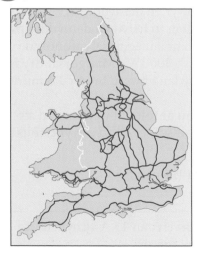

**Ffigur 14.11** Y Grid Cenedlaethol.

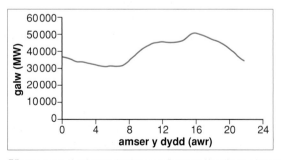

**Ffigur 14.12** Y galw am drydan yn y Deyrnas Unedig ar 4 Ionawr 2009.

Doedd y pedwerydd o Ionawr 2009 ddim yn ddyddiad arbennig o arwyddocaol (heblaw am fod yn 366 o flynyddoedd ers dyddiad geni Isaac Newton, sef o bosibl y gwyddonydd mwyaf erioed!). Mae'r graff yn Ffigur 14.12 yn dangos y galw cenedlaethol am drydan yn y Deyrnas Unedig, mewn megawatiau (MW), o hanner nos tan hanner nos. Yn ystod y cyfnod 24 awr hwnnw, amrywiodd y galw am drydan o isafswm o 30 894 MW am 5.30 a.m. i uchafswm o 50 599 MW am 5.00 p.m. – gwahaniaeth o 19 705 MW!

Yn ystod hanner amser rownd derfynol Cwpan y Byd 2010, cododd galw'r wlad am drydan yn sylweddol – wrth i filiynau o degellau gael eu cynnau i wneud paned o de! Achosodd y digwyddiad hwn sbigyn enfawr yn y galw am drydan. Sut rydych chi'n meddwl bod y Grid Cenedlaethol yn ymdopi â sbigynnau sydyn iawn mewn galw?

## CWESTIYNAU

11 Pa ffactorau ydych chi'n meddwl sy'n effeithio ar faint y galw am drydan?

12 Brasluniwch gopi o'r graff ar gyfer 4 Ionawr 2009. Ar 4 Gorffennaf 2009, y galw isaf oedd 21 756 MW am 5.00 a.m. a'r brig oedd 34 755 MW am 11.30 a.m. Tynnwch linell galw ar gyfer 4 Gorffennaf 2009 ar eich braslun.

13 Pam mae'r galw am drydan yn amrywio yn ystod y dydd?

14 Pam mae'r galw am drydan yn amrywio yn ystod y flwyddyn?

Mae trydan y Deyrnas Unedig yn cael ei gynhyrchu gan rwydwaith enfawr o orsafoedd trydan tanwydd ffosil, ffermydd gwynt, gorsafoedd trydan dŵr ac atomfeydd. Maen nhw wedi eu cysylltu â'i gilydd, â ni, ac â'r cyfandir, gan rwydwaith o geblau, gwifrau a pheilonau sy'n ymestyn fel gwe pry cop ar draws y wlad. Drwy'r dydd a'r nos, mae gweithredwyr y Grid Cenedlaethol yn rhagfynegi'r galw am drydan mewn blociau 30 munud, ac yna'n cyfarwyddo'r cwmnïau cynhyrchu pŵer i gyflenwi'r swm gofynnol. Os na chaiff digon o drydan ei gynhyrchu, bydd rhannau o'r Deyrnas Unedig yn colli eu pŵer dros dro.

Mae rhai gorsafoedd trydan, fel Drax yng Ngogledd Swydd Efrog, yn cynhyrchu trydan yn gyson (tua 7% o'r cyfanswm, yn achos Drax) ac maen nhw 'ymlaen' drwy'r amser. Mae generaduron eraill, fel gorsaf drydan storfa bwmp Dinorwig yng Ngogledd Cymru, yn cael eu defnyddio ar gyfnodau brig yn unig – mae'n bosibl eu cynnau neu eu diffodd ar fyr rybudd wrth i'r galw amrywio. Rydym ni hefyd yn mewnforio ac yn allforio trydan ar draws Môr Udd. At ei gilydd, effaith y system gymhleth hon yw cyfateb i'r patrwm galw am drydan yn graff 4 Ionawr 2009. Heb y system hon, byddai sicrwydd ein cyflenwad trydan mewn perygl a byddem ni'n treulio cyfnodau sylweddol yn y tywyllwch ac mewn oerfel heb allu defnyddio ein cyfrifiaduron, ein setiau teledu a'n ffonau!

## Pa mor fawr yw megawat?

## CWESTIYNAU

15 Mae gan sychwr gwallt gerrynt trydan 2.5 A a chyflenwad foltedd 230 V. Beth yw ei bŵer?

16 Mae tegell teithio'n tynnu 1.8 A pan gaiff ei ddefnyddio yn UDA lle mae'r foltedd yn 110 V. Beth yw pŵer y tegell teithio?

17 Mae ffwrn drydan yn gweithredu ar y prif gyflenwad gyda foltedd 230 V a phŵer allbwn 3 kW (3000 W). Faint o gerrynt mae'r ffwrn yn ei dynnu?

Uned o bŵer trydanol yw'r megawat. 1 MW = 1 000 000 W = 1 miliwn wat. Pŵer yw'r gair rydym ni'n ei ddefnyddio am yr egni sy'n cael ei drosglwyddo bob eiliad. Mae pŵer uchel yn golygu llawer o egni bob eiliad. Mae peirianwyr yn defnyddio MW i fesur pŵer allbwn gorsafoedd trydan. Rydym ni hefyd yn defnyddio pŵer trydanol yn y cartref. Mae pŵer bwlb golau egni isel safonol tua 8 W. Mae pŵer tegell trydan tua 3 kW (3000 W). Mae gorsaf drydan Drax yn gallu cynhyrchu digon o drydan i bweru bron i 1.3 miliwn o degellau trydan ar yr un pryd!

Mae pŵer trydanol yn dibynnu ar foltedd y cyflenwad a'r cerrynt sy'n llifo. Dyma'r hafaliad sy'n cysylltu cerrynt, foltedd a phŵer:

pŵer (W) = foltedd (V) × cerrynt (A) neu $P = VI$

### Enghraifft

C   Mae gan ffwrn drydan gerrynt trydan 13 A a chyflenwad foltedd 230 V. Beth yw pŵer y ffwrn?

A   pŵer (W) = foltedd (V) × cerrynt (A)
       pŵer = 230 × 13
            = 2990 W

# Sut caiff trydan ei symud o amgylch y wlad?

**Figure 14.13** Peilonau trydan.

Pan fydd cerrynt trydan yn llifo drwy wifren, bydd y wifren yn cynhesu. Pe bai trydan yn cael ei drawsyrru o amgylch y wlad ar gerrynt uchel, byddai swm anferthol o egni'n cael ei wastraffu fel gwres a byddai'r pris mor uchel fel na fyddai neb yn gallu ei fforddio. Felly, sut caiff ei symud o gwmpas?

Cofiwch yr hafaliad pŵer trydanol:

pŵer = foltedd × cerrynt

Felly, gallai tyrbin gwynt 250 kW gynhyrchu trydan ar 10 A a 25 000 V neu ar 1 A a 250 000 V – byddai'r ddau o'r rhain yn cynhyrchu pŵer allbwn o 250 kW.

Mae prif orsafoedd trydan y Deyrnas Unedig yn cynhyrchu trydan ar 25 kV, ond maen nhw wedi'u cysylltu â'i gilydd gan ran o'r Grid Cenedlaethol o'r enw'r Uwchgrid, sy'n gweithredu ar 400 kV, a lle mae tuag 1% o'r egni trydanol yn cael ei wastraffu fel gwres. Mae'r rhan o'r Grid Cenedlaethol sy'n cysylltu cartrefi a busnesau bach â'r Uwchgrid yn gweithredu ar 275 kV neu 132 kV. Pe bai'r grid cyfan yn gweithredu ar foltedd 25 kV, byddai tua 40% o'r egni trydanol yn cael ei wastraffu. Felly, caiff egni ei drawsyrru ledled y wlad ar foltedd uchel iawn ond ar gerrynt isel iawn er mwyn lleihau'r egni sy'n cael ei wastraffu fel gwres.

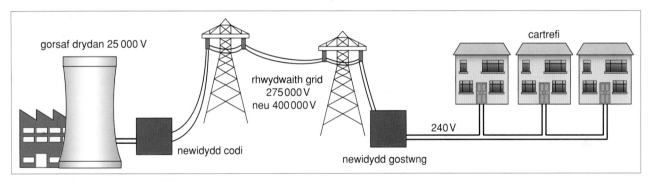

**Ffigur 14.14** System drawsyrru'r Grid Cenedlaethol.

Y broblem gyda foltedd uchel/cerrynt isel yw fod y folteddau uchel yn beryglus iawn ac nad yw dyfeisiau'r cartref, fel sychwyr gwallt, peiriannau torri gwair, setiau teledu a chyfrifiaduron, yn gallu eu defnyddio. Mae angen i'r trydan gael ei newid gan **newidydd** cyn cyrraedd ein cartrefi. Mae **newidyddion codi** i'w cael mewn gorsafoedd trydan. Mae'r rhain yn trawsnewid yr egni trydanol i foltedd uchel/cerrynt isel er mwyn iddo allu cael ei drawsyrru o amgylch y wlad ar y Grid Cenedlaethol, gan golli cyn lleied â phosibl o wres. Mae **newidyddion gostwng** i'w cael ar ochr defnyddwyr y Grid Cenedlaethol. Maen nhw'n trawsnewid yr egni trydanol i foltedd isel/cerrynt uchel er mwyn i ni allu ei ddefnyddio'n ddiogel mewn dyfeisiau trydanol. Mae cyfanswm effeithlonrwydd y Grid Cenedlaethol tua 92%, sy'n eithaf da.

18 Ysgrifennwch unedau pŵer, foltedd a cherrynt.

19 Beth yw'r hafaliad sy'n cysylltu pŵer, foltedd a cherrynt?

20 Mae gorsaf drydan y Barri yn orsaf drydan pŵer nwy yn Ne Cymru. Mae'n gallu cynhyrchu trydan â foltedd o 25 000 V ar gerrynt o 10 000 A. Beth yw pŵer gorsaf drydan y Barri mewn megawatiau, MW?

21 Pam mae trydan yn cael ei drawsyrru o amgylch y Grid Cenedlaethol ar foltedd uchel iawn?

22 Pam nad ydym ni'n defnyddio dyfeisiau trydan foltedd uchel yn ein cartrefi?

23 Beth yw enw'r ddyfais sy'n newid foltedd a cherrynt trydan?

## GWAITH YMARFEROL — YMCHWILIO I NEWIDYDDION

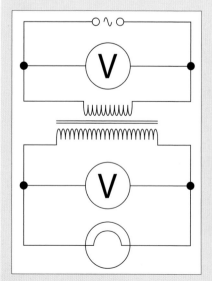

Dyma weithgaredd sy'n eich helpu i:
★ gweithio fel tîm
★ trin cyfarpar
★ trefnu eich gwaith
★ mesur data a'u cofnodi
★ defnyddio data i gyfrifo gwerthoedd.

Gallwch chi ddefnyddio'r cyfarpar canlynol i wneud newidydd syml:

Cyfarpar
* gwifrau wedi'u gorchuddio â phlastig
* 2 graidd-C
* cyflenwad pŵer cerrynt eiledol foltedd isel
* 2 fwlb golau foltedd isel
* 2 amlfesurydd cerrynt eiledol

(!) Asesiad risg

● **Bydd eich athro/athrawes yn rhoi asesiad risg addas i chi ar gyfer yr arbrawf hwn.**

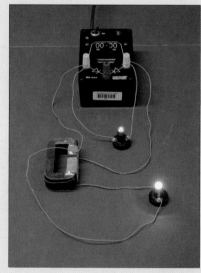

Ffigur 14.15  Arbrawf trawsyrru craidd-C.

Dull
1 Cysylltwch y gylched sy'n cael ei dangos yn Ffigur 14.16.
2 I wneud newidydd codi, rhowch 20 troad ar y coil cynradd a 40 troad ar y coil eilaidd.
3 Mesurwch y foltedd ar draws y bwlb cynradd a'r bwlb eilaidd a'u cofnodi, ynghyd â'r ceryntau cynradd ac eilaidd.
4 Cymharwch ddisgleirdeb y bwlb cynradd a'r bwlb eilaidd.
5 Defnyddiwch y foltedd a'r cerrynt cynradd i gyfrifo'r pŵer cynradd, a defnyddiwch y foltedd a'r cerrynt eilaidd i gyfrifo'r pŵer eilaidd.
6 Defnyddiwch y gwerthoedd hyn i gyfrifo effeithlonrwydd y newidydd.
7 Datgysylltwch y newidydd a'i droi i'r cyfeiriad arall. Defnyddiwch ef i wneud newidydd gostwng.

Dadansoddi eich canlyniadau
1 Cymharwch effeithlonrwydd y ddau fath o newidydd. Ydy'r newidydd gostwng yn fwy effeithlon neu'n llai effeithlon na'r newidydd codi?
2 Ymchwiliwch i beth sy'n digwydd pan newidiwch chi nifer y troadau ar y coil cynradd a'r coil eilaidd.

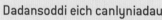

Ffigur 14.16

# Crynodeb o'r bennod

○ Mae trydan yn ffurf ddefnyddiol iawn ar egni gan ei fod yn hawdd ei gynhyrchu ac yn hawdd ei drosglwyddo'n fathau defnyddiol eraill o egni.

○ Mae gan orsafoedd trydan (adnewyddadwy, anadnewyddadwy a niwclear) gostau comisiynu, costau rhedeg (gan gynnwys tanwydd) a chostau datgomisiynu arwyddocaol ond gwahanol iawn. Mae angen ystyried y rhain wrth gynllunio strategaeth egni genedlaethol.

○ Mae gwahanol fanteision ac anfanteision i gynhyrchu pŵer ar raddfa fawr mewn gorsafoedd trydan a microgynhyrchu trydan, e.e. gan ddefnyddio tyrbinau gwynt domestig a chelloedd ffotofoltaidd ar doeau. Mae ganddynt effeithiau amgylcheddol gwahanol iawn.

○ Mae'n bosibl defnyddio data i fesur effeithlonrwydd a phŵer allbwn gorsafoedd trydan a microgeneraduron.

○ Mae angen system genedlaethol i ddosbarthu trydan (y Grid Cenedlaethol), er mwyn cynnal cyflenwad egni dibynadwy sy'n gallu ymateb i alw newidiol.

○ Mae'r Grid Cenedlaethol yn cynnwys gorsafoedd trydan, is-orsafoedd a llinellau pŵer.

○ Caiff trydan ei drawsyrru ar draws y wlad ar foltedd uchel gan fod hynny'n fwy effeithlon, ond rydym ni'n defnyddio foltedd isel yn ein cartrefi gan fod hynny'n fwy diogel.

○ Mae angen newidyddion i newid y foltedd a'r cerrynt yn y Grid Cenedlaethol.

○ Mae'n bosibl cynnal arbrawf i ymchwilio i sut mae newidyddion codi a gostwng yn gweithredu, yn nhermau foltedd mewnbwn ac allbwn, cerrynt a phŵer.

■ ○ pŵer = foltedd $\times$ cerrynt; $P = VI$

# Egni

## Brig olew – sut gwnewch chi ymdopi â'r cwymp?

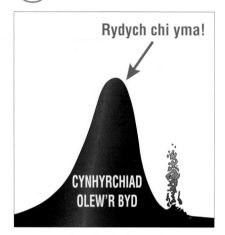

**Rydych chi yma!**

CYNHYRCHIAD OLEW'R BYD

**Ffigur 15.1** Mae brig olew wedi digwydd!

Mae tua 34% o gyfanswm cyflenwad egni'r byd yn dod o olew. Rywbryd yn ystod 2010, cyrhaeddodd lefelau cynhyrchu olew'r byd eu brig. O hyn ymlaen, bydd swm yr olew sy'n cael ei brosesu ym mhurfeydd y byd yn lleihau ac yn lleihau. Sut gwnewch chi ymdopi â'r cwymp?

Mae olew'n adnodd gwerthfawr dros ben. Rydym ni'n llosgi llawer iawn o olew mewn gorsafoedd trydan i gynhyrchu trydan, ac mae'n cael ei buro i wneud petrol, diesel a cherosin i bweru ein ceir, ein lorïau, ein llongau a'n hawyrennau. Hefyd, olew yw'r defnydd crai ar gyfer y rhan fwyaf o blastigion. Sut byddech chi'n ymdopi heb drafnidiaeth rad a'r holl bethau sydd wedi'u gwneud o blastig?

Mae galw'r byd am drydan yn cynyddu. Mae gwledydd fel China ac India'n defnyddio llawer mwy o drydan wrth i fwy a mwy o'u poblogaeth gael eu cysylltu â'r prif gyflenwad trydan. Yn 2011, cafodd tua 6% o drydan y byd ei gynhyrchu o ganlyniad i losgi olew (mae tua 42% yn cael ei gynhyrchu o lo a 21% o nwy).

## TASG — GWNEUD PETHAU'N GLIRIACH

**Dyma weithgaredd sy'n eich helpu i:**
★ gweithio fel tîm
★ cyflwyno gwybodaeth mewn graff
★ gwerthuso eich gwaith.

### Pwyntiau Trafod

Ydy graffigau'n bwysig wrth geisio egluro dadl wyddonol i'r cyhoedd? Beth yw manteision graffigau? Allwch chi feddwl am enghreifftiau o graffigau gwyddonol sydd wedi eich helpu i ddeall rhywbeth gwyddonol?

Mae problem 'brig olew' mor bwysig nes ei bod yn hollol hanfodol bod pawb yn gwybod amdani. Mae llawer o bobl yn ei chael yn haws deall gwybodaeth os caiff ei chyflwyno mewn graff neu lun. Yn y dasg hon, byddwch chi'n archwilio tabl o ddata ac yn penderfynu beth yw'r ffordd orau o gyflwyno'r data ar ffurf graffigyn.

1 Astudiwch Dabl 15.1. Mae'n rhestru cynhyrchiad olew'r byd ers 1900 ac yn ei ragamcanu hyd at y flwyddyn 2080. Gallech chi blotio'r data hyn fel siart bar neu fel graff llinell. (Os ydych chi'n bwriadu defnyddio taenlen fel Excel i blotio'r data, mae Excel yn galw hyn yn graff gwasgariad XY.)

Gweithiwch gyda phartner – bydd un ohonoch chi'n plotio'r data fel siart bar a'r llall yn plotio'r data fel graff llinell.

2 Pa un o'r ddwy ffordd o blotio'r data sydd orau yn yr achos hwn yn eich barn chi – y siart bar neu'r graff llinell?

3 Pam nad yw llinell ffit orau'n syniad da ar y siart bar?

**Tabl 15.1** Data i ddangos cynhyrchiad olew'r byd ers 1900 ac wedi'i ragamcanu hyd at 2080.

| Blwyddyn | Cynhyrchiad olew'r byd (miliynau o gasgenni y dydd) |
|---|---|
| 1900 | 1 |
| 1910 | 2 |
| 1920 | 3 |
| 1930 | 4 |
| 1940 | 5 |
| 1950 | 11 |
| 1960 | 20 |
| 1970 | 48 |
| 1980 | 67 |
| 1990 | 66 |
| 2000 | 74 |
| 2010 | 82 |
| 2020 | 58 |
| 2030 | 30 |
| 2040 | 16 |
| 2050 | 9 |
| 2060 | 6 |
| 2070 | 5 |
| 2080 | 3 |

# Pam mae angen i bawb wybod am effeithlonrwydd a throsglwyddo egni

Pan mae iPod yn chwarae trac cerddoriaeth drwy glustffonau, mae egni cemegol sydd wedi'i storio ym matri ailwefradwy'r iPod yn cael ei drawsnewid i egni trydanol defnyddiol (sydd yna'n cael ei drawsnewid i sain yn y clustffonau). Bydd rhywfaint o egni yn cael ei wastraffu fel egni gwres (thermol), sy'n achosi i'r iPod a'r batri gynhesu. Mae batrïau ailwefradwy iPod yn gwneud eu gwaith yn dda iawn, ac am bob 100J o egni cemegol sy'n cael ei storio yn y batri, caiff 98J ei drosglwyddo i egni trydanol a dim ond 2J sy'n cael ei wastraffu fel gwres. Gan fod y batrïau'n trawsnewid cymaint o'r egni cemegol sydd wedi'i storio ynddynt i egni trydanol defnyddiol (ac yn gwastraffu cyn lleied) rydym ni'n dweud bod y batrïau'n **effeithlon** iawn. Fel rheol, caiff effeithlonrwydd dyfais neu broses ei fynegi fel canran (%). Mae dyfais sy'n trosglwyddo'r holl egni mewnbwn sydd ar gael iddi i egni allbwn defnyddiol yn 100% effeithlon.

Rydym ni'n defnyddio'r fformiwla fathemategol ganlynol i gyfrifo effeithlonrwydd:

$$\text{effeithlonrwydd} = \frac{\text{egni (neu bŵer) allbwn defnyddiol}}{\text{cyfanswm egni (neu bŵer) mewnbwn}} \times 100\%$$

## Cyfrifo effeithlonrwydd – enghreifftiau

**C** Mae'r batri Li-ion mewn ffôn symudol yn gallu dal 18 000 J o egni cemegol. Os yw'r batri'n trawsnewid 16 000 J i egni trydanol defnyddiol a bod 2000 J yn cael ei wastraffu fel egni gwres, beth yw effeithlonrwydd y batri?

**A** Cyfanswm egni mewnbwn = 18 000 J
Egni allbwn defnyddiol = 16 000 J

$$\text{effeithlonrwydd} = \frac{\text{egni (neu bŵer) allbwn defnyddiol}}{\text{cyfanswm egni (neu bŵer) mewnbwn}} \times 100\%$$

$$\text{effeithlonrwydd} = \frac{16\,000}{18\,000} \times 100\%$$

$$= 89\%$$

**C** Mae gorsaf drydan yn cyflenwi trydan i'r Grid Cenedlaethol gyda phŵer allbwn o 60 MW. Er mwyn gwneud hyn, mae'r mewnbwn egni wrth losgi glo 200 MW. Beth yw effeithlonrwydd yr orsaf drydan?

**A** Cyfanswm egni mewnbwn = 200 MW
Egni allbwn defnyddiol = 60 MW

$$\text{effeithlonrwydd} = \frac{\text{pŵer allbwn defnyddiol}}{\text{cyfanswm pŵer mewnbwn}} \times 100\%$$

$$\text{effeithlonrwydd} = \frac{60}{200} \times 100\%$$

$$= 30\%$$

C Mae effeithlonrwydd panel solar yn 30%. Mae'r panel yn rhoi pŵer allbwn trydanol o 180 W. Beth yw pwer mewnbwn golau'r haul ar y panel?

A Effeithlonrwydd = 30%
Egni allbwn defnyddiol = 180 W

$$\text{effeithlonrwydd} = \frac{\text{pŵer allbwn defnyddiol}}{\text{cyfanswm pŵer mewnbwn}} \times 100\%$$

Aildrefnwch y fformiwla:

$$\text{cyfanswm pŵer mewnbwn} = \frac{\text{pŵer allbwn defnyddiol}}{\text{effeithlonrwydd}} \times 100\%$$

$$\text{cyfanswm pŵer mewnbwn} = \frac{180}{30} \times 100\%$$

$$= 600\,W$$

## CWESTIYNAU

1 Mae bylbiau golau egni isel yn effeithlon iawn – yn llawer mwy effeithlon na'r hen fylbiau ffilament twngsten â'r un golau allbwn, sy'n gwastraffu llawer o'r egni mewnbwn trydanol fel gwres. Cyfrifwch effeithlonrwydd y bylbiau canlynol:
   a egni isel, allbwn 1.6 W, mewnbwn 8 W
   b ffilament twngsten, allbwn 1.6 W, mewnbwn 60 W.

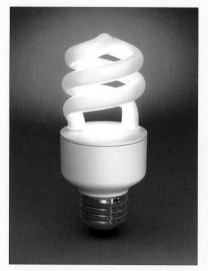

Ffigur 15.2 Bwlb golau sy'n defnyddio egni'n effeithlon.

2 Mae'r math mwyaf effeithlon o fwlb golau sydd ar gael heddiw'n cael ei gynhyrchu o ddeuodau allyrru golau (light emitting diodes: LED) arddwysedd uchel. Mae effeithlonrwydd y bylbiau hyn yn gallu cyrraedd 90%. Os yw un bwlb LED o'r fath yn rhoi 18 W o olau, faint o bŵer trydan yw'r mewnbwn?

3 Mae tyrbin gwynt mawr yn gallu allbynnu pŵer trydanol gwerth 0.50 MW o uchafswm pŵer gwynt gwerth 0.75 MW. Cyfrifwch:
   a effeithlonrwydd y tyrbin gwynt
   b faint o bŵer gwynt sy'n cael ei wastraffu fel egni gwres a sain os yw'r tyrbin yn gweithio ar ei bŵer uchaf.

Ffigur 15.3 Bwlb golau LED.

*parhad...*

Mae'r trydan sy'n cael ei gynhyrchu yng ngorsaf drydan Dinorwig yn cael ei gynhyrchu gan ddŵr yn cwympo – math o egni trydan dŵr. Fyddech chi'n ystyried bod y trydan sy'n cael ei gynhyrchu yno'n 'adnewyddadwy' neu'n 'anadnewyddadwy'?

Oes angen gorsafoedd trydan fel Dinorwig arnom ni mewn gwirionedd?

## CWESTIYNAU *parhad*

4 Mae gorsaf drydan storfa bwmp Dinorwig yng Ngogledd Cymru. Yn ystod y nos, pan mae'r galw am drydan yn isel ac mae trydan 'sbâr' ar gael (gan nad yw'n bosibl 'diffodd' pob gorsaf drydan gonfensiynol fawr dros nos), caiff dŵr ei bwmpio o lyn wrth droed Mynydd Elidir drwy dwnnel dŵr enfawr i lyn arall, Marchlyn Mawr, sydd 70 m i

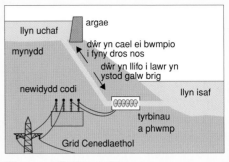

Ffigur 15.4 Cynllun storfa bwmp.

fyny'r mynydd. Yn ystod y dydd neu gyda'r nos, os bydd cynnydd sydyn yn y galw am drydan (e.e. yn ystod hanner amser rownd derfynol Cwpan yr FA – pan fydd miliynau o bobl yn penderfynu bod eisiau paned o de arnynt yr un pryd, a chaiff miliynau o degellau eu cynnau), caiff y dŵr sydd yn y llyn uchaf ei anfon yn ôl i lawr y twnnel dŵr drwy'r pympiau. Y tro hwn, mae'r pympiau'n gweithredu fel generaduron ac yn cynhyrchu 1800 MW o drydan.

Ffigur 15.5 Gorsaf drydan storfa bwmp Dinorwig.

Mae'n bosibl cynnau gorsaf Dinorwig mewn 12 eiliad, ond mae'r egni sydd wedi ei storio yn y llyn uchaf yn para am 5 awr yn unig. Mae hyn yn ddigon i ddelio â chynnydd sydyn mewn galw yn ystod oriau brig. Dros nos, mae'r pympiau'n gweithio ar 2400 MW.

a Cyfrifwch effeithlonrwydd yr orsaf drydan.

b Pan fydd y dŵr i gyd wedi rhedeg o'r llyn uchaf i'r llyn isaf, bydd y generaduron pwmp wedi cynhyrchu 32.4 TJ (TJ = Terajoule, $32.4 \times 10^{12}$ J) o egni trydanol. Defnyddiwch effeithlonrwydd yr orsaf drydan y gwnaethoch chi ei gyfrifo yn rhan a i gyfrifo cyfanswm yr egni (mewn TJ) sydd ei angen dros nos i bwmpio'r dŵr yn ôl i'r llyn uchaf.

c Mae'r Grid Cenedlaethol yn talu tua £200 y MW am y trydan sy'n cael ei gynhyrchu yng ngorsaf drydan Dinorwig. Mae'r trydan sy'n cael ei gynhyrchu mewn gorsaf drydan olew neu lo gonfensiynol yn costio dim ond tua £30 y MW. Pam mae angen Dinorwig ar y Grid Cenedlaethol pan mae'r trydan yn costio cymaint mwy?

Generadur tyrbin dŵr micro bach yw'r Ampair UW100. Gall unigolion ei brynu a'i ddefnyddio yn eu cartrefi os ydyn nhw'n byw wrth ymyl afon. Bydd yr uned yn cynhyrchu swm bach o drydan yn lleol – i wefru batrïau fel rheol.

**Ffigur 15.6** Y tyrbin dŵr Ampair UW100.

Mae dalen ddata gan y cwmni'n rhoi'r data canlynol am berfformiad yr UW100:

- cyfradd llif isaf sydd ei hangen i droi'r tyrbin = 1 m/s
- cyfradd llif uchaf i weithredu'n ddiogel = 6 m/s

**Tabl 15.2** Data i gyfrifo effeithlonrwydd yr UW100.

| Buanedd llif dŵr m/s | Pŵer mewnbwn posibl (W) | Pŵer allbwn trydanol (W) | % effeithlonrwydd |
|---|---|---|---|
| 1 | 19 | 12 | |
| 2 | 152 | 24 | |
| 3 | 513 | 50 | |
| 4 | 1 216 | 72 | |
| 5 | 2 375 | 84 | |
| 6 | 4 104 | 94 | |

Cwestiynau

1 Copïwch y tabl a'i lenwi drwy gyfrifo effeithlonrwydd yr UW100 ar gyfer pob buanedd llif dŵr.

2 Plotiwch graff i ddangos sut mae effeithlonrwydd yr UW100 yn amrywio yn ôl buanedd llif y dŵr a thynnwch linell ffit orau drwy'r data.

3 Disgrifiwch mewn geiriau pa batrwm mae'r llinell ffit orau'n ei ddangos.

4 Pam rydych chi'n meddwl bod yr effeithlonrwydd yn amrywio fel hyn?

5 Sut rydych chi'n meddwl bod yr effeithlonrwydd yn amrywio gyda buaneddau llif dŵr isel iawn ac uchel iawn (i lawr at y gyfradd llif isaf ac i fyny at y gyfradd llif uchaf)?

   a Tynnwch linellau toredig ar eich graff, i allosod (parhau) eich llinell ffit orau i ddangos sut rydych chi'n meddwl bod yr effeithlonrwydd yn newid ar gyfer buaneddau llif dŵr isel ac uchel.

   b Rhowch eglurhad am eich allosodiadau.

6 Beth fyddai canlyniadau cynyddu effeithlonrwydd y tyrbin yn ormodol?

7 Pam gallai'r cynllunydd fod eisiau cyfyngu ar y pŵer allbwn trydanol?

# GWAITH YMARFEROL | MESUR EFFEITHLONRWYDD GWRESOGYDD TRYDAN

**Dyma weithgaredd sy'n eich helpu i:**
★ gweithio fel tîm
★ trin cyfarpar
★ trefnu eich gwaith
★ mesur a chofnodi data
★ cyfrifo gwerthoedd o ddata
★ dadansoddi canlyniadau arbrawf.

Yn yr arbrawf hwn, byddwch chi'n ymchwilio i ba mor effeithlon y mae gwresogydd trydan bach 12 V yn gwresogi dŵr. Bydd rhywfaint o'r egni trydanol mae'r gwresogydd yn ei gyflenwi'n cael ei wastraffu, gan wresogi'r aer a'r gwydr o gwmpas y gwresogydd. Bydd y gweddill yn cael ei ddefnyddio'n ddefnyddiol i wresogi'r dŵr. Mae angen i chi wybod ei bod yn cymryd 420 J i gynyddu tymheredd 100 g o ddŵr 1 °C.

## Asesiad risg

- **Byddwch yn ofalus – bydd y gwresogydd trydan yn mynd yn boeth.**
- **Bydd eich athro/athrawes yn rhoi asesiad risg i chi.**

## Dull

1 Defnyddiwch y silindr mesur i fesur 100 cm³ o ddŵr a'i arllwys i'r bicer.
2 Cysylltwch y cyflenwad pŵer â'r joulemedr ac yna'r gwresogydd â'r joulemedr.
3 Rhowch y gwresogydd ac yna'r thermomedr yn y dŵr. Mesurwch a chofnodwch dymheredd y dŵr, $T_{dechrau}$.
4 Gofalwch fod y joulemedr yn darllen sero (ailosodwch ef os oes angen) ac yna cyneuwch y cyflenwad pŵer 12 V.
5 Bob 30 eiliad, trowch y dŵr â'r rhoden droi a monitrwch dymheredd y dŵr nes bod y tymheredd wedi cynyddu 10 °C. Yna diffoddwch y cyflenwad pŵer a chofnodwch y darlleniad ar y joulemedr, $E_{mewnbwn}$.
6 Daliwch ati i fesur tymheredd y dŵr gyda'r gwresogydd wedi'i ddiffodd a chofnodwch dymheredd uchaf y dŵr, $T_{uchaf}$.
7 Cyfrifwch newid tymheredd y dŵr, $T_{newid} = T_{uchaf} - T_{dechrau}$.
8 Cyfrifwch egni allbwn defnyddiol y gwresogydd, $E_{defnyddiol} = 420 \times T_{newid}$.
9 Cyfrifwch effeithlonrwydd y gwresogydd $= \dfrac{E_{defnyddiol}}{E_{mewnbwn}} \times 100\%$

10 Cadwch eich holl gyfarpar yn daclus ar ôl iddo oeri.

## Dadansoddi eich canlyniadau

1 Ar wahân i'r aer, ym mha le arall mae'r egni gwres yn cael ei wastraffu? (*Awgrym*: beth arall sy'n cynhesu heblaw'r dŵr?)
2 Faint o egni sy'n cael ei wastraffu i gyd?
3 Pam mae'n bwysig dal i fesur tymheredd y dŵr hyd yn oed ar ôl i'r uned cyflenwad pŵer gael ei ddiffodd?
4 Ydych chi'n meddwl y bydd y gwresogydd yn fwy neu'n llai effeithlon wrth wresogi 250 cm³ o ddŵr yn hytrach na 100 cm³? Eglurwch eich ateb.

## Cyfarpar
* uned cyflenwad pŵer 12 V
* gwresogydd trydan 12 V
* joulemedr
* thermomedr
* bicer gwydr 100 cm³
* rhoden droi
* gwifrau cysylltu 4 mm
* silindr mesur 100 cm³

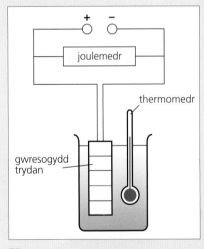

Ffigur 15.7

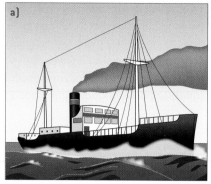
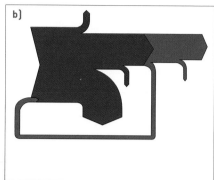

Ffigur 15.8 a) Llong ager; b) diagram Sankey ar gyfer llong ager.

Ffigur 15.9 Y Capten Matthew Sankey

Mae diagramau Sankey yn ffordd glyfar o ddangos trosglwyddiadau egni (neu bŵer) ac effeithlonrwydd. Cafodd diagramau Sankey eu dyfeisio gan gapten llong o Loegr, y Capten Matthew Sankey. Roedd gan y Capten Sankey ddiddordeb mawr yn y peiriannau ager (stêm) oedd yn pweru ei long, a dyfeisiodd ddiagramau Sankey fel ffordd o ddangos y trosglwyddiadau egni oedd yn digwydd wrth i'r peiriannau ar ei long weithio – roedd yn ceisio gwneud y peiriannau'n fwy effeithlon.

Y peth da am ddiagramau Sankey yw eu bod nhw, yn ogystal â dangos y gwahanol drosglwyddiadau egni sy'n digwydd, yn dangos y swm cymharol neu ganrannol o egni sy'n cael ei drawsffurfio ym mhob cam yn y trosglwyddiad, gan eu bod nhw'n cael eu llunio wrth raddfa bob amser. Mae lled y bariau ar unrhyw bwynt ar y diagram Sankey yn dangos faint o egni sydd yno ac, oherwydd hyn, gallwn ni ddangos yr effeithlonrwydd drwy gymharu lled yr egni (neu'r egnïon) defnyddiol â lled cyfanswm yr egni mewnbwn neu led yr egni sy'n cael ei wastraffu.

## Enghraifft

Fel enghraifft, fe edrychwn ni ar fwlb golau sy'n defnyddio egni'n effeithlon.

Bob eiliad, mae'r bwlb yn cael mewnbwn o 10J o drydan. Dim ond 2J sy'n cael ei allbynnu fel egni golau defnyddiol, felly caiff 8J ei wastraffu fel egni gwres.

Pan gafodd y diagram Sankey hwn ei lunio, cafodd y bar egni trydanol ei lunio fel bod ei led yn 10 uned. Roedd lled y bar egni golau'n

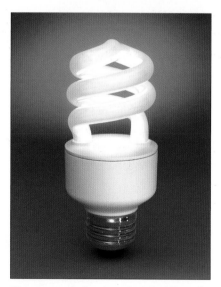

Ffigur 15.10 Bwlb golau sy'n defnyddio egni'n effeithlon.

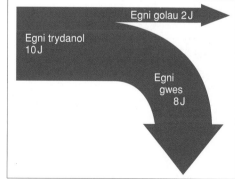

Ffigur 15.11 Diagram Sankey o fwlb golau sy'n defnyddio egni'n effeithlon.

2 uned ac roedd lled y bar egni gwres yn 8 uned. Fel rheol (ond nid bob tro) mae'r trosglwyddiad egni defnyddiol yn mynd ar hyd brig y diagram (bar syth) ac mae'r rhai sy'n cael eu gwastraffu'n crymu i lawr.

Yn yr achos hwn, mae'n hawdd gweld mai dim ond 2J o'r 10J o egni mewnbwn trydanol sy'n cael ei allbynnu fel egni golau defnyddiol. Mae hyn yn golygu mai dim ond 20% yw effeithlonrwydd bylbiau golau 'egni isel' – sydd ddim yn swnio'n dda nes i chi gael gwybod bod effeithlonrwydd bylbiau ffilament gwynias safonol tua 2%.

## CWESTIYNAU

5 Mae effeithlonrwydd bylbiau golau LED yn gallu cyrraedd 80%. Lluniwch ddiagram Sankey ar gyfer bwlb golau LED, gan dybio bod mewnbwn yr egni trydanol yn 100 J.

6 Mae effeithlonrwydd rhai peiriannau tanio mewnol yn 25%. Dyma ddiagram Sankey yn dangos un ar waith.

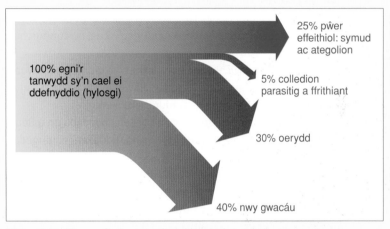

**Ffigur 15.12** Diagram Sankey ar gyfer peiriant tanio mewnol.

Mae pob litr o betrol yn cynhyrchu tua 35 MJ o egni gwres pan gaiff ei losgi yn y peiriant.

a Faint o'r egni hwn sy'n cael ei droi'n egni cinetig defnyddiol (pŵer effeithiol)?

b Faint sy'n cael ei wastraffu fel nwy gwacáu?

## TASG    GWIRIONEDD ANGHYFLEUS?

**Ffigur 15.13** Al Gore.

Yn 2006 rhyddhaodd cyn-Is-arlywydd UDA, Al Gore, ffilm ddogfen o'r enw *An Inconvenient Truth* i hyrwyddo'r angen i'r byd fynd i'r afael â phroblem cynhesu byd-eang. Amlinellodd yn fanwl beth fyddai canlyniadau parhau i losgi tanwyddau ffosil a'r ôl troed carbon sy'n deillio o hynny. Gallai cynhesu byd-eang dros y 100 mlynedd nesaf godi lefel y môr hyd at 2 m. Byddai canlyniadau hyn yn ddinistriol iawn i ddynolryw.

*parhad...*

### Pwyntiau Trafod

Trafodwch rai o'r cwestiynau canlynol, neu bob un ohonyn nhw:

1. Ydym ni'n gallu fforddio parhau â'r cynnydd direolaeth yn y defnydd o danwyddau ffosil?

2. Ydy hi'n iawn i ni barhau i redeg rhai gorsafoedd trydan ag effeithlonrwydd o 30% pan mae rhai eraill sydd wedi eu cynllunio'n debyg ond yn fwy modern yn cyrraedd effeithlonrwydd o 50–60%?

3. O safbwynt moesol, ydym ni'n gallu amddiffyn defnyddio bylbiau golau gwynias ag effeithlonrwydd o 2%?

4. Ydy hi'n foesol dderbyniol bod bylbiau golau LED effeithlonrwydd uchel mor ddrud?

5. Ydych chi'n gadael dyfeisiau trydanol mewn modd cysgu dros nos? Mae hyn yn golygu bod rhaid i'r Grid Cenedlaethol redeg cywerth ag un orsaf drydan tanwydd ffosil gyfan, a hynny dim ond er mwyn i chi gael golau bach ymlaen tra ydych chi'n cysgu, er na allwch chi ei weld.

6. Ydy hi'n iawn bod gwneuthurwyr dyfeisiau trydanol ddim yn gorfod (yn ôl y gyfraith) rhoi switsh ar offer sy'n eu cynnau/diffodd yn llwyr? Byddai'n hawdd gwneud hyn.

7. Ydy hi'n iawn bod ceir modur sy'n cael eu cynhyrchu yn Ewrop ar gyfartaledd yn gallu defnyddio cyn lleied â 5 litr o danwydd bob 100 km, ond bod ceir modur sy'n cael eu cynhyrchu yn UDA ar gyfartaledd yn defnyddio 11 litr bob 100 km?

8. Beth ydych chi'n ei feddwl am adeiladu llethr sgïo cromen eira fwyaf y byd yn anialwch y Dwyrain Canol, lle mae'r tymheredd cyfartalog yn ystod y dydd yn llawer uwch na 30 °C, sy'n golygu y byddai angen defnyddio symiau enfawr o egni trydanol ar gyfer yr aerdymheru'n unig?

9. Ydy hi'n deg bod gorsafoedd trydan sy'n cael eu hadeiladu yn y Deyrnas Unedig yn gorfod cydymffurfio â thargedau llym ar gyfer allyrru carbon, ond na fyddai angen targedau allyrru carbon ar yr un orsaf drydan pe bai'n cael ei hadeiladu yn China?

10. Pam mae rhai pobl yn gwrthwynebu adeiladu fferm wynt yn agos atynt, ond yna'n cwyno am bris trydan?

11. Mae'r byd yn wynebu 'gwirionedd anghyfleus'. Mae gormod o bobl yn ennill gormod o arian o ganlyniad i ecsbloetio tanwyddau ffosil. Cwmnïau olew yw tri o bedwar cwmni mwyaf proffidiol y byd. Mae'r Americanwr cyfartalog yn defnyddio dwywaith cymaint o egni â dinesydd cyfartalog yn y Deyrnas Unedig a bron 20 gwaith cymaint â dinesydd cyfartalog yn India. Ydym ni'n gallu gadael i'r ecsbloetio hwn barhau?

## ⬤ Gwneud pethau'n well – cynhyrchu trydan 'am ddim'

**Ffigur 15.14** Argae Cwm Elan, Canolbarth Cymru.

Generadur sy'n cynhyrchu trydan. Mae magnet mawr (neu electromagnet) yn troelli y tu mewn i goil gwifren, gan gynhyrchu cerrynt. Mewn gorsaf drydan gonfensiynol wedi'i phweru gan danwydd ffosil, caiff y generadur ei droelli gan dyrbin sy'n cael ei yrru gan ager gwasgedd-uchel. Caiff yr ager ei gynhyrchu pan mae'r tanwydd ffosil yn llosgi ac mae'r gwres yn cael ei ddefnyddio i ferwi dŵr.

Bydd unrhyw lifydd (hylif neu nwy) sy'n symud yn troelli tyrbin, felly mae'r gwynt a dŵr sy'n rhedeg yn gallu troi'r tyrbin yr un mor effeithiol ag ager. Yn wir, rydym ni wedi bod yn defnyddio dŵr yn rhedeg a'r gwynt ers canrifoedd i roi egni i ni – olwynion dŵr a melinau gwynt.

Mae tyrbinau dŵr a gwynt modern yn cynnwys llafnau tyrbin ffrithiant isel sy'n cael eu troi'n rhwydd gan y llifydd sy'n symud ac sydd wedi'u cysylltu'n uniongyrchol â'r generadur sy'n cynhyrchu'r trydan. Y peth pwysig am hyn, fodd bynnag, yw fod rhaid cael digon o egni cinetig yn y dŵr neu'r gwynt i droi llafnau'r tyrbin. Mae hyn yn dibynnu ar fuanedd y gwynt/dŵr

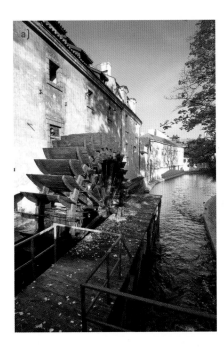

Ffigur 15.15  Mae a) olwynion dŵr a b) melinau gwynt wedi bod yn cynhyrchu egni ers canrifoedd.

sy'n symud *ac* ar fàs yr aer/dŵr sy'n symud drwy lafnau'r tyrbin. Gallwn ni gyfrifo màs y gwynt neu'r dŵr drwy wybod ei **ddwysedd**.

Mae dwysedd yn ffordd o fesur faint o fàs (mater) sy'n bresennol mewn cyfaint penodol o ddefnydd – fel rheol, 1 cm$^3$ neu 1 m$^3$ fydd hwn. Dwysedd dŵr yw 1 g/cm$^3$ neu 1000 kg/m$^3$. Dwysedd aer (ar lefel y môr ar 15 °C) yw 0.0012 g/cm$^3$ neu 1.2 kg/m$^3$.

Gallwn ni ddefnyddio'r hafaliad canlynol i gyfrifo dwysedd:

$$\text{dwysedd} = \frac{\text{màs}}{\text{cyfaint}} \quad \text{neu} \quad \rho = \frac{m}{V}$$

## Pam mae dwysedd mor bwysig i gynhyrchu trydan?

Mae dŵr tua 1000 gwaith dwysach nag aer. Mae hyn yn golygu, pan mae dŵr yn symud drwy lafn tyrbin, fod mwy o fàs o ddefnydd yn symud ac felly mwy o egni cinetig. Mae defnyddio dŵr sy'n symud yn ffordd effeithlon iawn o gynhyrchu trydan. Mae symiau mawr o ddŵr sy'n llifo'n gyflym drwy orsaf drydan dŵr yn gallu cynhyrchu symiau enfawr o drydan. Mae'r generaduron wrth droed Argae Hoover yn Nevada yn darparu mwy na digon o drydan i ddinas Las Vegas gyda'i holl oleuadau llachar.

Ffigur 15.16  Argae Hoover yn Nevada, UDA.

Ffigur 15.17  Goleuadau llachar Las Vegas.

7 Mae dŵr môr yn ddwysach na dŵr ffres (oherwydd yr halen sydd wedi hydoddi ynddo). Cyfrifwch ddwysedd dŵr môr os 2060 g yw màs 2000 cm³ o ddŵr.

8 Mae fferm wynt Farr ger Inverness yn safle anarferol o uchel i fferm wynt, gydag uchder cyfartalog o 500 m. Er bod aer yn symud yn gyflymach ar uchder, mae'n llai dwys nag ydyw ar lefel y môr. Ar 500 m, mae màs 10 m³ o aer yn 9.5 kg. Cyfrifwch ddwysedd yr aer yn fferm wynt Farr.

9 Mae cynllun trydan dŵr ac argaeau Cwm Elan yng Nghanolbarth Cymru'n cyflenwi trydan i gyfanswm o 11 000 o gartrefi ac yn cyflenwi 300 000 m³ o ddŵr i Birmingham bob dydd. Os yw dwysedd dŵr yn 1000 kg/m³, cyfrifwch fàs y dŵr sy'n cael ei ddanfon i Birmingham bob dydd o Gwm Elan.

## Enghreifftiau – cyfrifo dwysedd

**C** Mae myfyriwr yn mesur bod màs 100 cm³ o ddŵr mewn silindr mesur yn 101.05 g. Beth yw dwysedd y dŵr?

**A**

$$\text{dwysedd} = \frac{\text{màs}}{\text{cyfaint}}$$

$$\text{dwysedd} = \frac{101.05}{100}$$

$$= 1.0105 \text{ g/cm}^3$$

**C** Mae clown yn chwythu 0.5 g o aer i falŵn, sy'n ehangu i gyfaint o 400 cm³. Beth yw dwysedd yr aer?

**A**

$$\text{dwysedd} = \frac{\text{màs}}{\text{cyfaint}}$$

$$\text{dwysedd} = \frac{0.5}{400}$$

$$= 0.00125 \text{ g/cm}^3$$

**C** Mae ar dyrbin gwynt angen 24 kg o aer bob eiliad, gyda dwysedd o 1.2 kg/m³, er mwyn troi ar yr effeithlonrwydd uchaf posibl. Beth yw cyfaint yr aer sydd ei angen?

**A**

$$\text{dwysedd} = \frac{\text{màs}}{\text{cyfaint}}$$

Wedi'i aildrefnu:

$$\text{cyfaint} = \frac{\text{màs}}{\text{dwysedd}}$$

$$\text{cyfaint} = \frac{24}{1.2}$$

$$= 20 \text{ m}^3$$

## GWAITH YMARFEROL · MESUR DWYSEDD DŴR

Yn yr arbrawf hwn, byddwch chi'n defnyddio nifer o wahanol ddulliau i fesur dwysedd dŵr. Eich tasg chi yw penderfynu pa un o'r dulliau fydd yn rhoi'r gwerth mwyaf cywir i chi. Caiff dwysedd dŵr ei gyfrifo drwy fesur màs cyfaint penodol. Mae hyn yn golygu bod rhaid i chi fesur y màs a'r cyfaint ar wahân. Edrychwch ar Dabl 15.3.

Tabl 15.3 Dulliau mesur màs a chyfaint hylifau.

| Ffyrdd o fesur màs hylif | Ffyrdd o fesur cyfaint hylif |
|---|---|
| Clorian electronig y labordy | Bicer |
| Clorian cegin | Silindr mesur |
| Clorian fecanyddol y labordy | Fflasg safonol |

1 Rhagfynegwch pa gyfuniad o offer fydd yn eich barn chi'n rhoi'r gwerth mwyaf manwl gywir ar gyfer dwysedd dŵr. Eglurwch pam.

## GWAITH YMARFEROL *parhad*

### Cyfarpar
* clorian labordy
* clorian cegin
* clorian fecanyddol y labordy
* bicer 100 cm³
* silindr mesur 100 cm³
* fflasg safonol 100 cm³

 Asesiad risg

• **Bydd eich athro/athrawes yn rhoi asesiad risg addas i chi.**

### Dull

1 Defnyddiwch bob darn o gyfarpar mesur cyfaint i fesur 100 cm³ o ddŵr.

2 Yna, defnyddiwch bob cyfarpar mesur màs i fesur màs pob 100 cm³ o ddŵr. Cofnodwch eich canlyniadau mewn tabl addas. Cyfrifwch ddwysedd y dŵr ar gyfer pob cyfuniad o gyfarpar cyfaint a màs, drwy ddefnyddio'r hafaliad:

$$\text{dwysedd} = \frac{\text{màs}}{\text{cyfaint}}$$

### Gwerthuso eich canlyniadau

1 Y gwerth sy'n cael ei roi ar gyfer dwysedd dŵr yw 1.00 g/cm³. Pa gyfuniad o gyfarpar sy'n rhoi:

   **a** y gwerth mwyaf manwl gywir (yr agosaf i'r gwerth a roddwyd)

   **b** y gwerth lleiaf manwl gywir?

2 Rhowch resymau pam rydych chi'n meddwl bod cymaint o wahaniaeth yng nghywirdeb y dwyseddau dŵr rydych chi wedi eu cyfrifo.

3 Ydych chi'n meddwl y byddai ailadrodd pob mesuriad yn gwneud gwahaniaeth i'ch canlyniadau? Eglurwch eich ateb.

4 Oes ots sut rydym ni'n mesur maint ffisegol fel dwysedd?

### Gwaith estynedig – mesur dwysedd aer

Mae'r Sefydliad Ffiseg (*Institute of Physics*: IOP) wedi cynhyrchu dull rhagorol o fesur dwysedd aer gan ddefnyddio balŵn a bwced o ddŵr. Mae ar gael ar:

www.practicalphysics.org/go/Experiment_168.html

## Crynodeb o'r bennod

○ Gallwn ni ddefnyddio diagramau trosglwyddo egni (Sankey) i'w gwneud yn haws deall y syniad o effeithlonrwydd egni yn nhermau egni mewnbwn, egni allbwn defnyddiol ac egni gwastraff.

○ Mae'n bosibl ymchwilio i effeithlonrwydd trosglwyddo egni mewn cyd-destun trydanol drwy fesur y trosglwyddiadau egni i mewn ac allan o ddyfais.

○ $$\text{effeithlonrwydd} = \frac{\text{pŵer neu egni allbwn defnyddiol}}{\text{cyfanswm pŵer neu egni mewnbwn}} \times 100\%$$

○ Mae effeithlonrwydd gorsafoedd trydan tanwydd ffosil a'r Grid Cenedlaethol yn gwbl hanfodol i'r ddadl amgylcheddol am ôl troed carbon a chynhesu byd-eang.

○ $$\text{dwysedd} = \frac{\text{màs}}{\text{cyfaint}} \quad \text{neu} \quad \rho = \frac{m}{V}$$

○ Gallwn ni ganfod dwysedd defnydd, fel aer neu ddŵr, drwy fesur ei gyfaint a'i fàs mewn arbrawf.

○ Mae deall dwysedd yn gallu rhoi sail i drafodaethau am yr egni sydd ar gael o ddŵr ac aer sy'n symud.

# Faint y gallech chi ei arbed?

**Ffigur 16.1** Mae delweddu thermol yn dangos colledion gwres amrywiol mewn rhes o dai.

Ar 14 Ebrill 2011, roedd y pennawd canlynol i'w weld ym mhapur newydd y *Guardian*:

## O leiaf 10% o gartrefi newydd yn methu prawf effeithlonrwydd egni

Yn ôl ffigurau swyddogol dydy nifer uchel o gartrefi newydd ddim yn cydymffurfio â safonau cyfreithiol i leihau allyriadau carbon a biliau gwasanaethau.

Mae o leiaf un o bob 10 cartref newydd ym Mhrydain yn methu bodloni gofynion cyfreithiol o ran effeithlonrwydd egni, sy'n condemnio degau o filoedd o ddeiliaid tai i filiau egni uwch, ac yn gwaethygu'r newid yn yr hinsawdd. Mae'r llywodraeth wedi penderfynu mai gwella effeithlonrwydd egni cartrefi yw'r ffordd orau o leihau allyriadau carbon a chadw biliau gwasanaethau dan reolaeth ar yr un pryd.

Ers mis Ebrill 2008, mae pob cartref newydd wedi gorfod bodloni safonau caeth ar atal drafftiau, goleuo a gwresogi. Mae pob cartref yn gorfod cael Tystysgrif Perfformiad Egni i nodi pa mor effeithlon ydyw. Ond dydy o leiaf 30,000 o'r 300,000 o gartrefi sydd wedi cael eu hadeiladu ers hynny ddim yn bodloni'r safonau cyfreithiol hyn, yn ôl ffigurau swyddogol sydd newydd gael eu rhyddhau. Meddai Andrew Warren, cyfarwyddwr y Gymdeithas Cadwraeth Egni: "Prynu cartref yw'r pryniad sengl mwyaf a wnaiff pobl yn eu bywydau. Mae costau egni'n codi – heb sôn am y materion amgylcheddol – ac mae'n gwbl resymol disgwyl i adeiladau fodloni'r safonau cyfreithiol gofynnol ar gyfer effeithlonrwydd egni".

**Ffigur 16.2** Mae ar y byd eich angen CHI!

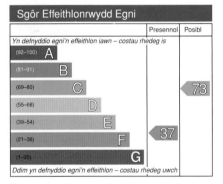

**Ffigur 16.3** Tystysgrif Perfformiad Egni.

**Ffigur 16.4** Rhimyn drafft wedi'i ffitio ar waelod drws.

Mae ar y byd eich angen CHI! Eich cenhedlaeth chi sy'n gorfod wynebu, a gwneud, penderfyniadau anodd am y dyfodol. Dydy'r byd ddim yn gallu parhau i ddefnyddio egni mewn ffordd mor ddi-hid. Rhaid i wastraffu egni ddod yn gymdeithasol annerbyniol, yn yr un ffordd ag mae yfed a gyrru'n annerbyniol i gymdeithas heddiw. *Rhaid* i effeithlonrwydd egni, ynysu a defnyddio mwy o egni adnewyddadwy ddod yn ffordd gyffredin a derbyniol o ddefnyddio egni, a rhaid i unigolion yn ogystal â llywodraethau lleol, cenedlaethol a rhyngwladol i gyd wneud eu rhan. Beth fydd eich cyfraniad *chi*?

Yn yr erthygl yn y *Guardian*, mae'r awdur yn cyfeirio at y Dystysgrif Perfformiad Egni (*Energy Performance Certificate*: EPC). Mae'r EPC sy'n cael ei chynhyrchu ar adeg gwerthu tŷ yn cynnwys sgôr effeithlonrwydd egni – mae Ffigur 16.3 yn dangos enghraifft o un o'r rhain.

Mae sgôr effeithlonrwydd egni'r tŷ hwn yn dangos bod effeithlonrwydd y tŷ yn 37%. Mae'r sgôr hwn yn rhoi gradd F iddo. Caiff yr effeithlonrwydd ei gyfrifo drwy ddefnyddio model cyfrifiadurol sy'n seiliedig ar ffactorau fel ynysu, gwresogi a systemau dŵr poeth, awyru a'r tanwyddau sy'n cael eu defnyddio yn y cartref. Mae effeithlonrwydd egni cyfartalog tai Cymru a Lloegr ym mand E (sgôr o 46%). Yna, mae'r EPC yn awgrymu ffyrdd y gallai deiliaid y tŷ wella effeithlonrwydd cyffredinol y tŷ. Yn yr achos hwn, argymhellodd yr EPC fod deiliaid y tŷ'n gwneud y pethau canlynol:

- gosod ynysu wal geudod                     arbed £411 y flwyddyn
- gosod goleuadau egni isel                  arbed £11 y flwyddyn
- gosod thermostat silindr dŵr poeth         arbed £102 y flwyddyn
- cael boeler cyddwyso Band A yn lle'r        arbed £323 y flwyddyn
  boeler presennol
- cael ffenestri gwydr dwbl yn lle'r          arbed £30 y flwyddyn
  ffenestri gwydr sengl
- gosod paneli ffotofoltaidd solar (ar        arbed £49 y flwyddyn
  25% o'r to)
- **Cyfanswm yr effaith**                     **arbed £926 y flwyddyn**

Yna, mae'r EPC yn rhoi manylion pob math o fesur arbed egni, gan awgrymu ffyrdd o'u gosod nhw a lle i gael mwy o wybodaeth.

Mae rhai o'r mesurau arbed egni'n eithaf drud i'w gosod. Dydy prynu boeleri newydd a gosod ffenestri gwydr dwbl a phaneli ffotofoltaidd solar ddim yn rhad, ond mae rhai mesurau syml yn syndod o rad. Mae gormod o ddrafftiau mewn llawer o dai hŷn, yn bennaf drwy ochrau ffenestri a drysau sydd ddim yn ffitio'n dda. Mae gosod stribedi tywydd a rhimynnau drafft (sydd ar gael am rai punnoedd yn unig ac y gallwch chi eu gosod eich hun) ar ddrysau a ffenestri'n gallu gwneud llawer i wella ynysu tŷ.

## Sut mae rhimynnau drafft yn gweithio?

Mae pob math o ynysu'n gweithio yn yr un ffordd sylfaenol – mae'n atal egni gwres rhag symud o rywle poeth i rywle oer.

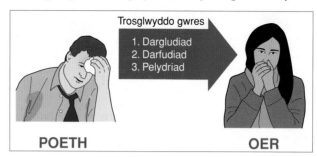

Ffigur 16.5  Trosglwyddo gwres.

Mae ynysiad yn lleihau llif egni gwres o boeth i oer drwy leihau effaith tri mecanwaith trosglwyddo gwres, sef:

- dargludiad
- darfudiad
- pelydriad

Mae rhimynnau drafft yn gweithio drwy leihau ceryntau darfudiad o dan ddrws neu drwy'r bylchau yn y ffrâm – maen nhw'n gallu arbed rhwng 10% ac 20% o gostau gwresogi cartref.

## GWAITH YMARFEROL

### YMCHWILIO I DDARFUDIAD

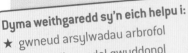

Dyma weithgaredd sy'n eich helpu i:
★ gwneud arsylwadau arbrofol
★ defnyddio model gwyddonol i ddadansoddi arsylwadau arbrofol
★ lluniadu diagram ar gyfer arbrawf.

Bydd eich athro/athrawes yn arddangos ceryntau darfudiad ar waith (neu'n gadael i chi ymchwilio iddynt) mewn model o simnai.

**Cyfarpar**
* cyfarpar arddangos simnai
* cannwyll
* prennyn

(!) Asesiad risg

- **Gwisgwch sbectol ddiogelwch a chlymwch unrhyw wallt/dillad rhydd yn ôl.**
- **Bydd eich athro/athrawes yn rhoi asesiad risg addas i chi.**
- **Bydd y simnai uwchben y gannwyll yn mynd yn boeth iawn, yn ogystal â'r aer sy'n dod ohoni. Peidiwch â chyffwrdd y gwydr na rhoi eich llaw uwchben y simnai boeth nes bod y gannwyll wedi ei diffodd a'r simnai wedi oeri.**

**Dull**

1 Tynnwch y panel gwydr ar flaen y cyfarpar i ffwrdd.
2 Cyneuwch y gannwyll o dan un o'r simneiau gwydr.
3 Rhowch y panel gwydr yn ei ôl.
4 Cyneuwch brennyn, gadewch iddo fflamio am foment yna chwythwch arno i'w ddiffodd. Bydd y prennyn yn cynhyrchu mwg.
5 Daliwch y prennyn sy'n mygu yn rhan uchaf y simnai wydr arall, ac edrychwch ar y mwg yn symud.
6 Lluniadwch ddiagram o'r cyfarpar ac ychwanegwch saethau i ddangos mudiant y mwg.

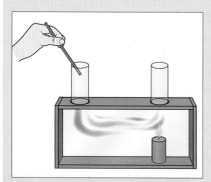

Ffigur 16.6  Cyfarpar simnai sy'n mygu.

*parhad...*

FAINT Y GALLECH CHI EI ARBED?

## GWAITH YMARFEROL *parhad*

### Egluro mudiant y mwg

Mae'r egni gwres sy'n cael ei gynhyrchu gan y gannwyll yn gwresogi'r aer yn union uwchben y fflam. Mae'r gronynnau aer wedi'u gwresogi yn symud yn gyflymach. Wrth iddynt symud yn gyflymach maen nhw'n mynd (ar gyfartaledd) yn bellach oddi wrth ei gilydd. Mae hyn yn golygu bod 1 centimetr ciwbig o aer poeth uwchben fflam y gannwyll yn cynnwys llai o ronynnau na'r aer oer o'i gwmpas. Mae llai o ronynnau aer yn golygu llai o fàs o aer i bob centimetr ciwbig – mae hyn yn golygu bod **dwysedd** (màs uned o gyfaint) yr aer poeth yn llai na dwysedd yr aer oerach o'i gwmpas. Yna, mae'r aer poeth llai dwys yn codi'n uwch na'r aer oerach, dwysach. Wrth i'r aer poeth godi mae aer oerach yn cael ei sugno i mewn i gymryd lle'r aer poeth yn union uwchben y fflam. Mae unrhyw ronynnau mwg yn system y simneiau'n cael eu cludo ar y **cerrynt darfudiad** hwn o aer wrth iddo symud i lawr y simnai oer ac i fyny'r simnai boeth (gweler Ffigur 16.7).

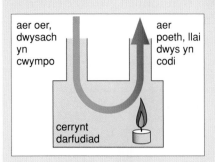

**Ffigur 16.7** Sut mae'n gweithio.

## GWAITH YMARFEROL · DARFUDIAD YMARFEROL

Gallwch chi hefyd archwilio i geryntau darfudiad mewn dŵr.

**Dyma weithgaredd sy'n eich helpu i:**
★ gweithio fel rhan o dîm
★ gweithio'n ddiogel ym maes gwyddoniaeth
★ gwneud arsylwadau gwyddonol.

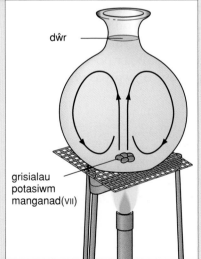

**Ffigur 16.8** Cyfarpar i ddangos ceryntau darfudiad.

### Cyfarpar
* fflasg gron â gwaelod fflat
* llosgydd Bunsen
* rhwyllen
* trybedd
* mat gwrth-wres
* grisial potasiwm permanganad
* gefel fach
* sbectol ddiogelwch

### (!) Asesiad risg
* **Gwisgwch sbectol ddiogelwch.**
* **Bydd eich athro/athrawes yn rhoi asesiad risg i chi.**

### Dull
1 Bydd eich athro/athrawes yn rhoi grisial bach o botasiwm manganad (VII) (permanganad) i chi. Gollyngwch ef yn ofalus i fflasg o ddŵr oer.
2 Defnyddiwch fflam isel iawn i wresogi'r dŵr yn ysgafn yn agos at y grisial.
3 Arsylwch beth sy'n digwydd.

Wrth i'r dŵr sy'n agos at y grisial gael ei wresogi, mae'n mynd yn llai dwys ac yn codi. Mae'r dŵr lliw yn dangos llwybr y cerrynt darfudiad yn y dŵr. Mae'n cludo'r egni gwres gydag ef.

Mae rhimynnau drafft yn gweithredu fel rhwystrau rhwng y mannau poeth a'r mannau oer. Mae'r aer oer y tu allan i ystafell yn cael ei rwystro rhag cael ei sugno drwy'r bwlch aer o dan ddrws wrth i'r aer poeth yn yr ystafell godi. Mae'r rhimyn drafft yn ffisegol yn atal y gronynnau aer oerach rhag mynd i mewn i'r ystafell.

Mae ceryntau darfudiad ym mhobman. Bydd darfudiad yn digwydd i bob **llifydd** (hylif neu nwy) pan gaiff ei wresogi. Bydd darfudiad hyd yn oed yn digwydd i hylifau trwchus iawn fel y graig dawdd ym mantell y Ddaear (yn wir, y ceryntau darfudiad hyn sy'n gyrru tectoneg platiau – symudiad platiau cramennol y Ddaear). Darfudiad sydd hefyd yn rheoli prifwyntoedd y Ddaear, sef y Gwyntoedd Cyson. Yr Haul yw'r ffynhonnell gwres ac enw'r ceryntau darfudiad atmosfferig sy'n cael eu hachosi ganddo yw celloedd Hadley.

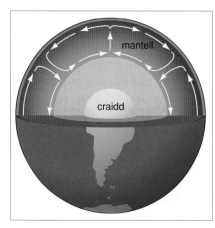

**Ffigur 16.9** Ceryntau darfudiad ym mantell y Ddaear.

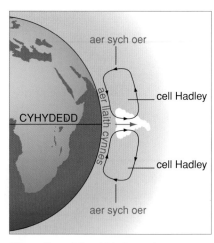

**Ffigur 16.10** Celloedd Hadley wrth y cyhydedd.

Mae'r rhan fwyaf o systemau gwres canolog yn gweithio o ganlyniad i geryntau darfudiad. Caiff dŵr poeth ei bwmpio drwy system o bibellau a rheiddiaduron. Mae'r aer mewn ystafell yn cael ei wresogi gan y rheiddiadur, gan greu ceryntau darfudiad. Mae'r aer poeth uwchben y rheiddiadur yn mynd yn llai dwys ac yn codi, gan achosi i aer oerach, dwysach gymryd ei le. Pan fydd y rheiddiadur yn boeth bydd cerrynt parhaus o aer poeth sy'n codi ac o aer oerach sy'n cwympo yn cylchredeg o gwmpas yr ystafell, ac felly'n ei chynhesu.

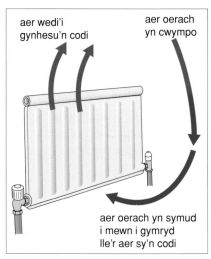

**Ffigur 16.11** Ceryntau darfudiad yn trosglwyddo gwres o'r rheiddiadur i'ch ystafell.

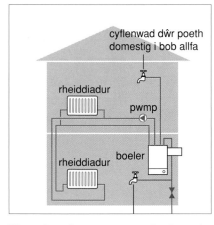

**Ffigur 16.12** System gwres canolog domestig.

## GWAITH YMARFEROL  YMCHWILIO I GERYNTAU DARFUDIAD

**Cyfarpar**

\* cofnodydd data a phedwar chwiliedydd thermomedr

\* mynediad at gyfrifiadur er mwyn llwytho data i lawr o'r cofnodydd data

Gallwch chi ddefnyddio cofnodydd data a'r chwiliedyddion tymheredd i fesur yr amrywiadau tymheredd mewn cerrynt darfudiad. Bydd angen i chi allu defnyddio ystafell lle mae rheiddiadur, a bydd angen i chi gysylltu tri neu bedwar chwiliedydd tymheredd â'r cofnodydd data.

🛈 Asesiad risg

● **Bydd eich athro/athrawes yn rhoi asesiad risg i chi.**

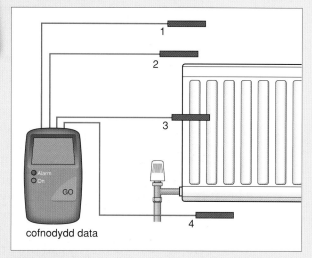

**Ffigur 16.13** Cofnodydd data'n mesur tymereddau'n agos at reiddiadur.

### Dull

1 Cydosodwch y cofnodydd data mewn modd tebyg i'r diagram yn Ffigur 16.13.

2 Gwnewch i'r cofnodydd data gofnodi tymheredd pob chwiliedydd bob 10–20 munud dros gyfnod o 24 awr. Rhaid i'r cyfnod 24 awr gynnwys cyfran o'r amser pan fydd y rheiddiadur ymlaen.

3 Pan fydd y cofnodydd data wedi gorffen, gallwch chi lwytho'r data i lawr i raglen plotio graffiau, fel y rhaglenni sy'n cael eu cyflenwi gyda'r cofnodydd data. Fel arall, gallwch chi eu trosglwyddo i Excel.

4 Plotiwch graff o dymheredd pob chwiliedydd yn erbyn amser dros y cyfnod 24 awr.

### Dadansoddi eich canlyniadau

1 Sut mae tymheredd y chwiliedydd sydd wedi'i gysylltu â'r rheiddiadur yn amrywio? Bydd y chwiliedydd hwn wedi mesur tymheredd gwirioneddol y rheiddiadur ac wedi mapio patrwm cynnau/diffodd y rheiddiadur dros y cyfnod 24 awr.

2 Dewiswch un amser pan oedd y rheiddiadur wedi'i gynnau. Sut roedd y tymereddau a fesurwyd gan y chwiliedyddion eraill yn cymharu â thymheredd y chwiliedydd a gysylltwyd â'r rheiddiadur?

3 Eglurwch eich ateb i Gwestiwn **2** yn nhermau cerrynt darfudiad aer.

4 Cymharwch broffiliau tymheredd (dros amser) pob un o'r chwiliedyddion eraill â'r chwiliedydd sydd wedi'i gysylltu â'r rheiddiadur.

5 Eglurwch y gwahaniaethau yn y patrymau a welsoch chi yng Nghwestiwn **4**.

# Sut arall rydw i'n gallu arbed egni?

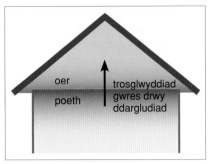

**Ffigur 16.14** Trosglwyddiad gwres mewn tŷ sydd â llofft (*loft*).

Fordd rad arall o arbed egni ar fil gwresogi cartref yw gosod haen drwchus o ynysiad yn y llofft (*loft*). Mae'r defnyddiau sy'n cael eu defnyddio mewn ynysiad llofft yn wael am ddargludo gwres. Yn gyffredinol, mae'r aer yn ystafelloedd tai'n tueddu i fod yn eithaf cynnes, a'r aer yn rhan uchaf yr ystafell sy'n tueddu i fod boethaf oherwydd ceryntau darfudiad. Mae'r aer mewn llofftydd yn tueddu i fod yn eithaf oer, ac mae rhannau oeraf y llofft yn tueddu i fod yn agos at lawr y llofft. Mae hyn yn golygu bod tipyn o wahaniaeth yn nhymheredd ochr ystafell y nenfwd ac ochr llofft y nenfwd. Bydd yr egni gwres yn symud drwy ddefnydd y nenfwd, o'r man poeth (yr ystafell) i'r man oer (y llofft).

Mae'r egni gwres yn symud drwy ddefnydd y nenfwd drwy ddirgrynu'r gronynnau sydd yn y bwrdd nenfwd. Enw'r broses hon yw **dargludiad**. Mae metelau'n dargludo gwres yn dda iawn, felly ni fyddai'n gwneud llawer o synnwyr cael nenfydau metel mewn tai. Mae anfetelau'n ynysyddion da. Dydy gwres ddim yn dargludo drwyddynt yn dda iawn. Fel rheol, mae'r defnyddiau sy'n cael eu defnyddio mewn ynysiad llofft wedi'u gwneud o anfetelau fel gwlân, ffibrau gwydr neu fwynol, ac mae'r ffibrau hefyd yn dal aer rhyngddynt gan fod aer yn ynysydd da. (Dyma pam mae adar yn gwneud eu plu'n drwchus mewn tywydd oer.) Y mwyaf trwchus yw'r haen o ynysiad, y gorau mae'r ynysiad yn gweithio. Fodd bynnag, mae gosod ynysiad mwy trwchus yn costio mwy.

## GWAITH YMARFEROL — YMCHWILIO I DDARGLUDIAD

Dyma weithgaredd sy'n eich helpu i:
★ ymchwilio i fodel gwyddonol
★ cymharu arsylwadau gwyddonol
★ gwneud mesuriadau gwyddonol.

### Cyfarpar
* stand clampio â chnap
* bar metel
* pennau matsis
* Vaseline
* llosgydd Bunsen
* mat gwrth-wres

### ⚠ Asesiad risg

• **Bydd eich athro/athrawes yn rhoi asesiad risg i chi.**

### Dull

1 Cydosodwch y cyfarpar fel yn Ffigur 16.15.
2 Gwresogwch un pen i'r bar ac arsylwch beth sy'n digwydd.

Mae'r pen agosaf at y llosgydd Bunsen yn mynd yn boethach na gweddill y bar. Mae'r gwahaniaeth tymheredd hwn yn achosi i egni gwres gael ei basio ar hyd y bar metel drwy ddargludiad. Mae metelau'n dargludo gwres yn dda. Mae'r pennau matsis yn tanio wrth i'r gwres deithio ar hyd y bar.

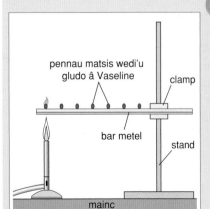

**Ffigur 16.15** Mae'r matsis yn tanio wrth i'r gwres deithio ar hyd y bar.

# GWAITH YMARFEROL | YMCHWILIO I YNYSIAD LLOFFT

Ydy ynysiad mwy trwchus yn lleihau faint o wres sy'n cael ei golli? Yn yr ymchwiliad hwn, byddwch chi'n modelu ystafell gynnes drwy ddefnyddio cynhwysydd o ddŵr poeth. Calorimedrau copr sy'n gweithio orau i wneud hyn, ond gallech chi ddefnyddio biceri. I leihau effaith colli gwres drwy ddarfudiad ac anweddiad, mae angen i chi sicrhau bod caead addas gan bob un o'r cynwysyddion a ddefnyddiwch. Gallwch chi fesur effaith ynysiad drwy fesur y newid yn nhymheredd y dŵr poeth yn y cynhwysyddion ar ôl 10 munud, neu gallech chi fesur tymheredd y dŵr bob munud am 10 munud. Gallai ymchwiliad syml gynnwys cymharu'r newid tymheredd mewn cynhwysydd heb ynysiad â'r newid tymheredd mewn cynwysyddion sydd wedi'u hynysu ag ynysiadau o drwch gwahanol.

Dyluniwch a chynlluniwch ymchwiliad i fesur effaith cynyddu trwch ynysiad o amgylch cynhwysydd o ddŵr poeth.

## Cyfarpar

Bydd angen i chi ddewis offer addas i gynnal yr arbrawf hwn a rhoi trefn arnynt gyda'ch athro a'ch technegydd gwyddoniaeth.

## ! Asesiad risg

- **Bydd angen i chi gynhyrchu asesiad risg addas i'r arbrawf hwn.**
- **Bydd eich athro/athrawes yn rhoi dalen asesiad risg wag i chi.**

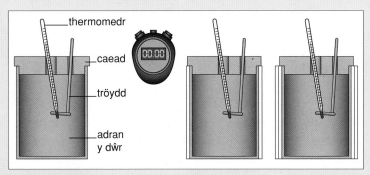

**Ffigur 16.16** Defnyddio calorimedr i fodelu ynysiad llofft.

## Dadansoddi a gwerthuso eich canlyniadau

Sut gwnewch chi gyflwyno data eich ymchwiliad?

1  Dadansoddwch y mesuriadau a wnaethoch chi.
2  Beth yw effaith cynyddu trwch yr ynysiad?

## Gwerthuso eich arbrawf

3  Pa mor dda yw'r data rydych chi wedi'u cymryd?
4  Sut gallech chi wella'r data?
5  Pa mor dda oedd yr ymchwiliad wnaethoch chi?
6  Beth gallech chi ei wneud i wella sut gwnaethoch chi'r arbrawf?

# Ydw i'n gallu arbed arian drwy ddefnyddio egni 'am ddim' o'r Haul?

Ffigur 16.17  Panel dŵr solar.

Gallwch chi ddefnyddio paneli solar. Mae dau fath o'r rhain:

- Mae paneli ffotofoltaidd solar yn defnyddio celloedd solar i drawsnewid golau haul yn uniongyrchol i drydan.
- Mae paneli dŵr solar yn gwresogi dŵr oer wrth iddo basio drwy bibellau ar y to sydd wedi'u cynllunio i ddal cymaint â phosibl o wres o olau'r haul.

Mae Ffigur 16. 18 yn dangos sut mae system gwresogi dŵr solar yn gweithio.

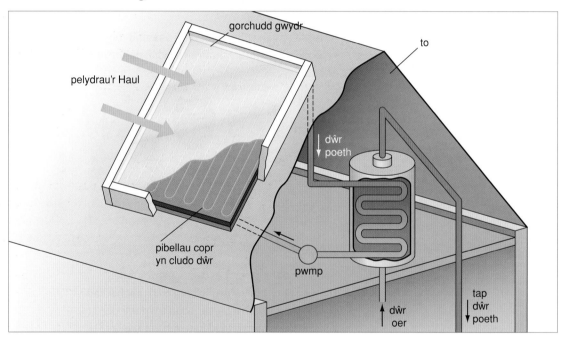

Ffigur 16.18  Casglydd thermol plât fflat ar do tŷ.

Yn y Deyrnas Unedig, caiff paneli dŵr solar eu gosod fel rheol fel rhan o system dŵr poeth ynghyd â system boeler effeithlon. Caiff y paneli solar eu defnyddio i ragboethi'r dŵr sy'n mynd i'r boeler, sy'n golygu bod angen llai o drydan, olew neu nwy i gynhesu'r dŵr at dymheredd ei ddefnyddio. Ar ddyddiau llwyd, cymylog a dros nos, mae'r boeler yn gwneud y gwaith i gyd ac mae'r paneli solar yn diffodd. Mewn gwledydd â hinsawdd heulog iawn, paneli dŵr solar yw un o'r prif ffyrdd o wresogi dŵr. Does dim angen golau haul uniongyrchol ar baneli ffotofoltaidd solar i gynhyrchu trydan, dim ond golau dydd arferol.

Mae paneli dŵr solar yn gweithio drwy ddal **pelydriad** ar ffurf egni electromagnetig **isgoch** o'r Haul. Mae pob gwrthrych yn allyrru pelydriad isgoch ond mae gwrthrychau poeth, fel yr Haul, yn allyrru llawer o belydrau isgoch ag egni uwch. Byddwch chi'n dysgu am belydriad isgoch ym Mhennod 18. Fel cyflwyniad, mae'n bosibl y bydd eich athrawes/athro yn dangos yr arddangosiad yn Ffigur 16.19 i chi.

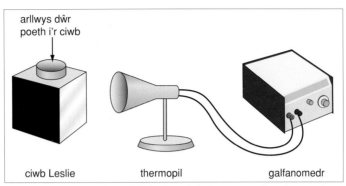

Ffigur 16.19 Cymharu'r pelydriad sy'n cael ei allyrru gan wahanol arwynebau.

Mae Ffigur 16.19 yn dangos thermopil sy'n cynhyrchu cerrynt trydan bach pan fydd pelydriad isgoch (gwres) yn ei daro. Caiff pob un o wynebau'r ciwb ei droi i wynebu'r thermopil. Bydd y mesurydd yn dangos y darlleniad uchaf pan fydd yn wynebu'r arwyneb du mat (pŵl). Bydd yn dangos y darlleniad lleiaf pan fydd yn wynebu'r arwyneb arian sgleiniog. Arwynebau du pŵl yw'r gorau am allyrru pelydriad ac arwynebau metelig sgleiniog yw'r gwaethaf.

## TASG · CYFRIFO ARBEDION GWRESOGI DŴR SOLAR

### Yr Ymddiriedolaeth Arbed Egni

Mae'r Ymddiriedolaeth Arbed Egni'n cynhyrchu llawer o wybodaeth i berchenogion tai am sut i arbed egni yn y cartref. Dyma'r wybodaeth maen nhw'n ei chyhoeddi am wresogi dŵr solar:

- Mae **costau** system gwresogi dŵr solar nodweddiadol tua £4800.
- Mae'r **arbedion** yn gymedrol — gall system gwresogi dŵr solar leihau eich bil gwresogi dŵr rhwng £50 ac £85 y flwyddyn. Bydd hefyd yn arbed hyd at 570 kg o allyriadau $CO_2$, gan ddibynnu pa danwydd rydych chi'n arfer ei ddefnyddio.
- Mae'r costau **cynnal a chadw** yn isel iawn. Mae'r rhan fwyaf o systemau gwresogi dŵr solar yn dod gyda gwarant 5–10 mlynedd, a does dim angen llawer o waith cynnal a chadw arnynt. Dylech chi edrych ar eich paneli bob blwyddyn a gofyn i osodwr achrededig eu harchwilio'n fwy trwyadl bob 3–5 mlynedd, neu'n unol â chyfarwyddyd eich gosodwr.

Tabl 16.1 Arbedion gwresogi dŵr solar gan ddibynnu pa fath o danwydd sy'n cael ei ddefnyddio.

| Tanwydd gwreiddiol | Arbediad y flwyddyn | Arbediad $CO_2$ y flwyddyn (kg) |
|---|---|---|
| Nwy | £50 | 250 |
| Trydan | £80 | 570 |
| Olew | £55 | 310 |
| Solid | £60 | 520 |

Brasamcanion yw'r holl arbedion ac maen nhw'n seiliedig ar ofynion gwresogi dŵr poeth tŷ pâr 3 ystafell wely â phanel 3.4 m².

*parhad...*

Mae'r Ymddiriedolaeth Arbed Egni hefyd yn cynhyrchu gwybodaeth am atal drafftiau:

- **Cost:** Mae'r defnyddiau i osod cyfarpar atal drafftiau eich hun yn costio tua £100. Mae cyfarpar atal drafftiau wedi'i osod yn broffesiynol yn costio tua £200 am y gwasanaeth cyflawn
- **Buddion:** Mae atal drafftiau'n arbed arian ac yn gwneud eich cartref yn glyd ac yn braf.
- **Arbedion:** Bydd atal drafftiau'n llwyr yn arbed cyfartaledd o £25 y flwyddyn. Gallai blocio bylchau o amgylch byrddau sgyrtin ac estyll y llawr arbed £20 arall y flwyddyn. Mae cartrefi heb ddrafftiau'n gysurus ar dymereddau is, felly byddwch chi'n gallu troi eich thermostat i lawr. Gallai hyn arbed £55 arall y flwyddyn i chi.

## Sut mae'r arbedion yn adio i fyny

Pe bai pob cartref yn y Deyrnas Unedig yn defnyddio'r systemau atal drafftiau gorau posibl, bob blwyddyn byddem ni'n arbed:

- bron i £200 miliwn
- digon o $CO_2$ i lenwi bron 225 000 o falwnau aer poeth
- digon o egni i wresogi dros 260 000 o gartrefi.

Cwestiynau

1 Os bydd yn costio £4800 i osod system dŵr solar nodweddiadol, cyfrifwch faint o amser y bydd yn ei gymryd i dalu'n ôl am bob un o'r systemau tanwydd yn Nhabl 16.1.
2 Defnyddiwch y wybodaeth hon i gyfrifo faint o garbon deuocsid y byddech chi'n ei arbed yn ystod y cyfnod talu'n ôl.
3 Defnyddiwch y wybodaeth uchod i gymharu arbedion ariannol atal drafftiau ag arbedion gwresogi dŵr solar.

**Pwynt Trafod**

Pa system arbed egni yw'r gorau? Ydy hi'n werth gwresogi dŵr ag egni solar?

Mae Ffigur 16.20 ar y dudalen nesaf yn dangos tŷ nodweddiadol. Mae'r labeli wedi'u rhifo yn dangos y gwahanol fesurau arbed egni y gellir eu cymryd i arbed arian ac i leihau ôl troed carbon y tŷ.

Mae Tabl 16.2 yn rhoi crynodeb o arbedion egni'r systemau ynysu mwyaf cyffredin.

**Dyma weithgaredd sy'n eich helpu i:**

★ dadansoddi gwybodaeth wyddonol wedi'i chyflwyno ar ffurf graffigyn ac ar ffurf testun
★ dylunio graffigyn i arddangos eich syniadau gwyddonol
★ gwneud cyfrifiadau gwyddonol syml
★ gwneud penderfyniadau'n seiliedig ar ddata gwyddonol.

**Tabl 16.2**  Costau ac arbedion ynysiad mewn tŷ pâr modern.

| Math o ynysiad | Cost gosod (£) | Arbediad blynyddol ar filiau tanwydd (£) |
|---|---|---|
| Ynysiad wal geudod | 260–380 | 100–120 |
| Ynysiad llofft 250 mm os nad oes dim yno'n barod | 220–250 | 140–180 |
| Gosod siaced ar danc dŵr poeth (ei wneud eich hun) | 10+ | 10–20 |
| Atal drafftiau (ei wneud eich hun) | 40+ | 10–20 |
| Ynysu lloriau (ei wneud eich hun) | 100+ | 15–25 |
| Llenwi bylchau rhwng byrddau sgyrtin a'r llawr | 25 | 5–10 |
| Ffenestri gwydr dwbl | 3000+ | 40 |

1 Ar ddalen o bapur A3, lluniadwch ddiagram cynllunio (*schematic diagram*) o'ch cartref.

*parhad...*

**TASG** *parhad*

2  Defnyddiwch y wybodaeth uchod i archwilio'r mesurau arbed egni y gallech chi eu cyflawni yn eich tŷ chi. Nodwch y mesurau hyn ar eich diagram cynllunio.

3  Cyfrifwch gyfanswm cost gosod yr holl fesurau. Cyfrifwch gyfanswm arbedion blynyddol yr holl fesurau, yr amser talu'n ôl a chyfanswm y carbon deuocsid fydd yn cael ei arbed bob blwyddyn o ganlyniad i'r holl fesurau.

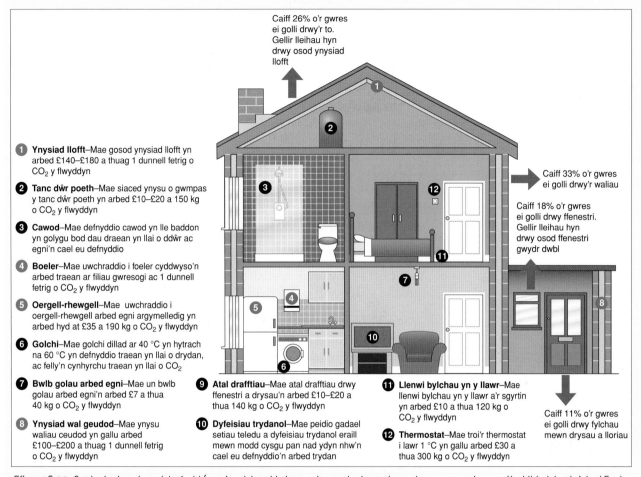

① **Ynysiad llofft**–Mae gosod ynysiad llofft yn arbed £140–£180 a thuag 1 dunnell fetrig o $CO_2$ y flwyddyn

② **Tanc dŵr poeth**–Mae siaced ynysu o gwmpas y tanc dŵr poeth yn arbed £10–£20 a 150 kg o $CO_2$ y flwyddyn

③ **Cawod**–Mae defnyddio cawod yn lle baddon yn golygu bod dau draean yn llai o ddŵr ac egni'n cael eu defnyddio

④ **Boeler**–Mae uwchraddio i foeler cyddwyso'n arbed traean ar filiau gwresogi ac 1 dunnell fetrig o $CO_2$ y flwyddyn

⑤ **Oergell-rhewgell**–Mae uwchraddio i oergell-rhewgell arbed egni argymelledig yn arbed hyd at £35 a 190 kg o $CO_2$ y flwyddyn

⑥ **Golchi**–Mae golchi dillad ar 40 °C yn hytrach na 60 °C yn defnyddio traean yn llai o drydan, ac felly'n cynhyrchu traean yn llai o $CO_2$

⑦ **Bwlb golau arbed egni**–Mae un bwlb golau arbed egni'n arbed £7 a thua 40 kg o $CO_2$ y flwyddyn

⑧ **Ynysiad wal geudod**–Mae ynysu waliau ceudod yn gallu arbed £100–£200 a thuag 1 dunnell fetrig o $CO_2$ y flwyddyn

⑨ **Atal drafftiau**–Mae atal drafftiau drwy ffenestri a drysau'n arbed £10–£20 a thua 140 kg o $CO_2$ y flwyddyn

⑩ **Dyfeisiau trydanol**–Mae peidio gadael setiau teledu a dyfeisiau trydanol eraill mewn modd cysgu pan nad ydyn nhw'n cael eu defnyddio'n arbed trydan

⑪ **Llenwi bylchau yn y llawr**–Mae llenwi bylchau yn y llawr a'r sgyrtin yn arbed £10 a thua 120 kg o $CO_2$ y flwyddyn

⑫ **Thermostat**–Mae troi'r thermostat i lawr 1 °C yn gallu arbed £30 a thua 300 kg o $CO_2$ y flwyddyn

Caiff 26% o'r gwres ei golli drwy'r to. Gellir lleihau hyn drwy osod ynysiad llofft

Caiff 33% o'r gwres ei golli drwy'r waliau

Caiff 18% o'r gwres ei golli drwy ffenestri. Gellir lleihau hyn drwy osod ffenestri gwydr dwbl

Caiff 11% o'r gwres ei golli drwy fylchau mewn drysau a lloriau

**Ffigur 16.20**  Sut i arbed egni yn eich tŷ chi (mae'r cylchoedd glas yn dangos bod grantiau a chyngor ar gael gan yr Ymddiriedolaeth Arbed Egni, ac mae'r cylchoedd du'n dangos mesurau y byddai'n bosibl eu cymryd am gost isel neu heb gost).

**Cwestiynau**

1  Pa un yw'r mesur arbed egni mwyaf cost-effeithiol i'w osod? Eglurwch sut gwnaethoch chi eich penderfyniad. Dangoswch eich holl gyfrifiadau ar eich diagram cynllunio.

2  Pa fesur arbed egni sy'n arbed y mwyaf o arian bob blwyddyn?

3  Pa fesur arbed egni sy'n arbed y mwyaf o $CO_2$ bob blwyddyn?

4  Pa ran(nau) o dŷ nodweddiadol sy'n colli'r mwyaf o wres?

5  Faint o arian y gallech chi ei arbed bob blwyddyn drwy ddefnyddio'r holl fesurau arbed egni yn Ffigur 16.20?

6  Pam rydych chi'n meddwl bod grant ar gael gan yr Ymddiriedolaeth Arbed Egni ar gyfer rhai mesurau arbed egni?

7  Cyfrifwch amser talu'n ôl pob mesur arbed egni yn Nhabl 16.2.

**Pwynt Trafod**

Pe baech chi'n adeiladu eich tŷ eich hun o'r dechrau, pa systemau y byddech chi'n eu gosod i arbed egni, lleihau allyriadau carbon deuocsid a gostwng eich biliau egni gymaint â phosibl?

# Faint mae'n ei gostio i redeg popeth?

Mae gan y rhan fwyaf o bobl lwythi o ddyfeisiau trydanol yn eu cartrefi. O setiau teledu i boptai, o gyfrifiaduron i beiriannau golchi dillad, mae pob dyfais neu offeryn yn costio arian i'w redeg, ond mae rhai dyfeisiau ac offer yn fwy effeithlon na'i gilydd, sy'n golygu eu bod nhw'n costio llai.

Mae cost rhedeg dyfais drydanol yn dibynnu ar faint o egni trydanol mae'r ddyfais yn ei ddefnyddio ac ar y tariff trydan (cost uned yr egni trydanol).

Mae'r hafaliad canlynol yn cyfrifo'r egni trydanol sy'n cael ei ddefnyddio gan ddyfais:

trosglwyddiad egni = pŵer × amser

neu

$$E = P \times t$$

Wrth gyfrifo cost trydan domestig, mae cwmnïau cyflenwi trydan yn defnyddio unedau o egni trydanol o'r enw cilowat oriau (kWawr) neu'n syml "unedau".

Mae'r hafaliad canlynol yn cyfrifo unedau o egni trydanol:

unedau sy'n cael eu defnyddio (kWawr) = pŵer (kW) × amser (oriau)

Yna, caiff cost yr egni trydanol ei chyfrifo drwy luosi nifer yr unedau sydd wedi'u defnyddio â chost yr uned:

cost = unedau sy'n cael eu defnyddio × cost yr uned

Mae cost un uned o egni trydanol yn dibynnu ar y cwmni cyflenwi trydan ac ar y math o gynllun trydan mae'r defnyddiwr yn ei ddefnyddio, ond mae cost uned gyfartalog yn y Deyrnas Unedig rhwng 10c a 15c.

Mae yna blât gwybodaeth drydanol rhywle ar bob dyfais neu offeryn trydanol sy'n defnyddio'r prif gyflenwad. Weithiau bydd hwn yn blât wedi'i sgriwio neu wedi'i lynu at y ddyfais, ond gyda'r rhan fwyaf o ddyfeisiau ag amgaead plastig bydd y wybodaeth drydanol wedi'i mowldio i'r plastig yn rhywle (fel arfer ar gefn neu ar waelod y ddyfais). Mae'r wybodaeth drydanol yn dweud wrth y defnyddiwr:

- **pŵer** y ddyfais mewn watiau neu gilowatiau
- **amledd** y cyflenwad trydanol mewn hertz (50 Hz yn yr Undeb Ewropeaidd a 60 Hz yn UDA)
- **foltedd** y cyflenwad mewn foltiau (220 V yn yr Undeb Ewropeaidd a 110 V yn UDA)
- (weithiau) beth yw'r **cerrynt** mae'r ddyfais yn ei dynnu mewn amperau (fel rheol ar newidyddion cyflenwad pŵer cyfrifiaduron, consolau gemau ac ati).

## Enghreifftiau

**C** Mae lamp 100 W yn cael ei gadael ymlaen am 10 munud. Faint o egni trydanol sy'n cael ei drosglwyddo?

**A** egni sy'n cael ei drosglwyddo (J) = pŵer (W) × amser (s)

Rhowch y rhifau i mewn a thrawsnewid y munudau'n eiliadau.

egni sy'n cael ei drosglwyddo (J) = 100 × (10 × 60)

= 60 000 J

= 60 kJ

C Cymerwch eich bod chi'n gadael gwresogydd 3 kW wedi'i gynnau yn eich ystafell. Rydych chi'n ei gynnau am 8 a.m. ac yn anghofio amdano nes i chi gyrraedd adref am 4 p.m. Os yw uned (1 kWawr) yn costio 12.5c, faint fydd hi wedi ei gostio i adael y gwresogydd ymlaen?

A nifer yr unedau sy'n cael eu defnyddio (kWawr) = pŵer (kW) × amser (oriau)

Rhowch y rhifau i mewn:

    nifer yr unedau  = 3 kW × 8 awr

                 = 24

cost = unedau sy'n cael eu defnyddio × cost yr uned

Rhowch y rhifau i mewn:

    cost = 24 × 12.5c

        = £3.00

**Ffigur 16.21** Mae'r label hwn yn dweud wrthych chi ar ba gyfradd mae'r ddyfais yn trosglwyddo egni trydanol.

## CWESTIYNAU

4 Mae Beth yn pryderu. Mae hi wedi gadael gwresogydd wedi'i gynnau yn ei hystafell o 7.00 a.m. tan 5.00 p.m. Mae'n wresogydd 3 kW.
   a Am sawl awr cafodd y gwresogydd ei adael wedi'i gynnau?
   b Sawl uned o drydan ddefnyddiodd y gwresogydd?
   c Os oedd uned o drydan yn costio 12.5c, faint wnaeth ei chamgymeriad hi ei ychwanegu at fil trydan y teulu?

5 Pa un o'r dyfeisiau canlynol yw'r drutaf ei rhedeg bob dydd?
   A popty 4 kW wedi'i gynnau am 1 awr
   B deg bwlb golau 60 W wedi'u cynnau am 4 awr
   C peiriant golchi 1 kW wedi'i gynnau am 45 munud
   D Playstation 45 W wedi'i gynnau am 3 awr

6 Erbyn heddiw, dydy hi ddim yn bosibl prynu bylbiau golau ffilament twngsten 100 W yn y Deyrnas Unedig. Y bwlb golau egni isel cywerth sy'n rhoi'r un maint o olau â bwlb ffilament 100 W yw bwlb fflwroleuol bach 25 W. Os oes gennych chi bedwar bwlb ffilament twngsten 100 W yn eich tŷ a'u bod nhw wedi'u cynnau am 2 awr yr un bob dydd ar gyfartaledd, faint rydych chi'n ei arbed bob blwyddyn drwy eu newid am fylbiau fflwroleuol bach 25 W, os yw eich cyflenwr trydan yn codi 12.5c yr uned am drydan?

7 Aled oedd yr olaf allan o'r tŷ pan aeth ei deulu ar wyliau am wythnos gyfan. Gadawodd olau'r cyntedd wedi'i gynnau; roedd bwlb golau 60 W ynddo. Faint oedd cost y camgymeriad hwnnw? (Tybiwch fod trydan yn costio 12.5c yr uned.)

8 Mae tad Aled yn cael bil trydan. Y darlleniad presennol ar y mesurydd trydan yw 34 231 uned, a'r darlleniad blaenorol oedd 33 571 uned.
   a Faint o unedau sydd wedi cael eu defnyddio?
   Mae'r cwmni trydan yn codi 12.5c yr uned am y 250 uned gyntaf i gael eu defnyddio, a 10c yr uned ar ôl hynny.
   b Ar y bil trydan, faint oedd cyfanswm cost y 250 uned gyntaf?
   c Faint oedd cost yr unedau eraill a gafodd eu defnyddio?
   ch Beth yw cyfanswm y bil?

**Dyma weithgaredd sy'n eich helpu i:**
★ dadansoddi data gwyddonol sydd wedi'u cyflwyno mewn tabl
★ gwneud dewisiadau'n seiliedig ar ddata gwyddonol
★ cyflwyno data gwyddonol mewn siartiau cylch.

**Tabl 16.3** Costau cymharol gwahanol fathau o ffynonellau tanwydd domestig.

| Ffynhonnell tanwydd | Cost bob kWawr (c) | $CO_2$ bob kWawr (kg) |
|---|---|---|
| Trydan domestig | 12 | 0.527 |
| Nwy domestig | 4 | 0.185 |
| Glo domestig | 4 | 0.966 |
| Olew tanwydd domestig | 6 | 0.245 |

Cwestiynau

1  Pa un yw'r ffordd ddrutaf o wresogi eich tŷ?

2  Pe baech chi'n gorfod dewis rhwng tân nwy neu dân glo i wresogi eich ystafell fyw, pa un y byddech chi'n ei ddewis a pham?

3  Mae pobl sy'n byw'n bell o'r brif system nwy'n aml yn dewis olew tanwydd domestig fel ffynhonnell egni. Pam rydych chi'n meddwl bod hyn yn aml yn ddewis da?

4  Mae nifer o hen flociau tŵr yn defnyddio trydan fel prif ffynhonnell egni gwres. Yn aml, caiff gwresogyddion stôr dros nos eu gosod yn y fflatiau. Mae'r rhain yn cynnau dros nos yn unig. Maen nhw'n cynnwys blociau concrit mawr sy'n gwresogi dros nos ac yna'n rhyddhau'r egni gwres yn araf yn ystod y dydd. Dros nos, mae'r tariff trydan yn gallu bod mor isel â 7c yr uned. Pam mae hwn yn ddewis da os nad oes yna nwy ar gael?

5  Lluniadwch siartiau cylch i ddangos costau ac olion troed carbon cymharol y pedwar gwahanol fath o ffynhonnell tanwydd domestig.

## ⭕ Ydw i'n gallu defnyddio technoleg adnewyddadwy yn fy nghartref?

Mae gan yr Ymddiriedolaeth Arbed Egni ddetholydd cynhyrchu egni cartref rhagorol ar-lein. Gallwch chi ddefnyddio hwn i ddewis pa fathau o egni adnewyddadwy fyddai'n addas i'ch cartref chi.

Mae'r detholydd cynhyrchu egni cartref ar gael yn: www.energysavingtrust.org.uk/renewableselector/start/

Gwyliwch yr animeiddiadau byr sy'n dangos sut mae pob math o dechnoleg egni adnewyddadwy'n gweithio.

**CWESTIWN**

9  Copïwch y tabl canlynol a'i gwblhau. Defnyddiwch y detholydd ar-lein i gyfrifo a fyddai'r technolegau egni adnewyddadwy'n addas i'ch cartref chi ai peidio.

| Ffynhonnell egni adnewyddadwy | Cost gosod nodweddiadol | Rheswm pam mae'n addas/ anaddas i fy nghartref | Arbediad cost bob blwyddyn | Arbediad $CO_2$ bob blwyddyn |
|---|---|---|---|---|
| Boeler tanwydd coed | | | | |
| Stof tanwydd coed | | | | |
| Pwmp gwres ffynhonnell aer | | | | |
| Panel trydan solar | | | | |
| Gwresogi dŵr solar | | | | |
| Pwmp gwres ffynhonnell daear | | | | |
| Tyrbin gwynt | | | | |
| Trydan dŵr | | | | |

# Ydym ni'n gallu ei arbed? Gallwn wir!

Sut gallwch chi gyfrannu at arbed egni? Pa gamau syml pob dydd y gallech chi eu cymryd i leihau dibyniaeth y byd ar egni? Pe bai pawb yn cymryd rhai camau bach syml, byddai'r effaith at ei gilydd yn enfawr. Gallem ni leihau nifer y gorsafoedd trydan tanwydd ffosil a'r allyriadau $CO_2$ maen nhw'n eu hachosi. Ond... mae angen ymdrech, ac mae angen cydweithredu, ac mae angen gwyddoniaeth dda. Heb y rhain... wel... edrychwch ar y blaned Gwener – atmosffer trwchus o garbon deuocsid, nitrogen a chymylau o asid sylffwrig. Mae'r tymheredd yn ystod y dydd dros 450 °C ac mae'r gwasgedd 95 gwaith yn fwy nag ar y Ddaear.

Mae hyn i gyd o ganlyniad i effaith tŷ gwydr enfawr afreolus a gafodd ei hachosi gan weithgaredd folcanig rywbryd yng ngorffennol Gwener, pan gafodd symiau enfawr o garbon deuocsid eu rhyddhau o du mewn y blaned. Sut hoffech chi fyw ar blaned fel yna?

**Ffigur 16.22** Arwyneb y blaned Gwener.

# Crynodeb o'r bennod

○ Gallwn ni gyfrifo trosglwyddiad egni drwy ddefnyddio'r hafaliad:

trosglwyddiad egni = pŵer × amser; $E = Pt$

○ Gallwn ni gyfrifo cost trydan domestig drwy ddefnyddio'r hafaliadau:

unedau sy'n cael eu defnyddio (kWawr) = pŵer (kW) × amser (oriau)

cost = unedau sy'n cael eu defnyddio × cost yr uned

○ Gallwn ni gymharu gwahanol ffynonellau egni domestig, gan gynnwys:
  ● cymharu costau ffynonellau traddodiadol, e.e. trydan, nwy, olew a glo
  ● cost-effeithiolrwydd a goblygiadau amgylcheddol cyflwyno ffynonellau egni amgen, e.e. cyfarpar egni gwynt a solar domestig.
○ Mae gwahaniaethau mewn tymheredd yn arwain at drosglwyddo egni'n thermol drwy gyfrwng dargludiad, darfudiad a phelydriad. Mae newidiadau yn nwysedd llifyddion yn achosi darfudiad naturiol.
○ Mae nifer o ffyrdd o leihau colledion egni o dai, fel atal drafftiau, ynysiad llofft a ffenestri gwydr dwbl.

# 17 Tonnau

## Syrffio'r don – bywyd yn yr 'Ystafell Werdd'

Ffigur 17.1 Syrffiwr mewn tiwb ton.

Ffigur 17.2 Syrffwyr ar draeth Fistral, Newquay.

Ym myd syrffio, wrth i'r tonnau ddechrau torri, gallan nhw grymu dros ben syrffiwr, gan ffurfio beth mae syrffwyr yn ei alw'n 'diwb'. Wrth i syrffiwr symud ar hyd y tiwb, maen nhw'n dweud ei fod yn yr 'Ystafell Werdd' oherwydd lliw'r môr. Hon yw'r wefr eithaf i syrffiwr. Dim ond gyda thonnau mawr iawn mae hyn yn gallu digwydd, a dim ond y syrffwyr gorau sy'n gallu mynd i'r lle arbennig hwn.

Mae tonnau'r môr yn cael eu ffurfio gan nifer o wahanol ffactorau, fel topograffi (siâp) y draethlin a gwely'r môr islaw, ond y ffactor bwysicaf yw cyfeiriad a chryfder y gwynt. Mae'r gwynt ymhell allan ar y môr yn achosi i'r dŵr 'frigo' a 'chafnu' gan ffurfio **ymchwydd**. Wrth i'r ymchwydd symud at y lan a thorri, mae'n ffurfio ewyn môr. Mae'r traethau syrffio gorau, fel Traeth Fistral yn Newquay, yn wynebu tuag at y prifwynt a'r ymchwydd.

Pan mae syrffwyr yn asesu'r tonnau ar draeth, maen nhw'n gwneud gwaith ffiseg sylfaenol. Mae uchder y tonnau yn fesur o **osgled** y tonnau. Mae mwy o osgled yn golygu mwy o egni, tonnau mwy, a mwy o hwyl. Mae'r amser rhwng pob ton yn gysylltiedig ag **amledd** y tonnau. Os yw'r amledd yn rhy uchel mae'r tonnau'n mynd yn flêr, gan darfu ar ei gilydd. Mae'r tonnau gorau i'w cael pan mae'r amledd yn isel iawn ac mae cyfnod hir iawn rhwng y tonnau – sef 12 i 18 eiliad fel arfer yn y Deyrnas Unedig. Enw'r pellter rhwng y tonnau yw'r **donfedd**, ac mae hon yn gysylltiedig â'r amledd. Fel rheol, mae amledd uchel yn golygu tonfedd fer ac i'r gwrthwyneb. Yn y tonnau syrffio gorau, gall y pellter rhwng y tonnau fod hyd at 50 m. Mae amledd a thonfedd y tonnau'n gysylltiedig â **buanedd** y tonnau.

# Sut rydym ni'n disgrifio tonnau?

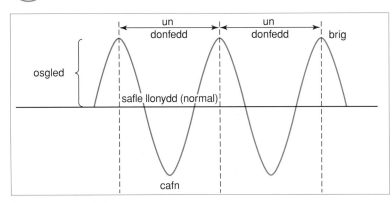

**Ffigur 17.3** Mesuriadau ton.

**Ffigur 17.4** Llun gan artist o ofod o amgylch twll du.

Amledd, *f*, unrhyw don yw nifer y tonnau sy'n mynd heibio i bwynt mewn 1 eiliad. Hertz (Hz) yw enw'r uned sy'n cael ei defnyddio i fesur amledd. Mae gan donnau'r môr amledd isel iawn, tua 0.1 Hz yn nodweddiadol – mae hyn yn golygu eich bod chi'n cael un bob 10 s yn fras. Mae gan belydrau X a phelydrau gama amleddau anhygoel o uchel. Mae amledd y pelydrau X sy'n cael eu hallyrru gan y Twll Du Cygnus X1, er enghraifft, tua $10^{18}$ Hz, h.y. mae 1 000 000 000 000 000 000 ohonynt yn cyrraedd bob eiliad!

Tonfedd, $\lambda$, yw'r pellter mae ton yn ei gymryd i ailadrodd ei hun dros un gylchred. Gallwn ni ei mesur o frig un don at frig y don nesaf neu o un cafn i'r cafn nesaf (gweler Ffigur 17.3). Gan mai pellter yw tonfedd, caiff ei mesur mewn metrau, m. Tonfedd y tonnau radio sy'n cael eu defnyddio i drawsyrru Radio Cymru ar AM yw 882 m neu 657 m, gan ddibynnu ble rydych chi'n byw. Gall tonfedd y pelydrau gama sy'n cael eu defnyddio i drin tiwmor canser fod yn $10^{-12}$ m, sydd tua chant o weithiau'n llai na radiws un atom!

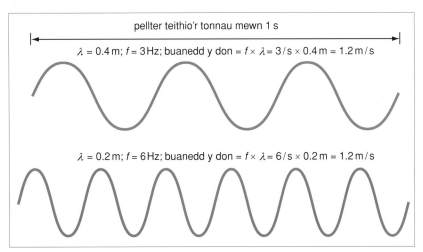

**Ffigur 17.5** Mae'r ddwy don hyn yn teithio ar yr un buanedd, felly mae tonfedd fyrrach gan yr un ag amledd uwch.

Mae osgled ton yn fesur o'r egni sy'n cael ei gludo gan y don – mwy o egni, mwy o osgled. Caiff yr osgled ei fesur o safle llonydd (normal) y don at bwynt uchaf brig neu bwynt isaf cafn ar gyfer tonnau ardraws fel tonnau dŵr neu donnau'r sbectrwm electromagnetig. Roedd osgled y don gafodd ei chynhyrchu yn Tsunami Dydd San Steffan 2004 yn 24 m pan darodd draethlin Aceh yn Indonesia!

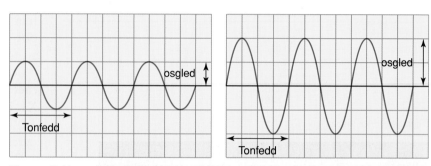

**Ffigur 17.6** Mae amledd a thonfedd y ddwy don hyn yr un fath, ond mae eu hosgledau'n wahanol.

## Pa mor gyflym y gallwch chi fynd ar don ddŵr?

Ydy pob ton ddŵr yn symud ar yr un buanedd neu ydyn nhw'n gyflymach wrth y traeth nag allan ar y môr? Ydy tonnau dŵr yn y labordy'n ymddwyn yn wahanol o gwbl?

Mae'n hawdd mesur buanedd ton ddŵr. Fel yn achos buanedd gwrthrychau fel ceir a rhedwyr, rydym ni'n gallu canfod buanedd ton drwy fesur y pellter mae'n ei deithio mewn amser penodol, a'i gyfrifo drwy ddefnyddio'r hafaliad buanedd:

$$\text{buanedd} = \frac{\text{pellter}}{\text{amser}}$$

Mae buanedd ton yn un o briodweddau cyffredinol pob ton. Mae holl donnau'r sbectrwm electromagnetig yn teithio ar yr un buanedd yn union – buanedd golau, sef 300 000 000 m/s ($3 \times 10^8$ m/s). Mae tonnau sain yn teithio ar tua 330 m/s ar lefel y môr, ac mae uwchsain yn teithio ar tua 1500 m/s drwy gnawd. Mae'r tonnau seismig sy'n cael eu cynhyrchu gan ddaeargryn yn gallu teithio mor gyflym â 5000 m/s (5 km/s) drwy graig galed fel gwenithfaen.

### Enghraifft

C Mae canŵydd syrffio'n cymryd 12 s i deithio 48 m ar frig ton sy'n agosáu at draeth. Beth yw ei buanedd hi?

A buanedd $= \dfrac{\text{pellter}}{\text{amser}}$

$= \dfrac{48}{12}$

$= 4$ m/s

Pwynt Trafod

Yn y blynyddoedd diwethaf, mae rhaglenni newyddion wedi dechrau cynnwys cyfweliadau 'byw' â gohebwyr mewn gwledydd pell. Yn fwyfwy aml, caiff y cyfweliadau byw hyn eu cynnal dros gysylltiad gwe-gamera yn hytrach na defnyddio cyswllt lloeren llawn o safon uchel. Pam rydych chi'n meddwl bod darlledwyr fel y BBC ac ITN yn defnyddio systemau o'r fath? Beth yw manteision ac anfanteision gwe-ddarllediadau o'u cymharu â chysylltau lloeren?

## CWESTIYNAU

1 Mae ton ddŵr yn cymryd 20 s i deithio 90 m rhwng dau fwi. Beth yw buanedd y don ddŵr?

2 Mae daeargryn yn digwydd 16 km (16 000 m) i ffwrdd ac mae'n cymryd 4 s i'r don seismig gyntaf gyrraedd. Pa mor gyflym mae'r don seismig yn teithio?

3 Mewn storm fellt a tharanau, mae'r fellten yn cael ei gweld yn syth bron. Mae'r daran, fodd bynnag, yn teithio'n llawer arafach, ar 330 m/s. Os oes 6 s o oediad rhwng gweld y fellten a chlywed y daran, pa mor bell i ffwrdd yw'r storm?

4 Mae'r Lleuad 384 403 000 m i ffwrdd o'r Ddaear. Caiff signal radio ei anfon i synhwyrydd pell ar arwyneb y Lleuad o drosglwyddydd ar y Ddaear. Mae'r synhwyrydd yn anfon cydnabyddiaeth yn ôl i'r trosglwyddydd ar unwaith. Faint o amser, mewn eiliadau, sydd rhwng pryd mae'r trosglwyddydd yn allyrru'r signal a phryd mae'n derbyn y gydnabyddiaeth?

5 Mae signalau ffonau symudol yn teithio ar ffurf microdonnau ar fuanedd golau, $3 \times 10^8$ m/s. Os ydych chi 20 km (20 000 m) o'r mast ffôn agosaf:
   a faint o amser mae'n cymryd i'ch signal fynd o'ch ffôn chi i'r mast agosaf
   b beth yw goblygiadau hyn i gyfathrebu ar ffonau symudol
   c sut mae cwmnïau ffonau symudol yn goresgyn y broblem hon?

## Mesur buanedd tonnau

## GWAITH YMARFEROL — BUANEDD TONNAU AR HYD SBRING

### Dyma weithgaredd sy'n eich helpu i:
★ gweithio fel rhan o dîm
★ trin cyfarpar
★ trefnu eich tasgau
★ cymryd mesuriadau a'u cofnodi
★ defnyddio hafaliadau i gyfrifo atebion
★ plotio graffiau
★ chwilio am batrymau mewn canlyniadau
★ gwneud rhagfynegiadau a'u profi

⚠ Asesiad risg
• **Bydd eich athro/athrawes yn rhoi asesiad risg i chi ar gyfer yr arbrawf hwn.**

**Dull**
1 Gweithiwch mewn grŵp o dri neu fwy.
2 Estynnwch y sbring rhyngoch chi a'ch partner.
3 Rhowch un fflic i'r ochr i'r sbring er mwyn gwirio bod y don yn gallu cyrraedd y pen sefydlog a chael ei hadlewyrchu'n ôl o fewn cyfnod rhesymol.
4 Mesurwch hyd estynedig y sbring.
5 Ar signal penodol, dechreuwch y don a'i hamseru dros lwybr mor hir â phosibl.
6 Cyfrifwch fuanedd y don drwy ddefnyddio'r fformiwla hon:

$$\text{buanedd (m/s)} = \frac{\text{pellter (m)}}{\text{amser (s)}}$$

7 Mae'n well amseru'r don dros nifer o wahanol lwybrau adlewyrchu. Lluoswch y pellter â faint o weithiau mae'r don wedi teithio'r pellter hwn.
8 Nawr darganfyddwch sut mae buanedd y don yn newid wrth i chi estyn y sbring, os yw'n newid o gwbl.
9 Penderfynwch sut byddwch chi'n cyflwyno eich canlyniadau.
10 Plotiwch graff i ddarganfod a oes perthynas rhwng buanedd a thensiwn (faint caiff y sbring ei estyn).
11 Beth ydych chi'n meddwl fyddai'n digwydd i'r don pe baech chi'n rhoi'r slinci ar garped? Gwnewch ragfynegiad ac, os oes gennych chi amser, profwch y rhagfynegiad hwnnw.

### Cyfarpar
* sbring slinci
* stopwats
* tâp mesur
* newtonmedr
* cyfrifiannell

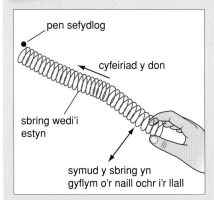
**Ffigur 17.7** Gwneud ton mewn sbring slinci.

DARGANFOD BETH SY'N EFFEITHIO AR FUANEDD
TONNAU MEWN DŴR

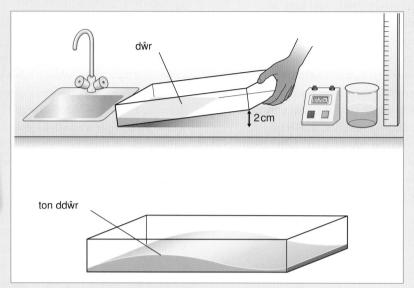

**Dyma weithgaredd sy'n eich helpu i:**

★ gweithio fel rhan o dîm
★ cynllunio ymchwiliad
★ cynhyrchu asesiad risg
★ trin cyfarpar
★ trefnu eich tasgau
★ cymryd mesuriadau a'u cofnodi
★ ffurfio casgliadau
★ cynhyrchu adroddiad
  gwyddonol.

**Ffigur 17.8** Cyfarpar mesur tonnau.

### Asesiad risg

**Bydd angen i chi gynhyrchu asesiad risg ar gyfer yr arbrawf hwn. Bydd eich athro/athrawes yn rhoi dalen asesiad risg wag addas i chi.**

Dull

1  Yn eich grŵp, meddyliwch am ganlyniadau eich ymchwiliad i fuanedd ton slinci a gwnewch restr o bethau a allai effeithio ar fuanedd tonnau ar ddŵr.

2  Penderfynwch pa gyfarpar i'w ddefnyddio.

3  Meddyliwch am:

  **a**  y math o gynhwysydd sydd ei angen i ddal y dŵr (**ni** ddylai'r dŵr yn eich cynhwysydd fod yn ddyfnach nag 1 cm)

  **b**  sut rydych chi'n mynd i greu'r tonnau

  **c**  pa fath o fesuriadau rydych chi am eu gwneud ar y tonnau

  **ch** sut byddwch chi'n gwneud y mesuriadau

  **d**  pa gyfarpar sydd ei angen arnoch i wneud y mesuriadau

  **dd** pa bethau rydych chi am eu newid neu eu cadw'n gyson

  **e**  pa bethau rydych chi am eu mesur o ganlyniad i'ch newidiadau

  **f**  sut byddwch chi'n cofnodi eich mesuriadau

  **ff** sut byddwch chi'n arddangos ac yn cyflwyno eich canfyddiadau.

4  Ysgrifennwch adroddiad am sut gwnaethoch chi gyflawni'r ymchwiliad. Beth oedd eich casgliadau?

**Cyfarpar**

* hambwrdd
* stopwats
* pren mesur
* bicer

# Yr hafaliad ton

6 Mae morfilod yn gallu cyfathrebu ar draws cefnforoedd enfawr, yn aml dros filoedd o gilometrau. Maen nhw'n gwneud hyn drwy gynhyrchu tonnau sain egni uchel ar amledd isel iawn. Mae amledd o 3 Hz ond tonfedd o 500 m gan gân morfil nodweddiadol. Beth yw buanedd cân y morfil mewn dŵr môr?

7 Mae osgilosgop yn mesur bod gan signal trydanol amledd o 50 Hz a thonfedd o 0.2 m. Beth yw buanedd ton y signal?

8 Mae obo yn chwarae nodyn cerddorol ag amledd o 200 Hz a thonfedd o 1.65 m. Beth yw buanedd y sain?

9 Mae gan y golau coch llachar sy'n cael ei gynhyrchu gan bwyntydd laser donfedd o $6 \times 10^{-7}$ m ac amledd o $5 \times 10^{14}$ Hz. Beth yw buanedd y golau?

10 Mae gemau prawf criced yn cael eu trawsyrru gan BBC Radio 4 Longwave ar donfedd o 1500 m. Mae'r tonnau radio'n teithio ar fuanedd golau ($c = 3 \times 10^8$ m/s; 300 000 000 m/s). Beth yw amledd BBC Radio 4 Longwave?

11 Mae syrffiwr yn gwylio'r tonnau ar draeth. Mae hi'n cyfrif 20 ton yn taro'r lan mewn 5 munud. Mae hi'n amcangyfrif bod y tonnau'n teithio ar fuanedd ton o 4.5 m/s. Amcangyfrifwch donfedd y tonnau.

12 Mae amledd tonnau seismig yn gallu bod yn isel – rhwng 25 a 40 Hz fel rheol. Mae buanedd tonnau seismig mewn gwenithfaen yn 5000 m/s, ond dim ond 3000 m/s ydyw mewn tywodfaen. Yn ystod daeargryn mewn ardal lle mae tywodfaen a gwenithfaen i'w cael, beth fyddai'r tonfeddi seismig byrraf a hiraf i gael eu cofnodi?

Gallwn ni ddefnyddio sbring slinci i ddangos tonnau (gweler Ffigur 17.7 ar dudalen 201). Os symudwch chi'r sbring yn gyflym o ochr i ochr, gallwch chi greu ton lle mae'n ymddangos nad yw'r brigau a'r cafnau'n symud ar hyd y slinci. Os cynyddwch chi amledd symud y sbring, gan greu ton arall, gallwch chi weld yn glir bod y brigau a'r cafnau'n mynd yn agosach at ei gilydd – mae yna gysylltiad uniongyrchol rhwng amledd a thonfedd y tonnau.

Mae'r hafaliad ton yn creu cysylltiad uniongyrchol rhwng buanedd, amledd a thonfedd ton:

buanedd ton (m/s) = amledd (Hz) × tonfedd (m)

Mae tonnau electromagnetig i gyd yn symud ar yr un buanedd – buanedd golau, sef $3 \times 10^8$ m/s. Mae'r rhif arbennig hwn yn cael ei symbol ei hun, $c$. Gan mai symbol tonfedd yw $\lambda$ ac mai symbol amledd yw $f$, yr hafaliad ton (ar gyfer tonnau electromagnetig) yw:

$$c = f \times \lambda$$

## Enghreifftiau

C Mae slinci'n cynhyrchu tonnau ag amledd o 2 Hz a thonfedd o 0.75 m. Beth yw buanedd y tonnau ar y slinci?
A buanedd ton = amledd × tonfedd
= 2 × 0.75
= 1.5 m/s

C Mae llong danfor yn defnyddio sonar ag amledd o 7500 Hz i ganfod gwrthrychau ar wely'r môr. Os yw buanedd sain mewn dŵr môr yn 1500 m/s, beth yw tonfedd y tonnau sonar?
A buanedd ton = amledd × tonfedd
Aildrefnwch y fformiwla:
$$tonfedd = \frac{buanedd\ ton}{amledd}$$
$$= \frac{1500}{7500}$$
tonfedd = 0.2 m

# Y sbectrwm electromagnetig

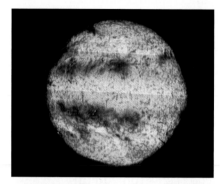

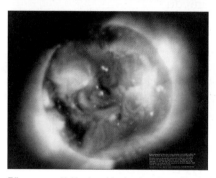

Mae'r ffotograffau yn Ffigur 17.9 i gyd yn ffotograffau o'r un peth – yr Haul. Maen nhw wedi cael eu tynnu gan wahanol delesgopau a chamerâu sydd wedi'u lleoli yn y gofod neu ar y ddaear, gan ddefnyddio gwahanol rannau o'r sbectrwm electromagnetig. Dydym ni ddim yn gallu gweld y rhan fwyaf o'r sbectrwm electromagnetig – mae ein llygaid yn gallu canfod golau gweladwy yn unig, ac mae ein croen yn gallu canfod peth golau isgoch. Mae'r lluniau'n dangos arddwyseddau gwahanol rannau'r sbectrwm mewn **lliw ffug**. Mae'r rhannau â llawer o egni'n tueddu i fod yn fwy llachar na'r rhannau â llai o egni.

**Ffigur 17.9** Yr Haul cudd – beth rydym ni'n ei weld a beth na allwn ni ei weld!

Teulu o donnau yw'r sbectrwm electromagnetig, ac mae gan y tonnau hyn lawer o bethau'n gyffredin. Mae pob ton electromagnetig:

- yn teithio ar yr un buanedd, $c$, buanedd golau ($3 \times 10^8$ m/s yng ngwactod y gofod)
- yn trosglwyddo egni o un lle i'r llall
- yn codi tymheredd y defnydd sy'n ei hamsugno
- yn gallu cael ei hadlewyrchu a'i phlygu.

Mae pellafion y Bydysawd yn cael eu trochi'n gyson ym mhob rhan o'r sbectrwm. Mae gwrthrychau masfawr a phoeth iawn fel sêr, tyllau duon, sêr niwtron a chanol galaethau i gyd yn cynhyrchu symiau enfawr o bob rhan o'r sbectrwm. Yn wir, y poethaf a'r mwyaf egnïol yw'r gwrthrych, y mwyaf yw egni'r tonnau electromagnetig sy'n cael eu hallyrru. Yn achos gwrthrychau oerach ag egni is fel planedau, nifylau (cymylau nwy) a gofod cefndir y Bydysawd, dim ond tonnau electromagnetig egni is fel tonnau radio, microdonnau ac isgoch sy'n cael eu hallyrru.

Mae Ffigur 17.10 yn dangos y sbectrwm electromagnetig cyfan.

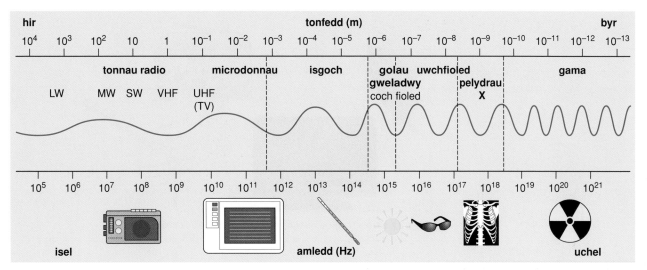

Ffigur 17.10 Y sbectrwm electromagnetig.

## Tonnau radio a theledu

Tonnau radio sydd â'r tonfeddi hiraf, yr amleddau isaf a'r lleiaf o egni. Maen nhw'n cael eu hallyrru gan amrywiaeth eang o wrthrychau yn y gofod. Mae sêr, nifylau (cymylau nwy), comedau, planedau a galaethau i gyd yn allyrru tonnau radio. Mae signalau radio o'r gofod yn arbennig o ddefnyddiol pan mae seryddwyr yn edrych ar wrthrychau ag egni a thymheredd cymharol isel. Maen nhw'n arbennig o dda ar gyfer astudio adeiledd nifylau sy'n cael eu cynhyrchu gan uwchnofâu sy'n ffrwydro – yn y cymylau nwy enfawr hyn y mae sêr newydd yn ffurfio.

Gallwn ni ddefnyddio tonnau radio ar y Ddaear i drawsyrru signalau cyfathrebu. Mae signalau teledu a radio'n cael eu cynhyrchu gan drosglwyddyddion erial ac yn cael eu canfod gan dderbynyddion erial. Gallwn ni ddefnyddio lloerennau geosefydlog i drosglwyddo'r signalau hyn ar draws y blaned, ac mae hyn yn ein galluogi i gael rhwydwaith cyfathrebu byd-eang.

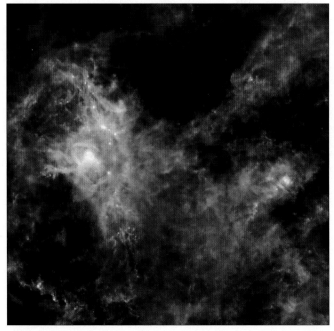

Ffigur 17.11 Nifwl yr Eryr.

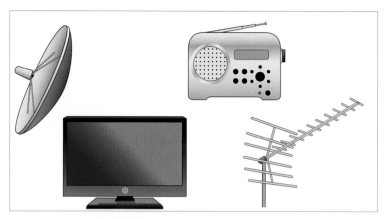

Ffigur 17.12 Mae'r dyfeisiau hyn yn dibynnu ar signalau radio a theledu.

Ffigur 17.13 Mae Archwilydd Cefndir Cosmig NASA yn chwilio am belydriad microdon o'r gofod.

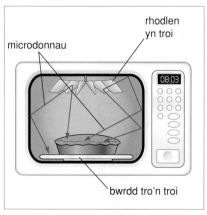

Ffigur 17.14 Popty microdon.

microdonnau

rhodlen yn troi

bwrdd tro'n troi

## Microdonnau

Cafodd y Bydysawd ei ffurfio tuag 13.5 biliwn o flynyddoedd yn ôl, o ganlyniad i ffrwydrad enfawr o'r enw'r **Glec Fawr**. Cynhyrchodd y ffrwydrad belydrau gama egni uchel a lanwodd y Bydysawd. Yn ystod y biliynau o flynyddoedd ers hynny mae'r Bydysawd wedi ehangu ac oeri, ac mae'r pelydrau gama a gafodd eu cynhyrchu adeg y Glec Fawr hefyd wedi 'oeri' (colli egni). Wrth iddynt golli egni, mae'r pelydrau gama wedi troi'n raddol yn belydrau X, yna'n uwchfioled, yna'n olau gweladwy, yn isgoch ac yn olaf yn ficrodonnau. Pan mae telesgopau microdon yn astudio pelydriad cefndir y Bydysawd, maen nhw'n dod o hyd i symiau enfawr o ficrodonnau sydd ar ôl ers y Glec Fawr – tystiolaeth bendant o'r Glec Fawr ei hun ym marn rhai!

Mae microdonnau hefyd yn cael eu defnyddio mewn poptai microdon (Ffigur 17.4). Mewn popty microdon, mae'r tonnau'n dod i mewn o'r rhan uchaf. Maen nhw'n cael eu hadlewyrchu oddi ar yr ochrau metel ac ar y bwyd sydd i'w goginio. Mae rhwyll fetel yn y drws gwydr, ac mae hwn yn atal y tonnau rhag dianc – gallai hynny fod yn niweidiol. Caiff yr amledd ei ddewis fel bod y microdonnau'n treiddio i'r bwyd a bod egni'n cael ei drosglwyddo i'r moleciwlau dŵr y tu mewn iddo. O ganlyniad, mae'r bwyd yn coginio'n gyflym ac yn gyson o'r tu mewn. Pan fyddwn ni'n coginio mewn popty arferol mae'r bwyd yn gwresogi o'r tu allan ac mae'n cymryd amser i'r gwres deithio i'r canol. Tonnau radio tonfedd fer (amledd uchel) yw'r microdonnau sy'n cael eu defnyddio i goginio. Felly, mae'r tonnau radio a theledu sy'n cael eu defnyddio i gyfathrebu â lloerennau'n ficrodonnau. Mae ffonau symudol hefyd yn defnyddio microdonnau ac, fel trosglwyddyddion teledu, mae angen llinell olwg dda (llwybr clir) ar signalau ffôn symudol.

**Ffigur 17.15** Arsyllfa Ofod Herschel.

## Tonnau isgoch

Dim ond ychydig o donnau isgoch sy'n gallu mynd drwy ein hatmosffer. Felly, dydy telesgopau isgoch ar y Ddaear ddim yn gweithio'n dda iawn. Er mwyn cael gwell signalau isgoch, rhaid i ni osod canfodyddion isgoch ar delesgopau sydd mewn orbit isel o amgylch y Ddaear, er mwyn iddynt osgoi dylanwad ein hatmosffer. Un enghraifft o hyn yw Arsyllfa Ofod Herschel.

Mae angen i ganfodyddion isgoch gael eu hoeri i dymheredd isel iawn a'u cysgodi rhag pelydriad isgoch yr Haul. Gall isgoch fynd drwy gymylau llwch trwchus (nifylau) yn y gofod, felly mae telesgopau isgoch yn arbennig o dda am arsylwi mannau lle mae sêr yn ffurfio ac am edrych i ganol ein galaeth. Gallwn greu delweddau isgoch o sêr oer a nifylau rhyngserol oer – byddai'r rhain yn anweledig mewn golau optegol.

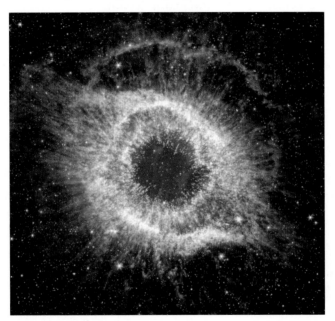

**Ffigur 17.16** Delwedd isgoch o'r nifwl Helix.

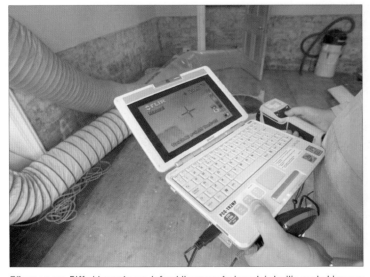

**Ffigur 17.17** Diffoddwyr tân yn defnyddio camerâu isgoch i chwilio am bobl mewn adeiladau llawn mwg.

Rydym ni'n adnabod ac yn teimlo pelydriad isgoch fel pelydriad gwres, yn enwedig o wrthrychau poeth iawn fel tanau neu o'r Haul. Mae popeth â thymheredd uwch na sero absoliwt (−273 °C) yn allyrru pelydriad isgoch. Dydy pelydriad isgoch ddim yn beryglus ynddo'i hun, cyn belled ag na chewch chi ormod ohono. Os ydych chi'n sefyll o flaen coelcerth am gyfnod rhy hir, gall yr egni sy'n cael ei belydru wneud mwy na'ch cynhesu – gallai eich llosgi. Mae camerâu isgoch yn canfod gwres. Mae'r gwasanaeth tân yn eu defnyddio i ddod o hyd i bobl mewn adeiladau llawn mwg, ac mae hofrenyddion yr heddlu'n eu defnyddio yn y nos i ddod o hyd i bobl sy'n ceisio cuddio rhagddynt. Hefyd gall camerâu isgoch ddangos pa dai sydd wedi'u hynysu'n dda a pha dai sy'n colli llawer o wres.

207

## Golau gweladwy

Mae ein Haul yn cynhyrchu symiau enfawr o olau gweladwy o'i arwyneb gweladwy, sef y **ffotosffer**. Mae'r golau cynnes melyn/gwyn rydym ni'n ei weld yn sbectrwm cyflawn o liwiau mewn gwirionedd. Isaac Newton oedd y cyntaf i'w astudio'n wyddonol yn 1704.

Mae sêr eraill yn edrych fel eu bod yn lliwiau gwahanol oherwydd eu tymheredd. Mae'r sêr mwyaf, poethaf yn sêr gorgawr (*supergiant*) glas masfawr fel Rigel yng nghytser Orion. Yn yr un cytser, mae Betelgeuse – seren orgawr coch enfawr.

Yr Haul yw ein prif ffynhonnell o olau a gwres. Mae ei egni yn ein cadw'n gynnes ac mae'n hanfodol ar gyfer cynnal bywyd. Mae planhigion yn defnyddio golau gweladwy ar gyfer ffotosynthesis i wneud eu bwyd a'u hocsigen eu hunain.

Dyma'r unig ran o'r sbectrwm electromagnetig y gallwn ni ei gweld â'n llygaid.

**Ffigur 17.18** Defnyddio prism i ddangos y lliwiau sy'n gwneud golau gweladwy.

## Pelydriad uwchfioled

Caiff pelydriad uwchfioled (*ultraviolet*: UV) ei gynhyrchu gan wrthrychau poeth ac egnïol iawn fel:

- sêr ifanc, llachar, masfawr iawn, fel clwstwr sêr Pleiades yng nghytser Taurus
- sêr corrach gwyn gorboeth (*superhot*) fel Sirius, Seren y Ci, yng nghytser Canis Major
- galaethau actif fel Centaurus A.

Mae'r rhan fwyaf o'r pelydriad UV sy'n dod o'r gofod yn cael ei amsugno gan ein hatmosffer, felly mae angen i seryddwyr UV roi telesgopau UV ar loerennau sydd mewn orbit o amgylch y Ddaear, fel yr Extreme Ultraviolet Explorer (EUVE), a oedd yn weithredol o 1992 i 2001.

**Ffigur 17.19** Mae egni'r Haul yn cyrraedd ein cadwyn fwyd drwy blanhigion.

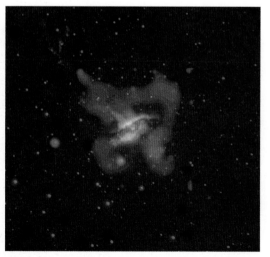

**Ffigur 17.20** Delweddau uwchfioled o a) clwstwr Pleiades a b) galaeth Centaurus A.

**Ffigur 17.21** Yr Extreme Ultraviolet Explorer.

Mae'r tonnau yn y rhanbarth hwn o'r sbectrwm electromagnetig yn mynd yn fwyfwy peryglus. Mae'r tonfeddi'n mynd yn fyrrach ac yn fyrrach. Wrth i'r amleddau gynyddu, mae'r egni a'r perygl i bethau byw yn cynyddu hefyd. Mae'r pelydriad uwchfioled sy'n llwyddo i fynd drwy ein hatmosffer yn niweidio'r croen oherwydd bod gan y pelydriad ddigon o egni i ïoneiddio atomau yng nghelloedd y croen. Mae lliw haul yn dangos bod eich croen wedi cael ei niweidio eisoes. Weithiau, gall pelydriad sy'n ïoneiddio achosi mwtaniad mewn celloedd. Gall hyn arwain at ganser.

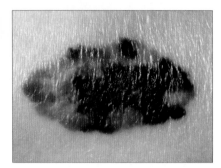

**Ffigur 17.22** Fel arfer, caiff canser y croen ei sbarduno gan belydriad uwchfioled niweidiol.

## Pelydrau X

Caiff pelydrau X eu cynhyrchu gan y gwrthrychau mwyaf egnïol a phoeth yn y Bydysawd. Mae Tyllau Du, sêr niwtron a ffrwydradau enfawr sêr masfawr iawn sy'n marw (uwchnofâu) i gyd yn allyrru pelydrau X. Yn aml, caiff y pelydrau X eu cynhyrchu gan ddefnydd sy'n symud ar fuanedd eithriadol o uchel. Mae Tyllau Du'n cynhyrchu llawer o belydrau X wrth i'r mater o amgylch y Twll Du gael ei sugno i mewn gan y grym disgyrchiant enfawr. Wrth i'r mater gyflymu i mewn i'r Twll Du, mae'n allyrru pelydrau X egni uchel mewn paladr sy'n aml yn cael ei ddefnyddio i ganfod bodolaeth y Twll Du. Mae ein hatmosffer ni'n amsugno pelydrau X, felly mae angen i seryddiaeth pelydr X gael ei chyflawni ar delesgopau mewn orbit yn y gofod fel Arsyllfa Pelydr X Chandra, a gafodd ei lansio gan y wennol ofod Columbia yn 1999.

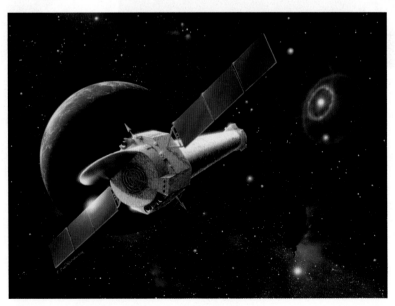

**Ffigur 17.23** Arsyllfa Pelydr X Chandra mewn orbit.

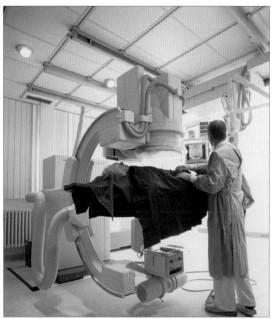

Mae pelydrau X hefyd yn ïoneiddio (fel UV), a gall dod i gysylltiad â gormod ohonynt achosi canser. Fodd bynnag, maen nhw'n ddefnyddiol ym myd meddygaeth lle mae'r buddion yn llawer mwy na'r peryglon (Ffigur 17.24). Gallwn ni eu defnyddio dan amodau wedi'u rheoli'n ofalus i wella canser. Mae pelydrau X pwerus iawn hefyd yn cael eu defnyddio i ganfod diffygion a thoriadau mewn metelau.

## Pelydrau gama

Ddydd Iau 23 Ebrill 2009, fe wnaeth Telesgop Byrst Pelydrau Gama Swift, sydd mewn orbit o gwmpas y Ddaear, ganfod y gwrthrych pellaf i gael ei arsylwi erioed. Cafodd delwedd ei chynhyrchu o Fyrst Pelydrau Gama (*Gamma-Ray Burst*: GRB) 090423, sef byrst 10 eiliad o belydrau gama egni uchel, a chadarnhaodd telesgopau eraill fod y ddelwedd dros 13 biliwn blwyddyn golau i ffwrdd. Yn wir, dim ond tua 600 miliwn o flynyddoedd ar ôl y Glec Fawr y digwyddodd y ffrwydrad a gynhyrchodd y byrst hwn o belydrau gama – tua 5% o oed y Bydysawd!

Mae seryddwyr yn credu mai seren enfawr yn ffrwydro fel uwchnofa oedd GRB090423, a'i bod wedi cynhyrchu Twll Du masfawr iawn.

Ffigur 17.24 Peiriant angiograffi'n defnyddio pelydrau X i roi diagnosis o gyflwr calon claf.

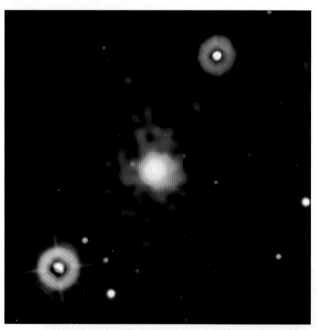

Ffigur 17.25 Y gwrthrych pellaf i gael ei ddelweddu erioed – GRB090423.

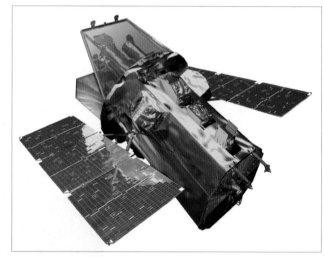

Ffigur 17.26 Llun artist o delesgop GRB Swift.

Gallwch chi gael gwybod mwy am Genhadaeth Pelydrau Gama Swift yn: http://swift.gsfc.nasa.gov/docs/swift/swiftsc.html

Mae pelydriad gama hefyd yn dod o niwclysau defnyddiau ymbelydrol fel wraniwm. Mae pelydrau gama, fel pelydrau X ac uwchfioled, yn ïoneiddio ac felly maen nhw'n beryglus iawn i bob peth byw. Maen nhw'n gallu achosi canser neu ladd celloedd. Fel pelydrau X, maen nhw'n cael eu defnyddio i ganfod diffygion mewn metelau. Hefyd mae'n bosibl eu defnyddio i ddelweddu a thrin canser, i ddiheintio offer meddygol, ac i archwilio pobl a cherbydau mewn porthladdoedd i weld a ydyn nhw'n mewnforio defnyddiau ymbelydrol yn anghyfreithlon.

13 Ym mha ran o'r sbectrwm electromagnetig mae:

   **a** y donfedd hiraf

   **b** yr amledd uchaf

   **c** yr egni lleiaf?

14 Pa rannau o'r sbectrwm electromagnetig sydd ar goll o'r rhestr hon?

   gama     UV     gweladwy     radio

15 Nodwch ac eglurwch pa rannau o'r sbectrwm electromagnetig sy'n cael eu defnyddio mewn ysbytai.

16 Mae'r Haul yn allyrru pob rhan o'r sbectrwm electromagnetig. Beth mae hyn yn ei ddweud wrthych chi am dymheredd yr Haul?

17 Pam mae rhai telesgopau'n cael eu rhoi mewn orbit?

18 Pa wybodaeth mae'r sbectrwm electromagnetig yn ei rhoi i ni am wrthrychau seryddol?

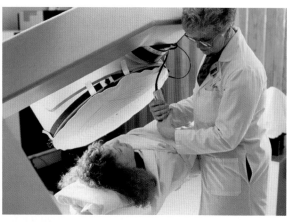

**Ffigur 17.27** Camera pelydrau gama meddygol.

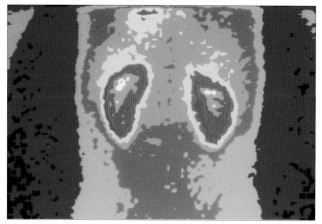

**Ffigur 17.28** Delwedd o gamera pelydrau gama meddygol.

**Pwynt Trafod**

Pam mai seryddwyr yw un o ychydig iawn o grwpiau o wyddonwyr sy'n defnyddio'r sbectrwm electromagnetig cyfan?

## TASG   CYFLWYNO GWYBODAETH

**Dyma weithgaredd sy'n eich helpu i:**

★ ymchwilio i wybodaeth

★ dethol gwybodaeth

★ cyflwyno gwybodaeth yn ysgrifenedig ac mewn diagramau

★ nodi cyfeiriadau at wybodaeth

★ siarad am eich gwaith.

Bydd gwyddonwyr yn aml yn cael cais i roi cyflwyniad mewn cynhadledd drwy greu poster. Yna, caiff y posteri eu harddangos mewn neuadd a bydd y gwyddonwyr yn sefyll o'u blaen ac yn siarad amdanynt ag unrhyw un sydd â diddordeb. Yn aml, caiff cyflwyniadau posteri eu gwneud gan nifer o wyddonwyr sydd wedi cydweithio. Eich tasg chi yw gwneud cyflwyniad poster am *un* rhan o'r sbectrwm electromagnetig. Gallwch chi ddefnyddio'r wybodaeth yn y llyfr hwn a gwybodaeth rydych chi wedi ei hymchwilio ar y rhyngrwyd. Os byddwch chi'n defnyddio gwybodaeth o'r rhyngrwyd, gofalwch eich bod chi'n cyfeirio ati'n llawn. Bydd myfyrwyr eraill yn eich dosbarth yn gwneud posteri tebyg am rannau eraill o'r sbectrwm. Rhaid i'ch poster gynnwys y pethau canlynol:

- graffigyn yn dangos safle eich rhan chi o'r sbectrwm mewn perthynas â'r rhannau eraill
- data am donfedd, buanedd, amledd ac egni
- enghreifftiau o ddelweddau seryddol sydd wedi'u tynnu drwy defnyddio eich rhan chi o'r sbectrwm, ynghyd ag ychydig o destun am y gwrthrych seryddol a gynhyrchodd eich delwedd
- llun o'r telesgop(au) a roddodd eich delwedd(au)
- lluniau'n dangos sut caiff eich rhan chi o'r sbectrwm ei defnyddio mewn maes heblaw am seryddiaeth ac ychydig o destun am y defnydd hwnnw.

Mae angen i'ch poster fod yn lliwgar, yn glir ac yn hawdd ei ddarllen. Efallai y bydd eich athro/athrawes yn gofyn i chi arddangos eich poster ac ateb cwestiynau amdano.

# Crynodeb o'r bennod

○ Gallwn ni wahaniaethu rhwng tonnau yn nhermau tonfedd, amledd, buanedd, osgled (ac egni).

○ Yr hafaliadau sy'n gysylltiedig â thonnau yw:

buanedd ton = tonfedd $\times$ amledd; $c = f \times \lambda$

$$buanedd = \frac{pellter}{amser}$$

○ Mae tonnau'n teithio ar wahanol fuanedd drwy wahanol ddefnyddiau.

○ Mae'r sbectrwm electromagnetig yn deulu o donnau sy'n cynnwys tonnau radio, microdonnau, isgoch, golau gweladwy, pelydriad uwchfioled, pelydrau X a phelydrau gama.

○ Mae'r sbectrwm electromagnetig yn sbectrwm di-dor o donnau o wahanol donfeddi ac amleddau, ond mae'r tonnau i gyd yn teithio ar yr un buanedd mewn gwactod – buanedd golau.

# Isgoch a microdonnau

## Chwilio ac achub – dod o hyd i bobl pan na allwn ni eu gweld nhw!

**Ffigur 18.1** Dwy olygfa o'r un peth – corff mewn ystafell llawn mwg. Mae'r llun ar y chwith wedi'i dynnu â chamera normal a'r llun ar y dde wedi'i dynnu â chamera delweddu thermol arbennig.

Heb dechnoleg delweddu thermol, byddai llawer o bobl wedi marw – byddai'r gwasanaethau tân ac achub wedi methu eu gweld mewn ystafelloedd llawn mwg! Delweddu thermol sydd hefyd yn galluogi goglau 'gweld yn y nos' i weithio. Mae'r Lluoedd Arfog yn defnyddio'r rhain yn aml wrth weithredu yn y nos. Mae milwyr a pheilotiaid hefyd yn defnyddio goglau gweld yn y nos i gydlynu symudiadau milwyr a hofrenyddion.

**Ffigur 18.2** Golygfa drwy gamera gweld yn y nos.

Felly, beth yn union sy'n cael ei ganfod gan ddelweddu thermol a chamerâu gweld yn y nos? Pelydriad isgoch yw'r ateb. Mae pob gwrthrych yn allyrru rhyw fath o belydriad electromagnetig. Fel y gwelsom ni ym Mhennod 17, mae hyd yn oed y rhannau oeraf o'r Bydysawd yn allyrru microdonnau. Mae Ffigur 18.3 yn dangos arddwysedd y pelydriad electromagnetig sy'n cael ei allyrru gan wrthrychau ar wahanol dymereddau. Enw hwn yw 'pelydriad corff du'.

213

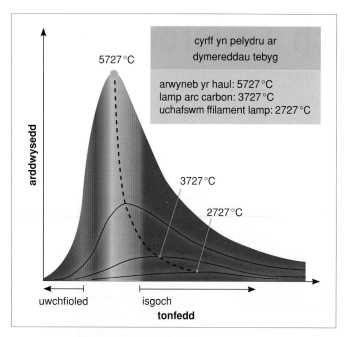

cyrff yn pelydru ar
dymereddau tebyg

arwyneb yr haul: 5727 °C
lamp arc carbon: 3727 °C
uchafswm ffilament lamp: 2727 °C

Ffigur 18.3 Cromliniau pelydriad corff du.

Ar y cyfan, y poethaf yw gwrthrych, y mwyaf yw'r arddwysedd a'r lleiaf yw tonfedd y pelydriad mae'n ei allyrru. Bydd corff dynol, sydd â thymheredd arwyneb tua 20 °C, yn cynhyrchu pelydriad isgoch ag arddwysedd isel iawn. Mae hwn yn anweladwy i'r llygad noeth, ond mae camera delweddu thermol yn gallu ei ganfod yn hawdd. Gall hefyd wahaniaethu rhwng yr isgoch sy'n cael ei gynhyrchu gan wahanol rannau o'r corff ar wahanol dymereddau – gan ddangos y tonfeddi gwahanol fel gwahanol 'liwiau ffug' ar sgrin – naill ai gwahanol arlliwiau llwyd neu wahanol liwiau. Mae Ffigur 18.4 yn dangos corff dynol wedi'i ddelweddu fel hyn.

Yn ogystal â'r ffyrdd niferus o ddefnyddio delweddu thermol ym meysydd chwilio ac achub, y fyddin a'r heddlu, mae hefyd yn ddefnyddiol ym maes meddygaeth. Mae heintiau ac ymateb y corff i anafiadau yn aml

Ffigur 18.4 Llun lliw ffug o sgan delweddu thermol corff cyfan.

Ffigur 18.5 Sganiwr corff delweddu thermol mewn maes awyr rhyngwladol.

**Pwynt Trafod**

Yn gyffredinol, mae tymheredd corff rhywun sy'n sâl yn uwch na thymheredd corff rhywun sy'n iach. Mae terfysgwyr posibl fel arfer yn 'boethach' na'r cyhoedd yn gyffredinol, oherwydd eu bod yn orbryderus. Pam rydych chi'n meddwl bod technoleg delweddu thermol yn cael ei defnyddio mewn meysydd awyr mawr? Beth fyddai problemau posibl defnyddio systemau o'r fath?

yn cynyddu tymheredd y corff mewn mannau lleoledig, ac mae'n hawdd canfod a lleoli'r rhain gyda delweddu thermol. Heddiw, mae'r math hwn o dechnoleg yn cael ei gyflwyno mewn porthladdoedd a meysydd awyr i ganfod pobl sydd â heintiau a chlefydau, yn enwedig ar ôl epidemigau clefydau fel ffliw adar a ffliw moch.

**CWESTIYNAU**

1 Pam mae delweddu thermol yn ddefnyddiol i'r gwasanaethau tân ac achub?

2 Beth yw goglau 'gweld yn y nos'?

3 Sut gallai peilot hofrennydd chwilio ac achub ddefnyddio goglau 'gweld yn y nos' i ddod o hyd i rywun sydd ar goll yn y môr?

4 Sut mae camerâu delweddu thermol yn gallu gweld y dillad mae rhywun yn eu gwisgo?

5 Beth yw'r gwahaniaeth rhwng y pelydriad electromagnetig sy'n cael ei allyrru gan lamp ffilament twngsten a'r Haul?

# Rhedwyr marathon ac isgoch

Pan mae rhedwyr marathon yn gorffen ras, maen nhw'n boeth! Pan maen nhw'n gorffen rhedeg, mae eu cyrff yn oeri'n gyflym. I atal hypothermia, maen nhw'n cael eu gorchuddio â 'blanced' denau o ffilm blastig wedi'i meteleiddio. Pam? Oni fyddai blanced o gnu trwchus yn well? Sut mae'r flanced blastig sgleiniog yn gweithio?

**Ffigur 18.6** Pam mae rhedwyr marathon yn gwisgo ffoil alwminiwm ar ôl iddynt orffen ras?

## GWAITH YMARFEROL  MODELU PELYDRIAD THERMOL RHEDWYR MARATHON

**Dyma weithgaredd sy'n eich helpu i:**
★ gweithio'n ddiogel
★ gweithio fel rhan o dîm
★ trin cyfarpar
★ defnyddio TGCh gyda'ch gwaith gwyddonol
★ trefnu eich tasgau
★ cymryd mesuriadau a'u cofnodi
★ plotio graffiau
★ chwilio am batrymau mewn canlyniadau
★ ffurfio casgliadau
★ deall ansicrwydd yn eich gwaith.

Yn yr arbrawf hwn, byddwch chi'n mesur y gwres y mae dŵr poeth yn ei golli pan gaiff ei roi mewn gwahanol fathau o gynhwysydd. Mae'r dŵr yn modelu corff dynol ac mae'r cynwysyddion yn modelu gwahanol fathau o ddillad.

**Ffigur 18.7** Offer yr arbrawf ynysu.

🛈 Asesiad risg

● Byddwch yn ofalus â dŵr poeth.
● Bydd eich athro/athrawes yn rhoi asesiad risg i chi.

*parhad...*

**Cyfarpar**

* tegell llawn dŵr poeth
* 4 calorimedr copr
* papur du
* ffoil pobi alwminiwm
* defnydd blanced
* caeadau cwpanau yfed plastig
* 4 thermomedr *neu* gofnodydd data a 4 chwiliedydd tymheredd
* mat gwrth-wres
* stopwats
* tâp gludiog
* dewisol: silindr mesur

**Dull**

Gweithiwch mewn grŵp o ddau neu dri myfyriwr.

1 Llenwch y tegell â dŵr a gadewch iddo ferwi.
2 Lagiwch y pedwar calorimedr fel hyn: **A** papur du; **B** ffoil pobi alwminiwm; **C** defnydd blanced; **Ch** dim ynysydd.
3 Llenwch bob calorimedr â'r un maint o ddŵr poeth. Ceisiwch wneud hyn yn gyflym i sicrhau bod pob calorimedr yn dechrau ar yr un tymheredd.
4 Rhowch gaead plastig ar bob calorimedr a rhowch thermomedr drwy'r twll yn y caead.
5 Mesurwch a chofnodwch dymheredd cychwynnol pob calorimedr, a dechreuwch y stopwats.
6 Ar ôl 1 munud, cofnodwch dymheredd pob calorimedr eto.
7 Mesurwch dymheredd pob calorimedr bob munud am tua 10 munud.
8 Gorffennwch y mesuriadau, ac yna arllwyswch y dŵr poeth i ffwrdd pan fydd wedi oeri digon i wneud hynny'n ddiogel.
9 Plotiwch graff i ddangos cromlin oeri pob calorimedr gydag amser. Does dim rhaid i chi ddechrau'r raddfa dymheredd ar sero. Labelwch gromlin pob calorimedr.

**Dadansoddi eich canlyniadau**

1 Disgrifiwch siâp y cromliniau oeri.
2 Cyfrifwch ostyngiad tymheredd pob calorimedr.
3 Pa galorimedr oerodd fwyaf?
4 Pa fath o ynysydd oedd yn ynysu orau?
5 Pam rydych chi'n meddwl ei bod hi'n bwysig cadw'r tymereddau cychwynnol yr un fath?
6 Pam rydych chi'n meddwl ei bod hi'n bwysig rhoi'r un maint o ddŵr ym mhob calorimedr?
7 Beth oedd diben y calorimedr heb ynysydd?
8 Sut gallech chi wneud canlyniadau'r arbrawf hwn yn fwy dibynadwy?
9 Sut gallech chi wella'r dull gweithio?
10 Sut byddai'r graff yn newid pe baech chi'n plotio'r raddfa dymheredd yn dechrau ar 0 °C?

**Gwaith estynedig**

Gallai eich athro/athrawes arddangos gwrthdro yr arbrawf hwn. Os caiff dŵr oer ei roi yn y calorimedrau a bod y calorimedrau'n cael eu gosod yr un pellter o wresogydd pelydrol, pa un fydd yn gwresogi gyflymaf?

Ffigur 18.8 Gwrthdroi offer yr arbrawf ynysu.

*parhad...*

### Egluro patrymau'r canlyniadau

Mae gwrthrychau sgleiniog, lliw golau'n *adlewyrchu* egni thermol (isgoch) yn dda iawn ac maen nhw'n *wael am allyrru* egni thermol.

Mae gwrthrychau pŵl, lliw tywyll yn *amsugno* egni thermol (isgoch) yn dda iawn ac maen nhw'n *dda am allyrru* egni thermol.

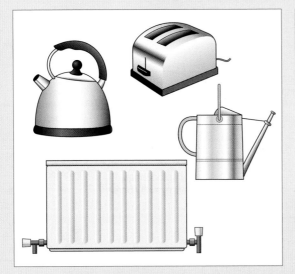

**Ffigur 18.9** Gwrthrychau sy'n adlewyrchu egni thermol yn dda.

**Ffigur 18.10** Gwrthrychau sy'n amsugno egni thermol yn dda.

**11** Defnyddiwch y datganiadau hyn i egluro canlyniadau eich arbrawf ac arddangosiad eich athro.

---

## CWESTIYNAU

**6** Pam mae pobl sy'n byw mewn gwledydd poeth yn tueddu i wisgo dillad lliw golau?

**7** Eglurwch pam mae paneli solar yn cael eu cynhyrchu ag arwyneb du pŵl.

**8** Pam mae tebotau arian sgleiniog yn cadw te'n gynhesach na rhai du pŵl?

**9** Pam mae darnau electronig sensitif lloerennau mewn orbit yn aml yn cael eu gorchuddio â ffoil metel sgleiniog?

**10** Pam mae rhedwyr marathon yn cael blanced ofod sgleiniog ar ôl iddynt orffen ras?

---

## TASG

### DYLUNIO DISTYLLBAIR (*STILL*) SOLAR

Dyma weithgaredd sy'n eich helpu i:
★ ymchwilio i wybodaeth
★ dethol gwybodaeth o ymchwil a nodi cyfeiriadau'r wybodaeth honno
★ cyflwyno syniadau mewn graff.

Weithiau, mae gan rafftiau achub ar longau ddyfais o'r enw 'distyllbair solar' i ddarparu dŵr yfed. Mae'r darn hwn o gyfarpar yn defnyddio egni thermol (isgoch) yr Haul i anweddu dŵr môr, gan wahanu'r dŵr a'r halen. Yn aml, mae'r dyfeisiau hyn yn rhai sy'n cael eu llenwi ag aer ac mae'n bosibl eu tynnu y tu ôl i'r rafft achub. Wrth i'r haul dywynnu, mae dŵr yn anweddu ac yn cael ei gasglu gan y ddyfais.

Eich tasg chi yw defnyddio eich gwybodaeth am sut mae gwahanol arwynebau'n adlewyrchu, yn amsugno ac yn allyrru pelydriad isgoch i ddylunio distyllbair solar y gellir ei lenwi ag aer.

Cynhyrchwch ddiagram trawstoriadol i ddangos eich cynllun, gan gynnwys nodiadau am ba ddefnyddiau fyddai'r gorau i bob rhan.

Gallech chi gael rhai syniadau i'ch cynllun drwy chwilio am 'solar still' ar y rhyngrwyd. Peidiwch ag anghofio cyfeirio at unrhyw wybodaeth rydych chi'n ei defnyddio.

# Defnyddio isgoch a microdonnau

Sut mae'n bosibl cael sgwrs amser real â rhywun yn Awstralia?

Mae'r ddau unigolyn yn Ffigur 18.11 yn defnyddio llawer iawn o dechnoleg i wneud galwad ffôn syml. Mae eu ffonau symudol yn cysylltu â rhwydwaith enfawr o gysylltau microdon a ffibr optegol sy'n trawsyrru'r signalau ffôn i ben draw'r byd ac yn ôl ar fuanedd golau.

**Ffigur 18.11** Sgwrs amser real â rhywun ym mhen draw'r byd.

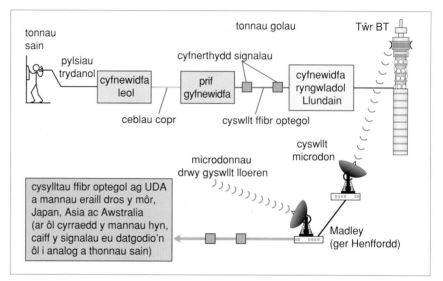

**Ffigur 18.12** Llwybr galwad ffôn ryngwladol wrth iddi adael y wlad.

Mae galwadau ffôn llinell tir arferol yn teithio ar hyd ffibrau optegol, gan ddefnyddio pelydriad isgoch. Mae ffibrau optegol yn llawer gwell am drosglwyddo gwybodaeth na'r gwifrau copr a oedd yn arfer cludo galwadau ffôn pellter hir. Gall un ffibr gludo dros 1.5 miliwn o sgyrsiau ffôn, o'i gymharu â 1000 o sgyrsiau drwy wifrau copr. Mae'r rhan fwyaf o alwadau ffôn cenedlaethol, negeseuon ffacs, galwadau dros y rhyngrwyd ac ati yn teithio ar hyd llinellau ffibr optegol. Mae'r ffibrau'n gallu cludo deg sianel deledu (teledu cebl). Mae llawer o ffibrau mewn ceblau optegol rhwng cyfandiroedd, felly mae'n bosibl trosglwyddo swm enfawr o wybodaeth. Mae'n gost-effeithiol iawn.

Pan fyddwn ni'n ffonio dros bellter hir, caiff y signalau trydanol eu trawsnewid yn bylsiau digidol (ymlaen/i ffwrdd) yn y gyfnewidfa. Yna, bydd laser yn trawsnewid y signal digidol yn bylsiau golau. Mae'r laser isgoch yn fflachio'n gyflym iawn. Rydym ni'n defnyddio golau isgoch oherwydd mae'n symud drwy'r ffibrau optegol gwydr yn well na golau gweladwy. Mae'r signalau yn cael eu cyfnerthu bob 30 km ar hyd y ffibr. Ar y pen pellaf, mae datgodiwr arall yn trawsnewid y signal digidol o'r laser i roi foltedd newidiol sydd yna'n cael ei drawsnewid i sain yng nghlustffon y ffôn.

Mae gan ffibrau optegol rai manteision eraill dros wifrau copr:

- Mae llinellau ffibr optegol yn defnyddio llai o egni.
- Mae angen llai o gyfnerthwyr arnynt.
- Does dim sgyrsiau croes (ymyriant) â cheblau cyfagos.
- Maen nhw'n anodd eu bygio.
- Maen nhw'n pwyso llai ac felly'n haws eu gosod.

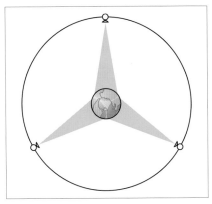

Ffigur 18.13 Y Ddaear o bwynt uwchben Pegwn y Gogledd; gall tair lloeren geosefydlog anfon signalau i'r rhan fwyaf o'r Ddaear.

Mae ffonau symudol yn defnyddio rhan arall o'r sbectrwm electromagnetig – microdonnau. Signalau diwifr yw microdonnau a does dim angen cebl gopr na ffibr optegol. Un o anfanteision defnyddio microdonnau yw fod angen cael llwybr clir rhwng y trosglwyddydd ac erial eich teledu neu eich ffôn symudol. Er mwyn cyrraedd yr ardal fwyaf bosibl, mae trosglwyddyddion a derbynyddion teledu a ffonau symudol yn dal ac yn cael eu gosod ar fryniau. Oherwydd bod wyneb y Ddaear yn grwm rhaid i orsafoedd aildrosglwyddo anfon y signalau microdon ymlaen i drosglwyddyddion pell. Rhaid defnyddio lloerenni i gyfathrebu dros bellter hir o amgylch y byd. Yn ddamcaniaethol, dim ond tair lloeren sydd eu hangen i drosglwyddo signalau o amgylch y byd. Yn ymarferol, rydym ni'n defnyddio rhagor na hyn.

Mae'r lloerenni'n cael eu gosod mewn orbit ar uchder o 36 000 km. Maen nhw'n troi o amgylch y Ddaear mewn ffordd sy'n cyd-fynd yn union â chylchdro'r Ddaear. Yr enw ar y math hwn o orbit yw orbit **geocydamseredig** (**geosefydlog**).

Yn y Deyrnas Unedig, caiff signalau teledu, ffôn, ffacs a data eu hanfon i loerennau o un o dair gorsaf BT. Canolfan Gyfathrebu Madley ger Henffordd yw gorsaf Ddaear fwyaf y byd, ac mae'r rhan fwyaf o gyfathrebiadau lloeren y Deyrnas Unedig yn mynd drwyddi.

Ffigur 18.14 Dysglau lloeren yng Nghanolfan Gyfathrebu Madley.

## Ffibrau optegol neu ficrodonnau?

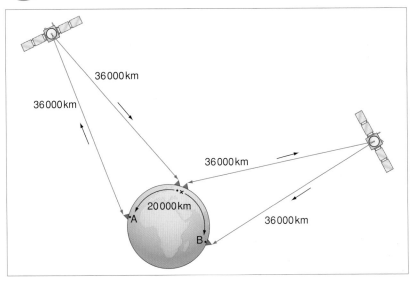

Ffigur 18.15 Rhaid i'r signal lloeren deithio'n llawer pellach.

Mae ffibrau optegol (sy'n defnyddio rhan isgoch y sbectrwm electromagnetig) a chyfathrebu drwy loeren (sy'n defnyddio microdonnau) yn cael eu defnyddio ar gyfer galwadau ffôn rhyngwladol a darllediadau teledu. Mae'n cymryd amser i'r signalau deithio o orsaf ar y Ddaear i fyny i un o'r lloerenni ac yn ôl eto (Ffigur 18.15). Dewch i ni gymharu'r oediad amser wrth anfon signal o A i B.

Mae'r lloerennau mewn orbit ar uchder o 36 000 km. Felly, hyd y llwybr yw 4 × 36 000 km, neu 144 000 km. Hwn yw'r llwybr o stiwdio i stiwdio drwy gyfrwng lloeren. Defnyddiwch y fformiwla ganlynol:

$$\text{buanedd (km/s)} = \frac{\text{pellter teithio (km)}}{\text{amser a gymerwyd (s)}}$$

Aildrefnwch y fformiwla:

$$\text{amser teithio} = \frac{\text{pellter}}{\text{buanedd golau}}$$

Rhowch y rhifau i mewn:

$$\text{amser teithio} = \frac{144\,000\,\text{km}}{300\,000\,\text{km/s}}$$

$$= \text{tua } 0.5\,\text{s}$$

Gallai darllediad allanol gynyddu'r pellter teithio i 200 000 km, gan olygu bod yr amser teithio tua 0.7 s. Bydd hi'n hawdd sylwi ar yr oediad amser hwn ar ddarllediadau newyddion neu mewn sgyrsiau ffôn. Mae'n bosibl iawn y byddwch chi wedi sylwi ar yr effaith hon ar eich teledu.

Os oes ffibrau optegol yn cysylltu'r ddwy stiwdio, gall y pellter teithio fod mor isel ag 20 000 km:

$$\text{oediad amser} = \frac{\text{pellter teithio}}{\text{buanedd signal mewn gwydr}}$$

Rhowch y rhifau i mewn:

$$\text{oediad amser} = \frac{20\,000\,\text{km}}{200\,000\,\text{km/s}}$$

$$= 0.1\,\text{s}$$

Dim ond 0.1 s yw'r oediad amser gyda ffibrau optegol, sy'n llawer llai amlwg.

11 a Pa fath o belydriad electromagnetig sy'n teithio ar hyd ffibrau optegol at ddibenion cyfathrebu?

   b Pa mor gyflym mae'r signalau'n gallu teithio ar hyd y ffibr?

12 Pa fath o belydriad electromagnetig sy'n cael ei ddefnyddio i gyfathrebu drwy ffonau symudol?

13 Yn eich barn chi, pam mae cyfathrebu dros ffibrau optegol yn 'gost-effeithiol' iawn?

## A fydd ffibrau optegol yn disodli microdonnau a lloerenni?

Gall ffibrau optegol ymdopi â nifer enfawr o alwadau llais a data. Oherwydd eu bod nhw'n gallu dal mwy o wybodaeth, ac oherwydd does dim oediad amser amlwg na dim angen gorsafoedd aildrosglwyddo, mae yna symudiad byd-eang tuag at ddefnyddio ffibrau optegol i gludo signalau dros bellter hir. Fodd bynnag, ni fyddan nhw byth yn cymryd lle microdonnau a lloerenni. Yn aml, mae cysylltau microdon yn cael eu defnyddio i gludo 'traffig' ffibrau optegol pan fydd cebl yn cael ei atgyweirio.

14 Fel rheol, caiff lloerenni cyfathrebu eu rhoi mewn orbit geocydamseredig. Eglurwch beth yw ystyr hyn, gyda chymorth diagram.

15 Rhestrwch fanteision defnyddio ffibrau optegol yn hytrach na gwifrau copr i gyfathrebu.

16 Eglurwch pam mae angen gorsafoedd aildrosglwyddo wrth ddefnyddio microdonnau i gyfathrebu dros bellter hir.

17 Rhaid defnyddio lloerenni i gyfathrebu drwy ficrodonnau dros bellter hir o amgylch y byd. Lluniadwch ddiagram syml i ddangos sut mae hyn yn bosibl.

## Ydy ffonau symudol yn achosi problemau?

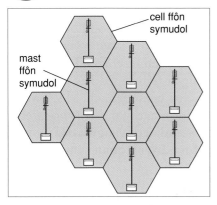

**Ffigur 18.16** Mae pob ardal wedi'i rhannu'n gelloedd hecsagonol, gyda gorsaf ganolog ym mhob cell. Mae pob gorsaf wedi'i chysylltu â chanolfan reoli (MTSO).

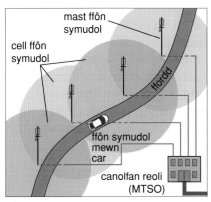

**Ffigur 18.17** Wrth i chi deithio, bydd y signal ffôn symudol yn cael ei basio o gell i gell.

Mae biliynau o ffonau symudol (ffonau 'cell' yw'r enw yn UDA) yn cael eu defnyddio ledled y byd. Mae nifer o wledydd sy'n datblygu, yn Affrica yn bennaf, yn ystyried mai systemau ffonau symudol yw'r unig ffordd o gysylltu eu poblogaeth â'r unfed ganrif ar hugain, ac maen nhw'n datblygu'r systemau hyn yn hytrach na llinellau sefydlog (gwifrau copr neu ffibr optegol). Mae pob ffôn symudol yn 'radio' sy'n gallu trosglwyddo a derbyn ar yr un pryd drwy ddefnyddio microdonnau. Mae cwmnïau ffonau symudol (cludyddion) yn rhannu tref, dinas neu ddarn o gefn gwlad yn nifer o gelloedd (Ffigur 18.16).

Maint pob cell yw tua 25 km², ac mae pob un yn cynnwys gorsaf ganolog â thŵr a blwch neu adeilad bach i gadw'r cyfarpar electronig. Oherwydd bod nifer mawr o gelloedd, does dim rhaid i'r signal deithio'n bell iawn ac mae ffonau symudol yn gallu trosglwyddo ar bŵer llawer is, sef 0.6–1.0 W fel rheol. Mae gan bob cwmni cludo swyddfa ganolog ym mhob dinas neu ranbarth; yr enw ar y rhain yw'r swyddfa switsio ffonau symudol (*mobile telephone switching office*: MTSO).

Dyma beth sy'n digwydd pan mae eich ffôn chi ymlaen ac mae rhywun yn ceisio eich ffonio chi (Ffigur 18.17):

- Bydd eich ffôn yn gwrando drwy'r amser am god yr orsaf ganolog. Os na fydd yn dod o hyd i un, cewch chi neges 'dim gwasanaeth'.
- Bydd eich ffôn a chod yr orsaf ganolog yn cyfathrebu ac yn cymharu codau.
- Bydd eich ffôn yn anfon cais i gofrestru. Signal yw hwn sy'n rhyw fath o ddweud 'Rydw i yma os bydd rhywun yn ffonio'.
- Bydd y MTSO yn dilyn eich lleoliad ar eu cronfa ddata.
- Pan fydd eich ffrind yn eich ffonio, bydd y MTSO yn chwilio ei chronfa ddata i weld ym mha gell rydych chi.
- Bydd y MTSO yn dewis pâr o amleddau microdon i'ch ffôn chi a'r orsaf ganolog eu defnyddio i wneud yr alwad. Bydd eich ffôn chi a thŵr yr orsaf ganolog yn troi i'r amleddau hyn.
- Rydych chi wedi eich cysylltu. Rydych chi'n siarad ar radio dwyffordd gan ddefnyddio microdonnau.
- Wrth i chi symud at ymyl eich cell, mae'r orsaf ganolog yn sylwi bod cryfder eich signal yn gwanhau. Mae'r orsaf ganolog nesaf yn sylwi bod eich signal yn cryfhau. Ar ryw bwynt, caiff eich ffôn signal gan y MTSO i newid amleddau. Bydd eich ffôn yn troi i'r gell newydd.

## Ffonau symudol ac iechyd

Mae rhai pobl yn poeni y gallai ffonau symudol effeithio ar eu hiechyd. Maen nhw'n meddwl, gan fod yr erial drosglwyddo'n allyrru microdonnau a bod rhaid ei dal mor agos at y pen, y bydd hyn yn cynyddu'r risg o ganser yr ymennydd. Hyd yn hyn, mae'r holl ymchwil wedi dangos nad oes prawf o gysylltiad rhwng defnyddio tonnau radio a microdonnau a chanser. Mae tonnau radio a microdonnau i'w cael yn rhanbarth egni isaf y sbectrwm electromagnetig. Dydyn nhw ddim yn belydriadau sy'n ïoneiddio fel uwchfioled a phelydrau X – rydym ni wedi profi bod y rhain yn achosi canser.

Er bod ffyrnau microdon yn achosi i feinweoedd gynhesu (mae'r microdonnau'n gwneud i foleciwlau dŵr ddirgrynu), mae ffonau symudol yn defnyddio microdonnau ag amleddau gwahanol iawn. Dydy'r amleddau hyn ddim yn achosi i foleciwlau dŵr ddirgrynu, ac felly dydyn nhw ddim yn cynhesu meinweoedd. Fodd bynnag, mae'n bosibl bod yna effaith dymor hir. Ychydig iawn o ymchwil sydd wedi'i wneud i sut mae microdonnau lefel isel yn effeithio ar feinweoedd dros gyfnod hir, yn enwedig ar feinweoedd ac organau plant sy'n tyfu, pan mae asgwrn y benglog yn deneuach. Mae hwn yn un o nifer o feysydd lle nad yw gwyddoniaeth yn gallu rhoi ateb pendant y naill ffordd na'r llall. Bydd astudiaeth ryngwladol dymor hir yn asesu iechyd tua 250 000 o ddefnyddwyr ffonau symudol, ond ni fydd y canlyniadau ar gael tan 2020.

Flynyddoedd yn ôl, pan ddechreuodd pobl ysmygu am y tro cyntaf, doedd dim effeithiau i'w gweld yn syth. Erbyn hyn, rydym ni'n gwybod bod ysmygu'n lladd. Efallai y bydd defnyddio ffonau symudol yn effeithio arnom ni yn y tymor hir. Yn anffodus, os byddwn ni'n darganfod eu bod nhw'n beryglus, byddan nhw eisoes wedi effeithio ar biliynau o bobl ledled y byd. Os oes mwy o risg i blant am fod yr esgyrn meddal yn eu penglog yn gadael mwy o donnau radio i mewn i'r ymennydd, efallai na welwn ni'r effeithiau am ddegawdau. Felly, mae Bwrdd Diogelwch Radiolegol Cenedlaethol (*National Radiological Protection Board*: NRPB) y Deyrnas Unedig wedi defnyddio dull Egwyddor Ragofalus (*Precautionary Principle*) ac wedi argymell na ddylid rhoi ffonau symudol i blant. Mae'r NRPB hefyd wedi cyhoeddi canllawiau rhagofalus i weddill y boblogaeth:

Dylech chi geisio:

- cadw eich galwad ffôn mor fyr â phosibl
- defnyddio cebl clustffon/microffon er mwyn cadw'r trosglwyddydd oddi wrth eich pen
- cyfyngu ar alwadau y tu mewn i adeiladau (lle mae angen i'ch ffôn drawsyrru ar bŵer uwch) a defnyddio mannau agored gymaint â phosibl.

## Profion diogelwch

Rhaid i ffonau symudol gael eu profi am belydriad. Mae'r 'gyfradd amsugno sbesiffig' (*specific absorption rate*: SAR) yn mesur faint o egni sy'n cael ei amsugno wrth i'r microdonnau fynd i mewn i'ch pen. Er mwyn cael trwydded i'w werthu, rhaid i ffôn fod â gwerth

**Ffigur 18.18** Mae diogelwch ffonau symudol yn dal i gael ei drafod.

SAR sy'n llai na 2 W/kg yn y DU ac 1.6 W/kg yn UDA. Fel rheol, bydd taflenni gwerthu'n sôn am nodweddion cyffrous eu modelau. Dylech chi hefyd ofyn i gael gweld y sgôr SAR. Yn aml, bydd hwn i'w weld mewn print mân yng nghefn y catalog.

## Gofynion cynllunio mastiau cyfathrebu

Yn wahanol i'r ffonau symudol eu hunain, mae mastiau gorsafoedd canolog pob cell yn allyrru signalau ar bŵer llawer uwch – tua 10 i 100 gwaith yn uwch fel rheol. Dydy cwmnïau ffonau symudol ddim yn cael gosod erial gorsaf ganolog ble bynnag y maen nhw'n dymuno gwneud hynny – rhaid iddynt ymgynghori â'r Adran Gynllunio leol. Mae gofynion cynllunio'n gallu amrywio o ardal i ardal yn y Deyrnas Unedig. Mae rheolaeth gynllunio lawn yn berthnasol i bob mast newydd sy'n cael ei osod ar y ddaear. Mae yna gyfyngiadau technegol o ran maint ac uchder y mastiau, a faint ohonynt sydd ar adeilad. Mewn ardaloedd cadwraeth ac ardaloedd arbennig o hardd mae'r rheolau'n fwy llym. Mae'r gofynion ymgynghori cyhoeddus wedi cynyddu, yn enwedig ar gyfer mastiau dan 15 m o uchder; doedd dim angen caniatâd ar gyfer y rhain yn wreiddiol. Rhaid ymgynghori â llywodraethwyr ysgol am gynigion am fastiau'n agos at ysgolion.

Mae yna lawer o bryder am leoli mastiau ffonau symudol.

**Ffigur 18.19** Mae lleoli mastiau ffonau symudol yn fater dadleuol.

### CWESTIYNAU

18 Yn wahanol i radio dwyffordd (*walkie-talkie*), mae ffôn symudol yn trosglwyddo ar bŵer isel iawn.
   a Sut mae hyn yn bosibl?
   b Pam mae'n rhaid i radio dwyffordd drosglwyddo ar bŵer llawer uwch?

19 Lluniadwch siart llif i ddangos sut mae sgwrs ffôn symudol ddwyffordd rhwng dau unigolyn mewn celloedd ffôn symudol gwahanol yn digwydd.

20 Mae pelydrau X a phelydriad uwchfioled yn enghreifftiau o belydriad sy'n ïoneiddio.
   a Beth mae hyn yn ei olygu?
   b Beth yw'r canlyniadau posibl pan ddaw meinwe dynol i gyswllt â phelydriad sy'n ïoneiddio?

21 Beth yw'r gwahaniaeth rhwng y microdonnau mewn ffwrn microdon a'r microdonnau sy'n cael eu defnyddio gan ffôn symudol?

22 Sut mae'r microdonnau sy'n cael eu hallyrru gan ffwrn microdon yn gwresogi meinweoedd?

23 Pam gallai pelydriad tymor hir gan ficrodonnau fod yn arbennig o niweidiol i blant?

24 Pam mae'n bwysig cynnwys pobl leol mewn penderfyniad i leoli mast ffôn symudol?

25 a Beth mae'r Egwyddor Ragofalus yn ei olygu?
   b Sut mae'r NRPB yn ei defnyddio?

### Pwyntiau Trafod

1 Pam rydych chi'n meddwl bod gwledydd sy'n datblygu, fel Kenya, yn datblygu systemau cyfathrebu ffonau symudol yn hytrach na datblygu systemau llinellau sefydlog?

2 Beth ydych chi'n ei feddwl? Ydy ffonau symudol yn ddiogel ai peidio?

1 Ymchwiliwch i'r dadleuon o blaid ac yn erbyn yr honiadau am:
   a risgiau iechyd ffonau symudol
   b risgiau iechyd mastiau ffôn symudol
   c deddfau cynllunio neu ddiffyg deddfau ynglŷn â lleoli ac adeiladu'r mastiau.
2 Enwebwch lefarydd i'r ddwy ochr.
3 Defnyddiwch gyflwyniad PowerPoint i arddangos eich achos.
4 Dewiswch gadeirydd diduedd i sicrhau tegwch.
5 Gwnewch eich cyflwyniad i'r dosbarth.

**Dyma weithgaredd sy'n eich helpu i:**
★ ymchwilio i wybodaeth
★ dethol, ailysgrifennu a drafftio gwybodaeth sy'n deillio o'ch ymchwil
★ trefnu dadl wyddonol
★ siarad am faterion gwyddonol o flaen pobl eraill
★ cyflwyno gwybodaeth o'ch ymchwil ar ffurf graffigau gan ddefnyddio PowerPoint

## Yr effaith tŷ gwydr

Pam mai'r **effaith tŷ gwydr** sy'n aml yn cael y bai am **gynhesu byd-eang**? Pam rydym ni'n ei galw'n 'effaith tŷ gwydr'? Beth yw'r cysylltiad rhwng cynhesu byd-eang a thyfu tomatos?

**Ffigur 18.20** Yr Eden Project.

mae egni gweladwy o'r Haul yn mynd drwy'r gwydr ac yn cynhesu'r llawr

mae peth o'r egni thermol o'r llawr yn cael ei adlewyrchu'n ôl gan y gwydr, ac mae rhywfaint ohono'n cael ei ddal y tu mewn i'r tŷ gwydr

**Ffigur 18.21** Yr effaith tŷ gwydr.

Mae'r Eden Project yng Nghernyw yn gartref i rai o'r tai gwydr mwyaf, ac yn sicr y rhai mwyaf trawiadol, yn y byd. Mae'r tai gwydr mwyaf (bïomau) yn cynnwys planhigion trofannol mewn tymheredd cyfartalog o 24 °C. Mae'r tymheredd yn cael ei reoli mewn nifer o ffyrdd, ond does dim angen llawer o egni allanol o gwbl i gadw'r tymheredd yn uchel oherwydd, fel pob tŷ gwydr, maen nhw'n gadael pelydriad o'r Haul i mewn ond dydyn nhw ddim yn gadael iddo ddianc yn hawdd. O ganlyniad, mae pob tŷ gwydr yn teimlo'n boethach na'r adeiladau o'i gwmpas – sy'n egluro'r enw 'effaith tŷ gwydr'.

Mewn tŷ gwydr, mae'r gwydr neu'r plastig tryloyw'n gadael i olau gweladwy o'r Haul basio drwyddo. Mae'r golau gweladwy hwn yn cael ei amsugno gan lawr y tŷ gwydr (gan ei fod yn bŵl ac yn dywyll). Mae'r golau gweladwy sydd wedi'i amsugno yn cynhesu'r llawr yn raddol. Yna, mae'r llawr cynnes yn allyrru

CWESTIYNAU

**26** Beth yw'r gwahaniaeth rhwng y pelydriad sy'n cael ei amsugno gan lawr tŷ gwydr a'r pelydriad mae'n ei allyrru?

**27** Pam mae rhywfaint o'r pelydriad sy'n cael ei allyrru gan lawr tŷ gwydr yn cael ei adlewyrchu'n ôl i'r tŷ gwydr?

**28** Yn y model tŷ gwydr o gynhesu byd-eang:

    **a** pa ran o'r tŷ gwydr sy'n debyg i'r atmosffer

    **b** ym mha ffyrdd mae'r atmosffer yn wahanol?

**29** Pam byddai defnyddio mwy o danwyddau ffosil yn cyflymu cyfradd cynhesu byd-eang?

**30** Pam byddai datgoedwigo ardaloedd jyngl, fel Basn yr Amazon, yn cynyddu'r effaith tŷ gwydr?

**31** Eglurwch pam mae cynnydd cymharol fach yn nhymheredd pegynau'r Ddaear yn achosi cynnydd mawr yn lefel gyfartalog y môr.

rhywfaint o'i egni thermol fel pelydriad isgoch – gyda thonfedd hirach na'r golau gweladwy. Mae rhywfaint o'r pelydriad isgoch sy'n cael ei allyrru gan y llawr yn adlewyrchu oddi ar du mewn y gwydr neu'r plastig (sy'n gweithredu fel drych rhannol) yn ôl i'r llawr lle caiff ei amsugno eto (ac yn y blaen, ac yn y blaen). Felly, mae'r tymheredd yn y tŷ gwydr yn dechrau codi.

Mae atmosffer ein planed yn gweithredu mewn ffordd debyg (gweler Ffigur 13.10, tudalen 153).

Mae'r nwyon 'tŷ gwydr' yn yr atmosffer, fel carbon deuocsid a methan, yn caniatáu i olau gweladwy o'r Haul fynd drwyddynt, ond mae moleciwlau'r nwyon tŷ gwydr yn amsugno'r pelydriad isgoch sy'n cael ei allyrru gan arwyneb cynnes y Ddaear. Yna, caiff y pelydriad isgoch hwn ei allyrru i bob cyfeiriad gan foleciwlau'r nwyon tŷ gwydr – ac, yn allweddol, caiff rhywfaint o'r isgoch hwn i bob diben ei adlewyrchu yn ôl i lawr i'r Ddaear, gan gynyddu'r tymheredd.

Mae arwyddocâd yr effaith tŷ gwydr a'r cyfradd cynhesu byd-eang yn cynyddu yn ôl faint o garbon deuocsid a methan sydd yn ein hatmosffer. Os na wnawn ni rywbeth am hyn, gallai lefelau moroedd y byd godi hyd at ddau fetr cyn 2100, gan achosi llifogydd arfordirol enfawr a pheryglu bywydau cannoedd o filiynau o bobl.

Mae'n ddigon syml – lleihau allyriadau nwyon tŷ gwydr neu wynebu'r canlyniadau.

**Pwynt Trafod**

Cyfrifoldeb pwy yw cynhesu byd-eang? Beth y gallwch *chi* ei wneud?

## Crynodeb o'r bennod

- Mae pelydriad thermol, sydd hefyd yn cael ei alw'n belydriad isgoch, yn cynnwys tonnau ac mae'n rhan o'r sbectrwm electromagnetig.
- Mae arwynebau sgleiniog lliw golau'n dda am adlewyrchu ac yn wael am amsugno ac allyrru pelydriad thermol. Mae arwynebau pŵl lliw tywyll yn dda am amsugno ac allyrru pelydriad thermol.
- Tymheredd gwrthrych sy'n pennu arddwysedd a thonfedd y pelydriad y mae'n ei allyrru. Mae gwrthrychau poethach yn tueddu i allyrru pelydriad ag arddwysedd uwch a thonfedd fyrrach. Yr enw ar hyn yw pelydriad corff du.
- Gallwn ni egluro'r effaith tŷ gwydr yn nhermau pelydriad gweladwy o'r Haul yn cael ei amsugno gan y ddaear a'i allyrru fel pelydriad isgoch. Caiff y pelydriad hwn ei amsugno a'i allyrru eto o'r atmosffer yn ôl i'r Ddaear – gan gyfrannu at gynhesu byd-eang.
- Caiff microdonnau a phelydriad isgoch eu defnyddio ar gyfer cyfathrebu pellter hir, drwy gyfrwng lloerenni geocydamseredig, ffonau symudol a chysylltau ffibr optegol ar draws cyfandiroedd.
- Mae yna bryderon cyhoeddus am y risgiau iechyd a allai fod yn gysylltiedig â mastiau ffôn symudol. Does dim prawf bod pob un o'r rhain yn wir, ond mae angen rhagor o ymchwil am effaith microdonnau lefel isel dros gyfnod hir.

# 19 Pelydriad sy'n ïoneiddio

## Ai dyma'r lle mwyaf ymbelydrol ar y blaned?

Mae Adeilad B30 yn adeilad concrit mawr a brwnt sy'n sefyll yng nghanol Sellafield, safle gwaith prosesu niwclear mawr Prydain yn Cumbria. Mae wedi ei amgylchynu â ffens 3 metr o uchder â gwifren rasel ar ei phen, mae sgaffaldiau drosto ac mae wedi ei orchuddio â drysfa o bibellau a cheblau. Mae'n annhebygol iawn y gwnaiff ennill unrhyw wobrau am bensaernïaeth!

Er hyn, mae gan B30 reswm pwerus dros fod yn enwog, er ei fod yn un annifyr. *"Hwn yw adeilad diwydiannol mwyaf peryglus gorllewin Ewrop"*, yn ôl George Beveridge, dirprwy reolwr gyfarwyddwr Sellafield.

Dydy hi ddim yn anodd deall ychwaith pam mae gan yr adeilad enw mor ofnadwy. Mae pentyrrau o hen ddarnau o adweithyddion niwclear a rhodenni tanwydd sy'n dadfeilio yn gorwedd mewn dŵr budr ac ymbelydrol yn y pwll oeri yng nghanol B30, a does neb

yn gwybod llawer am darddiad nac oed llawer ohonynt. Yno, mae darnau o fetel llygredig wedi ymdoddi'n slwtsh sy'n allyrru dosiau mawr o ymbelydredd a allai fod yn angheuol.

Mae'n lle annifyr, ond dydy B30 ddim yn unigryw o bell ffordd. Dyna i chi Adeilad B38 drws nesaf, er enghraifft. "Dyna'r ail adeilad diwydiannol mwyaf peryglus yn Ewrop", meddai Beveridge. Yma, mae cladin tra ymbelydrol rhodenni tanwydd adweithyddion yn cael ei storio, hefyd dan ddŵr. Ac unwaith eto, does gan beirianwyr ddim llawer o syniad beth arall sydd wedi'i ddympio yn y pwll oeri a'i adael yno i ddadfeilio dros y degawdau diwethaf.

Ond mae'r adeiladau, fel cymaint o hen adeiladau eraill yn Sellafield, yn adfeilio ac mae peirianwyr nawr yn gorfod wynebu'r broblem o ddelio â'u cynnwys angheuol.

Dyma galon dywyll Sellafield felly, lle mae peirianwyr a gwyddonwyr yn gorfod wynebu etifeddiaeth dyheadau atomig Prydain ar ôl y rhyfel a'r diffeithdir gwenwynig sydd wedi'i greu ar arfordir Cumbria. Mae peirianwyr yn amcangyfrif y gallai gostio hyd at £50bn i'r wlad lanhau'r lle dros y 100 mlynedd nesaf.

Gwaith prosesu niwclear Sellafield.

Pwll oeri mewn atomfa.

SELLAFIELD

Dyma weithgaredd sy'n eich helpu i:
★ archwilio'r dadleuon o blaid ac yn erbyn mater gwyddonol sy'n bwysig i gymdeithas
★ llunio tabl.

Mae bron yn rhy ddychrynllyd meddwl am ganlyniadau gollyngiad niwclear ar raddfa fawr o Sellafield. Pe bai Adeilad B30 yn rhyddhau ei gynnwys i Fôr Iwerddon (mae Sellafield wedi ei leoli ar lan y môr gyda Afon Calder yn rhedeg drwy'r safle) byddai'r gwastraff ymbelydrol yn dinistrio'r amgylchedd morol am gannoedd o filltiroedd sgwâr. Byddai miliynau o bobl mewn perygl. Mae'r peirianwyr yn amcangyfrif y gallai glanhau Sellafield gostio £50 biliwn. Ydy'r wlad yn gallu fforddio hyn? Byddai £50 biliwn yn prynu 1000 o ysbytai neu 2000 o ysgolion uwchradd. Yn 2007, roedd cyllideb addysg flynyddol y Deyrnas Unedig yn £77 biliwn a chyllideb flynyddol y Gwasanaeth Iechyd Genedlaethol yn £104 biliwn.

Lluniwch dabl i ddangos y dadleuon o blaid ac yn erbyn glanhau Sellafield.

## Beth sy'n llechu ym mhwll oeri adeilad B30?

Mae defnyddiau sy'n dod allan o adweithyddion niwclear, naill ai'n syth o'r adweithydd ei hun neu o'r ardal o'i gwmpas, yn ymbelydrol iawn. Mae hyn yn golygu eu bod nhw'n cynnwys atomau sy'n allyrru pelydriad peryglus sy'n ïoneiddio. Mae ymbelydredd yn ffenomenon ffisegol sy'n digwydd yn naturiol (a hefyd yn cael ei greu gan bobl). Bydd niwclysau rhai atomau'n **ansefydlog**. Mae hyn yn golygu bod ganddynt ormod o egni a bod angen iddynt golli rhywfaint o egni i fod yn fwy sefydlog. Gall niwclysau'r rhan fwyaf o atomau niwclear wneud hyn mewn tair ffordd. Maen nhw'n gallu allyrru (rhyddhau):

■ gronynnau alffa ($\alpha$)
■ gronynnau beta ($\beta$)
■ pelydrau gama ($\gamma$) .

Mae'r gronynnau neu'r pelydrau sy'n cael eu hallyrru yn mynd ag egni i ffwrdd o niwclews yr atom, gan ei wneud yn fwy sefydlog. Enw'r gronynnau a'r pelydrau hyn yw **ymbelydredd niwclear**.

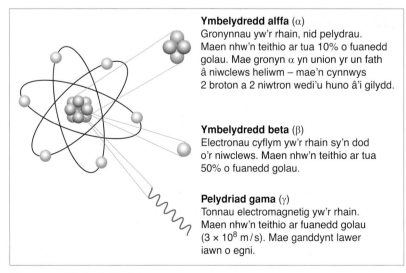

**Ymbelydredd alffa** ($\alpha$)
Gronynnau yw'r rhain, nid pelydrau. Maen nhw'n teithio ar tua 10% o fuanedd golau. Mae gronyn $\alpha$ yn union yr un fath â niwclews heliwm – mae'n cynnwys 2 broton a 2 niwtron wedi'u huno â'i gilydd.

**Ymbelydredd beta** ($\beta$)
Electronau cyflym yw'r rhain sy'n dod o'r niwclews. Maen nhw'n teithio ar tua 50% o fuanedd golau.

**Pelydriad gama** ($\gamma$)
Tonnau electromagnetig yw'r rhain. Maen nhw'n teithio ar fuanedd golau ($3 \times 10^8$ m/s). Mae ganddynt lawer iawn o egni.

Ffigur 19.1 Pelydriad alffa, beta a gama.

Y broblem yw fod yr egni sy'n cael ei allyrru fel ymbelydredd alffa a beta neu belydrau gama'n symud allan ac i ffwrdd o'r atomau. Os oes meinwe dynol yn y ffordd, bydd yr egni'n niweidio neu'n lladd celloedd y meinwe hwnnw. Mae'r pelydraiad yn gallu ïoneiddio'r gell (ei gwefru) gan ei lladd yn uniongyrchol, neu gall newid DNA y gell gan achosi iddi fwtanu a ffurfio canserau neu annormaleddau genetig mewn celloedd rhyw.

Mae pelydrau gama'n rhan o'r sbectrwm electromagnetig, fel y mae uwchfioled a phelydrau X. Mae uwchfioled a phelydrau X hefyd yn ïoneiddio ac maen nhw'n gallu achosi i gelloedd farw neu fwtanu. Yr enw ar y pelydriad sy'n cael ei allyrru gan sylweddau ymbelydrol, uwchfioled a phelydrau X yw **pelydriad sy'n ïoneiddio**.

Ymbelydredd alffa yw'r math o belydriad sy'n ïoneiddio fwyaf (tuag 20 gwaith yn fwy nag unrhyw un arall). Mae ymbelydredd beta, pelydriad gama, pelydrau X ac uwchfioled i gyd yn cael effaith ïoneiddio debyg ar y corff.

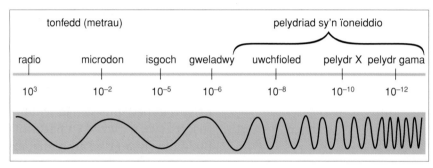

**Ffigur 19.2** Y sbectrwm electromagnetig.

**Ffigur 19.3** Mae annormaleddau corfforol gan rai plant a gafodd eu geni yn agos i Chernobyl.

## CWESTIYNAU

1 Pam mae rhai atomau'n ymbelydrol?

2 Ym mha dair ffordd mae niwclysau'n gallu mynd yn fwy sefydlog?

3 Mae radon yn nwy ymbelydrol sy'n allyrru ymbelydredd alffa. Mae'n bosibl ei fewnanadlu i'r ysgyfaint. Eglurwch beth sy'n gallu digwydd i gelloedd yn yr ysgyfaint os yw unigolyn yn mewnanadlu nwy radon.

4 Ar ôl ffrwydrad adweithydd niwclear Chernobyl yn yr Wcráin yn 1986, mae nifer o fabanod yn yr Wcráin a Belarws wedi cael eu geni ag annormaleddau genetig. Eglurwch beth allai fod wedi digwydd yng nghelloedd rhieni'r plant hyn sydd wedi cael eu geni ag annormaleddau corfforol.

5 Mae ymbelydredd beta'n cynnwys electronau â llawer o egni sy'n cael eu hallyrru o niwclysau atomau ymbelydrol. Mae uwchfioled yn rhan o sbectrwm electromagnetig tonnau. Ym mha ffyrdd mae ymbelydredd beta a phelydriad uwchfioled yn debyg?

6 Pam mae ymbelydredd alffa'n fwy peryglus na phelydriad uwchfioled?

Caiff defnyddiau ymbelydrol eu storio mewn dŵr, gyda llawer o goncrit o'u cwmpas ac amddiffynfeydd plwm hefyd weithiau. Caiff yr ymbelydredd ei amsugno gan y defnyddiau hyn yn lle gan bobl – sy'n golygu ei fod yn llawer mwy diogel.

Mae Sellafield yn bwriadu defnyddio robotau i garthu pyllau B30 a B38, yna cau'r slwtsh ymbelydrol solet mewn blociau gwydr – proses o'r enw 'gwydriad'. Yna, byddan nhw'n storio'r blociau gwydr yn ddwfn dan ddaear lle bydd y creigiau o'u cwmpas yn amsugno'r ymbelydredd. Bydd y broses hon yn cymryd degawdau a bydd y defnydd ymbelydrol yn aros yn ymbelydrol am filiynau o flynyddoedd.

7 Pam mae Sellafield yn bwriadu defnyddio robotau i garthu pyllau oeri a storio Adeilad B30?

8 Pam bydd slwtsh ymbelydrol yn fwy diogel os caiff ei gau mewn gwydr?

**Pwynt Trafod**

Pam rydych chi'n meddwl mai storio dan ddaear yw'r 'hoff ddewis' tymor hir ar gyfer storio gwastraff niwclear? Oes unrhyw ddewisiadau eraill?

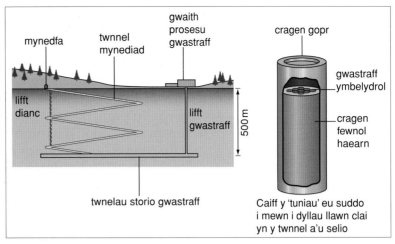

Ffigur 19.4 Gwaredu gwastraff ymbelydrol yn ddwfn dan ddaear – model y Ffindir.

YDYCH CHI'N NIMBY?

**Dyma weithgaredd sy'n eich helpu i:**
★ cynnal arolwg
★ dadansoddi canlyniadau arolwg
★ cyflwyno canfyddiadau arolwg ar ffurf graff/graffigyn

Gair o America yw Nimby. Acronym ydyw o *Not In My Back Yard*. Os ydych chi'n nimby, rydych chi'n cefnogi rhywbeth yn gyffredinol, ar yr amod nad yw'n effeithio'n uniongyrchol arnoch chi. Yn yr achos hwn, byddai'r rhan fwyaf o wyddonwyr a'r cyhoedd yn cytuno mai'r peth gorau i'w wneud â gwastraff niwclear yw ei storio'n ddiogel yn ddwfn dan ddaear. Ond fyddech chi'n dymuno cael cyfleuster gwastraff niwclear wedi'i adeiladu dan eich tŷ chi? Os nad ydych chi eisiau i gyfleuster gael ei adeiladu'n agos atoch chi, ond eich bod chi ei eisiau yn rhywle arall, rydych chi'n nimby. Yn y dasg hon, mae angen i chi ddyfeisio ffordd o brofi faint o nimby yw rhywun. Mae angen i chi ddyfeisio graddfa i fesur agwedd nimby pobl. Er enghraifft, gallech chi greu graddfa rifiadol syml gyda 'nimby llwyr' ar un pen, 'ddim yn nimby' ar y pen arall ac amrediad o werthoedd rhyngddynt (mae 1 i 5 yn amrediad da fel rheol). Yna, gallech chi ddyfeisio cyfres o senarios y gallech chi eu cyflwyno i bobl i brofi faint o nimby ydyn nhw. Dyma rai enghreifftiau:

● Mae eich cymydog eisiau troi ei ardd yn fuarth ieir i gynhyrchu wyau buarth.
● Mae'r cyngor lleol eisiau rhoi croesfan gerddwyr â goleuadau o flaen eich tŷ.
● Mae cwmni ffonau symudol eisiau codi mast ffôn wrth ymyl eich tŷ.
● Mae'r cwmni dŵr lleol eisiau adeiladu gwaith carthffosiaeth bach yn agos at eich tŷ.
● Mae eich cymydog eisiau gosod tyrbin gwynt 15 m o uchder yn ei gardd.
● Mae cwmni egni eisiau adeiladu atomfa 3 milltir o'ch tŷ.
● Mae'r Llywodraeth eisiau adeiladu cyfleuster storio gwastraff niwclear yn ddwfn dan ddaear o dan eich tŷ.

Gallech chi ddefnyddio'r enghreifftiau hyn neu ddatblygu rhai eich hun.

1 Gofynnwch i nifer o bobl (ffrindiau, teulu, athrawon) beth maen nhw'n ei feddwl am bob senario. Gofynnwch iddynt ddefnyddio eich system sgorio chi.

2 Cofnodwch eu gwerthoedd nhw ac adiwch eu hatebion i roi sgôr nimby cyffredinol.

3 Os cofnodwch chi oed a rhyw'r person hefyd, gallwch chi weld a oes unrhyw batrymau nimby yn ymddangos.
   a Ydy pobl ifanc yn llai o nimbys na phobl hŷn?
   b Ydy gwrywod yn fwy o nimbys na benywod?
   c Ydy sgôr nimby pobl yn dibynnu faint o niwed y byddai'r mater yn gallu ei achosi?

4 Cyflwynwch eich canfyddiadau mewn graff/graffigyn.

## Pa fath o ddefnyddiau ymbelydrol a allai fod yn y slwtsh ar waelod y pyllau?

Mae gwastraff ymbelydrol o adweithyddion niwclear yn cynnwys llawer o elfennau ymbelydrol iawn. Un o'r elfennau hyn yw **wraniwm-235**. Wraniwm-235 yw'r prif atom sy'n gysylltiedig â chynhyrchu'r egni mewn adweithydd niwclear. Mae tua 0.7% o'r wraniwm sy'n bodoli'n naturiol yn wraniwm-235 (wraniwm-238 yw'r rhan fwyaf ohono). Mae'r rhodenni tanwydd sy'n cael eu defnyddio mewn adweithydd niwclear yn mynd drwy broses arbennig sy'n eu cyfoethogi, gan gynyddu swm yr wraniwm-235 i tua 5%.

Mae wraniwm-235 yn aros yn ymbelydrol am filiynau o flynyddoedd. Yn wir, mae'n cymryd tua 703 800 000 o flynyddoedd i ymbelydredd sampl o wraniwm-235 haneru. Mae'n cymryd tua phum gwaith y gwerth hwn, tua 3 500 000 000 o flynyddoedd, cyn i'r ymbelydredd ddychwelyd i werth sy'n agos at belydriad cefndir sy'n bodoli'n naturiol. Mae tua 0.8% o roden danwydd ddarfodedig (*spent*) yn wraniwm-235. Bydd angen storio gwastraff ymbelydrol o'r tu mewn i adweithydd niwclear am amser maith iawn i'w gadw'n ddiogel.

Mae ysbytai hefyd yn defnyddio ymbelydredd i drin canserau ac i ddelweddu'r corff. Un o'r atomau ymbelydrol sy'n cael eu defnyddio yw radiwm-226. Mae radiwm-226 yn aros yn ymbelydrol am tuag 16 000 o flynyddoedd, felly mae'n rhaid gwneud trefniadau arbennig iawn i storio'r defnyddiau ymbelydrol ar ôl eu defnyddio. Mae'r rhan fwyaf o wastraff ymbelydrol o ysbytai'n mynd i Sellafield i gael ei brosesu – sy'n ychwanegu at yr ymbelydredd sy'n cronni.

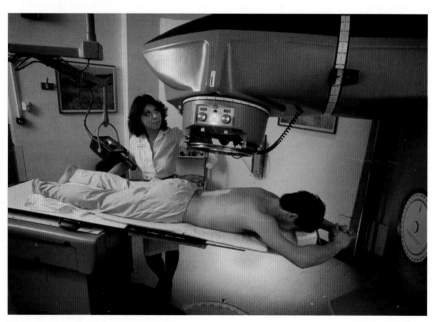

**Ffigur 19.5** Claf yn cael radiotherapi i drin tiwmor.

# TASG

## GWASTRAFF NIWCLEAR AC ESBLYGIAD DYNOL

Dyma weithgaredd sy'n eich helpu i:
★ plotio data mewn graff
★ cymharu dau ffenomenon 'heb gysylltiad'
★ ystyried canlyniadau gweithredoedd gwyddonol y presennol i genedlaethau'r dyfodol.

Rydym ni'n defnyddio mesuriad o'r enw **hanner oes** i gymharu amser dadfeilio atomau ymbelydrol. Hanner oes sylwedd ymbelydrol yw'r amser y mae'n ei gymryd i actifedd sampl haneru. Mae'r atomau ymbelydrol yn Nhabl 19.1 i gyd i'w cael mewn tanwydd niwclear darfodedig, ac mae ganddynt hanner oes hir iawn:

**Tabl 19.1** Hanner oes rhai atomau ymbelydrol.

| Atom ymbelydrol | Hanner oes (miliynau o flynyddoedd) |
|---|---|
| Technetiwm-99 | 0.211 |
| Tun-126 | 0.230 |
| Seleniwm-79 | 0.327 |
| Sirconiwm-93 | 1.53 |
| Cesiwm-135 | 2.3 |
| Paladiwm-107 | 6.5 |
| Ïodin-129 | 15.7 |

Eich tasg chi yw cymharu hanner oes y sylweddau hyn â llinell amser esblygiad dynol.

**Tabl 19.2** Rhai o brif ddigwyddiadau esblygiad dynol.

| Digwyddiad | Amser (miliynau o flynyddoedd yn ôl) |
|---|---|
| Epaod Mawr yn ymddangos | 15 |
| Hynafiad yr orang-wtang | 13 |
| Hynafiad y gorila | 10 |
| Hynafiad y tsimpansî | 7 |
| *Ardepithicus* (hynafiad dwy-droed cyntaf) | 4.4 |
| *Australopithecus* | 3.6 |
| *Homo habilis* | 2.5 |
| *Homo erectus* | 1.8 |
| Dyn Neanderthalaidd | 0.6 |
| *Homo sapiens* | 0.2 |

### Pwynt Trafod

Mae holl esblygiad yr hil ddynol o hynafiad cyffredin yr Epaod Mawr wedi digwydd yn amser *un* hanner oes Ïodin-129. Bydd gwastraff ymbelydrol un

Plotiwch siart o hanner oes yr atomau ymbelydrol sy'n bresennol mewn tanwydd niwclear darfodedig. Defnyddiwch echelin amser y siart i blotio'r digwyddiadau arwyddocaol yn esblygiad y rhywogaeth ddynol.
Sut mae'r ddau siart yn cymharu?

## itro pelydriad?

w'r cwmni sy'n gyfrifol am gyfleuster prosesu niwclear Sellafield Cumbria yw Sellafield Ltd. Maen nhw'n gyfrifol i'r Llywodraeth sicrhau bod y cyfleuster yn ddiogel, a bod yr holl belydriad yn l ei gadw o fewn y safle heb fod yn gollwng i'r amgylchedd lleol. e'n ofynnol eu bod nhw'n monitro, yn mesur ac yn cofnodi'r ydriad ar y safle ac o'i gwmpas dros amser. I wneud hyn, maen 'n defnyddio **rhifyddion Geiger** sensitif sy'n gallu canfod ac abod y gwahanol fathau o belydriad.

www.ceredigion.gov.uk

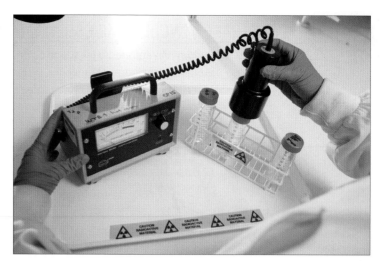

**Ffigur 19.6** Rhifydd Geiger.

Bydd rhifyddion Geiger yn canfod pelydriad sy'n dod o unrhyw ffynhonnell, felly mae'n bwysig gwybod beth yw lefel y **pelydriad cefndir** a faint sy'n dod o ollyngiadau posibl yn Sellafield. Mae pelydriad cefndir o'n cwmpas ni ym mhobman. Mae'n dod yn naturiol o'n hamgylchedd ac o ffynonellau artiffisial (wedi'u gwneud gan bobl). Mae Ffigur 19.7 yn dangos (ar gyfartaledd) gwahanol ffynonellau pelydriad cefndir.

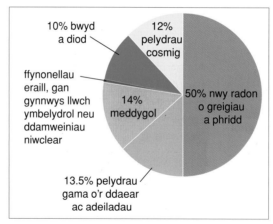

**Ffigur 19.7** Ffynonellau pelydriad cefndir.

Mae'r rhan fwyaf o'r pelydriad cefndir yn dod o ffynonellau sy'n bodoli'n naturiol, yn bennaf o'r ddaear, o greigiau ac o'r gofod. Daw'r rhan fwyaf o belydriad cefndir artiffisial o ffynonellau meddygol, yn bennaf o ganlyniad i'r archwiliadau meddygol a deintyddol sy'n defnyddio pelydrau X.

Daw'r gyfran fwyaf o'r pelydriad cefndir rydym ni'n ei dderbyn o'r elfen ymbelydrol **radon**, sy'n cael ei hallyrru o greigiau ac o'r pridd. Mae rhai creigiau'n llawer mwy ymbelydrol nag eraill. Mae gwenithfaen yn graig arbennig o ymbelydrol gan ei bod yn cynnwys wraniwm. Mae'r wraniwm mewn gwenithfaen yn dadfeilio, ac yn y pen draw mae'n cynhyrchu radon. Gan mai nwy yw radon, mae'n gallu dianc o'r gwenithfaen ac mae'n hawdd i bobl ei fewnanadlu. Mae'r radon yn mynd i'n hysgyfaint lle mae'n gallu dadfeilio, ac mae'r gronynnau alffa sy'n cael eu hallyrru wrth i'r radon ddadfeilio yn cael eu hamsugno gan y celloedd sy'n leinio'r ysgyfaint, gan achosi i'r celloedd farw neu fwtanu (gan ffurfio canserau).

Mae'r map yn Ffigur 19.8 yn dangos y risg o ymbelydredd radon ledled Cymru a Lloegr. Mae'r rhan o'r map sydd wedi'i chwyddo'n dangos y risg radon yng ngwaith Sellafield yn Cumbria ac o'i gwmpas.

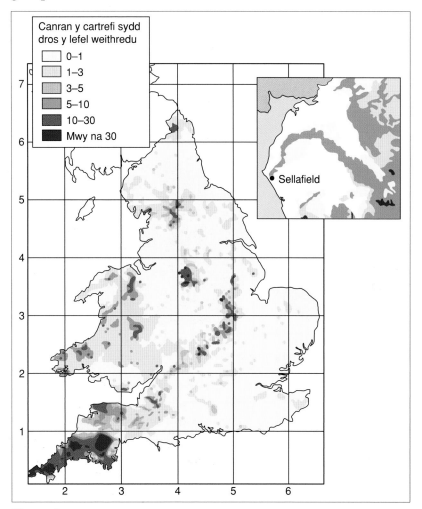

Ffigur 19.8 Allyriadau radon mewn cartrefi yng Nghymru a Lloegr.

Os hoffech chi gael gwybod faint o risg radon sy'n eich wynebu chi, gallwch chi gael map ar raddfa fawr o'r lle rydych chi'n byw yn:

www.ukradon.org/map.php?map=englandwales

Os yw gwyddonwyr eisiau mesur effeithiau ymbelydredd, rhaid iddynt ystyried lefel y pelydriad cefndir – rhaid tynnu hwn o'r gwerthoedd sy'n cael eu mesur. Ar ôl i'r lefel gefndir gael ei thynnu, mae unrhyw ymbelydredd sy'n weddill yn bodoli oherwydd ffactorau eraill, fel gollyngiad o gyfleusterau storio niwclear Sellafield.

Caiff y **sievert (Sv)** ei ddefnyddio i fesur dos pelydriad (faint o belydriad rydym ni'n ei gael). Mae'n uned fawr, ac mae dos o 1 Sv yn ddos mawr o belydriad. Yn ymarferol, rydym ni'n defnyddio'r **milisievert (mSv)** sef milfed ran o sievert. Y dos blynyddol cyfartalog o belydriad o radon yn y Deyrnas Unedig yw 1.3 mSv, ond mewn lleoedd fel Cernyw lle mae llawer o wenithfaen, mae'r pelydriad cefndir oherwydd radon yn gallu bod mor uchel â 6.4 mSv – bron bum gwaith yn uwch!

## Monitro'r dos

Yn y DU, yr Awdurdod Diogelu Iechyd (*Health Protection Authority*: HPA) yw enw'r cwmni sydd â'r dasg o fonitro'r dos pelydriad mae'r boblogaeth gyffredinol yn ei gael. Mae'r siartiau yn Ffigur 19.9 yn cymharu dos pelydriad blynyddol cyfartalog tri grŵp cyfartalog o bobl. Y grŵp cyntaf yw poblogaeth gyfan y Deyrnas Unedig, yr ail grŵp yw pobl sy'n byw yng Nghernyw a'r trydydd grŵp yw pobl sy'n byw o gwmpas Sellafield yn Cumbria. (Mae effaith dod i gysylltiad â phelydriad o archwiliadau meddygol wedi'i dileu i'w gwneud hi'n gymhariaeth deg).

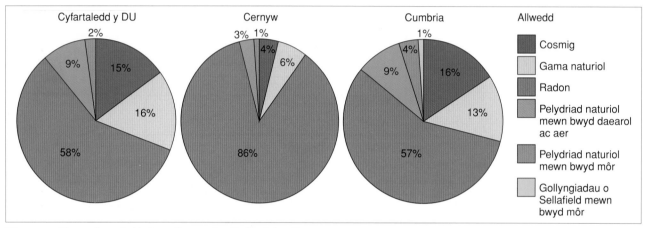

**Ffigur 19.9** Ffynonellau pelydriad yn y Deyrnas Unedig, Cumbria a Chernyw.

Mae'r siartiau'n dangos mai dim ond 1% o'r dos pelydriad blynyddol cyfartalog yn Cumbria sy'n cael ei achosi gan gyfleuster prosesu niwclear Sellafield.

### CWESTIYNAU

9   Beth yw'r ddau brif grŵp o ffynonellau pelydriad cefndir?

10  Ar gyfartaledd, ledled y Deyrnas Unedig, faint o'r dos cefndir (mewn mSv) sy'n dod o'r gofod?

11  Pa ffynhonnell pelydriad cefndir sy'n cyfrannu'r dos mwyaf ar gyfartaledd ledled y Deyrnas Unedig?

12  Pam mae'r dos cefndir oherwydd radon yn wahanol yng Nghernyw a Cumbria?

13  Pam mae'r dos cefndir o archwiliadau meddygol (pelydrau X) yn cael ei hepgor fel rheol wrth gymharu gwahanol leoliadau?

14  Mae'r rhan fwyaf o'r dos pelydriad cefndir rydym ni'n ei gael drwy fwyd a diod yn dod o fwyta bwyd môr (pysgod a physgod cregyn gan fwyaf). Pam rydych chi'n meddwl bod bwyd môr yn gyffredinol yn cynnwys dos cefndir uwch na ffrwythau, llysiau a chig?

## Beth yw'r broblem gyda radon?

Y broblem gyda radon yw mai nwy ydyw. Pan gaiff ei allyrru gan greigiau fel gwenithfaen, mae'n gallu mynd i'n hysgyfaint. Yn yr awyr agored, dydy hyn ddim yn broblem fawr, ond mae radon yn gallu cronni y tu mewn i dai, yn enwedig os oes ganddynt awyriad gwael dan y lloriau, neu os yw'r tai wedi eu gwneud o wenithfaen (fel rhai o'r tai hŷn mewn lleoedd fel Cernyw). Mae'r diagramau

15 Gan ddefnyddio'r graff yn Ffigur 19.11:

a Beth yw cyfanswm nifer y marwolaethau (am bob 1000 o bobl) **nad** ydyn nhw'n gysylltiedig â chanser?

b Faint o weithiau yn uwch yw'r risg o farw o unrhyw fath o ganser na'r risg o farw oherwydd radon cefndir?

**Pwynt Trafod**

Bydd tua 100 000 o belydrau cosmig o'r gofod yn mynd drwy eich corff bob awr. Rydych chi'n cael dos uwch o belydrau mewn awyren oherwydd bod llai o aer rhyngoch chi a'r gofod i'w hamsugno. Bydd hedfan am awr yn cynyddu eich dos tua 0.005 mSv. Oes angen i bobl sy'n hedfan yn aml, fel peilotiaid a chriw'r caban, boeni am gael mwy o belydriad cefndir oherwydd pelydrau cosmig?

yn Ffigur 19.10 yn dangos pa mor hawdd ydyw i radon fynd i dŷ, a hefyd pa mor hawdd yw cael gwared â'r radon drwy ychwanegu mwy o awyrellau i awyru'r tŷ a drwy osod staciau a swmpau radon mewn tai newydd.

Mae Llywodraeth y DU wedi argymell bod angen gwaith adferol os yw'r lefel yn uwch na 200 Bq/m³. Mae un **becquerel** (**Bq**) yn gywerth ag un ymddatodiad (un atom ansefydlog yn dadfeilio) bob eiliad. Mae Ffigurau 19.11 ac 19.12 yn dangos bod y risg dros oes o ddod i gyswllt â lefelau cyfartalog o radon yn fach iawn. Rydych chi deirgwaith yn fwy tebygol o farw o ganlyniad i ddamwain yn eich cartref. Ond, fel mae'r graffiau'n dangos, wrth i grynodiad y radon gynyddu, mae'r risgiau'n cynyddu hefyd. Mae'r diagram yn dangos y risgiau i bobl sydd ddim yn ysmygu. Os ydych chi'n ysmygu 15 sigarét y dydd, bydd eich risg chi 10 gwaith yn uwch.

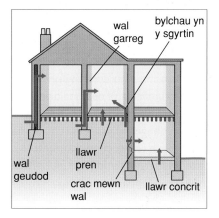
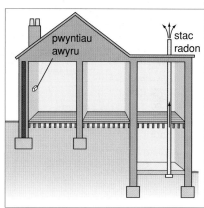

**Ffigur 19.10** Mae yna nifer o wahanol ffyrdd i radon fynd i mewn i dŷ.

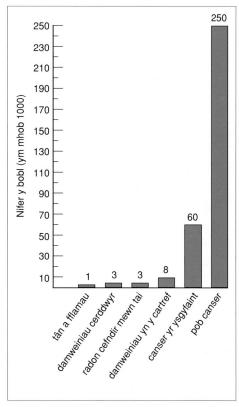
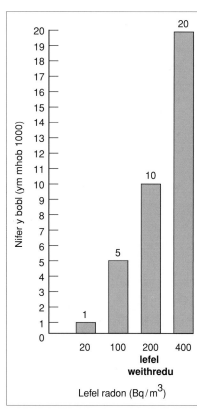

**Ffigur 19.11** Risgiau oes o farw o achosion cyffredin (cyfartaledd y DU i ysmygwyr a phobl sydd ddim yn ysmygu)

**Ffigur 19.12** Risgiau oes o ganser yr ysgyfaint oherwydd radon (i bobl sydd ddim yn ysmygu).

# Ydy Sellafield yn ddiogel?

Yr ateb yw ydy, ac nac ydy! Mae'r holl danwydd a gwastraff ymbelydrol sydd yno'n fygythiad gwirioneddol. Pe bai symiau sylweddol o'r pelydriad yn gollwng i'r amgylchedd lleol, byddai'n drychineb naturiol. Dydy lefel pelydriad cefndir naturiol Sellafield ddim yn arbennig o uchel (tua 3.5 gwaith is na chyfartaledd Cernyw) a dim ond 1% o'r cefndir hwnnw sydd oherwydd y gwaith prosesu. Felly, mae Sellafield yn gwneud gwaith da o amddiffyn yr amgylchedd lleol rhag y lefelau angheuol o ymbelydredd sydd y tu mewn iddo. Mae lleoedd fel Adeilad B30, sy'n dal symiau enfawr o wastraff ymbelydrol, yn cadw'r ymbelydredd y tu mewn i'r adeilad. Felly sut maen nhw'n gwneud hynny?

## GWAITH YMARFEROL — YMCHWILIO I AMSUGNO PELYDRIAD

**Dyma weithgaredd sy'n eich helpu i:**
★ arsylwi arddangosiad a gwneud arsylwadau
★ defnyddio efelychiad/model cyfrifiadurol gwyddonol
★ ymchwilio i effaith wyddonol
★ ffurfio casgliadau'n seiliedig ar arsylwadau arbrofol a/neu efelychiad

Gall eich athro/athrawes arddangos gwahanol briodweddau amsugno ymbelydredd alffa a beta a phelydriad gama i chi. Mewn ysgolion a cholegau, dydy myfyrwyr dan 16 oed ddim yn cael cynnal arbrofion sy'n defnyddio pelydriad sy'n ïoneiddio.

Gallwch chi lwytho i lawr raglen efelychiad a fydd yn rhith arddangos yr un peth i chi. Dyma rai efelychiadau da y gallech chi roi cynnig arnynt:
http://visualsimulations.co.uk/software.php?program=radiationlab
www.furryelephant.com/player.php?subject=physics&jumpTo=re/2Ms16

### Asesiad risg
- Rhaid i'r arbrawf hwn gael ei arddangos gan athro/athrawes.
- Bydd eich athro /athrawes yn rhoi asesiad risg i chi ar gyfer y gweithgaredd hwn.

### Cyfarpar
* ffynonellau ymbelydrol (α, β a γ)
* tiwb Geiger-Müller
* mesurydd cyfradd
* gefel fach
* dalen o gerdyn
* llenni alwminiwm o wahanol drwch
* llenni plwm o wahanol drwch

### Dull
Bydd eich athro/athrawes yn cydosod y cyfarpar fel yn Ffigur 19.13, ac yn mesur cyfrif y pelydriad cefndir.

**Ymbelydredd alffa**
Mae'r ffynhonnell (americiwm-241) yn allyrru ymbelydredd α yn unig.
1 Bydd eich athrawes/athro'n rhoi'r ffynhonnell yn agos at y tiwb Geiger-Müller gyda gefel fach ac yn mesur y gyfradd cyfrif.
2 Gan ddefnyddio gefel fach, bydd eich athrawes/athro'n rhoi darn o gerdyn rhwng ffynhonnell yr ymbelydredd α a'r tiwb, ac yn mesur y gyfradd cyfrif.

**Ymbelydredd beta**
Mae'r ffynhonnell (strontiwm-90) yn allyrru ymbelydredd β yn unig.
Bydd eich athrawes/athro'n ailadrodd yr arddangosiad gyda'r ymbelydredd β ac yn ceisio atal yr ymbelydredd, yn gyntaf â cherdyn, yna â llenni alwminiwm mwy a mwy trwchus.

**Pelydriad gama**
Gan ddefnyddio ffynhonnell sy'n allyrru pelydriad γ yn unig, fel cobalt-60, bydd eich athrawes/athro'n ailadrodd yr arddangosiad ac yn ceisio atal y pelydriad â cherdyn, ag alwminiwm ac yn olaf â llenni plwm.

Os oes gan eich ysgol ffynhonnell radiwm, gallwch chi ddefnyddio'r arbrawf i ddangos bod radiwm yn allyrru ymbelydredd alffa a beta a phelydriad gama.

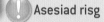
mesurydd cyfradd

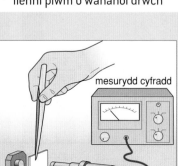

**Ffigur 19.13** Profi i weld pa ddefnyddiau sy'n atal pelydriad.

Mae'r arddangosiadau ar y dudalen flaenorol yn dangos bod pŵer treiddio pob math o belydriad yn wahanol. Pelydriad gama yw'r mwyaf treiddiol, yna ymbelydredd beta, ac ymbelydredd alffa yw'r lleiaf treiddiol. Mae Ffigur 19.14 yn crynhoi hyn.

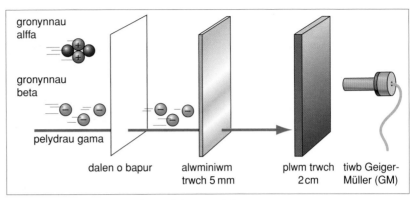

**Ffigur 19.14** Treiddiad alffa ($\alpha$), beta ($\beta$) a gama ($\gamma$).

### DOSIMEDRAU PELYDRIAD

Dyma weithgaredd sy'n eich helpu i:
★ dadansoddi cymhwysiad ymarferol gwyddonol
★ defnyddio diagramau i gyfathrebu syniadau gwyddonol
★ dylunio dyfais electronig
★ egluro sut gallwn ni ddefnyddio TGCh mewn cysylltiad â gwyddoniaeth i wella proses.

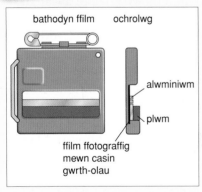

**Ffigur 19.15** Bathodyn ffilm dosimedr.

Mae gwahanol bwerau treiddio alffa, beta a gama'n cael eu defnyddio mewn ysbytai, atomfeydd a diwydiannau eraill sy'n defnyddio pelydriad fel ffordd o fesur y dos mae gweithwyr yn ei gael. Mae dyfais o'r enw **bathodyn dosimedr** yn cael ei defnyddio i fesur y gwahanol fathau o belydriad. Mae Ffigur 19.15 yn dangos un math o fathodyn dosimedr.

Mae'r ffilm ffotograffig wedi'i labelu a'i ddangos mewn du ar y diagram. Mae wedi'i orchuddio mewn casin gwrth-olau tenau. Pan mae pelydriad sy'n ïoneiddio'n taro'r ffilm, mae'n dinoethi'r ffilm, gan achosi iddo niwlo. Os bydd mwy o belydriad yn taro'r ffilm, bydd y 'niwl' yn mynd yn ddwysach. Caiff ffilm y bathodynnau unigol ei harchwilio o bryd i'w gilydd a chaiff y niwlo ei fesur. Mae'r ffilm wedi'i gorchuddio'n rhannol â dwy 'ffenestr': mae un ffenestr wedi'i gwneud o ddarn tenau o alwminiwm a'r llall wedi'i gwneud o alwminiwm y tu ôl i ddarn tenau o blwm.

1   Gan ddefnyddio diagram addas, a'ch gwybodaeth am bŵer treiddio'r gwahanol fathau o belydriad (alffa, beta a gama), eglurwch sut mae'r bathodyn hwn yn gallu mesur faint o belydriad y mae'r person sy'n ei wisgo yn ei gael gan bob math o belydriad.

2   Dyluniwch ddyfais electronig i fesur dwysedd y niwl ar y ffilm pan gaiff ei harchwilio. Lluniwch ddiagram addas ar gyfer eich dyfais wrth ochr eich diagram o'r dosimedr, gan ddangos sut mae'n canfod y gwahanol fathau o belydriad.

3   Eglurwch beth fyddai manteision cysylltu eich dyfais electronig eich hun â chyfrifiadur sydd â chronfa ddata addas i gofnodi *dros amser* ddwysedd y niwl ar ffilm pob gweithiwr sy'n dod i gysylltiad â phelydriad mewn sefydliad. Sut gallai system fel hon gael ei defnyddio i fonitro dos pelydriad pob gweithiwr yn awtomatig?

4   Mae'r Awdurdod Gweithredol Iechyd a Diogelwch (*Health and Safety Executive: HSE*) yn dweud mai 20 mSv y flwyddyn yw uchafswm y dos cyfreithiol i unigolyn (dros 18 oed) sy'n gweithio gyda phelydriad. Awgrymwch sut gallai sefydliad ddefnyddio eich system bathodyn dosimedr/dyfais mesur/cyfrifiadur i reoleiddio'r dos mae gweithwyr yn ei gael ac i sicrhau nad yw unrhyw weithiwr yn cael dos uwch na'r uchafswm cyfreithiol.

## Storio ymbelydredd yn Sellafield

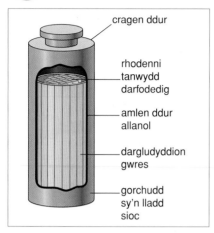

cragen ddur

rhodenni
tanwydd
darfodedig

amlen ddur
allanol

dargludyddion
gwres

gorchudd
sy'n lladd
sioc

**Ffigur 19.16** Tun i storio tanwydd darfodedig.

Yn Sellafield, maen nhw'n defnyddio'r wybodaeth hon am bŵer treiddio'r gwahanol fathau o belydriad i ddal yr ymbelydredd y tu mewn i'r adeiladau. Maen nhw'n defnyddio amrywiaeth o wahanol ddulliau amddiffyn i atal lefelau uchel o ymbelydredd rhag dianc.

**Ffigur 19.17** Pwll storio.

Mae'r rhodenni tanwydd darfodedig o adweithyddion, sy'n cynnwys gwastraff tanwydd ymbelydrol iawn, yn cael eu llwytho i duniau dur. Mae'r tuniau wedi'u cynllunio i fod yn gryf iawn ac i ddargludo i ffwrdd y gwres sy'n dal i gael ei gynhyrchu gan y rhodenni tanwydd. Mae'r defnydd dur yn amsugno cyfran fawr o'r ymbelydredd sy'n cael ei allyrru gan y tanwydd darfodedig. Yna, caiff y tuniau dur eu storio mewn 'pwll oeri' mawr o ddŵr. Mae'r dŵr yn oeri'r rhodenni a hefyd yn amsugno mwy o'r ymbelydredd. Mae'r pwll oeri wedi'i ddal mewn adeilad â waliau a nenfydau trwchus o goncrit cyfnerth. Felly, mae'r adeilad yn gryf, ac mae'r concrit yn amsugno mwy fyth o'r ymbelydredd. Mae plwtoniwm-239 ac wraniwm-235, dau o brif gynhyrchion dadfeiliad ymbelydrol mewn tanwydd niwclear darfodedig, yn allyrru ymbelydredd alffa a gama.

Mae'r ymbelydredd alffa'n cael ei amsugno gan gasin y rhodenni tanwydd, ac mae'r rhan fwyaf o'r pelydriad gama'n cael ei amsugno gan y cyfuniad o ddur, dŵr a choncrit. Mae elfennau ymbelydrol eraill yn y celloedd tanwydd darfodedig yn allyrru ymbelydredd beta, ac mae'r ymbelydredd beta'n cael ei amsugno gan y tuniau dur a'r dŵr.

# Dyfodol Sellafield ac Adeilad B30

Mae Sellafield yn lle a gafodd ei gynllunio i ailbrosesu gwastraff niwclear. Ni chafodd ei gynllunio fel cyfleuster ar gyfer storio'r gwastraff dros gyfnod hir. Mae Sellafield yn llwyddo i reoli storio 'dros dro' 67% (yn ôl cyfaint) o ddefnyddiau gwastraff ymbelydrol y DU. Ledled y DU, mae cyfanswm y gwastraff ymbelydrol yn dal i gynyddu. Yn 2006, cynhaliwyd asesiad gan Bwyllgor y Llywodraeth ar Reoli Gwastraff Ymbelydrol (*Committee on Radioactive Waste Management*: CoRWM). Roedden nhw'n amcangyfrif bod y cyfeintiau canlynol o wastraff ymbelydrol wedi'u storio mewn gwahanol gyfleusterau ledled y wlad:

- gwastraff lefel uchel – 2000 metr ciwbig
- gwastraff canolradd – 350 000 metr ciwbig
- gwastraff lefel isel – 30 000 metr ciwbig
- tanwydd darfodedig – 10 000 metr ciwbig
- plwtoniwm – 4300 metr ciwbig
- wraniwm – 75 000 metr ciwbig

Argymhelliad CoRWM oedd datblygu storfeydd tymor hir ar gyfer gwastraff ymbelydrol yn ddwfn dan ddaear. Roedden nhw'n amcangyfrif bod daeareg tua thraean o'r Deyrnas Unedig yn addas i storio gwastraff niwclear dros gyfnod hir.

## CWESTIYNAU

16 Sut mae'r ymbelydredd alffa ïoneiddiad uchel sy'n dod o wastraff ymbelydrol yn cael ei ddiogelu yn Sellafield?

17 Pam mae'r tuniau storio gwastraff ymbelydrol wedi'u gwneud o ddur?

18 Beth yw pwrpas y dŵr yn y pyllau storio?

19 Pam rydych chi'n meddwl bod yr adeiladau wedi'u gwneud o goncrit cyfnerth trwchus, yn hytrach na briciau safonol?

20 Pam gallai hi fod yn anymarferol amddiffyn yr adeiladau cyfan â phlwm, er mwyn lleihau'n sylweddol faint o belydriad gama sy'n cael ei allyrru o'r adeiladau?

21 Dim ond robotau sy'n gweithio yn yr adeiladau storio. Pam mae hyn yn syniad da, yn eich barn chi?

22 Mae angen i bwll nofio Olympaidd fod â hyd 50 m × lled 25 m × dyfnder 2 m. Beth yw cyfaint (y dŵr mewn) pwll nofio Olympaidd? Faint o byllau nofio Olympaidd fyddai eu hangen i storio gwastraff ymbelydrol y Deyrnas Unedig?

23 Yn y pen draw, bydd angen cludo'r gwastraff ymbelydrol i'w gyfleuster storio dan ddaear. Disgrifiwch bum cam y bydd rhaid i Sellafield Ltd eu cymryd er mwyn amddiffyn y cyhoedd rhag yr ymbelydredd wrth i'r gwastraff gael ei symud – yn enwedig os yw'r cyfleuster storio dan ddaear mewn rhan wahanol o'r wlad.

### Pwynt Trafod

Llaw i fyny os hoffech chi gael cyfleuster storio gwastraff niwclear yng ngwaelod eich gardd! Hoffech chi gael un?

# Crynodeb o'r bennod

○ Mae'r term 'pelydriad' yn cael ei ddefnyddio i ddisgrifio tonnau electromagnetig a'r egni sy'n cael ei ryddhau gan ddefnyddiau ymbelydrol. Mae'r term 'ymbelydredd' yn cael ei ddefnyddio ar gyfer gronynnau sy'n cael eu hallyrru gan sylwedd ymbelydrol.

○ Mae sylweddau ymbelydrol yn gallu allyrru ymbelydredd alffa ($\alpha$), ymbelydredd beta ($\beta$) a phelydriad gama ($\gamma$).

○ Mae pelydriad gama hefyd yn rhan o'r teulu o donnau o'r enw'r sbectrwm electromagnetig – fel uwchfioled a phelydrau X. Pelydrau gama sydd â'r tonfeddi byrraf a'r mwyaf o egni.

○ Mae ymbelydredd alffa ($\alpha$), ymbelydredd beta ($\beta$) a phelydriad gama ($\gamma$), uwchfioled a phelydrau X i gyd yn fathau o belydriad sy'n ïoneiddio.

○ Mae pelydriad sy'n ïoneiddio'n gallu rhyngweithio ag atomau a niweidio celloedd oherwydd yr egni mae'n ei gludo.

○ Mae defnyddiau gwastraff gorsafoedd trydan niwclear a meddygaeth niwclear yn ymbelydrol; bydd rhai ohonynt yn aros yn ymbelydrol am filoedd o flynyddoedd.

○ Gallwn ni ddefnyddio arbrofion a/neu efelychiadau TGCh o arbrofion i ymchwilio i bŵer treiddio ymbelydredd niwclear.

○ Wrth fesur pelydriad, rhaid i ni ganiatáu am belydriad cefndir.

○ Mae gan ymbelydredd alffa, ymbelydredd beta a phelydriad gama bwerau treiddio gwahanol. Caiff ymbelydredd alffa ei amsugno gan ddalen denau o bapur, caiff ymbelydredd beta ei amsugno gan rai milimetrau o alwminiwm neu Bersbecs, ond mae angen centimetrau o blwm i amsugno pelydriad gama.

○ Mae'r gwahaniaethau rhwng pŵer treiddio alffa, beta a gama'n pennu pa mor niweidiol y gallant fod. Mae ymbelydredd alffa'n cael ei amsugno'n hawdd ond hwnnw sy'n ïoneiddio fwyaf. Mae pelydrau gama'n treiddio'n dda ond maen nhw'n ïoneiddio tua 20 gwaith yn llai nag ymbelydredd alffa.

○ Caiff gwastraff ymbelydrol ei storio mewn cyfres o systemau dal. Mae tuniau dur, dŵr, concrit a phlwm i gyd yn cael eu defnyddio i amddiffyn yr amgylchedd rhag dosiau niweidiol o ymbelydredd. Mae'r ymbelydredd sy'n cael ei gynhyrchu gan y gwastraff yn cael ei amsugno gan wahanol fathau o gynwysyddion o wahanol drwch.

○ Yr ateb hirdymor i storio gwastraff ymbelydrol yw ei storio'n ddwfn dan ddaear, lle mae'r creigiau o'i gwmpas yn gallu amsugno'r ymbelydredd niweidiol.

○ Mae pelydriad cefndir o'n cwmpas ni ym mhobman ac mae'n dod o ffynonellau naturiol neu artiffisial (wedi'u gwneud gan bobl).

○ Mae ffynonellau naturiol pelydriad cefndir yn cynnwys radon o greigiau, pelydrau gama o'r ddaear ac adeiladau, pelydrau cosmig o'r gofod a phelydriad mewn bwyd a diod.

○ Mae ffynonellau artiffisial pelydriad cefndir yn cynnwys pelydrau X o archwiliadau meddygol ac alldafliad niwclear o brofion arfau neu ddamweiniau.

○ Mae'r rhan fwyaf (rhwng 50 a 90%) o'n pelydriad cefndir ni'n dod o nwy radon (gan ddibynnu lle rydych chi'n byw).

○ Mae lefelau uwch o nwy radon mewn ardaloedd fel Cernyw, lle mae llawer o graig gwenithfaen, oherwydd mae gwenithfaen yn cynnwys wraniwm sy'n dadfeilio (yn y pen draw) i roi radon.

# 20 Gofod

## Pa mor fawr yw'r gofod?

Mae'r gofod yn fawr. Wnewch chi ddim credu pa mor enfawr, anferthol, anhygoel o fawr ydyw. Hynny yw, efallai eich bod chi'n meddwl ei bod hi'n daith bell i lawr y stryd i'r fferyllfa, ond dydy hynny'n ddim byd o'i gymharu â maint y gofod.

Douglas Adams (1952–2001),
*The Hitchhiker's Guide to the Galaxy*

Rhaglen ar Radio 4 oedd *The Hitchhiker's Guide to the Galaxy* yn wreiddiol; cafodd ei darlledu gyntaf yn 1978. Syniad Douglas Adams, yr awdur, oedd cyfleu i wrandawyr (a darllenwyr a gwylwyr wedi hynny) y cysyniad bod y gofod mor fawr nes ei bod hi'n anodd i fodau dynol sylweddoli ei hyd a'i led. Er mwyn i ni ddechrau meddwl am y gofod, roedd rhaid dyfeisio unedau newydd hyd yn oed, fel blynyddoedd golau a *parsecs* (pc), er mwyn ymdopi â graddfa enfawr y rhifau.

Y ffordd orau o werthfawrogi pa mor anferthol yw'r gofod yw dechrau ar raddfa 'fach' a mynd yn fwy fesul tipyn – gyda phob newid graddfa'n cysylltu â'r un blaenorol. Drwy adeiladu darlun 'lleol' o'r gofod, gallwn ni ddechrau cael syniad o'r darlun mawr cyflawn.

# Sut mae ein darn 'lleol' ni o'r gofod yn edrych?

**Ffigur 20.1** Y Ddaear a'i lleuad o'r gofod.

Mae ein planed ni, y Ddaear, yn blaned greigiog gymharol fach, sydd wedi'i lleoli yn 'Rhanbarth Elen Benfelen' (*Goldilocks Zone*) ein seren leol, yr Haul. Rhanbarth Elen Benfelen seren yw'r ardal o amgylch y seren honno lle byddai dŵr yn hylif ar blaned debyg i'r Ddaear a lle byddai bywyd tebyg i fywyd y Ddaear yn bosibl.

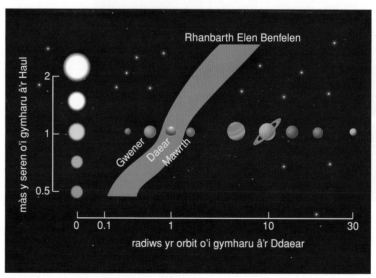

**Ffigur 20.2** Rhanbarth Elen Benfelen.

**Pwynt Trafod**

Pam rydych chi'n meddwl bod y 'rhanbarth trigiadwy' yn cael ei alw'n 'Rhanbarth Elen Benfelen'? Pa ffactorau eraill ydych chi'n meddwl fyddai'n bwysig i blaned neu leuad yn Rhanbarth Elen Benfelen seren er mwyn bod yn lle addas i 'wladfa' ddynol?

*"Mae'r uwd hwn yn rhy boeth,"* meddai Elen Benfelen.
*Felly blasodd hi'r uwd o'r ail bowlen.*
*"Mae'r uwd hwn yn rhy oer."*
*Felly blasodd hi'r bowlen olaf o uwd.*
*"Aaa, mae'r uwd hwn yn berffaith!"* meddai hi'n hapus.
*Ac fe fwytodd hi'r cyfan.*

O'r stori tylwyth teg *Elen Benfelen a'r Tair Arth*

ELEN BENFELEN A'R TAIR PLANED!

**Dyma weithgaredd sy'n eich helpu i:**
★ darllen erthygl wedi'i haddasu o gylchgrawn gwyddonol
★ ysgrifennu eich barn am ddull gwyddonol da
★ gwneud cyfrifiadau ar ffurf amcangyfrif
★ defnyddio data i ddychmygu amodau ar blanedau gwahanol.

Mae'r dasg ganlynol wedi'i haddasu o erthygl a gafodd ei chyhoeddi yn *New Scientist*.

### Canfod y blaned greigiog arall gyntaf a allai gynnal bywyd

Mae seryddwyr wedi canfod y byd estron cyntaf a allai gynnal bywyd ar ei arwyneb. Yn ogystal â bod y pellter cywir o'i seren i allu bod â dŵr hylifol, mae'n debygol bod ganddo gyfansoddiad creigiog fel y Ddaear.

Mae'r blaned yn troi o amgylch seren gorrach coch bŵl o'r enw Gliese 581 sydd 20 o flynyddoedd golau i ffwrdd o'r Ddaear. Roeddem ni eisoes yn gwybod am bedair planed o amgylch y seren, gyda dwy ohonynt yn agos at ymylon mewnol ac allanol y rhanbarth trigiadwy, lle gallai dŵr hylifol – ac felly, o bosibl, bywyd – fodoli ar yr arwyneb.

Mae'n ymddangos bod un o'r rheini, sy'n teithio ar orbit 13 diwrnod, yn rhy boeth i ddŵr hylifol. Ar y llall, sydd ar orbit 67 diwrnod, efallai ei bod hi'n ddigon cynnes i ddŵr hylifol. Mae'r farn ar yr ail blaned hon yn parhau i newid gan ei bod hi'n hofran yn agos iawn i ymyl allanol y Rhanbarth Elen Benfelen.

Mae'r blaned sydd newydd gael ei darganfod, sef Gliese 581 g, rhwng y blaned boeth a'r blaned oer. Defnyddiodd Steven Vogt o Brifysgol California, Santa Cruz, a Paul Butler o Sefydliad Carnegie yn Washington, DC, y telesgop Keck I 10 metr yn Hawaii i fesur sut roedd y fam-seren yn siglo wrth ymateb i dyniadau disgyrchol gan ei phlanedau. Cafodd eu data eu cyfuno â mesuriadau a gyhoeddwyd gan Michel Mayor o Arsyllfa Genefa a'i gydweithwyr gan ddefnyddio telesgop 3.6 metr yn Arsyllfa Ddeheuol Ewrop yn Chile.

### Uwch-Ddaear (*super-Earth*) greigiog

Roedd y sigladau'n datgelu dwy blaned nad oedd wedi cael eu canfod o amgylch y seren cyn hynny, i roi cyfanswm o chwech. Mae un tua saith gwaith màs y Ddaear ac mewn orbit 433 diwrnod – yn llawer rhy bell o'i seren i gynnal dŵr hylifol. Mae'r llall, Gliese 581 g, yn y Rhanbarth Elen Benfelen ac mae ganddi orbit 37 diwrnod. Mae ei màs rhwng 3.1 a 4.3 gwaith màs y Ddaear. Mae ei màs cymharol isel yn golygu y dylai fod wedi ei gwneud yn bennaf o graig, fel y Ddaear.

### Cylchfa gyfnosi

Byddai amodau ar y blaned yn wahanol iawn i amodau ar y Ddaear. Mae'r seren letyol yn gorrach coch màs isel sydd tuag 1 y cant mor ddisglair â'r Haul. Gan ei bod yn rhoi cyn lleied o olau a chynhesrwydd, mae ei Rhanbarth Elen Benfelen yn llawer agosach ati nag un yr Haul. Ar bellterau mor fyr, mae planedau yn y rhanbarth yn profi tyniadau disgyrchol cryf gan y seren. Dros amser bydd hyn yn tueddu i arafu cyflymder cylchdro planed, nes iddi gael ei 'chloi' ag un ochr yn wynebu'r seren drwy'r amser, fel mae un wyneb i'r Lleuad yn pwyntio tuag at y Ddaear drwy'r amser. Byddai hynny'n golygu golau dydd drwy'r amser ar un ochr i'r blaned a chysgod parhaol ar yr ochr arall. Mae brasamcan cyntaf yn awgrymu y byddai'r tymheredd yn 71 °C ar ochr y dydd ac yn −34 °C ar ochr y nos, er y gallai gwyntoedd leihau'r gwahaniaethau drwy ailddosbarthu gwres o amgylch y blaned. Wrth deithio o un ochr o'r blaned i'r llall, byddai yna amrediad o dymereddau rhwng y rhain. Y lle mwyaf cyffordddus ar y blaned hon fyddai ar hyd y llinell derfyn, y llinell rhwng y goleuni a'r tywyllwch. Yn y fan hon, byddech chi'n gweld y seren yn eistedd ar y gorwel – byddech chi'n gweld codiad neu fachlud haul tragwyddol.

### Y gyntaf o lawer

Mae'r darganfyddiad yn awgrymu bod planedau trigiadwy'n gyffredin, a'u bod nhw gan 10 i 20 y cant o gorachod coch neu sêr sy'n debyg i'r Haul. Os cymerwch chi nifer y sêr yn ein galaeth – rhai cannoedd o biliynau – a'u lluosi â 10 i 20 y cant, mae hynny'n rhoi 20 neu 40 biliwn o blanedau a allai fod yn drigiadwy yn y Llwybr Llaethog yn unig. Er bod y blaned newydd yn y rhanbarth trigiadwy, mae'n annhebygol y gwnawn ni ddarganfod yn fuan a oes unrhyw beth yn byw yno. Un ffordd o ddarganfod hyn fyddai mesur sbectrwm golau'r blaned. Gallai hyn ddatgelu ocsigen moleciwlaidd neu arwyddion posibl eraill o fywyd yn ei hatmosffer. Ond mae llacharedd ei mam-seren yn golygu ei bod yn amhosibl gwneud hynny â'r offer presennol. Cyn bo hir, caiff planedau newydd eu darganfod y byddwn ni'n gallu eu harsylwi â'r dechnoleg telesgop sy'n bodoli.

*parhad...*

Hafaliad Drake – yn 1961, dyfeisiodd Frank Drake hafaliad i amcangyfrif nifer y gwareiddiadau a allai fodoli yn ein galaeth ac y gallem ni gyfathrebu â nhw. Edrychwch arno yn:

www.pbs.org/wgbh/nova/origins/drake.html

http://library.thinkquest.org/C003763/index.php?page=origin09

Faint o wareiddiadau gawsoch chi?

Cwestiynau

1  Beth yw'r 'Rhanbarth Elen Benfelen'?

2  Beth fyddai nodweddion cyffredinol planed Elen Benfelen yn eich barn chi?

3  Sut cafodd Gliese 581 g ei 'darganfod'?

4  Pam rydych chi'n meddwl y cafodd arsylwadau a mesuriadau Gliese 581 g eu gwneud gan ddwy set wahanol o seryddwyr yn gweithio mewn dwy arsyllfa wahanol? Pam rydych chi'n meddwl bod hyn yn 'wyddoniaeth dda'?

5  Pam rydych chi'n meddwl bod màs Gliese 581 g wedi'i roi fel 'rhwng 3.1 a 4.3' gwaith màs y Ddaear?

6  Sut rydych chi'n meddwl y byddai disgyrchiant Gliese 581 g yn cymharu â disgyrchiant y Ddaear? Sut byddai hyn yn effeithio ar fywydau pob dydd gofodwyr dynol yn byw ar Gliese 581 g pe baen nhw'n cyrraedd yno?

7  Sut rydych chi'n meddwl y byddai gofodwyr yn addasu i fywyd ar blaned wedi'i 'chloi' ag un ochr yn wynebu'r seren drwy'r amser?

8  Mae M31, sef Galaeth Andromeda, yn alaeth agos i'r Llwybr Llaethog. Mae'n fwy na'r Llwybr Llaethog. Mae arsylwadau Telesgop Gofod Spitzer yn amcangyfrif bod M31 yn cynnwys 1 triliwn ($1 \times 10^{12}$ neu 1 000 000 000 000) o sêr. Os dim ond 10% o sêr sydd â phlanedau trigiadwy faint o blanedau o'r fath allai fod yng Ngalaeth Andromeda?

9  Pam rydym ni'n annhebygol o gael gwybod a oes bywyd ar Gliese 581 g?

## Unedau cymharol – cymharu pellterau yng Nghysawd yr Haul

Gallwch chi weld bod y Rhanbarth Elen Benfelen yn dibynnu ar fàs y seren, a bod yr unedau sy'n cael eu defnyddio yn Nhabl 20.1 yn cael eu rhoi ' yn gymharol' â'r Ddaear a'r Haul. Mae hyn yn golygu mai màs yr Haul yw 1 ac mai radiws orbit y Ddaear yw 1. Ar gyfer seren fwy (a phoethach), byddai'r Rhanbarth Elen Benfelen yn bellach oddi wrth y seren. Yng Nghysawd yr Haul, mae seryddwyr yn defnyddio graddfa gymharol fel rheol.

**Tabl 20.1**  Rhai gwerthoedd 'cymharol' a'u gwerthoedd gwirioneddol mewn unedau SI.

| Uned gymharol | Gwerth gwirioneddol ac uned SI |
|---|---|
| Màs y Ddaear, $M_\oplus$ <br> Radiws cyfartalog y Ddaear, $R_\oplus$ | $M_\oplus = 6 \times 10^{24}$ kg <br> $R_\oplus = 6\,371\,000$ m $= 6.371 \times 10^6$ m |
| Y pellter (cyfartalog) o'r Ddaear i'r Haul, sef 1 uned seryddol (1 AU: *astronomical unit*) | 1 AU $= 149\,598\,000\,000$ m <br> $(1.5 \times 10^{11}$ m) |
| Màs yr Haul, $M_\odot = 1$ màs solar <br> Radiws yr Haul, $R_\odot = 1$ radiws solar | $M_\odot = 2 \times 10^{30}$ kg $= 333\,333\,M_\oplus$ <br> $R_\odot = 7 \times 10^8$ m $= 0.0046$ AU |

Y tu mewn i Gysawd yr Haul, mae'n well defnyddio unedau cymharol. Fel rheol, rhoddir pellteroedd mewn AU a masau mewn $M_\oplus$.

Mae'r Undeb Seryddol Rhyngwladol wedi 'israddio' Plwton i blaned gorrach. Mae llawer o bobl yn anhapus iawn am y penderfyniad hwn. Beth ydych chi'n ei feddwl?

**Tabl 20.2** Data am blanedau Cysawd yr Haul.

| Planed | Symbol | Radiws orbit cyfartalog (mewn AU) | Cyfnod orbitol (mewn Bldd. Daear) | Radiws cyfartalog (mewn $R_{\oplus}$) | Màs (mewn $M_{\oplus}$) |
|---|---|---|---|---|---|
| Mercher | ☿ | 0.39 | 0.24 | 0.38 | 0.06 |
| Gwener | ♀ | 0.72 | 0.62 | 0.95 | 0.82 |
| Daear | ⊕ | 1.0 | 1.0 | 1.0 | 1.0 |
| Mawrth | ♂ | 1.5 | 1.9 | 0.53 | 0.11 |
| Iau | ♃ | 5.2 | 12 | 11 | 320 |
| Sadwrn | ♄ | 9.6 | 29 | 9.5 | 95 |
| Wranws | ⛢ | 19 | 84 | 4.0 | 15 |
| Neifion | ♆ | 30 | 170 | 3.9 | 17 |

## CWESTIYNAU

1 Beth yw gwerthoedd gwirioneddol (mewn unedau SI) y canlynol?
   a radiws orbit cyfartalog Mercher
   b radiws cyfartalog Iau
   c màs Neifion
2 Lluniadwch graff o gyfnod orbitol (echelin $y$) yn erbyn radiws orbit cyfartalog (echelin $x$). Gofalwch eich bod chi'n rhoi teitl ar eich graff ac yn labelu'r echelinau. Tynnwch linell ffit orau drwy eich pwyntiau data.
3 Dydy'r llinell ffit orau ddim yn syth. Beth yw'r patrwm yn eich data?
4 Mae cyfnod orbitol y blaned gorrach Plwton yn 248 blwyddyn Daear. Defnyddiwch eich graff i ragfynegi radiws orbit cyfartalog Plwton.

## GWAITH YMARFEROL — GWNEUD MODEL WRTH RADDFA O GYSAWD YR HAUL

**Dyma weithgaredd sy'n eich helpu i:**
★ gweithio fel tîm
★ gwneud model wrth raddfa.

**Ffigur 20.3** Meintiau cymharol yr Haul a'i blanedau.

*parhad...*

Asesiad risg

- Bydd eich athro/athrawes yn rhoi asesiad risg addas i chi ar gyfer y gweithgaredd hwn.

### Cyfarpar
* cae chwarae'r ysgol (hyd 650 m)
* pêl diamedr 20 cm (yr Haul)
* 2 hedyn berwr (Mawrth a Mercher)
* 2 rawn pupur (Daear a Gwener)
* pêl diamedr 23 mm o blastisin (Iau)
* pêl diamedr 18 mm o blastisin (Sadwrn)
* 2 bêl 7 mm o blastisin (Neifion ac Wranws)
* olwyn fesur
* tâp gludiog (dewisol)

### Dull
Gweithiwch mewn tîm o dri neu bedwar. Efallai y bydd hi'n haws i chi lynu pob 'planed' ar ben peg pabell fel ei bod hi'n haws eu rhoi nhw yn y ddaear. Gallech chi wneud eich 'baneri' eich hun (fel baneri castell tywod) gan ddefnyddio'r un raddfa. Os yw hyd cae chwarae eich ysgol yn llai na 650 m, bydd angen i chi addasu'r raddfa gan ddefnyddio cyfrifiannell Cysawd yr Haul ar-lein fel:

www.exploratorium.edu/ronh/solar_system/
http://thinkzone.wlonk.com/Space/SolarSystemModel.htm
www.smileyxtra.co.uk/etdistance

I osod allan eich model wrth raddfa o Gysawd yr Haul, bydd angen i chi ddechrau drwy roi'r bêl 20cm (sy'n cynrychioli'r Haul) yn un pen eich cae chwarae. Wrth raddfa, dyma bellteroedd pob planed o'r 'Haul':

| Planed | Mercher | Gwener | Daear | Mawrth | Iau | Sadwrn | Wranws | Neifion |
|---|---|---|---|---|---|---|---|---|
| **Pellter (m)** | 8 | 16 | 21 | 33 | 112 | 205 | 412 | 647 |

Yna cewch chi syniad o faint cwbl anhygoel Cysawd yr Haul!

### Gwaith estynedig
Gweithiwch mewn parau i wneud y gweithgaredd hwn.

Mae'n eithaf anodd llunio map wrth raddfa o Gysawd yr Haul ar bapur. Gallech chi ddefnyddio papur toiled (hyd tua 30 m) ond hyd yn oed wedyn, byddai defnyddio'r un raddfa ar gyfer diamedr y planedau ac ar gyfer radiws eu horbitau yn golygu y byddai diamedr Mercher yn 0.02 mm a'r Ddaear yn 0.06 mm, h.y. dotiau bach iawn. Felly, gallech chi ddefnyddio dwy raddfa: un i radiws yr orbit a'r llall i'r diamedr.

Defnyddiwch gyfrifiannell Cysawd yr Haul ar-lein i wneud map wrth raddfa o Gysawd yr Haul a fydd yn ffitio ar ddwy ddalen o bapur A3 wedi'u glynu ochr wrth ochr gyda'r tudalennau ar draws. Bydd rhaid i chi arbrofi â'r raddfa radiws orbit a'r raddfa diamedr fel bod Neifion yn ffitio ar y ddwy ddalen ac fel nad yw Mercher, Gwener, y Ddaear a Mawrth yn gorgyffwrdd. Gallech chi ddefnyddio delweddau lliw wrth raddfa o'r planedau i'w glynu ar eich map.

# Pa mor fawr yw Cysawd yr Haul?

Mae'r ateb i'r cwestiwn hwn yn dibynnu ar beth rydym ni'n ystyried sydd *yng* Nghysawd yr Haul. Mae dwy ffordd o edrych ar hyn. Y ffordd gyntaf yw meddwl am y gronynnau mater sy'n llifo o'r Haul, sef y Gwynt Solar, a'r gronynnau mater sy'n dod tuag atom ni o sêr cyfagos, sef y Gwynt Serol. Enw'r pwynt lle mae grym y Gwynt Solar o'r Haul yn cydbwyso grym y Gwynt Serol tuag at yr Haul yw'r **heliosaib** (*heliopause*). Mae hwn yn digwydd tua 100 AU o'r Haul – tua thair gwaith pellach o'r Haul na'r blaned Neifion.

Yr ail ffordd o feddwl am hyn yw drwy ystyried disgyrchiant. Mae maes disgyrchiant yr Haul yn ymestyn yn bell i'r gofod, ond daw pwynt rhwng yr Haul a'i sêr cyfagos lle mae tynfa disgyrchiant yr Haul yn llai na thynfa disgyrchiant y sêr cyfagos. Mae hyn yn digwydd ar tua 125 000 AU – dros 4000 gwaith yn bellach o'r Haul na Neifion. (Tua'r un maint â'r pellter go iawn o Lundain i Moscow yn defnyddio ein model cae ysgol!).

Os defnyddiwn ni'r mwyaf o'r ddau ddiffiniad, mae Cysawd yr Haul yn cynnwys:

- un seren (yr Haul)
- wyth planed (MGDMISWN)
- 146 lleuad (ym mis Hydref 2010, yn ôl yr Undeb Seryddol Rhyngwladol). Lloeren naturiol planed yw lleuad, fel ein Lleuad ni. Y lleuad fwyaf yng Nghysawd yr Haul yw Ganymed, un o leuadau Iau
- un gwregys asteroidau (rhwng Mawrth ac Iau – mae'r mwyaf o'r rhain sy'n hysbys, Ceres, mewn gwirionedd yn cael ei dosbarthu'n blaned gorrach fel Plwton)
- pum planed gorrach (Ceres, Plwton, Eris, Makemake a Haumea)
- nifer o gomedau cyfnod byr a chyfnod hir (fel comed Halley)
- gwrthrychau o'r enw saethyddion (*centaurs* – mân blanedau ansefydlog, hanner ffordd rhwng asteroidau a chomedau. Y mwyaf o'r rhain sy'n hysbys yw Chariklo; mae ei ddiamedr yn 260 km)
- llwch rhwng y planedau
- y Gwynt Solar
- cwmwl o lwch a rhew o'r enw Cwmwl Oort, sy'n cael ei ystyried fel rhyw fath o 'fan magu comedau'. Mae Cwmwl Oort yn ymestyn o tua 2000 AU i tua 50 000 AU.

Mae Ffigur 20.4 yn dangos sut mae Cysawd yr Haul yn edrych o'r gofod.

Y raddfa nesaf i fyny yw ein grŵp ni o sêr – ein galaeth, y Llwybr Llaethog. Mae Ffigur 20.5 yn dangos map o'r Llwybr Llaethog wrth edrych i lawr arno.

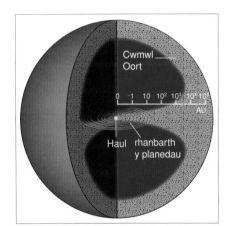

**Ffigur 20.4** Cysawd yr Haul o'r tu allan.

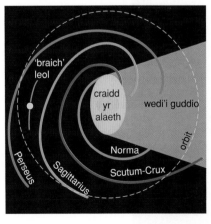

**Ffigur 20.5** Edrych i lawr ar y Llwybr Llaethog.

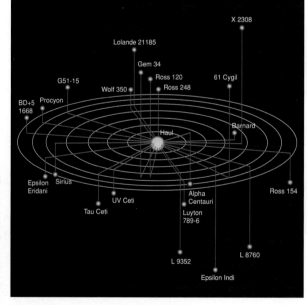

Ffigur 20.6 Y Llwybr Llaethog o'r ochr.

clystyrau crwn

lleugylch
galaethog

disg

rydych chi yma

canol yr
alaeth

craidd
yr alaeth

Mae Ffigur 20.6 y
wedi'i lunio o'r o

Mae'r Llwybr L
Uned Seryddol (A
defnyddio i gymh
Haul, yn rhy fach
flwyddyn golau (l

Caiff 1 flwyddy
mae golau'n ei de
buanedd golau w

Mae 1 flwyddyn
24 awr ym mhob
awr; mae 60 eiliad

Felly, 1 flwyddyn  = 365.25 × 24

Felly, 1 flwyddyn golau (ly) = 30(

= 9 467 280 00(

Os yw diamedr Cysawd yr Haul y
37 500 000 000 000 000 m neu 4
cymryd 4 blwyddyn i olau deithi
pen i'r llall.

Mae galaeth y Llwybr Llaethog
Haul tua 27 000 ly o ganol yr alaeth (ychydig dros hanner ffordd
allan). Mae'r seren agosaf atom ni, Proxima Centauri, 4.2 ly i
ffwrdd. Byddai'n cymryd 4.2 blwyddyn yn teithio ar fuanedd golau
i'w chyrraedd. (Mae Proxima Centauri yn rhan o grŵp bach o sêr
o'r enw Alpha Centauri.) Mae'r map yn Ffigur 20.7 yn plotio'r sêr
agosaf at yr Haul (agosach na 14 ly).

Ffigur 20.7 Map o'r sêr agosaf at yr Haul.

Mae ein galaeth ni'n rhan o 'Grŵp Lleol' o alaethau, sy'n cynnwys
y Llwybr Llaethog, galaeth droellog arall o'r enw M31 neu Alaeth
Andromeda (mae'r 'M' yn sefyll am wrthrych Messier – cyfres o
wrthrychau sy'n ddwfn yn y gofod a gafodd eu catalogio gyntaf gan

Ffigur 20.8 Charles Messier.

y seryddwr o Ffrainc, Charles Messier, ac a gyhoeddwyd yn 1774), galaeth droellog arall o'r enw Triangulum, M33, a chyfres gyfan o alaethau 'corrach' bach (Ffigur 20.9).

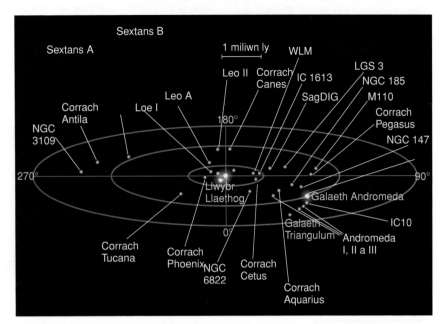

**Ffigur 20.9** Mae diamedr ein Grŵp Lleol ni o alaethau'n 10 miliwn ly – tua 100 gwaith mwy na'n galaeth ni.

Yna, mae ein Grŵp Lleol ni'n rhan o uwchglwstwr o grwpiau o alaethau o'r enw Uwchglwstwr Virgo. Mae diamedr hwn yn 110 miliwn blwyddyn golau (11 gwaith yn fwy na'n Grŵp Lleol ni a dros 1000 gwaith yn fwy na'r Llwybr Llaethog).

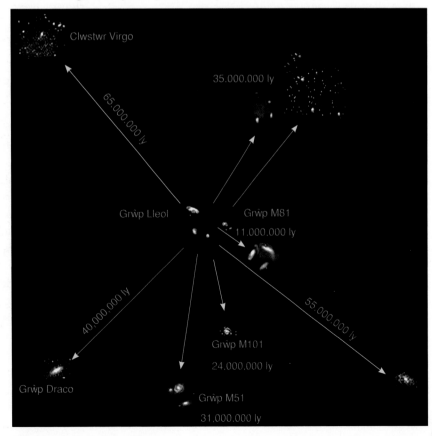

**Ffigur 20.10** Uwchglwstwr Virgo.

**Dyma weithgaredd sy'n eich helpu i:**

★ cyfathrebu syniadau ar ffurf diagram

★ dylunio diagram

★ cyfrifo graddfa.

Faint yn fwy yw pob gwrthrych na'r un o'i flaen? Gan ddechrau â Chysawd yr Haul, yna'r Llwybr Llaethog, y Grŵp Lleol ac Uwchglwstwr Virgo, lluniadwch ddiagram i ddangos faint yn fwy yw pob gwrthrych na'r un o'i flaen fel ffactor graddfa (e.e. × 10). Gallech chi ddefnyddio Ffigur 20.11 fel templed, neu gallech chi argraffu eich lluniau eich hun gan greu eich dyluniad eich hun.

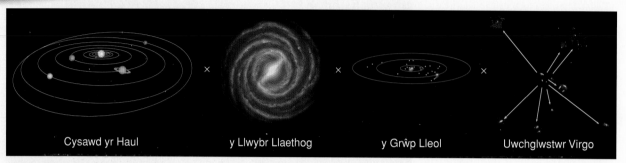

| Cysawd yr Haul | × | y Llwybr Llaethog | × | y Grŵp Lleol | × | Uwchglwstwr Virgo |

**Ffigur 20.11**

## CWESTIYNAU

5 a Pam rydych chi'n meddwl bod yna ddau ddiffiniad o Gysawd yr Haul?

   b Beth yw'r prif wrthrychau yng Nghysawd yr Haul?

6 Beth yw'r heliosaib?

7 a Beth yw lleuad?

   b Y blaned Iau a'r blaned Sadwrn sydd â'r nifer mwyaf o leuadau. Pam rydych chi'n meddwl bod ganddynt fwy o leuadau na phlanedau eraill?

8 Eglurwch beth yw ystyr y canlynol:

   a planed gorrach

   b Cwmwl Oort

   c galaeth

   ch uwch-glwstwr

9 a Beth yw blwyddyn golau (ly)?

   b Sawl uned seryddol (AU) sydd mewn 1 ly?

10 Pam mae Galaeth Andromeda yn cael ei galw'n M31?

## ◯ Crynodeb o'r bennod

○ Mae Cysawd yr Haul yn cynnwys un seren – yr Haul, wyth planed, nifer o blanedau corrach a llawer o leuadau.

○ Mae 'bywyd' yn bosibl y tu mewn i ardal o ofod yn agos at seren. Rydym yn galw hyn yn rhanbarth trigiadwy neu Ranbarth Elen Benfelen (*Goldilocks Zone*).

○ Cysawd yr Haul yw'r enw ar ein darn 'lleol' ni o'r gofod. Mae Cysawd yr Haul yn rhan o alaeth, sef y Llwybr Llaethog. Mae'r Llwybr Llaethog yn rhan o grŵp o alaethau, sef y Grŵp Lleol, ac mae'r Grŵp Lleol yn rhan o glwstwr o 'grwpiau' o'r enw Uwchglwstwr Virgo.

○ Mae angen defnyddio amrywiaeth o raddfeydd pellter wrth drafod y Bydysawd. Ar raddfa planedau a Chysawd yr Haul, y peth gorau i'w wneud yw cymharu pethau â'r Ddaear a'r Haul. Ar raddfa galaeth y Llwybr Llaethog a'r Bydysawd arsylladwy, yr uned orau i'w defnyddio yw'r flwyddyn golau, sef y pellter mae golau'n ei deithio mewn 1 flwyddyn.

# 21 Y Bydysawd

## Ble mae'r gofod yn dod i ben?

Efallai y dylem ni ofyn y cwestiwn hwn mewn ffordd wahanol. Ydy'r gofod yn mynd ymlaen am byth? Ydy'r Bydysawd yn anfeidraidd? Neu, o ran hynny, beth yw'r Bydysawd? Efallai ei bod hi'n haws ateb y cwestiwn olaf na'r lleill. Y Bydysawd yw: yr holl ofod; yr holl amser; yr holl fater a'r holl egni – syml!

### Pwynt Trafod

Ydy'r Bydysawd yn fwy na hyn? Wel, ychydig bach. Oed y Bydysawd yw tuag 13.7 biliwn o flynyddoedd, felly mae 'ymyl' y Bydysawd dim ond 0.6 biliwn o flynyddoedd golau (sef 4% o gyfanswm maint y Bydysawd) yn bellach na GRB 090423. Ond dyna'r cyfan. Does dim mwy. Neu oes yna? Gallwn ni ystyried bod y Bydysawd gweladwy (y Bydysawd rydym ni'n gallu ei arsylwi â'r sbectrwm electromagnetig) yn sffêr sydd â diamedr tua 28 biliwn blwyddyn golau (tua 2 × 13.7 biliwn ly), ond beth sydd y tu hwnt iddo? Neu beth oedd yma o'i flaen? Pwy a ŵyr?

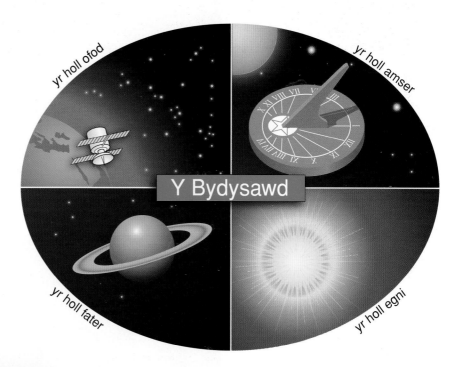

yr holl ofod

yr holl amser

Y Bydysawd

yr holl fater

yr holl egni

Felly os yw'r Bydysawd yn bopeth, pa mor fawr yw popeth? Pan mae seryddwyr yn defnyddio telesgopau mwyaf a chryfaf y byd, maen nhw'n gallu gweld gwrthrychau sy'n bell iawn iawn i ffwrdd. Y gwrthrych pellaf erioed i gael ei ddelweddu yw GRB 090423, gwrthrych byrst pelydrau gama a gafodd ei fesur 13.1 biliwn blwyddyn golau i ffwrdd.

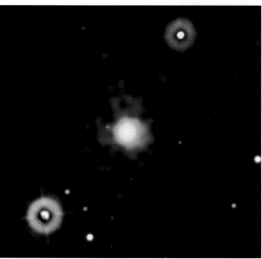

**Ffigur 21.1** Y gwrthrych pellaf erioed i gael ei ddelweddu – GRB090423

1 Pa mor fawr yw'r Bydysawd?

2 Pe baech chi'n rhoi eich cyfeiriad i rywun arall a oedd yn byw ar ochr arall y Bydysawd, sut byddech chi'n ysgrifennu eich cyfeiriad er mwyn iddynt allu anfon cerdyn post atoch chi?

3 Pa mor hir y byddai'n ei gymryd i e-gerdyn yn teithio ar fuanedd golau eich cyrraedd o ochr arall y Bydysawd?

## TASG    YMYL Y BYDYSAWD?

Dyma weithgaredd sy'n eich helpu i:

★ gwerthuso honiadau gwyddonol yn seiliedig ar ddadansoddi data'n feirniadol

★ gweld sut mae damcaniaeth wyddonol wedi datblygu dros amser

★ prosesu, dadansoddi a dehongli data eilaidd

★ ffurfio casgliadau'n seiliedig ar dystiolaeth.

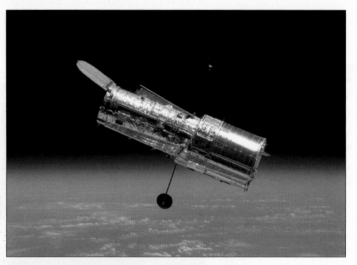

Ffigur 21.2   Telesgop Hubble.

Ffigur 21.3   Maes Dwfn Iawn Hubble.

Ai hwn yw'r ffotograff gwyddonol pwysicaf erioed? Rhwng mis Medi 2003 a mis Ionawr 2004, cafodd camerâu Telesgop Gofod Hubble eu cyfeirio at ddarn o ofod oedd yn ymddangos yn ddu ac yn wag, a chafodd agorfeydd y camerâu eu gadael ar agor am ychydig dros 11 diwrnod. Pan gafodd y delweddau eu prosesu a'u hadio at ei gilydd, cafodd delwedd anhygoel Ffigur 21.3 ei ffurfio. Caiff ei galw'n Faes Dwfn Iawn Hubble. Mewn gwirionedd, mae dros 10 000 o

*parhad...*

alaethau yn y darn 'gwag' hwn o'r awyr, ac mae pob galaeth yn cynnwys dros gan biliwn o sêr. Mae pob un o'r dotiau a'r smwtshis hyn yn alaeth gyfan!

Mae maint y gofod sydd yn y llun hefyd yn aruthrol. Dychmygwch edrych ar y gofod drwy welltyn yfed 2.5 m o hyd – dyna pa mor fawr yw'r darn o ofod yn y llun hwn.

Mae llawer o'r galaethau hyn mor bell oddi wrthym ni nes bod y golau sy'n ein cyrraedd ni wedi cymryd biliynau o flynyddoedd i'n cyrraedd. Rydym ni'n edrych arnynt fel yr oedden nhw yn fuan ar ôl i'r Glec Fawr gynhyrchu'r Bydysawd, 13.7 biliwn o flynyddoedd yn ôl.

Yn y dasg hon, byddwch chi'n cael dwy set o ddata sydd wedi'u cymryd gan seryddwyr dros y 100 mlynedd diwethaf. Mae'r data'n rhoi pellter galaeth o'r Ddaear a'i buanedd oddi wrthym ni. Cafodd Set Ddata 1 (Tabl 21.1) ei defnyddio gan y seryddwr o America, Edwin Hubble, yn 1929 (Ffigur 21.4) ac mae Set Ddata 2 (Tabl 21.2) yn gasgliad o ddata modern sy'n defnyddio arsylwadau a mesuriadau o uwchnofâu pell yn ffrwydro (sêr enfawr yn ffrwydro).

**Ffigur 21.4** Edwin Hubble.

Gallwch chi blotio'r data â llaw ar bapur graff neu drwy ddefnyddio rhaglen taenlenni fel Excel.

**Tabl 21.1** Set Ddata 1 – data Edwin Hubble yn 1929.

| Pellter yr alaeth o'r Ddaear, $d$ (blynyddoedd golau, ly) | Buanedd yr alaeth oddi wrth y Ddaear, $v$ (km/s) |
|---|---|
| 10 | 170 |
| 150 | 200 |
| 170 | 290 |
| 210 | 200 |
| 270 | 300 |
| 300 | 650 |
| 310 | 150 |
| 340 | 920 |
| 370 | 500 |
| 480 | 500 |
| 580 | 960 |
| 660 | 500 |
| 670 | 800 |
| 680 | 1 090 |

*parhad...*

1 Plotiwch ddata Hubble (ar gyfer galaethau cyfagos) ar graff gyda 'Pellter o'r Ddaear, *d* (blynyddoedd golau)' ar yr echelin *x* a 'Buanedd oddi wrth y Ddaear, *v* (km/s)' ar yr echelin *y*.

2 Sut byddech chi'n disgrifio patrwm y data hyn? (**Awgrym**: Ydy'r data i gyd yn eistedd ar linell syth neu ydy hi'n gromlin? Oes patrwm/tuedd gyffredinol? Ydy'r data wedi'u gwasgaru'n eang neu'n agos at ei gilydd?)

3 Tynnwch linell syth ffit orau drwy'r data. Rhaid i'ch llinell ddechrau yn y tarddbwynt (0,0). Rhaid i'r llinell ffit orau hon fynd drwy ganol patrwm y data.

4 Allwch chi dynnu llinellau eraill sy'n dangos patrymau yn y data hyn?

Casgliad Edwin Hubble oedd fod y data hyn yn dangos bod y Bydysawd yn ehangu. Y pellaf roedd y seren, y cyflymaf roedd hi'n symud. Dywedodd hefyd fod perthynas fathemategol union rhwng y ddau fesur, $v = H_o \times d$, neu os dyblwch chi'r pellter o'r Ddaear, fod buanedd y seren yn dyblu. Cafodd y gwerth $H_o$ ei enwi'n gysonyn Hubble, a hwn yw graddiant (neu oledd) y llinell; cyfrifodd Hubble y gwerth fel 500 km/s/Mpc. (1 Mpc = 1 megaparsec = $3.2 \times 10^6$ ly.) Cafodd y berthynas hon ei henwi'n Ddeddf Hubble.

5 Ydych chi'n cytuno â chasgliadau Hubble?

6 Pa mor gryf roedd Hubble yn teimlo am y casgliad hwn, yn eich barn chi?

7 Ydych chi'n meddwl bod gwyddonwyr eraill yn gyffredinol yn cytuno ag ef, neu ydych chi'n meddwl y byddai rhai wedi ei amau?

Bron yn syth ar ôl i Hubble gyhoeddi ei ddata, sylweddolodd seryddwyr eraill, os oedd y Bydysawd yn ehangu, ei fod ar un adeg wedi gorfod bod yn llawer llai. Yn wir, roedd yn rhaid bod y Bydysawd wedi dechrau mewn un man, ac ar un adeg yn y gorffennol. Mae'n rhaid bod hwn wedi bod yn ffrwydrad aruthrol – creadigaeth y Bydysawd – a chafodd hwn ei enwi'n Glec Fawr.

**Tabl 21.2** Set Ddata 2 – Data uwchnofâu modern.

| Pellter yr uwchnofa o'r Ddaear, *d*, (Mpc) | Buanedd yr uwchnofa oddi wrth y Ddaear, *v* (km/s) |
| --- | --- |
| 60 | 4 100 |
| 80 | 5 400 |
| 100 | 7 200 |
| 120 | 7 900 |
| 140 | 9 000 |
| 160 | 12 000 |
| 180 | 13 700 |
| 200 | 14 800 |
| 220 | 15 000 |
| 240 | 16 900 |
| 260 | 18 400 |
| 280 | 19 000 |
| 300 | 21 600 |
| 320 | 23 600 |
| 400 | 26 500 |
| 420 | 30 600 |

*parhad...*

**TASG** *parhad*

8 Plotiwch ddata'r uwchnofâu ar graff gyda 'Pellter o'r Ddaear, *d* (Mpc)' ar yr echelin *x* a 'Buanedd oddi wrth y Ddaear, *v* (km/s)' ar yr echelin *y*.

9 Sut byddech chi'n disgrifio patrwm y data hyn? (**Awgrym**: Ydy'r data i gyd yn eistedd ar linell syth neu ydy hi'n gromlin? Oes patrwm/tuedd gyffredinol? Ydy'r data wedi'u gwasgaru'n eang neu'n agos at ei gilydd?)

10 Tynnwch linell syth ffit orau drwy'r data. Rhaid i'ch llinell ddechrau yn y tarddbwynt (0,0). Rhaid i'r llinell ffit orau hon fynd drwy ganol patrwm y data.

11 Allwch chi dynnu unrhyw linellau eraill sy'n dangos patrymau yn y data hyn?

12 **Gwaith estynedig:** Cyfrifwch raddiant y llinell ffit orau hon, mewn km/s/Mpc.

13 Ydy'r data hyn yn cadarnhau neu'n gwrthbrofi casgliadau Hubble yn 1929?

14 Ydych chi'n meddwl bod seryddwyr modern yn hyderus neu'n amheus am gasgliadau Hubble?

15 Disgrifiwch y gwahaniaeth rhwng y ddwy set ddata.

Heddiw mae gan seryddwyr lawer mwy o bwyntiau wedi'u plotio ar y graff hwn, gan ddefnyddio telesgopau manwl gywir a phwerus iawn, gan gynnwys Telesgop Gofod Hubble. Mae gwerth diweddaraf y Cysonyn Hubble o fesuriadau Telesgop Gofod Hubble yn 2009 yn rhoi $H_o = 74.2 \pm 3.6$ km/s/Mpc. Gan weithio tuag yn ôl, mae hyn yn rhoi oed o $13.75 \pm 0.17$ biliwn o flynyddoedd i'r Bydysawd, felly gallai ymyl y Bydysawd fod 13.75 biliwn o flynyddoedd golau i ffwrdd!

16 Gan weithio tuag ymlaen, beth ydych chi'n meddwl yw ystyr y data hyn o ran tynged y Bydysawd yn y dyfodol?

## CWESTIYNAU

4 Beth mae llun Maes Dwfn Iawn Hubble yn Ffigur 21.3 yn ei ddangos?

5 Aeth Telesgop Gofod Hubble o amgylch y Ddaear 400 gwaith yn ystod cyfnod yr arsylwadau gan dynnu 800 llun – neu ddau ar bob orbit.

   a Pam na allai Telesgop Gofod Hubble bwyntio at yr un pwynt yn yr awyr yn barhaus am 11 diwrnod?

   b Os oedd pob dinoethiad (*exposure*) yn para'r un faint o amser, pa mor hir oedd pob dinoethiad?

6 a Faint o sêr allai fod yn y llun o'r Maes Dwfn Iawn?

   b Pam rydym ni'n edrych yn ôl mewn amser, i bob diben, wrth edrych ar lun y Maes Dwfn Iawn?

   c Pam roedd cymheiriaid Hubble – y seryddwyr eraill oedd yn gweithio ar broblemau tebyg yn 1929 – yn ei chael hi'n anodd derbyn Deddf Hubble?

7 a Gan ddefnyddio set ddata Hubble (Tabl 21.1), amcangyfrifwch fuaneddau uchaf ac isaf galaeth sydd 400 ly (blwyddyn golau) o'r Ddaear.

   b Pam mae yna amrediad mawr o fuaneddau?

8 Mae Set Ddata 2 yn nhabl 21.2, sef y data o arsylwadau modern o uwchnofâu, yn dangos tuedd linol (llinell syth) iawn. Ble ar y graff hwn fyddai data Hubble o 1929?

9 Pam mae seryddwyr modern yn hyderus iawn am Ddeddf Hubble?

10 Os yw oed y Bydysawd yn 13.75 biliwn o flynyddoedd, bydd golau o'r gwrthrychau pellaf yn y Bydysawd (a gafodd eu creu'n fuan ar ôl y Glec Fawr) wedi teithio 4297 Mpc. Gan ddefnyddio Deddf Hubble, $v = H_o \times d$, a Chysonyn Hubble o 74.2 km/s/Mpc, pa mor gyflym y bydd y gwrthrychau pellaf yn y Bydysawd yn teithio?

**Pwynt Trafod**

Pam rydych chi'n meddwl bod ffotograff Maes Dwfn Iawn Hubble yn un o'r ffotograffau pwysicaf erioed?

## Sut aeth Hubble ati i fesur buanedd galaethau?

Isaac Newton oedd y cyntaf i sylwi bod tlws 'ffair' rhad o'r enw prism yn hollti golau'r haul i'w liwiau ansoddol. Cyhoeddodd ei syniadau am olau yn ei lyfr *Optiks* yn 1704.

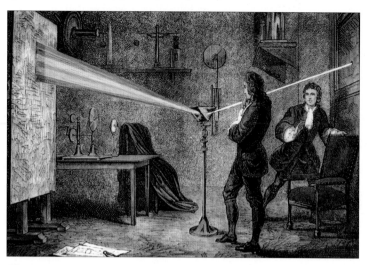

**Ffigur 21.5** Isaac Newton a'i brism.

**Ffigur 21.6** Joseph von Fraunhofer.

Aeth Newton ati i ddefnyddio prismau i astudio golau o lawer o wahanol ffynonellau. Mae *Optiks* yn llyfr sy'n disgrifio syniadau Newton am beth yw golau a lliw. Gan mlynedd yn ddiweddarach, fe wnaeth Joseph von Fraunhofer ('tad sbectrosgopeg fodern') ddarganfod bod y sbectrwm parhaus o liw sy'n cael ei gynhyrchu gan olau o'r Haul mewn gwirionedd yn cynnwys dros 700 o linellau du bach iawn. Yn ddiweddarach, cafodd hwn ei enwi'n 'Sbectrwm Fraunhofer'.

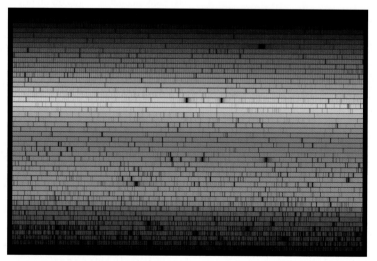

**Ffigur 21.7** Sbectrwm Fraunhofer.

Ffigur 21.8 Gustav Kirchoff.

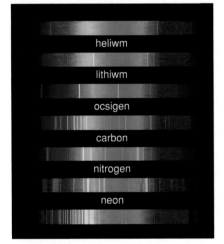

Ffigur 21.9 Sbectra allyrru.

Roedd hi'n 1859 cyn i sbectrwm Fraunhofer gael ei egluro gan Gustav Kirchoff a Robert Bunsen (a roddodd ei enw i'r llosgydd Bunsen). Fe wnaethon nhw ddarganfod bod gwahanol elfennau'n allyrru golau wrth iddynt gael eu hanweddu mewn fflam llosgydd Bunsen. Yna, aethon nhw ati i ddefnyddio dyfais prism i astudio sbectra'r gwahanol elfennau. Fe welson nhw fod gan bob elfen ei sbectrwm golau unigryw ei hun. Enw'r rhain yw sbectra **allyrru**.

Ar ben hyn fe wnaeth Kirchoff ganfod, wrth iddo basio'r golau o wahanol elfennau drwy nwy o'r elfen honno (er enghraifft, golau sbectrwm hydrogen drwy nwy hydrogen), fod y nwy'n amsugno lliwiau'r sbectrwm.

Sylweddolodd Kirchoff fod y llinellau du ar sbectrwm Fraunhofer o'r Haul yn cael eu cynhyrchu gan yr elfennau sydd yn yr Haul. Roedd Kirchoff a Fraunhofer wedi darganfod ffordd o ganfod gwahanol elfennau ar sêr sy'n bell o'r Ddaear. Roedd **sbectrosgopeg serol** wedi'i geni.

Ar 18 Awst 1868, pan oedd ar daith i Norwy i arsylwi diffyg ar yr haul, fe wnaeth Syr Norman Lockyer ganfod llinell sbectrol felen anarferol o amlwg yn sbectrwm fflêr solar a welodd yn ystod y llwyr ddiffyg. Mae'r llinell *felen* yn cyfateb i liw â thonfedd o 588 nm (5.88 × 10$^{-7}$ m). Ar y pryd, doedd dim elfen hysbys yn cynhyrchu llinell sbectrol oedd â'r lliw a'r donfedd hon. Awgrymodd Lockyer fod y llinell hon yn cyfateb i elfen newydd a alwodd yn heliwm, ar ôl y gair Groeg 'helios', sy'n golygu 'haul'.

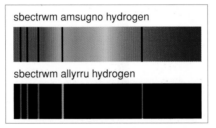

Ffigur 21.10

Ffigur 21.11 Syr Norman Lockyer.

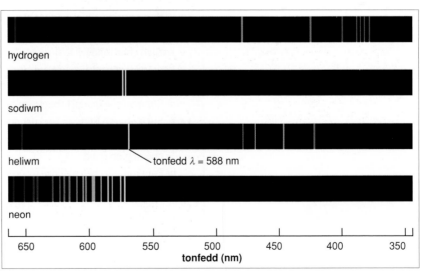

Ffigur 21.12 Sbectra allyrru hydrogen, sodiwm, heliwm a neon.

Cafodd heliwm ei arunigo a'i adnabod mewn labordy yn 1878 gan William Ramsey, ac mae technegau sbectrosgopeg serol Lockyer yn dal i gael eu defnyddio hyd heddiw i astudio cyfansoddiad cemegol sêr.

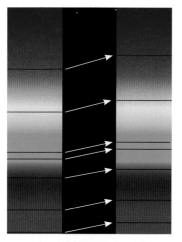

Ffigur 21.13 Rhuddiad.

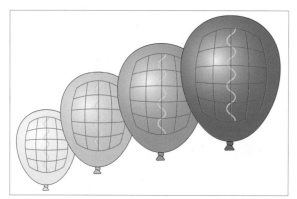

Ffigur 21.14 Rhuddiad cosmolegol.

Yn fuan ar ôl i Fraunhofer ddarganfod sbectrosgopeg, fe wnaeth ffisegydd o Ffrainc o'r enw Hippolyte Fizeau ddarganfod bod llinellau sbectrol rhai sêr yn edrych fel eu bod nhw wedi 'syflyd' (*shifted*) tuag at donfedd uwch, h.y. eu bod nhw'n mynd ychydig yn fwy 'coch' (neu'n 'rhuddo'). Roedd y patrymau i gyd yn aros yr un fath, ond roedd yn ymddangos bod pob un o'r llinellau sbectrol yn symud yr un maint tuag at ben coch y sbectrwm gweladwy. Cafodd yr effaith hon ei galw'n **rhuddiad**.

Roedd Fizeau yn tybio bod y syfliad (*shifft*) yn y llinellau'n digwydd oherwydd bod y seren yn symud yn gyflym i ffwrdd oddi wrth y Ddaear ac. Yn 1868, y seryddwr o Brydain William Huggins oedd y cyntaf i ddefnyddio mesuriadau rhuddiad i fesur buanedd seren arall yn symud oddi wrth y Ddaear.

Fodd bynnag, Edwin Hubble oedd y cyntaf i sylwi y gallai ei fesuriadau o ruddiad galaethau pell eraill gael eu hegluro nid yn unig yn nhermau symudiad cymharol y galaethau hynny i ffwrdd oddi wrth ein galaeth ni, ond hefyd oherwydd bod y Bydysawd yn ehangu. Yr enw ar hyn bellach yw **rhuddiad cosmolegol**. Mae Ffigur 21.14 yn dangos model o ruddiad cosmolegol. Mae arwyneb balŵn yn cynrychioli'r Bydysawd ac mae ton golau'n cael ei lluniadu ar arwyneb y balŵn cyn iddo gael ei enchwythu. Wrth i'r balŵn gael ei enchwythu, mae arwyneb y balŵn (y Bydysawd) yn ehangu ac mae'r don golau'n cael ei hestyn, gan gynyddu tonfedd y golau. Os yw'r donfedd yn cynyddu mae'n mynd yn fwy coch, neu'n rhuddo.

## CWESTIYNAU

11 Beth mae prism yn ei wneud i olau gwyn?

12 Mae can mlynedd yn amser hir mewn gwyddoniaeth a thechnoleg. Pam rydych chi'n meddwl mai Joseph von Fraunhofer arsylwodd y llinellau sbectrol yn sbectrwm yr Haul, ac nid Newton?

13 a Beth yw sbectrwm allyrru?
   b Sut mae'n wahanol i sbectrwm amsugno?

14 a Sut gwnaeth Norman Lockyer ddarganfod heliwm? Mae heliwm yn nwy nobl ac mae'n anadweithiol iawn – dydy e ddim yn adweithio llawer â chemegion eraill.
   b Pam rydych chi'n meddwl y cymerodd 100 mlynedd i gadarnhau darganfyddiad Lockyer?

15 Eglurwch sut gallwn ni ddefnyddio sbectra allyrru elfennau yma ar y Ddaear i ganfod cyfansoddiad cemegol sêr o'u sbectra.

16 a Beth yw rhuddiad?
   b Eglurwch y gwahaniaeth rhwng esboniad Hippolyte Fizeau o ruddiad ac esboniad Edwin Hubble.

**Pwynt Trafod**

Sut gallwn ni ddefnyddio balŵn i fodelu rhuddiad cosmolegol? Beth sy'n dda am y model? Ble mae'r model yn methu?

GWNEUD MODEL O'R BYDYSAWD A'I FESUR

Dyma weithgaredd sy'n eich helpu i:
★ gwneud model gwyddonol
★ dadansoddi model gwyddonol
★ trafod beth sy'n debyg a beth sy'n wahanol rhwng model gwyddonol a'r 'peth go iawn'
★ gwneud mesuriadau.

**Ffigur 21.15**

**Cyfarpar**
* band rwber trwchus
* stand clampio
* 4 seren â chefn gludiog
* pren mesur

**Asesiad risg**

● **Bydd eich athrawes/athro'n rhoi asesiad risg addas i chi ar gyfer y gweithgaredd hwn.**

Dull
1 Gosodwch y band rwber ar y bwrdd.
2 Defnyddiwch ysgrifbin i luniadu ton yr holl ffordd i lawr un ochr i'r band rwber. Ceisiwch gadw'r donfedd yn gyson – gallech chi ddefnyddio pren mesur i helpu i wneud hyn.
3 Glynwch y sêr ar y band rwber, pob un yn bellach a phellach oddi wrth un pen. Labelwch y sêr yn alffa ($\alpha$), beta ($\beta$), gama ($\gamma$) a delta ($\delta$).
4 Daliwch ddau ben y band rwber a'i estyn.
5 Arsylwch a chofnodwch beth sy'n digwydd i donfedd y don rydych chi wedi ei llunio ar y band rwber.
6 Arsylwch a chofnodwch beth sy'n digwydd i'r 'pellter rhyngserol' rhwng pob seren.
7 Trowch y band rwber o gwmpas ac ailadroddwch yr estyniad a'r arsylwadau. Oes ots ble ar y band rwber rydych chi wrth wneud yr arsylwadau hyn?
8 Mowntiwch y band rwber yn fertigol rhwng dau glamp ar stand. Tynhewch y ddau glamp ar draws pennau'r band rwber. Estynnwch eich model a thynhewch y cnapiau sy'n dal y clampiau.
9 Copïwch y tabl canlynol o fesuriadau eich model chi o'r Bydysawd, a'i gwblhau:

| Mesuriad | Cyn ei estyn | Wedi ei estyn |
|---|---|---|
| Hyd y band rwber | | |
| Nifer y tonnau cyflawn ar y band rwber (rhif ton) | | |
| Tonfedd y tonnau | | |
| Pellter rhwng sêr $\alpha$ a $\beta$ | | |
| Pellter rhwng sêr $\beta$ a $\gamma$ | | |
| Pellter rhwng sêr $\gamma$ a $\delta$ | | |

Dadansoddi eich canlyniadau
1 Beth sy'n digwydd i'r sêr wrth i'r band rwber gael ei estyn?
2 Eglurwch pam, wrth ddefnyddio'r model hwn, nad yw'r sêr yn cael eu hestyn wrth i'r Bydysawd ehangu.
3 Beth yw'r berthynas rhwng y cynnydd yn y donfedd ar y band rwber a hyd y band rwber wrth iddo gael ei estyn?
4 Beth sy'n cyfateb i ruddiad cosmolegol ar y model hwn?

**Pwynt Trafod**

Eglurwch sut mae'r model hwn yn debyg i'r Bydysawd go iawn. Pa mor dda yw'r model yn eich barn chi? Ydy'r model hwn yn wahanol i'r model balŵn?

Mesuriadau Hubble oedd man cychwyn y Glec Fawr fel model o'r Bydysawd. Tua 13.75 biliwn o flynyddoedd yn ôl, daeth y Bydysawd (yr holl ofod, amser, màs ac egni) i fodolaeth o ganlyniad i ffrwydrad enfawr. Byth ers hynny, mae'r Bydysawd wedi bod yn ehangu, a gallwn ni fesur faint mae wedi ehangu yn ôl y rhuddiad cosmolegol a Hafaliad Hubble, $v = H_0 \times d$. Adeg y Glec Fawr, fodd bynnag, mae'n rhaid bod symiau enfawr o egni wedi cael eu creu ar ffurf pelydrau gama. Beth sydd wedi digwydd iddynt? Bydd rhuddiad cosmolegol wedi estyn y pelydrau gama hyn, ac wrth i'r Bydysawd ehangu, bydd eu tonfeddi wedi mynd yn hirach ac yn hirach. Mewn 13.75 biliwn o flynyddoedd, bydd y pelydrau gama hyn wedi cael eu hestyn gymaint nes y dylai eu tonfeddi fod yn debyg i donfeddi microdonnau. Os edrychwn ni'n ddigon manwl, dylai'r Bydysawd fod yn llawn o'r microdonnau nodweddiadol hyn, sydd nawr yn cael eu galw'n **Belydriad Cefndir Microdonnau Cosmig** (*Cosmic Microwave Background Radiation*: **CMBR**).

Cafodd CMBR ei ddarganfod yn anfwriadol yn 1964. Roedd dau ffisegydd yn gweithio i Gwmni Ffonau Bell ger Efrog Newydd – Arno Penzias a Robert Wilson – ac yn chwilio am belydriad o'r gofod a allai niweidio lloerenni cyfathrebu. Daethon nhw o hyd i weddillion y pelydriad a gafodd ei gynhyrchu gan y Glec Fawr.

**Ffigur 21.16** Arno Penzias a Robert Wilson.

Roedd gan y CMBR a gafodd ei ddarganfod gan Penzias a Wilson yn union yr un tonfeddi â'r rhai roedd model y Glec Fawr yn eu rhagfynegi. Mae'r lloeren WMAP wedi gwneud map o'r CMBR (Ffigur 21.17).

**Ffigur 21.17** Pelydriad Cefndir Microdonnau Cosmig (CMBR) wedi'i fapio gan y lloeren WMAP.

Mae'r lliwiau gwahanol ar y map yn cynrychioli newidiadau bach yn arddwysedd y CMBR. Heb y newidiadau bach hyn, ni fyddai mater wedi ymgasglu at ei gilydd i ffurfio sêr a galaethau. Mae Ffigur 21.18 yn dangos esblygiad y Bydysawd o'r Glec Fawr hyd at arsylwadau'r lloeren WMAP.

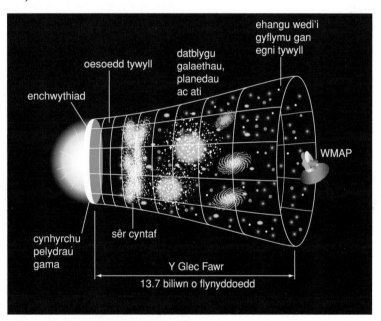

**Ffigur 21.18** Esblygiad y Bydysawd.

Mae'r Glec Fawr yn ddamcaniaeth anhygoel. Cafodd ei chynnig am y tro cyntaf gan ffisegydd o Wlad Belg o'r enw Georges Lemaitre yn 1927, ac mae hi wedi datblygu dros y cyfnod ers hynny. Y rheswm ei bod hi'n ddamcaniaeth mor dda yw ei bod hi'n seiliedig ar arsylwadau a thystiolaeth. Heb ruddiad cosmolegol a'r CMBR, dim ond ymarfer damcaniaethol diddorol mewn ffiseg fyddai damcaniaeth y Glec Fawr. Mae gan y ddamcaniaeth ei phroblemau fodd bynnag: mae'n ymddangos nad oes digon o fater yn y Bydysawd (sy'n arwain at ddamcaniaeth 'Mater Tywyll'); a does neb yn siŵr iawn sut gwnaeth popeth ddechrau, ac a oedd yna unrhyw beth cyn y Glec Fawr. Ai dim ond un Bydysawd sydd, neu oes mwy o Fydysawdau? Oedd yna Fydysawdau cyn *ein* Bydysawd *ni*?

**Pwynt Trafod**

Heddiw, mae nifer o gosmolegwyr damcaniaethol yn credu ei bod yn sicr bod yna 'rywbeth' cyn y Glec Fawr. Beth allai 'rhywbeth' fod?

## CWESTIYNAU

17 Beth yw'r CMBR?

18 Pam rydych chi'n meddwl bod darganfod y CMBR yn cael ei ystyried yn 'ddamwain'?

19 Beth mae 'map' yr WMAP o'r CMBR yn ei ddangos i ni?

20 Disgrifiwch esblygiad y Bydysawd.

21 a Pam mae'r Glec Fawr yn ddamcaniaeth mor dda?

b Beth yw 'damcaniaeth'? Pam mae ffisegwyr yn gweithio ar ddamcaniaethau newydd i'r Bydysawd?

## Y diwedd?

Mae hyn yn gysyniad diddorol. Mae tystiolaeth arsylwadol o'r bresennol yn awgrymu y bydd y Bydysawd yn parhau i ehangu am byth, ond mae hynny'n amser hir iawn, a phwy a ŵyr...efallai y daw damcaniaeth arall well i gymryd ei lle!

Fel yr ysgrifennodd Douglas Adams yn *The Hitchhiker's Guide to the Galaxy*:

Gryn amser yn ôl, penderfynodd grŵp o fodau pan-ddimensiynol, deallus iawn eu bod nhw'n mynd i ateb cwestiwn mawr Bywyd, y Bydysawd a Phopeth, unwaith ac am byth. Felly, adeiladon nhw gyfrifiadur anhygoel o bwerus, Meddwl Dwfn. Ar ôl i'r rhaglen gyfrifiadurol fawr orffen rhedeg (am saith miliwn a hanner o flynyddoedd), cafodd yr ateb ei gyhoeddi. Yr Ateb Sylfaenol i Fywyd, y Bydysawd a Phopeth yw...
(Fyddwch chi ddim yn hoffi hyn...)
Yw...

**42**

Sy'n awgrymu mai beth mae angen i chi ei wybod mewn gwirionedd yw 'Beth oedd y Cwestiwn?'

## Crynodeb o'r bennod

- Mae atomau nwy'n amsugno golau ar donfeddi penodol sy'n nodweddiadol o'r elfennau yn y nwy.
- Gallwch chi ddefnyddio data am sbectra gwahanol elfennau i adnabod nwyon o'u sbectrwm amsugno.
- Roedd gwyddonwyr y bedwaredd ganrif ar bymtheg yn gallu datgelu cyfansoddiad cemegol sêr drwy astudio'r llinellau amsugno yn eu sbectra.
- Dangosodd mesuriadau Edwin Hubble o sbectra galaethau pell fod tonfeddi'r llinellau amsugno wedi cynyddu a bod y 'rhuddiad cosmolegol' hwn yn cynyddu wrth i bellter gynyddu.
- Mae rhuddiad cosmolegol y pelydriad sy'n cael ei allyrru gan sêr a galaethau'n ymddangos oherwydd bod y Bydysawd wedi ehangu ers i'r pelydriad gael ei allyrru.
- Cafodd bodolaeth pelydriad cefndir ei ragfynegi gan ddamcaniaeth y Glec Fawr ar darddiad y Bydysawd, a chafodd ei chanfod yn anfwriadol yn yr 1960au. Yn dilyn rhuddiad, y Pelydriad Cefndir Microdonnau Cosmig (CMBR) hwn yw gweddillion y pelydriad a gafodd ei gynhyrchu pan gafodd y Bydysawd ei greu.
- Mae rhuddiad cosmolegol a'r Pelydriad Cefndir Microdonnau Cosmig wedi rhoi tystiolaeth o blaid damcaniaeth y Glec Fawr am darddiad y Bydysawd.

# Mynegai